DU MÊME AUTEUR

Aux Éditions Gallimard

L'ÉLAN, 2013.

Aux Éditions Jean-Claude Lattès

LES ÎLES, 2011.

LE LAMBEAU

PHILIPPE LANÇON

LE LAMBEAU

GALLIMARD

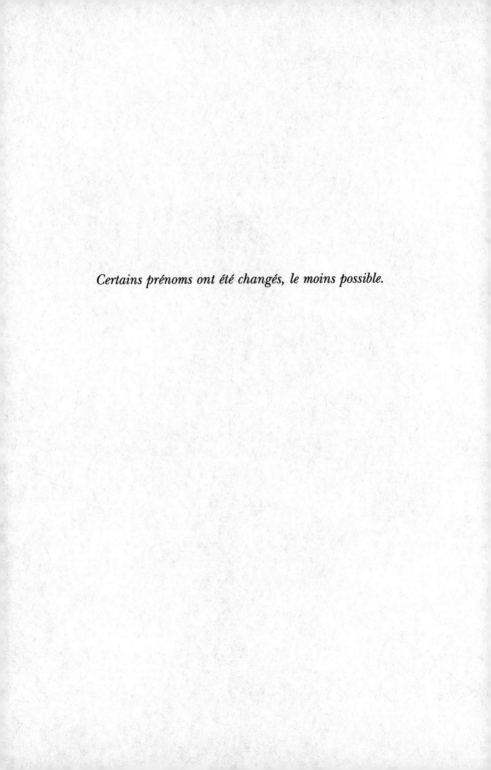

Certains prénoms ont été changés, le moins possible.

CHAPITRE 1

La Nuit des rois

La veille de l'attentat, je suis allé au théâtre avec Nina Nous allions voir aux Quartiers d'Ivry, en banlieue parisienne, *La Nuit des rois*, une pièce de Shakespeare que je ne connaissais pas ou dont je ne me souvenais pas. Le metteur en scène était un ami de Nina. Je ne le connaissais pas et j'ignorais tout de son travail. Nina avait insisté pour que je l'accompagne. Elle était heureuse de s'entremettre entre deux personnes qu'elle aimait, un metteur en scène et un journaliste. J'y allais les mains dans les poches et le cœur léger. Aucun article n'était prévu – ce qui est toujours la meilleure façon de finir par en écrire un, quand c'est par enthousiasme et en quelque sorte par surprise. Dans ces cas-là, le jeune homme qui allait jadis au théâtre rencontre le journaliste qu'il est devenu. Après un moment plus ou moins long de flottement, de timidité, d'approche, le premier communique au second sa spontanéité, son incertitude, sa virginité, puis il quitte la salle pour que l'autre, stylo en main, puisse reprendre son activité et, malheureusement, son sérieux.

Je ne suis pas un spécialiste de théâtre, même si j'ai toujours aimé y aller. Je n'y ai jamais passé cinq ou six soirs par semaine, et je ne crois pas être un véritable critique. J'ai d'abord été reporter. Je suis devenu critique par hasard, je le suis resté par habitude et peut-être par insouciance. La critique m'a permis de penser – ou d'essayer de penser – ce que je voyais, et de lui donner une forme éphémère en l'écrivant. Elle est le résultat d'une expérience à la fois superficielle (je n'ai pas les références nécessaires pour établir un jugement solide sur les œuvres) et intérieure (je ne peux lire ou voir quoi que ce soit sans le passer au crible d'images, de rêveries, d'associations d'idées que rien d'extérieur à moi-même ne justifie). Je me suis senti plus libre, je crois, le jour où je l'ai compris.

La critique me permet-elle de lutter contre l'oubli ? Bien sûr que non. J'ai vu bien des spectacles et lu bien des livres dont je ne me souviens pas, même après leur avoir consacré un article, sans doute parce qu'ils n'éveillaient aucune image, aucune émotion véritable. Pire : il m'arrive souvent d'oublier que j'ai écrit dessus. Quand par hasard l'un de ces articles fantômes remonte à la surface, je suis toujours un peu effrayé, comme s'il avait été écrit par un autre qui porterait mon nom, un usurpateur. Je me demande alors si je n'ai pas écrit pour oublier le plus vite possible ce que j'avais vu ou lu, comme ces gens qui tiennent leur journal pour débarrasser quotidiennement leur mémoire de ce qu'ils ont vécu. Je me le demandais, du moins, jusqu'au 7 janvier 2015.

Pendant la représentation, j'ai sorti mon carnet. Le dernier mot que j'ai noté ce soir-là, dans le noir et de travers, est de Shakespeare : « Rien de ce qui est, n'est. » Le suivant est en espagnol, en lettres beaucoup plus grosses et tout aussi incertaines. Il a été écrit trois jours plus tard dans un autre type d'obscurité, à l'hôpital. Il est adressé à Gabriela, mon amie chilienne, la femme dont j'étais amoureux : « Hablé con el médico. Un año para recuperar. ¡ Paciencia ! » *Un an pour récupérer* ? Rien de ce qu'on vous dit n'est, quand vous entrez dans le monde où ce qui est ne peut plus être vraiment dit.

Je connaissais Nina depuis un peu moins de deux ans. Nous nous étions rencontrés à une fête, en été, dans le parc d'un château du Lubéron. Il m'a fallu du temps pour comprendre d'où venait la sympathie qu'elle m'inspira aussitôt. C'était une intermédiaire-née, délicate et sans chichis. Elle avait cette simplicité, cette tendresse, cette chaleur, qui portent à mélanger les amis, comme si leurs qualités, en se frottant, pouvaient s'augmenter. Elle se chauffait aux étincelles, mais elle était trop modeste pour s'en prévaloir. Elle s'effaçait presque, comme une mère discrète, sarcastique et bienveillante. Quand je la voyais, j'avais toujours l'impression d'être un oiseau de sa couvée et de rejoindre le nid d'où, par imprudence ou négligence, j'étais tombé. La tristesse ou l'inquiétude qui flottait dans son regard sombre et vif disparaissait à la première discussion. Je ne m'étais pas toujours bien comporté avec elle. Elle m'en avait voulu, avait cessé de m'en vouloir. Elle avait moins de rancœur que de générosité.

Elle et moi passions une soirée ensemble de temps à autre, dont celle-ci. Comme c'est la dernière personne avec qui j'ai partagé un moment de plaisir et d'insouciance, elle m'est devenue aussi précieuse que si j'avais passé une vie entière avec elle – une vie interrompue, désormais presque rêvée, et qui s'est arrêtée ce soir-là, dans une salle de théâtre, avec le vieux Shakespeare. Depuis, je vois peu Nina, mais je n'ai pas besoin de la voir pour savoir ce qu'elle me rappelle ni pour sentir qu'elle continue à me protéger. Elle a cet étrange privilège : être une amie et un souvenir – une amie éloignée, un souvenir vivant. Je ne risque pas de l'oublier, mais, si elle sera peu présente dans la suite de ce livre, c'est parce que j'ai du mal à la faire vivre en dehors de cette soirée et de tout ce qu'elle m'évoque. Je pense à elle, tout revit et tout s'éteint, tantôt successivement, tantôt parallèlement. Tout est un songe et un passage, une illusion peut-être, comme dans *La Nuit des rois*. Nina reste le dernier point sur la rive opposée, à l'entrée du pont que l'attentat a fait sauter. Faire son portrait me permet de rester un peu, en équilibre, sur les ruines du pont.

Nina est une petite femme brune et potelée à la peau douce, au nez aquilin, aux yeux noirs, brillants et amusés, qui molletonne d'humour des émotions toujours fortes, et comme livrées aux caprices des autres par sa bonté. Elle est juriste. Elle cuisine bien. Elle n'oublie rien. Elle est socialiste, mais de gauche – il en reste. On dirait un merle tendre, sévère et bien nourri. Elle vit seule avec sa fille, Marianne, à qui j'ai donné ma flûte traversière, un instrument dont je ne jouais plus et dont je ne pourrai probablement plus jamais jouer. Son expérience des hommes l'a déçue, je crois, sans la rendre amère. Peut-être pense-t-elle ne pas mériter plus de plaisir et d'amour que ce qu'elle a reçu d'eux ; mais elle donne assez dans l'amitié, et à sa fille, pour que l'état amoureux, cette fiction qu'on cherche à écrire avec les moyens du corps, ne soit plus tout à fait une nécessité. Peut-être aussi, comme en politique, sent-elle toujours rôder une déception que sa bonne nature se prépare à surmonter. Elle ne renonce pas plus à ses sentiments qu'à ses convictions. Ce n'est pas parce que la gauche trahit sans cesse le peuple que Nina va finir, comme tant d'autres, à droite. Ce n'est pas parce que tant d'hommes sont des nullités égoïstes et vaniteuses que Nina va cesser d'aimer. La sensibilité résiste aux principes. Un détail qui me la rend admirable est qu'elle n'arrive nulle part les mains vides, et que ce qu'elle apporte correspond toujours aux attentes ou aux besoins de ceux qu'elle retrouve. En résumé, elle fait attention aux autres, tels qu'ils sont et dans la situation où ils sont. Ce n'est pas si fréquent.

J'ajoute qu'elle est juive, ne l'oublie pas, et que cet état lui rappelle subtilement, discrètement, qu'on n'est jamais sûr d'échapper au désastre. Je sens cette chose dans son sourire, dans son regard, quand je la vois, quand nous nous parlons, cette chose qui simplifie l'existence et qui ne vit avec ce naturel que chez très peu de personnes, et je lui en suis reconnaissant. Il y a toujours une blague juive qui flotte dans l'air, entre le vin et les pâtes, comme un parfum qu'il est inutile de mentionner. Je ne crois pas que j'aurais pu finir ma vie d'avant avec une personne mieux adaptée à la situation.

Son père, un professeur de littérature américaine, avait été un excellent traducteur de Philip Roth, écrivain que j'aimais sans avoir pu finir aucun de ses livres – à l'exception de *Patrimoine*, où il racontait la maladie et la mort de son père, et de ceux qu'il m'avait fallu critiquer, tâche dont je ne m'étais jamais bien sorti, sans doute parce que je ne savais pas trop quoi en penser. Je ne pouvais voir Nina sans me représenter ce père, que je ne connaissais pas, traduisant tel ou tel livre de Roth là-bas, aux États-Unis, dans la neige d'hiver ou par un grand soleil d'été, devant une cafetière et un cendrier pleins. Cette image, sans doute fausse, me rassurait. Elle se superposait à celle de Nina et j'essayais toujours d'imaginer les ressemblances entre père et fille. Plus tard, elle m'a montré une photo de lui, à la fin des années soixante-dix je pense. Il avait une grande barbe noire, des cheveux longs, des lunettes à verre fumé. Il respirait l'énergie militante et la détente libertaire de ces années-là. J'étais enfant, alors, et ce monde qui paraissait encore promettre autre chose, une autre vie, a disparu si vite que je n'ai eu ni le temps de l'expérimenter, ni celui d'y renoncer. C'est une époque que je n'ai ni vécue, ni oubliée.

Le soir où nous sommes allés au théâtre, Nina n'était plus seule. Elle avait depuis quelque temps un nouveau compagnon, cultivateur dans les Ardennes. Je ne l'avais jamais vu. Je ne sais plus si elle m'en a parlé ce soir-là. Elle le rejoignait le week-end. Elle me parlait maintenant des moissons, de la cueillette des fraises. Je l'appelais « le sanglier », je disais à Nina : « Et comment va le sanglier ? » Elle répondait par un petit sourire muet et gêné, trop délicate pour me dire que, tout de même, ça la blessait. « C'est lourd et brutal, un sanglier. Lui, il n'est pas comme ça. » « Bah, lui avais-je dit un jour, c'est une façon de parler, à cause des Ardennes. J'aurais tout aussi bien pu l'appeler Verlaine ou Rimbaud. » « Mais tu ne l'as pas fait. » Non, je ne l'avais pas fait.

Il faisait froid et un peu humide, le 6 janvier 2015 au soir. J'ai laissé mon vélo à la station Jussieu et j'ai pris le métro, ligne 7, jusqu'à la station Mairie-d'Ivry. Nina m'a envoyé un texto à 18 h 53 pour m'informer qu'elle m'attendait dans un bistrot près de la sortie du métro. Elle a gardé les textos, c'est pourquoi l'heure est précise, les miens ont disparu avec mon téléphone. Comme j'étais en retard, elle a rejoint le théâtre et je les ai retrouvés, elle et un ami, au bar où ils buvaient un verre de rouge en mangeant de la charcuterie et du fromage, assis autour d'une petite table ronde. J'ai commandé un verre de blanc et mangé avec eux de la charcuterie. « Tu étais ravi, m'a-t-elle écrit des mois plus tard, tu venais d'apprendre que tu allais partir à Princeton enseigner la littérature pour un semestre. Il ne restait plus qu'à caler les détails. » Je ne me souviens ni de cette joie, ni même de leur en avoir parlé.

Pourtant, des mails de ces jours-là le confirment : je venais d'apprendre que dans quelques mois je serais à Princeton et que ma vie allait, au moins pour un temps, changer. Le père de Nina avait enseigné, croyais-je à tort, à Princeton. L'université est à une heure de New York, où habitait Gabriela, qui se débattait là-bas dans des problèmes familiaux, administratifs et professionnels sans fin. Ainsi pourrais-je la rejoindre et la vie, guidée par un projet, trouverait de nouveau, par l'action, un début d'unité. Ai-je voulu cette histoire que l'attentat a détruite ? Ou l'ai-je rêvée jusqu'à ce qu'il me réveille ? Je n'en sais rien.

Pour moi, Princeton était l'université d'Einstein et d'Oppenheimer – et aussi du premier grand traducteur de Faulkner, Maurice-Edgar Coindreau. J'y allais presque par hasard, avec un sentiment de complète illégitimité, enseigner quelques romans sur des dictateurs latino-américains. Le rapport entre littérature et violence est un mystère que la terre latino-américaine avait rendu particulièrement fertile et ce qui avait fleuri là-bas, dans l'Histoire et sur les pages, me passionnait comme un enfant. L'étudier était le seul moyen de voir s'il m'était possible d'en penser quelque chose, comme un adulte. Même si les idées d'un adulte sont rarement à la hauteur des visions – et de l'effroi – d'un enfant.

Avant mon arrivée au théâtre, le metteur en scène avait répondu aux questions d'une classe de collégiens sur la pièce de Shakespeare que la troupe allait jouer, sur son métier. Il leur avait expliqué qu'il était devenu metteur en scène alors qu'il n'avait aucune aptitude particulière dans l'existence.

Nina se souvient de mon arrivée : « Tu étais chaudement habillé, avec un bonnet, un pull et une veste chaude. » Pour la première fois, j'avais laissé mon vélo à la station

Jussieu. Elle me rappelait mon enfance, les années où ma mère enseignait la biochimie dans l'université du même nom – les années de la photo du père de Nina. Le long de la rue Cuvier, il y avait parfois des odeurs de fauve. Dans le laboratoire de ma mère, il y avait des odeurs de produits chimiques. Je les aimais toutes. J'aimais les odeurs de mon enfance, même et surtout les plus fortes, parce qu'elles en étaient les traces les plus intenses, souvent les seules qui me restaient.

Un an plus tard, à l'hiver 2016, je passais chaque vendredi matin devant le bâtiment jaunâtre de la rue Cuvier et sentais de nouveau les odeurs des fauves en longeant les murs du jardin des Plantes, par les quais, sur le chemin de la Pitié-Salpêtrière. Le chemin lent de la réparation se rapprochait de celui de l'enfance sans jamais le retrouver. J'allais voir tantôt l'un de mes chirurgiens, tantôt ma psychologue, souvent les deux l'un après l'autre, selon l'un de ces rituels hospitaliers qui rythmaient désormais ma vie. Ils étaient devenus mes amis inconnus. La psychologue avait un bruit de talons sec, un carré droit, et une allure élégante et austère qui me rappelait ma mère à son âge, lorsqu'elle travaillait dans son laboratoire. Quand elle apparaissait, pendant quelques secondes je ne savais plus dans quelle époque je vivais ni quel âge j'avais. Les psychologues qui savent nous écouter habitent peut-être un âge idéal, parce qu'ils nous font rejoindre celui où nous étions des héros entourés de héros, et parce qu'en nous aidant à revoir cet âge, à le comprendre, ils nous aident à le quitter.

J'accédais à son cabinet, dans le service de stomatologie, par des couloirs pâles en sous-sol où je me perdais systématiquement entre des bustes et des photos de chirurgiens morts, croyant trouver derrière chaque porte un labo où ma mère et ses amis prépareraient une formule magique rétablissant tantôt la paix, tantôt l'oubli. J'arrivais toujours avec dix minutes d'avance, sachant que je les perdrais dans ce dédale sans trouver la bonne direction du premier coup. Je finissais par tomber sur la salle d'attente et l'attendais seul à côté de quelques plantes vertes fatiguées, dans une salle où passait parfois une femme de ménage africaine, et d'où je voyais le pin légèrement penché qui, pendant des mois, avait occupé ma vue depuis les chambres du premier étage. Je sortais un livre de mon vieux sac à dos noir taché de sang et j'avais à peine le temps de lire trois lignes qu'elle arrivait. Elle n'était jamais en retard, moi non plus. C'était le bruit de ses pas qui réveillait d'abord le souvenir de ma mère. Ma psychologue était vintage, en somme, et c'était à peu près tout ce qu'il fallait pour obtenir un léger relâchement de mâchoire, une ébauche de confession et un petit sentiment d'éternité.

Le vélo que j'ai attaché à une grille de la station Jussieu avait d'abord été celui de ma mère : un Luis Ocaña vert eau de la fin des années soixante-dix, acheté quand le champion espagnol, à son sommet, venait de gagner le Tour de France. Elle ne s'en était jamais beaucoup servie, elle détestait le sport, et me l'a donné quand j'ai décidé de pédaler dans Paris comme je le faisais depuis quelque temps à La Havane et dans différents pays d'Asie où mon métier de reporter m'avait conduit. C'était vingt ans avant.

J'avais commencé à utiliser ce vélo à peu près au moment où Luis Ocaña, parmi ses vignes, dans le sud de la France, se tirait une balle dans la tête. Il avait soutenu le Front National, mais ce n'est pas, à ma connaissance, la raison de son acte, même si soutenir ce parti pouvait déjà être le signe d'une forme stupide de désespoir. La date de sa mort, je ne peux l'oublier : c'est le jour où je suis allé chercher, à Madrid, la femme qui arrivait de Cuba et que j'allais bientôt épouser : Marilyn. Quand l'attentat a eu lieu, nous étions divorcés depuis presque huit ans. Elle vivait dans l'est de la France, dans un village près de Vesoul, avec son nouveau mari et leur fils. Elle ne connaissait pas Nina, mais elles se ressemblaient sur bien des points, physiquement, moralement, et, comme la suite allait le montrer, par la grâce en quelque sorte de l'attentat, elles ne tarderaient pas à devenir amies. La première fois qu'elle dormit chez Nina, Marilyn eut l'impression d'être chez elle, mêmes types de vêtements, même décoration et même atmosphère révélant les mêmes habitudes. Cette gémellité ne m'est apparue que le jour où je les ai vues, chez moi, l'une à côté de l'autre. J'ai alors compris pourquoi Nina, dans la fête nocturne au château du Lubéron, m'avait aussitôt attiré. Elle était l'écho rassurant, confortable, d'une vie passée. Le confort, je croyais qu'il m'avait quitté après un divorce et une dépression, ces phénomènes presque ordinaires de la vie occidentale contemporaine. Je me trompais.

Si j'ai à peu près tout oublié du spectacle, sauf certains détails qui ne sont pas sans importance, je n'ai cessé de lire et relire depuis *La Nuit des rois*. Je l'ai sans doute lue de la plus mauvaise façon possible, comme une énigme, pour y trouver des signes ou des explications à ce qui allait arriver. Je savais que c'était stupide, ou du moins assez vain, mais cela ne m'a jamais empêché de le faire et de penser malgré tout, de sentir plutôt, qu'il y avait dans ce concours de circonstances quelque chose de plus vrai que dans le constat de son incohérence. Shakespeare est toujours un excellent guide lorsqu'il s'agit d'avancer dans un brouillard équivoque et sanglant. Il donne forme à ce qui n'a aucun sens et, ce faisant, donne sens à ce qui a été subi, vécu.

Le bateau qui les transporte ayant sombré, des jumeaux, Viola et Sébastien, échouent séparément sur une côte inconnue. Chacun croit que l'autre est mort. Ce sont des orphelins solitaires, des survivants. Viola se travestit sous le nom de Césario. Elle devient page et intermédiaire amoureux du duc local, Orsino, pour qui rapidement elle en pince. Elle doit cependant plaider la cause d'Orsino auprès d'Olivia, qui la prend pour un homme et tombe amoureuse d'elle. Pendant ce temps, Sébastien arrive à la cour après quelques péripéties. Olivia le confond avec sa sœur Viola : elle tombe aussi amoureuse de lui. L'amour est le jouet des apparences et des genres, comme on dit aujourd'hui, sur un fond machiavélique et puritain incarné par l'intendant d'Olivia, Malvolio. Machiavélique et puritain, les deux font la paire : qui veut punir les hommes de leurs plaisirs et de leurs sentiments au nom du bien qu'il croit porter, au nom d'un dieu, se croit autorisé à faire tout le mal possible pour y parvenir. Malvolio veut tout, prend tout, et finalement il est dupe de tout. Le happy end que Shakespeare nous offre n'est qu'un rêve, tout ce qui l'a précédé le dément. Tout est magie, tout est absurde, tout est sentiments et rebondissements. La morale est dite par un bouffon.

Ce résumé approximatif de la pièce, je ne l'aurais jamais écrit comme ça dans un article, car j'aurais eu trop peur de perdre mes lecteurs en route. D'ailleurs, quel article aurais-je écrit ? Sur quoi aurais-je insisté ? Peut-être aurais-je précisé que, comme Olivia, il m'était arrivé pendant le spectacle de confondre Viola et Sébastien, de ne plus savoir qui était qui, et, par conséquent, de ne plus trop comprendre ce à quoi j'étais en train d'assister. Était-ce dû à la mise en scène ? Au texte ? À sa traduction ? À moi-même ? Au vin, à la charcuterie, à l'hiver ? Comme souvent, je n'en savais rien, et j'écrivais aussi pour le découvrir. Cette opération ordinaire, les circonstances m'ont cette fois empêché de la faire, et, aussi frivole que ça puisse paraître au regard de ce qui allait suivre, je regrette encore de n'avoir pas eu le temps d'essayer de comprendre *La Nuit des rois*. Cette compréhension me semble désormais interdite. Les personnages et les situations ont rejoint une féerie que les événements ont rendue trop vague pour que je puisse la préciser.

Si je me souviens bien, la petite scène d'Ivry représentait à certains moments un hôpital à l'ancienne : les lits blancs n'étaient séparés que par des rideaux clairs. Nina s'est installée entre son ami et moi. Ici, ma mémoire me joue un premier tour. J'ai écrit plus haut que j'avais sorti mon carnet pendant la représentation, comme saisi par elle et prenant peu à peu conscience que j'allais écrire un article. Dans son mail rétrospectif, Nina rectifie :

> Tu as immédiatement sorti ton bic 4 couleurs et ton cahier pour prendre des notes.

Le journaliste était là dès le début, avec l'ami insouciant.

Nina décrit ensuite le décor, ce sont bien des lits blancs d'hôpitaux, et fait un inventaire des acteurs, dont une jeune femme qui d'après elle m'a tapé dans l'œil et que j'ai oubliée. Elle ajoute :

> La pièce t'avait plu, je crois, et tu disais qu'il y aurait de la place dans le journal pour publier une critique. J'étais ravie pour Clément et sa troupe. Ça me faisait aussi plaisir d'avoir pu jouer l'entremetteuse. Je me suis dit qu'enfin Clément aurait un article sur sa pièce, la précédente n'ayant eu que peu de critiques. Après la représentation, nous sommes allés boire un verre. Tu nous as offert un verre de vin, peut-être pour célébrer ton départ pour Princeton. Tu as dû manger à ton tour quelque chose. Clément

est passé nous voir, des comédiens aussi. Clément t'a dit que la traduction était de lui, enfin de Jude Lucas, son pseudonyme officiel. D'ailleurs, le soir, en rentrant chez lui il te l'a envoyée. Tu lui as demandé de te rappeler qui disait une certaine phrase dans la pièce. Il est allé vérifier, la citation était d'Orsino, tu l'as notée dans ton cahier. Vous avez parlé de la pièce avec Clément et notamment de la confusion des genres. Nous sommes rentrés en métro avec Loïc, Clément et des comédiens dont celui qui jouait Malvolio. On a pris la ligne 7 et tu es descendu à Jussieu pour récupérer ton vélo.

Quelle était la phrase d'Orsino qui m'avait marqué ? Je ne retrouvais plus mon cahier. Il était pourtant dans mon sac au moment de l'attentat et il m'avait suivi à l'hôpital, où je m'en étais servi dans les premiers jours pour écrire, ne pouvant parler.

Un an et demi plus tard, j'ai demandé par mail au metteur en scène s'il s'en souvenait. Il m'a répondu ceci :

Cher Philippe,

Je me souviens très bien de notre discussion et du fait que vous ayez souhaité vérifier une phrase d'Orsino. Je me souviens de mon trouble car malgré le fait que j'ai traduit, répété, vu de nombreuses fois la pièce, je ne pouvais restituer la phrase en question et c'est pourquoi j'ai dû aller vérifier avec le texte. Malheureusement, je ne me souviens pas de la citation. Je sais que j'étais un peu surpris. Je crois pouvoir situer la scène. Je peux émettre une hypothèse.

> Approche mon garçon, si tu aimes un jour,
> Dans les affres de l'amour souviens-toi de moi.
> Car tous les amoureux sont tels que tu me vois,
> Indécis et capricieux en toutes choses

> *Excepté dans la constante contemplation*
> *De l'être aimé.*

Ou, plus sûrement :

> *Cette fois encore Césario,*
> *Rends-toi auprès de ma cruelle souveraine*
> *Dis-lui que mon amour, plus noble que le monde,*
> *Ne s'intéresse pas à ses terrains fangeux*
> *Et parcelles que la fortune lui a légués.*
> *Dis que je n'en fais pas plus cas que du hasard.*
> *Et que c'est bien la miraculeuse beauté*
> *Dont nature l'a ornée qui attire mon âme.*

Je tiens bien sûr à votre disposition notre traduction complète si cela peut vous aider.

Aucune des citations qu'il m'a envoyées ne correspondait à celle que j'imaginais. Quelque temps plus tard, rangeant des affaires, j'ai fini par retrouver le cahier que j'avais ce jour-là, et dont j'ai mentionné plus haut l'existence. Il ne m'a pas fallu longtemps pour tomber sur la page où étaient notées les phrases de Shakespeare. Il m'en a fallu davantage pour les déchiffrer. Aucune ne m'a apporté la révélation que j'attendais. Ce n'était pas, en tout cas, celle que j'avais demandée à Clément d'identifier, et que de toute façon je ne reconnais plus. Ce n'était pas la phrase du bouffon Feste que j'ai citée au début du chapitre : « Rien de ce qui est, n'est. » J'ai lu et relu *La Nuit des rois* pour comparer mes notes au texte. Peut-être, dans le noir et sous la pression, avais-je écrit de travers ? Non. Je n'ai pas trouvé la phrase que je cherchais. On aurait dit l'une de ces phrases si nettes dans un rêve, et que le réveil efface, quand il ne la rend pas banale, idiote ou incompréhensible. La réplique d'Orsino qui m'a trotté dans la tête pendant des mois, qui a bercé mes jours et mes nuits hospitalières, la phrase que j'avais sur le bout de la langue et dont la vérité m'avait saisi et comme foudroyé, cette phrase n'existe pas.

Le mail de Nina finissait par ces mots :

> Le lendemain, les comédiens ont dû jouer la pièce et Clément t'a dédié la représentation.
>
> La chanson finale a été modifiée et les comédiens ont chanté : « *Je me mets en route et quoi qu'il m'en coûte, je te retrouverai comme un guignol armé d'une épée (d'un crayon) de bois* » en brandissant des crayons à papier.
>
> Cette soirée reste, pour moi, suspendue entre deux mondes. Le lendemain, la chute a été vertigineuse. T'avoir vu si proche la veille et te savoir, le lendemain, si loin de l'humanité même est insupportable.
>
> Je suis restée dans le bon côté de la vie et toi tu as basculé dans l'horreur alors que nous étions assis côte à côte quelques heures auparavant. Ces deux mondes semblent désormais être parallèles, et j'ignore s'ils pourront se rejoindre un jour.

Ils ne le pourront pas, ni dans la vie ni dans ce livre. Les mots d'un côté, nos rencontres de l'autre, tendent à reconstruire entre nous le pont détruit. Mais il reste un trou au milieu. Assez étroit pour que de part et d'autre nous puissions nous voir, nous parler, presque nous toucher. Assez large pour qu'aucun des deux ne puisse rejoindre l'autre dans cette zone faite d'habitudes, d'improvisations, d'amitié, mais d'abord de continuité.

Nina est allée revoir le spectacle à sa reprise, en 2016.

Elle m'a proposé de l'accompagner. Je n'en ai pas eu la force. J'aurais eu l'impression de visiter l'antichambre d'un tombeau ou même de voir mon propre cercueil ouvert, comme Tintin découvre le sien et celui de Milou dans *Les Cigares du pharaon*. Je retournerai voir *La Nuit des rois* le jour où je l'aurai oubliée.

CHAPITRE 2

Tapis volant

Je suis toujours agacé par les écrivains qui disent écrire chaque phrase comme si c'était la dernière de leur vie. C'est accorder trop d'importance à l'œuvre, ou trop peu à la vie. Ce que j'ignorais, c'est que l'attentat allait me faire vivre chaque minute comme si c'était la dernière ligne : oublier le moins possible devient essentiel quand on devient brutalement étranger à ce qu'on a vécu, quand on se sent fuir de partout. J'en suis donc venu à penser à peu près la même chose que ceux qui m'agaçaient, même si c'est pour des raisons et dans des circonstances différentes : il faudrait noter les plus petits détails de ce qu'on vit, la moindre des choses moindres, comme si on allait mourir dans la minute qui suit ou changer de planète – la suivante n'étant pas plus hospitalière que celle qu'on a quittée. Ce serait utile pour le voyage, et comme un souvenir pour les survivants ; plus utile encore pour les revenants, ceux qui, n'étant pas plus morts que les autres, sont allés suffisamment loin ailleurs pour n'être plus tout à fait de retour ici, dans le monde où chacun continue de vaquer à ses occupations comme si la répétition des jours et des gestes avait un sens linéaire, établi, comme si ce théâtre était une mission. Les revenants liraient leurs notes, regarderaient vivre les autres, frotteraient leurs souvenirs et leurs vies. Ils compareraient le tout dans l'étincelle produite et, en s'y réchauffant, ils se rappelleraient peut-être qu'un jour ils ont vécu.

Une petite pensée venue aux toilettes aurait plus d'importance, pour la future victime, qu'une déclaration de guerre, une réunion de travail ou la démission d'un ministre. L'écriture suspendrait le temps dont elle restitue la trame, puis, une fois la page écrite, la comédie reprendrait jusqu'au moment où elle serait brutalement interrompue. Ce ne serait pas exactement *Les Choses de la vie*, ce film de Claude Sautet où le héros revoit les moments importants de son existence tandis que dans un accident il va la perdre. Non, il ne s'agirait pas de noter les choses essentielles, les grandes étapes, cela c'est une perspective d'homme vivant et bien portant. Il n'y aurait d'abord que les toutes petites choses, celles des dernières minutes, les toutes petites cendres de la dernière cigarette du condamné, celui qui ne sait pas encore que la sentence est prononcée et que le bourreau est en route, avec armes et bagages dans le coffre d'une voiture volée.

Évidemment, je ne l'ai pas fait. Je n'ai pas pris ces notes sur les heures qui ont précédé l'apparition des tueurs, puisque c'était une matinée comme les autres, mais j'ai l'impression que quelqu'un l'a fait pour moi, un farceur qui s'est fait la malle et que j'essaie, en écrivant, de coincer.

J'ai dormi seul à la maison, dans des draps qu'il était temps de changer. Je suis obsédé par les draps frais, ils enchantent mon sommeil et mon réveil, et l'une des choses qui me font regretter mes hôpitaux, c'est qu'on les changeait tous les matins. Je me suis donc réveillé de mauvaise humeur, fatigué par un je-ne-sais-quoi d'insatisfait. Ce je-ne-sais-quoi était sans doute exagéré par le temps, gris et froid et sans lumière. La vision, en rentrant du théâtre, d'un entretien qu'avait donné Michel Houellebecq à France 2 à propos de son nouveau roman, *Soumission*, n'avait rien arrangé. Il ne faudrait jamais regarder la télé avant d'aller se coucher, me suis-je dit, ça pèse autant que des draps sales sur la conscience et l'estomac. Cela, je m'en souviens. Cette impression d'avoir été piégé par une curiosité paresseuse de fin de soirée, la mienne, et qui referme la journée sur une émission d'actualité plutôt que de finir en silence, si possible en beauté.

J'avais publié une critique du livre de Houellebecq le week-end précédent dans *Libération* et le journal avait organisé pour l'occasion un dossier, comme on dit, « monté en une ». J'y reviendrai, lecteur, et longuement je le crains, puisque la figure de Houellebecq se mélange désormais au souvenir de l'attentat : pour les autres, c'est un concours de circonstances, cocasse ou tragique ; pour ceux qui ont survécu aux tueurs, c'est une expérience intime. *Soumission* sortait en effet le 7 janvier.

Dans le monde des bavards à opinion instantanée, chacun ou presque allait forcément donner son avis, puisqu'il s'agissait de Houellebecq. Dans l'émission que j'avais vue avant de m'endormir, il avait l'air d'un vieux chien pas si gentil, abandonné sur une aire d'autoroute près d'un Flunch, ce qui me le rendait sympathique, mais il avait aussi l'air de Droopy et de Gai-Luron, le chien imaginé par Gotlib, ce qui me le rendait drôle. Je l'imaginais volontiers avachi dans un fauteuil, comme Gai-Luron, et disant, les bras croisés sur le ventre : « Je sens comme une lourde torpeur s'abattre sur moi. » La torpeur née de n'importe quel entretien prévisible et de l'orage qu'il allait provoquer.

Ça causerait d'autant plus que Houellebecq agitait cette fois un fantasme particulièrement explosif, le fantasme de

Poitiers : la peur des musulmans et l'arrivée au pouvoir des islamistes en France. J'avais bien ri en lisant *Soumission*, ses scènes, ses portraits, ses provocations faussement exténuées, sa mélancolie *fin de siècle* et de civilisation. Qu'il ait installé un important ministre islamiste dans l'appartement de l'ancien patron de la *NRF*, Jean Paulhan, cet implacable jésuite grammairien, voilà qui m'avait réjoui – même si c'était un plaisir pour *happy few*. Si le roman mérite d'exister, c'est parce qu'il permet d'imaginer n'importe quoi, n'importe qui, dans n'importe quelle situation, comme s'il s'agissait de ce monde et de sa propre vie.

J'avais découvert Houellebecq du temps qu'il écrivait des chroniques pleines de mauvais esprit dans un hebdomadaire culturel à la mode, des chroniques que je ne ratais presque jamais. Il y a très peu de bons chroniqueurs : les uns se soumettent aux sujets importants du moment et à la morale ambiante ; les autres, à un dandysme qui les pousse à faire les malins en écrivant à contre-courant. Les uns sont soumis à la société ; les autres, à leur personnage. Dans les deux cas, ils cherchent à faire du style et ils fanent vite. Le pessimisme et le sarcasme laconique de Houellebecq avaient un naturel qui ne fanait pas. À cette époque, j'imagine qu'on le croyait de gauche. Il est vrai qu'on ignorait encore que la gauche continuait de courir comme un canard sans tête. Ensuite, j'avais lu ses livres avec plaisir. Quand la dernière page était tournée, il flottait toujours dans l'air une certaine menace et un goût de plâtre, comme un nuage de poussière sur un champ de ruines, mais il y avait un sourire à l'intérieur du nuage. Sa misogynie, son ironie réactionnaire, tout cela ne me gênait pas : un roman n'est pas un lieu de vertu. J'avais commencé par trouver Houellebecq parfois paresseux sur le fond, jamais sur la forme, jusqu'au moment où j'avais compris, un peu tard, que le cliché (touristique, sexuel, artistique) était l'une de ses matières premières, et qu'il était essentiel pour lui de ne pas l'éviter. J'ignore si, comme on l'a dit, il était le grand romancier, ou l'un des grands romanciers, des classes moyennes occidentales. Je ne fais pas de sociologie quand je lis un roman et je n'en fais pas beaucoup plus quand je cesse d'en lire. Je crois entièrement et exclusivement aux destins et aux caractères des personnages, comme quand j'avais dix ans. Je suivais ceux de Houellebecq comme j'aurais suivi des *losers* qui, dans une grande surface, rempliraient leurs caddies dans les rayons aux produits en promotion pour transformer leur butin, une fois dehors sur le parking, en signes froidement prophétiques de la misère humaine.

Comme chaque fois que j'avais travaillé sur un livre, j'étais bien décidé à éviter de lire ou d'écouter quoi que ce soit sur *Soumission*, ce qui n'aurait eu pour effet que de provoquer une légère nausée : supporter l'émission d'après Shakespeare m'avait suffi. Je voulais d'autant plus l'éviter que je devais m'entretenir avec l'écrivain le samedi suivant. Ayant écrit la critique et organisé le dossier que *Libération* lui avait consacré, je n'avais d'ailleurs pas la moindre idée de ce que j'allais lui demander. Il faudrait parler d'autre chose, de tout et n'importe quoi, sauf de *Soumission*. Il n'allait pas m'expliquer ce que j'aurais dû lire et je n'allais pas lui expliquer ce que j'avais cru lire. La plupart des entretiens avec des écrivains ou des artistes sont inutiles. Ils ne font que paraphraser l'œuvre qui les suscite. Ils alimentent le bruit publicitaire et social. Par fonction, je contribuais à ce bruit. Par nature, il me dégoûtait. J'y voyais une atteinte à l'intimité, à l'autonomie du lecteur, que ne compensaient pas les informations qu'on lui donnait. Il aurait eu besoin de silence, le lecteur, et moi, de passer à autre chose, mais je savais déjà, comme tous ceux qui l'avaient lu avant publication, que *Soumission* ne bénéficierait d'aucun silence. C'était peut-être ça, un moraliste célèbre : un homme qui écrit des livres qu'on ne juge que comme des preuves de son génie ou de sa culpabilité. Le phénomène n'était pas nouveau. Avec Houellebecq, il prenait des proportions assez inquiétantes pour justifier son pessimisme et son succès.

Dans l'immédiat, ce matin du 7 janvier, la perspective de ce débat national et de cet entretien particulier me mettait simplement de mauvaise humeur. Je m'étais couché sous le signe de Shakespeare et de Houellebecq. Je me levais sous le signe de Houellebecq et il allait falloir écrire sur Shakespeare. Drôle de journée.

Il était environ 8 heures. J'ai regardé les mites voler autour des rideaux du salon – trop de livres, trop de désordre, trop de vieux tissus. Je suis descendu chercher l'exemplaire de *Libération* dans ma boîte aux lettres. Revenu chez moi, j'ai tué quelques mites avec. Elles faisaient comme de petites taches d'encre sur le plafond. Les tuer était une forme d'échauffement. Ensuite, j'ai parcouru le journal en buvant mon café, puis j'ai ouvert mon ordinateur pour lire les mails de la nuit.

De New York, l'ami et professeur à qui je devais le poste de Princeton me félicitait. Il en profitait pour me parler de l'article sur Houellebecq. Je lui ai répondu brièvement. Autre mail : celui de Clément, le metteur en scène de *La Nuit des rois*. Il m'envoyait sa traduction de la pièce en précisant :

> Voici donc le texte de *La Nuit des rois* tel que tu l'as entendu ce soir – le soir exact de la pièce. *Twelfth Night*, c'est la douzième nuit après Noël : le 6 janvier.

J'ai lu le début de la traduction, tout en la comparant avec celles qui se trouvaient dans ma bibliothèque. Je me sentais incapable de juger de leurs valeurs respectives. Mais pourquoi aurais-je dû le faire ?

J'ai acheté un billet d'avion pour New York, où je devais rejoindre Gabriela une semaine plus tard. Puis j'ai refermé mon ordinateur et regardé comme chaque matin mon vieil appartement – celui, plus exactement, de mon propriétaire – en me demandant par quoi commencer.

J'habitais ici depuis vingt-cinq ans. La moquette était épuisée ; les murs, jaunâtres. Les livres, les journaux, les disques, les carnets, les objets, les bibelots avaient tout envahi. Vingt-cinq ans de vie ! Et rien, sans doute, pour mériter la survie. Sinon un assez beau lit-bateau en mauvais état que m'avait offert, l'année de mon emménagement, une amie de mes parents. Son mari avait pour habitude de s'y allonger pour lire, écrire, faire la sieste. C'était un excellent journaliste, que l'alcool avait à la fois endurci et détruit. Il changeait de personnalité quand il buvait. Je travaillais, à mes débuts, dans le même journal que lui. Il aimait les trains et un jour il s'est jeté sous l'un d'eux à la gare de triage de Villeneuve-Saint-Georges. Il avait une silhouette trapue, des yeux bleu-gris métallique, comprimés dans un visage rouge et carré. Il parlait peu, articulait moins encore. S'il n'était pas sobre, son écriture l'était. Sa mort a été pour plusieurs d'entre nous, je crois, la fin d'une époque. Une époque professionnelle que j'ai à peine connue, sinon, justement, par des individus comme lui. Elle se retirait, comme la marée, au moment où j'ai mis pour la première fois le pied dans l'eau. Au lendemain de l'enterrement, sa femme m'a proposé de venir chercher le lit-bateau. Elle n'en voulait plus, mais elle préférait qu'il n'atterrisse pas chez un inconnu. Quand je m'y allonge pour lire ou faire la sieste à mon tour, il me semble que l'esprit du mort veille sur moi.

Le grand tapis qui occupait le salon venait d'Irak. Je l'avais acheté à Bagdad, dans un souk, en janvier 1991, deux jours avant le premier bombardement américain. Nous étions trois journalistes, autant que je m'en souvienne, et nous avions bu le thé et discuté longuement et plaisamment avec le vieux marchand dans une atmosphère paisible et qui nous paraissait irréelle, puisque la guerre approchait. La ville s'était vidée de la plupart des Occidentaux dans les jours précédents. Le souk était presque désert. Les ambassades avaient fermé. Rien n'est plus flatteur ni plus excitant que de se trouver là où les autres ne sont plus, dans l'œil que l'attente creuse au cœur du cyclone. Nous étions jeunes, inquiets, affamés. L'Histoire semblait notre aventure et notre propriété. Nous avions l'enthousiasme et la faiblesse des envoyés spéciaux, ces aventuriers privilégiés dont les nécrologies, quand ils meurent en mission, se ressemblent toutes : on célèbre leur courage, qui manque à ceux qui les lisent.

Le tapis faisait environ cinq mètres de longueur sur deux mètres de largeur. Il était long et lourd. Le vieux marchand de Bagdad l'a roulé, plié, ficelé, mis dans un vieux sac, et je l'ai emporté. Vingt-cinq ans après, il avait beaucoup filé. Des trous avaient peu à peu détruit sa beauté, dominée par des tons brique. Il faisait volontiers des plis, comme une peau de vieux, et il semblait avoir digéré la poussière : elle avait pris, en se déposant sur lui, une allure d'aggloméré. Matière et poussière étaient liées irréversiblement par l'odeur, une odeur peu définissable où se mélangeaient celles du café matinal, des poudres parfumées aux aiguilles de pin pour aspirateur, des dessous de semelles, des liquides renversés, des shampoings, de l'encens tibétain.

Deux jours après avoir acheté ce tapis, j'avais pris avec lui le dernier avion pour Amman. C'était une faute, que mon journal d'alors m'avait laissé commettre, la direction estimant que j'étais seul à pouvoir prendre la décision de rester ou pas. J'avais vingt-sept ans. Ce n'était déjà plus une excuse pour me tromper. Il aurait fallu rester à Bagdad, couvrir les bombardements en compagnie d'une poignée d'individus étranges, allumés, intéressés, illuminés, comme il y en a toujours dans ce genre de radeau, toute une distribution qui me donnait l'impression d'assister à une farce plus qu'à une épopée ; je n'avais pas encore compris à quel point les deux font bon ménage. L'hôtel où invités et journalistes avaient été regroupés par les autorités irakiennes ressemblait tantôt à un théâtre, tantôt à un asile : on ne croisait que des comédiens et des névrosés, on ne s'ennuyait ni dans les chambres, ni à l'heure des repas.

Ce qui unissait les derniers « invités » de Saddam Hussein, plus en tout cas que le soutien qu'ils lui apportaient, c'était la détestation du gouvernement américain. Ils venaient là pour témoigner des méfaits de l'empire du Mal. Les plus burlesques étaient les pacifistes nord-américains, ravis de jouer leur rôle d'idiots utiles et de boucliers humains. Les journalistes présents – si j'excepte la plupart des journalistes arabes, incapables de la moindre distanciation – n'avaient guère de compassion pour ces imbéciles, qui déposaient une grimace de clown sur l'événement. Ils le faisaient en soutenant un dictateur de la pire espèce, ancien meilleur ami de l'Occident, et dont les caves sentaient le fouet et la tenaille. Si la croisade menée par Bush père nous inquiétait et nous écœurait à peu près tous, nous les journalistes, ce n'était tout de même pas au point d'ignorer la nature du régime qu'elle visait. Dans cette affaire, il n'y avait que des idiots, des cyniques et des méchants.

Parmi les « invités », Daniel Ortega, qui n'était plus un guérillero marxiste et pas encore un caudillo chrétien, ressemblait avec ses santiags à un petit loubard des faubourgs de l'Histoire. J'étais stupéfait : j'avais cru (mollement, il est vrai) dans le combat sandiniste. L'homme que je voyais me rappelait certains reportages en banlieue, quand il était encore possible d'y aller les mains dans les poches et la fleur au stylo. Je me suis demandé en lui parlant si, comme certains « jeunes » – expression qui était en train de naître –, il allait réclamer une « salle » ou des subventions à Saddam pour se donner le sentiment d'exister. Était-ce bien là l'ancien leader du Nicaragua ? À chaque apparition dans la grande salle à manger, il me semblait plus petit, plus minable. C'était l'homme qui rétrécit. En rétrécissant, il rétrécissait l'Histoire, cette vieille catin gourmande. Il n'était pas encore devenu un démagogue chrétien.

Louis Farrakhan, le dirigeant noir de Nation of Islam, était d'un chic et d'un mépris complets. Encadré par ses gardes du corps, il traversait dans un costume noir et sans un faux pli le hall plein de Blancs comme s'ils n'avaient pas existé. Il lui arrivait de leur répondre, puisque certains d'entre eux étaient journalistes ; mais il leur répondait sans les regarder. J'avais le sentiment d'être un Juif interviewant un nazi dans un monde où le premier n'a pas encore été liquidé par le second. C'était l'endroit pour ça : on trouvait *Mein Kampf* en vitrine dans les librairies de Bagdad. Le monde arabe n'avait pas eu besoin d'Internet, qui n'existait pas encore, pour répandre des théories du complot dont il n'avait pas l'exclusivité. Il y en avait de toutes sortes, des bleues, des vertes, des rouges, toutes également idiotes et ajoutant à l'atmosphère d'irréalité générale. Aucune n'évitait le détour par les Juifs.

Jean-Edern Hallier n'était déjà plus un écrivain qu'on lisait : le vilain clown l'avait dévoré dans la conscience de la plupart de ses anciens lecteurs. Il était accompagné par un petit secrétaire muet et bien habillé, portant une petite mallette noire, qui s'appelait Omar. Ceux qui avaient fréquenté cet étrange binôme dans les eaux de *L'Idiot international*, le journal que dirigeait et finançait Hallier, qualifiaient volontiers Omar d'âme damnée. À table, l'écrivain braillait son antiaméricanisme et sa vie héroïque à qui voulait l'entendre. Omar ouvrait en silence la mallette et faisait circuler les photos qui correspondaient aux épisodes héroïques que son maître racontait. Celui-ci était là par goût du paradoxe et du spectacle, pour qu'on parle de lui et pour s'approprier l'infâme, du côté duquel il se rangeait volontiers. Il faisait don de l'événement à sa personne. Quand il parlait, il penchait vers l'un puis l'autre son œil aveugle, à tour de rôle, comme un cyclope ou comme une bête, soulignant la folie du monde en étalant la sienne. Il avait encore plus de candeur que d'égocentrisme ou de rouerie, ce qui n'est pas peu dire, et, pour une fois, le contexte avait neutralisé sa méchanceté. Peut-être avait-il raison, tout cela n'était qu'une comédie dont il fallait s'improviser le guignol et le scribe. Hallier était si plein de son propre personnage et du cirque ambulant qu'il trimballait qu'il ne craignait absolument pas ce qui aurait pu lui arriver. C'était une caricature foraine de Chateaubriand que nous écoutions, que nous regardions, une caricature qui transformait l'hôtel et la ville en décor de carton-pâte. Le jour du bombardement, il est parti avec Omar et un chauffeur visiter les ruines de Babylone. Reconstitué avec tout le mauvais goût local, c'était un bel endroit pour assister à l'Apocalypse qu'on nous promettait – en ne la voyant pas. D'ailleurs, elle n'a pas eu lieu – ou pas immédiatement. Je suis parti avant le retour du grand petit homme et je ne l'ai jamais revu.

Plus l'heure de l'ultimatum approchait, plus l'hôtel ressemblait à la fable animalière qu'il incarnait. Était-ce cela, l'événement ? Était-ce bien sérieux ? J'aurais pu lire Malraux ou Lawrence à haute dose que cela n'aurait rien changé : mon sens de l'Histoire était limité par ce que je voyais et mon respect pour ses fabricants, proche de zéro – dans cette mâle et moustachue région du monde en tout cas. L'ambassadeur de France était parti, comme la plupart des autres. L'homme qui le remplaçait ferma l'ambassade deux jours avant l'ultimatum. Les journalistes français étaient tous là. Lui avait ordre de partir. Il nous conseillait à demi-mot, avec un demi-sourire, de rester. On sentait qu'il ne comprenait même pas qu'on puisse hésiter. Il était ferme, rassurant, paisible. On vida les bouteilles de la cave et chacun téléphona à sa famille aux frais de l'ambassade, assis par terre, dans le hall couvert d'appareils dont les fils noirs faisaient sur le carrelage comme des spaghettis à l'encre de seiche. C'est l'un des moments qui me rappellent que j'ai vécu à une époque où les portables n'existaient pas. Puis le diplomate et sa petite équipe ont scellé le bâtiment et les voitures les ont emportés à travers le désert et dans la nuit vers la frontière jordanienne. Nous les avons regardés partir. Les novices, dont j'étais, se sentaient seuls soudain, comme abandonnés aux mâchoires de l'événement incertain. Les anciens avaient des mines entendues. Certains regards commençaient à luire : enfin, cette aventure devenait intéressante.

L'un d'eux avait déjà fait des provisions non négligeables d'eau et de conserves. Il me dit avec un sourire à la fois tranquille, allumé et provocateur : « S'il y a des gaz, je m'installe dans une cave de l'hôtel et j'attends. Un mois, s'il le faut. J'ai tout prévu. » Il attendait le désastre, la pression, le nouveau. Il en vivait depuis l'âge où Rimbaud avait quitté Charleroi. Il venait d'une tribu où le journalisme était le récit d'une expérience vécue par celui qui le racontait. Blond, petit et trapu, il ressemblait à Tintin. Il est mort trois ans plus tard, à trente-quatre ans, d'une maladie attrapée lors d'un reportage en Asie. Cette nouvelle, lue dans un journal, m'a bouleversé. Il était si jeune et avait déjà pris tant de risques que je pensais qu'il survivrait à tout, puisqu'il semblait déjà si vieux, si lucide. Je devais penser qu'une insouciance intelligente et informée rendait éternel, mais je ne me souviens plus de ce que je pensais. J'avais tendance à admirer ceux qui réussissaient ce que j'étais incapable d'entreprendre. Lui, mort ? Il était donc possible de mourir en reportage, d'un reportage ? De tomber du tapis volant sur lequel on survolait le monde ? Oui, c'était possible. J'étais naïf, optimiste, angoissé, presque innocent. Je crois qu'alors nous l'étions presque tous. Le monde qui s'achevait nous laissait encore la possibilité d'être jeunes le plus longtemps possible.

À Bagdad, les futurs tueurs religieux de Daech étaient encore ceux, laïcs, de Saddam, personnage un peu gras dont les portraits mal peints s'étalaient partout. Dans le monde arabe, on les distribuait en pin's, de même qu'on fabriquait des broches en forme de scuds – les scuds que l'Irak tentait d'envoyer sur Israël. La guerre du Golfe était un conte de mauvais goût, à dormir debout, et je n'avais emporté à Bagdad, pour toute lecture, que *Les Mille et Une Nuits*. La grande menace remplissait le vide marbré de l'hôtel d'où l'on envoyait par fax les papiers.

Ben Bella souriait, comme Tintin bientôt mort, quand des journalistes lui demandaient s'il allait partir avant le bombardement américain. Il disait : « Vous ne croyez pas que j'en ai vu d'autres dans les caves d'Alger ? » Il connaissait la valeur de son personnage, aussi périmé soit-il. Mourir à Bagdad ? Tout le monde n'a pas l'occasion de finir à Sainte-Hélène d'un cancer à l'estomac, ni le génie pour vivre ce qui a précédé. Peut-être Ben Bella avait-il également senti que, si la population irakienne en prenait pour quelques décennies de chaos, les témoins internationaux de l'origine de ce chaos, eux, ne risquaient pas grand-chose. Il avait une expérience, des points de comparaison. Il était grand, puissant, assez gros, ce qui m'avait surpris : j'imaginais, je ne sais pourquoi, que les anciens combattants du FLN étaient tous petits, maigres et nerveux, comme s'ils vivaient toujours dans le maquis d'une wilaya ou circulaient clandestinement dans le bidonville de Nanterre. Parmi tant de charlatans, de politiciens fourvoyés et de vilains internationaux, lui seul m'impressionna ; ou, plus exactement, lui seul me donna le sentiment que nous assistions à la fin d'une histoire – celle de la décolonisation – et au début de quelque chose d'inquiétant. Nous le vivions sans le savoir : le fond de l'air historique était encore léger, les reporters semblaient insouciants. On dit souvent que le désastre actuel a commencé avec la révolution iranienne. Dans mon cas, c'est à Bagdad que tout a commencé. Tout ce qui allait conduire, entre autres, au 7 janvier. J'y étais, mais j'en suis parti trop tôt. Le 7 janvier aussi, j'y étais, mais je me suis levé pour partir trop tard.

Quand on est reporter, il faut rester là où l'événement a lieu, et le faire si possible du côté des faibles, des inconnus, des gens ordinaires pris dans une situation extraordinaire, pour leur donner un nom et le maximum de vie au moment où une puissance quelconque cherche à les leur ôter. Il fallait donc rester avec les Irakiens, même si leur dirigeant était un criminel, même si cet hôtel luxueux dont il était si difficile de sortir était un lieu de propagande et de comédie, même si enquêter dans ce pays était devenu presque impossible. Il le fallait, parce que les grandes puissances étaient contre eux et parce qu'il fallait simplement, autant que possible, témoigner des effets du bombardement. C'est aussi simple que ça, et je ne l'ai pas fait. Finalement, ceux qui sont restés ont été expulsés au lendemain du bombardement. Ils n'ont presque rien vu. Mais nous ne pouvions pas le deviner. Pourquoi suis-je parti ? Par peur ? Tout le monde ou presque avait peur, et pourtant quelques-uns sont restés. Parce que je n'ai pu contrôler cette peur ? C'est possible ; ce n'est même pas certain. À Amman, quelques jours plus tard, un ami, qui avait pris le dernier avion avec moi, m'a dit : « Tu es rentré à cause du tapis. » Il n'avait pas tort, c'est tout ce qu'on peut dire. Je continue de penser que, ce jour-là, en prenant l'avion pour Amman avec les derniers journalistes européens – les Américains étaient partis depuis longtemps, soumis aux ordres de leurs directeurs, eux-mêmes soumis aux injonctions de leur gouvernement –, j'ai renoncé à une carrière de reporter qui semblait m'attendre. Une vie possible est morte, sans doute faite de sacs et de solitudes, je n'en sais rien, une autre vie en tout cas, une vie que ce tapis symbolisait.

Le soir du bombardement, je devais aller dîner chez un diplomate palestinien que m'avait présenté un vieux peintre irakien, rencontré dans cette ville quelques années plus tôt. Je n'avais pas annulé le dîner, car je pensais encore y aller le matin même. Si j'étais resté, c'est de sa résidence que j'aurais assisté à cette nuit illuminée. Nous aurions peut-être fini dans sa cave en buvant du vin, du champagne, lui aussi en avait vu d'autres. Cela aurait créé des liens. Il serait devenu un ami. Il m'aurait présenté ses amis qui, pour certains, seraient devenus les miens. J'aurais peut-être été, le 7 janvier 2015, un demi-spécialiste de cette région du monde, et non un critique culturel à *Libération* et chroniqueur à *Charlie Hebdo*. Et puis, de Bagdad, quels papiers aurais-je écrits ! Au lieu de quoi j'avais fui et, du même coup, sans m'en douter encore, dit à peu près adieu à ce monde arabe dans lequel je commençais à me sentir à mon aise et qui, vingt-quatre ans après, sous une forme imprévisible et au cœur de Paris, allait me rattraper. Ce tapis avait passé toutes ces années sous mon nez, sous mes pieds. Il me rappelait sans cesse l'Irak, ce diplomate palestinien qui m'attendait toujours pour dîner, la honte et les regrets qui avaient suivi, les regrets et puis l'oubli – un certain oubli. Il s'était peu à peu défait, comme ma mémoire, comme tout ce qu'elle portait de plus cuisant et de plus anodin.

Je l'ai regardé, comme chaque matin, en pensant comme chaque matin qu'il était temps de le jeter et en sachant comme chaque matin que je ne le ferais pas, parce qu'il me faisait toujours voler, sans que je sache trop ni comment ni pourquoi. Puis je me suis allongé dessus pour faire mes exercices, comme chaque matin, après avoir comme chaque matin allumé la radio. L'invité de France Inter était – tiens donc ! – Michel Houellebecq. Je ne m'en suis souvenu qu'en recherchant, un an plus tard, qui j'avais bien pu écouter ce matin-là. J'avais tout oublié. Je l'ai réécouté depuis. Les tueurs se préparaient donc au moment où il parlait d'une voix faussement endormie de république et d'islam. Ils vérifiaient leurs armes tandis qu'il murmurait ses provocations en mode mineur. Dans deux heures, sa fiction serait dépassée par une excroissance du phénomène qu'elle avait imaginé. On ne contrôle jamais l'évolution des maladies qu'on diagnostique, qu'on provoque ou qu'on entretient. Le monde dans lequel vivait

Houellebecq avait encore plus d'imagination que celui qu'il décrivait.

J'ai étiré mes muscles tandis qu'il qualifiait *Soumission* de « satire », de « politique-fiction, pas forcément très crédible ». J'ai fait mes pompes tandis qu'il décrivait la réélection en 2017 de François Hollande comme « un tour de passe-passe créant un trouble, une situation étrange dans le pays ». J'ai fait la chandelle pendant qu'il disait que la démocratie sortait ridiculisée de cette élection et j'ai dû attaquer mes abdos au moment où il disait que l'islam décrit dans *Soumission* lui paraissait, somme toute, plutôt modéré. « Il me semble qu'il y a bien pire », a-t-il dit en pouffant imperceptiblement, pendant que je respirais et contractais mes muscles. Dans deux heures, il aurait raison.

J'ai dû écouter l'entretien avec une attention pas tout à fait distraite. Je vais maintenant le décrire comme je l'aurais peut-être fait dans la chronique du prochain *Charlie*, celui du 14 janvier, si l'attentat n'avait pas rendu caduc ce qu'il a dit ce matin-là. Le présentateur Patrick Cohen, qui a trop d'auditeurs pour ne pas confondre son rôle, son personnage et sa fonction, semble surpris, presque indigné, par l'huile que l'écrivain jette sur le feu. Il lui dit : « Je rappelle que les musulmans, en France, c'est 5 % de l'électorat. 5 % ! » Houellebecq : « Oui. Et alors ? Je suis désolé, c'est très gênant, pour moi, quand des gens ne peuvent pas être représentés. » Comme souvent, il n'a pas tort, les musulmans sont mal représentés en France, et, comme toujours, il est pervers : il fait de cette population une menace, tout en prétendant défendre son droit à la représentation. Cohen réagit : « Vous essentialisez les musulmans. » « Qu'est-ce que vous appelez "essentialiser" ? » dit l'écrivain, qui repère toujours implacablement ce que Gérard Genette appelle le « médialecte » : tous ces grands mots que ma profession va répétant sans réfléchir et qui ne sont que les signes d'une morale automatique. Cohen patauge un peu et, comme il aime avoir le dernier mot, attaque : « Au fond, ce que vous racontez, ce que vous imaginez dans ce roman, c'est la mort de la république. Est-ce que c'est ce que vous souhaitez, Michel Houellebecq ? »

À cet instant, l'entretien bascule dans le malentendu habituel – un malentendu que l'ambiguïté virtuose de Houellebecq entretient. C'est sans doute le moment que je choisis pour effectuer mes flexions à l'aide d'un manche à balai. Cohen interroge son invité non plus comme un romancier, mais comme un idéologue ou un politicien : tout est bon pour éviter de parler du texte. Houellebecq l'a compris depuis longtemps, depuis toujours peut-être, et s'il passe et repasse sans cesse la frontière entre littérature et politique, comme un glorieux contrebandier, c'est d'abord pour enrichir son commerce. Je suis oiseau, voyez mes ailes, je suis souris, vive les rats ! « Je ne sais pas ce que je souhaite, dit-il à Cohen, avant d'ajouter avec son ironie pateline : je peux m'adapter à différents régimes, hein… » Sur la vidéo, on le voit se gratter l'oreille comme un vieux chien. On dirait qu'il chasse les puces que l'autre lui envoie. Cohen : « Vous n'avez pas de point de vue ? » « Non, pas trop. » Le journaliste insiste : « On se dit quand même en vous lisant qu'on ne peut pas écrire un tel roman sans avoir de point de vue. » Houellebecq répond en romancier : « Ben non, justement, il ne faut surtout pas avoir de point de vue pour écrire un tel roman. Il y a plein de personnages qui ont des points de vue dans ce roman. Le mieux est de ne pas avoir de point de vue pour leur laisser la parole à tour de rôle. »

Il est ensuite question du rapport de la France à ses musulmans et l'écrivain dit : « Non, tout compte fait, après lecture approfondie du Coran, je suis sûr qu'on peut négocier. Le problème, c'est qu'il y a toujours une marge d'interprétation. En prenant une sourate, en l'exploitant à fond, en en éliminant cinq autres, on peut aboutir à un djihadiste. Il faut vraiment une sérieuse dose de malhonnêteté pour lire le Coran et pour aboutir à ça, mais c'est possible. » Que font les tueurs à cet instant ? Lisent-ils une sourate que dans deux heures et demie ils vont exploiter à fond ? Je crois avoir fini mes mouvements au moment où Houellebecq disait que la république n'était pas un de ses absolus. J'ai éteint la radio et je suis allé me doucher.

Ensuite, j'ai réfléchi à *La Nuit des rois*. Je ne savais toujours pas, au moment de partir, si j'allais directement écrire mon article à *Libération*, ou si j'allais d'abord assister à la conférence de rédaction de *Charlie* : le premier journal était sur le chemin du second. Comme c'était la première conférence de l'année, je serais content de revoir les uns et les autres, et d'abord Wolinski, que j'avais toujours tant de plaisir à retrouver. Mais Shakespeare m'attendait… Je n'étais pas décidé.

J'ai écrit à Gabriela que Princeton avait confirmé mon poste et que j'avais pris mon billet d'avion. J'ai écrit à une éditrice que j'aurais aimé rencontrer à New York l'écrivain Akhil Sharma. Il publiait un roman, *Notre famille*, dont le début me plaisait, et que je n'ai jamais fini de lire.

Plus tard, entre les blocs et les soins, entre la morphine et les insomnies, je me suis souvent fait le récit dérivant de cet entretien. Je rencontrais l'écrivain dans son quartier, à Brooklyn ou dans le Queens, ça dépendait de ma rêverie. Nous buvions du thé et nous parlions de l'Inde, où il était né et où je n'étais pas retourné depuis longtemps. Nous parlions d'immigration et de littérature comme de compagnes idéales, même si elles étaient généralement séparées. Nous allions marcher dans le quartier new-yorkais de son enfance. J'y retournais plus tard dîner avec Gabriela, qui raffolait de la cuisine indienne. Je détaillais les plats, les odeurs, les lieux, les serveurs, nos discussions. Il m'arrivait de finir en Inde avec Gabriela, à Bombay ou à Madras plutôt qu'à Delhi. Quand c'était à Madras, on s'embrassait dans le petit aquarium qu'avait décrit Henri Michaux et que pour cette raison j'avais visité. On le faisait de préférence devant l'un de ces tétrodons qui, d'après lui, avaient « l'air tellement rembourrés, gonflés, sans forme, espèce d'outres ». Tu leur ressembles, me disait-elle, puisque j'étais défiguré. Et on riait. Puis on imaginait la vie de chaque animal, non pas une fable, mais son histoire : comment il avait atterri là, ce qu'il éprouvait, comment flottaient en lui les sensations du piège, de la lumière, des regards derrière la vitre et de la mort. J'abandonnais ces rêveries un peu trop tard pour ne pas me sentir attristé et épuisé par leur faiblesse, leur impossibilité, et par les douleurs nerveuses qu'elles provoquaient.

Le mystérieux Akhil Sharma n'a pas été le seul à occuper des bouts de vies que je n'ai pas eues. J'imaginais régulièrement les différentes rencontres que j'aurais faites à Cuba si j'avais échappé à l'attentat. Après un long séjour en France, mon ancienne belle-mère était retournée à La Havane, où elle vivait, une semaine plus tôt, et elle avait insisté pour que je l'y accompagne. J'étais tenté, mais la perspective de rejoindre Gabriela à New York m'avait fait renoncer : je comptais aller à Cuba, en reportage pour *Libération*, le mois suivant. Je n'y suis depuis jamais retourné. L'éditrice m'a donné les coordonnées d'Akhil Sharma trois quarts d'heure après l'attentat. Elle ignorait encore qu'il avait eu lieu. Je n'ai lu son mail qu'une dizaine de jours plus tard. Comme tant d'autres, il arrivait d'un autre monde. Je ne lui ai répondu qu'en février.

J'ai encore écrit, à propos de Houellebecq, un mail à Claire, mon amie et chef de service. L'énervement, qui n'est jamais bien loin chez moi, a ressurgi. Sur France 2 et sur France Inter, lui disais-je, je trouvais qu'il avait l'air d'« une espèce de personnage gourouisé, qui ne dit rien, et dans le vide duquel s'engouffrent les bavardages et les jugements des autres – comme s'il était une sorte de prophète. C'est très étonnant, cette folie des gens du système. Cela laisse du champ, samedi, pour un entretien que j'espère plus raisonnable et précis ».

Je ne suis pas plus fier de ce mail et de quelques autres du même genre écrits dans la foulée que de la frivolité dont ils naissent et qu'ils alimentent. J'aurais aimé « finir » ma vie antérieure sur des phrases un peu plus calmes, un peu plus drôles, un peu plus intéressantes, même si surtout pas définitives. Je ne crois pas que j'aurais aimé écrire « comme si c'était la dernière phrase de ma vie ». De toute façon, quand la suite survient par accident, on n'a pas le temps de préparer son costume, ses gestes et ses mots de la fin. Ces phrases anodines, plutôt méprisantes et non dépourvues d'autosatisfaction, je les ai écrites comme si la vie allait continuer. C'est pourquoi j'éprouve une certaine compassion pour celui qui les a envoyées : ce sont les derniers mots d'un journaliste ordinaire et d'un inconscient. Écrits avant l'attentat qui se prépare pendant qu'il les écrit. Les derniers, si j'excepte un mail informant un collègue que je pensais écrire dans la journée sur un livre de jazz intitulé *Blue Note*, que je venais de recevoir. Ce livre, on le verra, m'a probablement sauvé la vie et j'écris ceci, comme j'écris chaque jour, à quelques mètres de lui. C'est mon talisman immobile ; il est un peu lourd pour m'accompagner. Mon exemplaire annoté de *Soumission*, lui, traînait à *Libération* où il a disparu.

Un mail de Gabriela est arrivé au moment où j'allais éteindre mon ordinateur. Elle me répondait par un seul mot :

Yahoo !

Il était 4 heures du matin à New York, elle ne dormait pas, et, à l'instant où j'enfilais mon caban et mon bonnet pour sortir, elle m'a appelé sur FaceTime. Son visage endormi et souriant est apparu dans la nuit de son appartement new-yorkais. Je le devinais dans la pénombre, légèrement éclairé par la lueur bleuâtre de son portable. J'ai senti, comme souvent, une légère douleur, née de la frustration de ne pouvoir passer l'écran pour sentir sa présence, sa chaleur, son haleine, son odeur. J'aurais voulu recommencer ma nuit là-bas. Nous nous sommes dit « te quiero », nous nous sommes répété que nous serions bientôt ensemble, puis je lui ai murmuré que j'étais en retard et que je l'appellerais après le déjeuner. Elle m'a embrassé sur l'écran, il devait y avoir de la buée de son côté. J'ai éteint et je suis sorti. Je suis monté sur mon vélo et c'est alors, sur les boulevards, à hauteur du Monoprix où je m'arrêtais pour acheter un yaourt à boire, que j'ai choisi d'aller d'abord à *Charlie*.

Quand je suis arrivé, la conférence avait commencé. J'ai voulu prendre un exemplaire de l'édition du jour, mais il n'y en avait plus, et je me suis de nouveau énervé. Je suis rentré en râlant dans la salle où tout le monde était assis. Une place m'attendait au fond, entre Bernard Maris et Honoré. Je me rappelle avoir plus ou moins dit : « C'est quand même incroyable qu'il n'y ait pas assez d'exemplaires du journal pour chacun de nous le jour où il est publié et où nous devons en parler. » Charb a eu un sourire ironique et bienveillant qui signifiait : « Tiens, Lançon fait son caca nerveux ! » Honoré, avec sa gentillesse habituelle, a sorti de son sac l'un de ses deux exemplaires et me l'a donné. Nous étions une bande de copains plus ou moins proches dans un petit journal désormais fauché, presque mort. Nous le savions, mais nous étions libres. Nous étions là pour nous amuser, nous engueuler, ne pas prendre au sérieux un monde désespérant. J'ai eu honte de ma réaction et j'ai regardé la une.

Luz, en retard ce matin-là, l'avait dessinée. On voyait Houellebecq en demi-clochard blafard et allumé, clope à la main, nez d'ivrogne et bonnet étoilé sur la tête, genre lendemain de fête trop et mal arrosée. Au-dessus, cette inscription : « Les prédictions du mage Houellebecq ». Au-dessous, les prédictions : « En 2015, je perds mes dents... En 2022, je fais ramadan ! » Il avait tout prévu, vraiment, sauf l'attentat. Quelques traits et deux bulles résumaient, mieux que je n'aurais su le faire, mon agacement devant le cirque qui s'annonçait : vertu agressivement elliptique de la caricature. En bas de page, il y avait une publicité pour un « hors-série » sur la vie du Petit Jésus. Tandis que je regardais plus en détail la une, la discussion que mon entrée avait suspendue a repris. J'ai relevé la tête et tendu l'oreille. Il était question de Houellebecq.

CHAPITRE 3

La conférence

Pourquoi étais-je toujours en retard à la conférence, moi qui ne le suis presque jamais ? Il y avait une sorte de brioche devant Cabu. Wolinski dessinait sur son carnet tout en regardant d'un air amusé tel ou tel intervenant. En général, il dessinait plutôt une femme, plutôt nue, aux rondeurs plutôt minces, et il lui faisait dire quelque chose de drôle, d'inattendu, d'absurde, qui lui avait été inspiré par ce que venait de dire quelqu'un qui, drôle, l'était moins. C'est pourquoi j'aimais être assis à côté de lui. Je regardais son talent transformer la réalité en direct, la déformer pour la rendre non pas plus acceptable, mais plus intelligente, plus fantaisiste et plus burlesque : pour en faire quelque chose de propre à entrer dans la vie dessinée de Wolinski. Ce matin-là, il n'y avait pas de place à côté de lui.

Fabrice Nicolino n'avait pas encore entamé l'une de ses tirades nerveuses et mélancoliques contre la destruction écologique du monde. Fabrice avait besoin d'être indigné pour ne pas être désespéré, mais il était quand même désespéré – un bon vivant désespéré. La voix de crécelle tonitruante d'Elsa Cayat a retenti, suivie d'un immense rire sauvage, un rire de sorcière libertaire. J'aimais beaucoup Elsa : toujours elle semblait rire de Macbeth, des larbins qui l'entourent et de sa criminelle aliénation. Tignous dessinait peut-être. Il dessinait parfois pendant la conférence, toujours quand elle était finie. J'aimais le regarder travailler : un vieil enfant trapu et concentré, appliqué, lent, les épaules lourdes, un artisan. Souvent, il apportait de la brioche, mais ce n'était pas celle qui se trouvait ce matin-là devant Cabu. Assis derrière, Laurent Léger, dont la longue silhouette et le sourire discret masquaient le souci d'une nouvelle croisade contre un abus de pouvoir ou une pratique de corruption, Franck Brinsolaro, le garde du corps de Charb, semblait écouter vaguement les mots et les tirades, et je me suis demandé une fois de plus, en observant son visage, ce qu'il pouvait penser de toutes les conneries qui voltigeaient autour de la table, puisque nous étions là pour ça : dire des conneries. Dire tout ce qui nous passait par la tête, nous engueuler et nous amuser sans souci de bienséance ou de compétence, sans être raisonnables ni « sachants », et encore moins sachems. Le dire pour nous réveiller.

J'insiste, lecteur : ce matin-là comme les autres, l'humour, l'apostrophe et une forme théâtrale d'indignation étaient les juges et les éclaireurs, les bons et les mauvais génies, dans une tradition bien française qui valait ce qu'elle valait, mais dont la suite allait montrer que l'essentiel du monde lui était étranger. J'avais mis du temps à me débarrasser de mon esprit de sérieux pour l'accepter, et je n'y étais d'ailleurs pas tout à fait parvenu. Je n'avais pas été programmé pour le comprendre, et puis, comme la plupart des journalistes, j'étais un bourgeois. Autour de cette table, il y avait des artistes et des militants, mais il y avait peu de journalistes et encore moins de bourgeois. Bernard Maris était sans doute resté à *Charlie*, ces dernières années, pour la même raison que moi : parce qu'il s'y sentait libre et insouciant. Raconter n'importe quoi sur tel écrivain ou tel événement était sans importance, du moment que ça conduisait à quelque chose qui le métamorphosait : une idée, une blague ou un dessin. Les mots couraient comme des chiens affamés d'une bouche et d'un corps à l'autre. Dans le meilleur des cas, ils trouvaient une proie. Dans le pire, ils se perdaient et on les oubliait entre un gobelet vide et un papier plus ou moins gras. Les gens que leur compétence obsède écrivent des articles rigoureux, certes, mais ils finissent par manquer d'imagination. Ici, on disait ou l'on criait beaucoup de choses vagues, fausses, banales, idiotes, spontanées, on les disait comme on se dérouille le corps, mais, quand la sauce prenait, l'imagination suivait. Elle avait assez de mauvais goût pour ne nous épargner aucune de ses conséquences.

Comme je n'étais pas encore entré dans la discussion, j'ai regardé les lieux qui lui servaient de théâtre. C'était une toute petite salle dans un tout petit immeuble situé dans une toute petite rue, une rue qui ne ressemblait à rien sinon à une impasse. La rue portait un nom que je n'arrivais jamais à retenir, celui d'un industriel qui, à la fin du XVIIIe siècle, avait inventé les conserves et ouvert la première usine au monde à en fabriquer. Nicolas Appert était fils d'aubergistes. Après avoir fait fortune, il avait été ruiné par le blocus continental. Il était mort à quatre-vingt-onze ans. On a mis son corps à la fosse commune. La rue s'appelle toujours Nicolas-Appert, et maintenant je me souviens de son nom, mais pas depuis si longtemps. Elle est située entre Bastille et République, entre la Révolution et la Commune auraient dit certains de mes amis, mais ç'aurait été faire beaucoup d'honneur à ce misérable segment urbain, où des architectes semblaient s'être réunis pour remporter un concours de laideur.

Les locaux étaient au deuxième étage de l'immeuble largement vitré, aux allures de Lego, dans lequel on avait envie d'entrer comme dans un lave-vaisselle ou un commissariat. Les toilettes communes étaient hors de *Charlie*, à quelques mètres, au milieu d'un couloir toujours désert. Plus tard, à l'hôpital, ces toilettes ont pris pour moi une importance rétrospective – comme une porte que je ne cesserais d'ouvrir. Elles me faisaient miroiter la fuite et un autre destin, mais elles n'ouvraient que sur un mur de briques. J'imaginais que j'étais en train de pisser quand les tueurs entraient. Non, je ne l'imaginais pas : au cœur des tuyaux, je le vivais. J'étais dans ces toilettes à leur arrivée et je pissais pendant qu'ils tuaient tout le monde, sans rien savoir, rien entendre.

Dans un scénario, j'en sortais au moment où ils quittaient *Charlie*, je les croisais dans le couloir et ils me tuaient. Dans un autre scénario, ils me prenaient en otage et, pour une raison mystérieuse que mon état m'empêchait de découvrir, ils m'épargnaient. Dans un troisième, l'un des tueurs entrait dans les toilettes pour vérifier s'ils n'avaient oublié personne, et je retenais mon souffle, debout et en équilibre sur la cuvette. Combien de fois avais-je vu ce genre de scènes au cinéma ? Tantôt le tueur me découvrait, tantôt non. Dans un quatrième, je sortais des toilettes après leur départ, sans avoir rien entendu, et je découvrais le massacre, mes compagnons morts et blessés. Le scénario s'arrêtait là, car, ayant été blessé, je ne pouvais me dédoubler au point de m'imaginer volant au secours de moi-même. Comme les précédents scénarios, j'abandonnais celui-ci à l'instant où il n'était plus qu'un film dans lequel il m'était interdit de jouer. Chaque scénario provoquait, à un moment ou à un autre, un état de panique et de chagrin auquel je ne pouvais pas plus échapper qu'à ces maudites toilettes.

Je reviens aux locaux. Ils signalaient l'appauvrissement progressif, bordélique et enjoué du journal qui les occupait. On s'y apostrophait à l'étroit, comme si, face à la disparition des lecteurs, ces ingrats, les murs s'étaient peu à peu resserrés, telles les parois d'une benne à ordures, autour des corps et des mots. Les cris, les rires et les engueulades me rappelaient Cuba, une île où les gens parlent fort et répandent des humeurs extravagantes, comme des fous dans l'asile où nul ne peut les entendre, et qui finissent par avoir raison à force de dire tout et n'importe quoi. Il était probable que le vieil hebdomadaire satirique finirait ses jours ici, bientôt, nous le savions et, fatalistes, nous en riions. Nous ? Faisais-je partie de ce « nous » ? Et, si j'en faisais partie, que signifiait-il ?

Dans mon adolescence et ma jeunesse, en banlieue sud de Paris, je lisais *L'Express*. C'était le journal auquel mes parents étaient abonnés. C'était alors un bon journal : un projet, un style, une unité, de grands reportages, de bonnes chroniques, de grandes signatures. J'admirais Raymond Aron, qui représentait pour moi tout ce qui paraissait me manquer : la culture associée à la raison. J'avais fini par lui écrire, peut-être parce qu'il était impossible d'écrire à un mort qui s'appelait Sartre, et il me reçut dans son bureau. Il avait la peau pâle et parcheminée, un grand nez, et je n'aurais pas été plus impressionné en face d'un diplodocus. Je crois qu'il était content de recevoir un jeune homme, même un jeune homme sans talent particulier, lui qui avait été traité par tous les sartriens et les soixante-huitards comme un prof doublé d'un vieux con. Nous avons parlé de *La Nausée* et de *La Métamorphose*. Je lui ai dit que j'avais eu du mal à lire le premier au lycée. Il s'est agacé qu'on nous l'ait fait lire si tôt. Il dodelinait de la tête en râlant : « C'est beaucoup trop difficile pour vous ! Beaucoup trop difficile… Il faut avoir un peu vieilli pour comprendre la portée de ce livre. » Et je perçus, tandis qu'il m'en parlait, toute sa mélancolique admiration pour Sartre. De *La Métamorphose*, il dit une banalité : « C'est un énorme cauchemar ! » Je me sentis coupable de ne rien pouvoir dire qui aurait transformé cette banalité en or, mais elle m'était due. Je ne méritais pas mieux. La banalité, c'était moi.

Il m'arrivait aussi de lire *Charlie Hebdo*, chez l'un de mes copains de classe, et d'en rire avec lui. Si l'un de nos héros était Corto Maltese, l'autre était Reiser, dont nous lisions chaque album avec une joie presque frénétique. Comme je n'avais aucun sens politique, ça n'allait pas plus loin. De *Charlie*, je ne me souviens finalement que d'une couverture : une grande toise qui permettait de mesurer la taille de sa bite ; au-delà d'une certaine limite, expliquait le dessin, on était dans la catégorie des nègres, des youpins, des bougnoules, des métèques. Du moins, c'est mon souvenir, et je ne veux pas le vérifier. De toute façon, il résumait l'état d'esprit du journal. Prendre le point de vue ou le fantasme le plus abject ou le plus ridicule pour le retourner par l'absurde, dans un grand éclat de rire, et avec le plus de mauvais goût possible, tel était l'humour de *Charlie* à une époque où le « bon sens » était le tapis du monde le mieux partagé par les pompes bien cirées, celui sous lequel la société postgaulliste glissait à la balayette ses petits tas d'ordures. *Charlie* était un drapeau à tête de mort qui flottait sur les Trente Glorieuses. Pour des adolescents que tout révoltait, souvent à leur insu, et qui noyaient si volontiers leur révolte dans leur bêtise, cet humour servait de tuteur, d'exutoire et de décapant.

Autant que je m'en souvienne, j'étais pourtant effrayé par la brutalité des attitudes et des mots de cette époque. Après un bref épisode de révolte et d'espérance, la société repassait par le gris pour rejoindre le clinquant, celui des années quatre-vingt, et l'abjection inculte, démagogique et inégalitaire dont nous ne sommes plus jamais sortis. Je n'avais conscience ni de l'un, ni de l'autre. J'étais trop jeune, trop endormi et trop mal informé pour ça ; mais je sentais ce passage et j'en souffrais. Dans ma famille, on était de droite. Au collège et au lycée, on était de gauche. Moi, je n'étais de rien. Les militants de toute espèce, qui fleurissaient encore, m'horrifiaient par le bruit qu'ils faisaient. Giscard était président ; Barre, Premier ministre : le rapport géométrique entre leurs corps, l'un grand et maigre, l'autre petit et rond, voilà ce qui m'amusait. Leurs marionnettes n'existaient pas encore. Je me les fabriquais.

Cependant, le peuple de gauche avait des cibles favorites, qui circulaient dans le lycée comme des pipes de foire. Elles portaient des noms de ministres qui sont morts et qui, si je les citais, ne diraient plus rien à personne, sauf à des gens dont nul ne sait s'ils sont toujours vivants. On recommençait à parler de Mitterrand, que je trouvais aussi laid, avec ses dents avancées et ses yeux clignotants, que Giscard me semblait ridicule avec ses chuintements nobiliaires. C'était ça, la politique ? J'avais quinze ans, je lisais Céline et Cendrars – et je laisse à chacun le soin de comprendre comment ces écrivains pouvaient inciter un gamin à vouloir échapper aux perspectives de son environnement. Certains professeurs nous conduisaient parfois dans des manifs à bord d'une camionnette. Je suivais, je montais, je défilais, j'oubliais. Il était beaucoup question d'antiracisme.

Au lycée, la plupart des Arabes étaient alors relégués au LEP, le lycée d'enseignement professionnel. C'était une population étrangère, dont nous ne croisions que les membres les plus agressifs dans le garage du sous-sol, où les uns dépouillaient – c'était le mot qu'on employait – les

« mobs », tandis que les autres faisaient le guet. On disait qu'ils avaient des couteaux, on évitait de descendre au garage aux heures creuses. C'était peut-être un fantasme. Je ne suis pas allé vérifier. Ma « mob », une 104 Peugeot, a été plusieurs fois dépouillée. J'étais attristé, mais je n'étais pas vraiment surpris, car être dépouillé me semblait faire partie de ma condition de petit-bourgeois. Je n'étais de rien, mais j'étais de gauche, j'imagine, sans le savoir et sans m'en soucier. Je vivais, comme beaucoup d'enfants de la classe moyenne blanche, dans un monde sans Arabes, sans Noirs, sinon de loin, et je ne crois pas avoir entendu une seule fois, en ces années-là, prononcer le mot *musulman*. L'ayatollah Khomeyni, qui commençait à se faire connaître, on l'appelait l'ayatollah Grosminet. Ce n'était pas plus sérieux qu'un dessin animé ou une bande dessinée, ce barbu aux allures de grand-père avec un turban sur la tête qui rappelait le grand vizir Iznogoud. La violence était partout, mais elle n'existait pas. Dans la classe, un ami juif traitait Napoléon de petit Hitler, et le professeur d'histoire, un communiste amoureux de Gracchus Babeuf, ne lui donnait pas tort. J'aimais beaucoup celle qui nous enseignait la littérature dans un cours facultatif. Elle était baba, enthousiaste, excentrique, et m'avait fait découvrir, entre autres, Richard Wright et Panaït Istrati. Je n'ai oublié ni son odeur d'encens, ni sa lourde silhouette enveloppée dans des bouts de tissus négligés, comme si elle rentrait d'un stage en ashram, ni son sourire plein de mauvaises dents, ni ses longs cheveux bruns et jamais peignés, luttant avec les foulards qui les environnaient, mais j'ai oublié son nom.

Dans la bibliothèque de mes parents, il y avait beaucoup de succès éditoriaux, de prix littéraires : la classe moyenne achetait des livres et, contrairement à ce qu'on pense souvent, quoi qu'ils vaillent, elle les lisait. C'est ainsi que j'ai découvert et aimé deux livres de Cavanna, *Les Ritals* et *Les Russkoffs*. On ne cesse jamais d'être tous ceux qu'on a été : quand j'ai vu vingt-cinq ans plus tard à *Charlie* ce costaud raffiné, avec sa voix haut perchée qui ne portait pas et sa grande moustache blanche, ce n'est pas le journaliste de *Libération* qui l'a d'abord regardé, mais le lycéen qui avait lu ses livres, allongé sur un lit superposé, à la lumière d'une petite lampe-tempête, près d'une grande carte de l'Indochine.

Jusqu'au bout, Cavanna m'a intimidé. Le jeune lecteur était resté plus fort, plus présent, que l'homme qui était devenu son collègue. Je n'ai raté aucune de ses dernières chroniques, de plus en plus brèves, où il contait avec rage et humour son Parkinson et son déclin. Un jour, Charb me dit avec un sourire réjoui : « Encore une chronique qui déménage. Il écrira jusqu'au bout, il ne va rien nous épargner, et tu verras qu'il continuera encore au fond du trou, qu'il nous parlera de la vie des asticots. » Cavanna avait raison d'aller aussi loin que possible, de ne lâcher sur rien, et je donnerais cher pour que les morts qui m'accompagnent puissent écrire ce qu'ils vivent ou ne vivent pas, de là où ils sont, tels qu'ils sont. Je voudrais connaître leurs précis de décomposition, leurs rires pleins de terre, sans doute parce qu'il y a eu un moment, quelques semaines, où il m'a semblé vivre avec eux, parmi eux, en eux, et où sentir qu'ils s'éloignaient m'a causé plus de tristesse et de solitude que tout ce qu'il me fallait affronter.

Il y avait du monde à l'enterrement de Cavanna, au Père-Lachaise. Des dessinateurs dessinaient pendant la cérémonie. Si je me souviens bien, j'étais assis à côté de Tignous, dans les rangs de l'équipe. Comme toujours je me sentais étranger et fier d'être là, entre eux et l'un d'eux. C'était le 6 février 2014. Il pleuvait plus ou moins. J'apparais deux secondes sur une vidéo de YouTube, dehors, avec Charb, Luz, Catherine et Patrick Pelloux. L'un est mort, les autres sont partis. Ma tête est au second plan entre leurs têtes et je souris. Un grand crâne chauve luit de dos sous le ciel gris : je ne sais pas qui c'est. Je porte le bonnet rouille, le caban et le visage que je porterai pour la dernière fois le jour de l'attentat. Charb est plus rond que dans mon souvenir. Le souvenir de sa mort l'a-t-il amaigri ? Il a une expression flegmatique. Catherine a l'air sombre. Je nous regarde vivre, quelques images fugaces, tandis qu'on enterre Cavanna, et je pense à autre chose. Quelques jours après la fatwa prononcée par l'ayatollah Khomeyni contre Salman Rushdie, celui-ci assiste à l'enterrement de son ami Bruce Chatwin. Un autre écrivain, Paul Theroux, se tourne vers lui pendant la cérémonie et dit : « L'an prochain, nous serons de nouveau là, mais pour toi. » À l'enterrement de Cavanna, personne n'a eu envers les futurs morts cette manifestation d'humour anglais. C'était imprévisible, ou prématuré. L'enterrement du fondateur de *Charlie* était la fin d'une époque, comme on dit, comme nous le disions tous. Ce fut aussi le dernier enterrement d'un camarade avant l'attentat. Le plus longtemps possible, il avait assisté à la conférence de rédaction. S'il avait vécu un peu plus, il serait peut-être venu le 7 janvier. Il y a des fois où les absents ont toujours raison.

J'ai un souvenir précis du jour où j'ai dit à un autre absent, Philippe Val, alors directeur du journal et ami, que j'acceptais d'écrire dans *Charlie*. C'était par une belle journée parisienne de la fin du printemps. Je suis passé le voir à un vernissage pour le lui annoncer, puis je suis allé marier deux Américains que je ne connaissais pas dans le jardin du Luxembourg. Un ami, correspondant de presse aux États-Unis, avait rencontré lors d'un reportage un jeune avocat qui défendait la cause des Indiens dans l'Oklahoma. Il avait été séduit par son intelligence, sa ténacité et son efficacité. Ils étaient devenus amis. Jon venait d'épouser une jeune femme, Pamela, et tous deux voulaient profiter de leur voyage de noces pour célébrer de nouveau leur mariage, symboliquement, à Paris. C'est ce que font parfois les Américains. La ville représentait l'amour – une forme plaisante et éternelle de l'amour, fouettée par la grâce de ses ponts et de ses bâtiments. Mon ami me demanda de les marier. J'ai accepté. Ma femme, Marilyn, était ravie de l'aventure. Nous devions les rejoindre à leur hôtel, sur le boulevard Saint-Michel, et trouver avec eux l'endroit qui leur conviendrait pour la cérémonie. Je devrais y faire un discours et les unir. Pour l'occasion, j'ai relu un de mes livres préférés, *Paris est une fête*.

Avant son suicide, Hemingway se souvient du Paris de sa jeunesse, de la ville où il fut pauvre, aima et devint écrivain. Toute sa laconique dépression s'y exprime, toute sa sensibilité, toute sa dureté aussi, tout ce qui tient et vit dans le paradis perdu. Je rouvrais souvent le livre. Plus je vieillissais, plus il me semblait qu'il renvoyait chaque lecteur à l'âge, variable selon chacun, où il avait été le moins éloigné de ses rêves. Il attirait chaque lecteur dans le labyrinthe sans issue de la nostalgie, dans le miroir sans compassion des échecs. Je continuais de le relire, car je n'avais toujours pas trouvé, en moi, cet âge magique et abandonné. Je le cherchais tandis qu'Hemingway me parlait du sien. Je le cherchais, je l'attendais, je ne le trouvais pas, et maintenant je sais qu'il ne viendra plus. Il est enterré quelque part avant le 7 janvier, si toutefois il a existé. Peu importe. Je n'ai plus ni nostalgie ni regrets : sur ce plan, l'événement m'a tout pris.

Après les attentats du 13 novembre, *Paris est une fête* est devenu un best-seller, pour une raison sans rapport avec son contenu, simplement liée au titre français. Les gens voulaient que Paris soit une fête, qu'elle le reste, ils le voulaient désespérément : comme Hemingway l'avait voulu désespérément, une dernière fois, pas tout à fait en vain, et pour lui.

Marilyn et moi nous étions habillés pour l'occasion. Je portais un costume noir à col ras qui aurait pu faire de moi un pasteur. Maquillée, coiffée, elle avait mis un pantalon bordeaux, un chemisier blanc et une veste chinoise que nous avions achetée à Hong Kong l'hiver précédent. Jon et Pamela nous attendaient, assis, à l'entrée de l'hôtel. Ils étaient en short, tee-shirt, et coiffés d'une casquette à visière. Marilyn m'a regardé : les Américains se mariaient-ils dans cette tenue, même pour un mariage symbolique ? Il y a eu un flottement, et Jon a compris que nous ne comprenions pas. Le mariage était pour demain. Aujourd'hui, nous allions marcher dans Paris, effectuer des repérages, comme pour un film, et choisir l'endroit où la cérémonie aurait lieu. Ils ont choisi la fontaine Médicis, dans le jardin du Luxembourg.

Après les avoir quittés, nous sommes passés devant la galerie où avait lieu le vernissage auquel Philippe Val m'avait invité. Je lui ai annoncé que ma décision était prise : j'écrirais dans *Charlie*. J'en avais parlé à Serge July, le directeur de *Libération*. Il n'y voyait pas d'objection. Serge avait été mon premier patron et il l'était redevenu : son avis était essentiel, mais pas pour les raisons qu'on pourrait croire. *Libération*, pas plus que *Charlie*, n'était une entreprise comme une autre. La liberté y régnait, et il était à peu près impossible d'imposer quoi que ce soit à qui que ce soit. En résumé, le vieux slogan vivait : il était presque interdit d'interdire. Ceux qui s'opposaient à Serge, ou à ceux qu'il avait nommés, insistaient sur le « presque » en criant parfois à la censure. Ils avaient raison et lui n'avait pas tort : c'était le jeu. *Libération*, en vérité, était un lieu de pouvoir sans autorité. Les conflits s'exprimaient parfois violemment à l'ombre de Serge, tantôt proche tantôt lointain, comme un fauve. Il y avait des vainqueurs, des vaincus. Jamais Serge n'était du côté des seconds. Si ce n'était pas propre à séduire la morale ordinaire, c'était une grande vertu. Il n'aimait pas l'échec et ceux qui perdaient avaient manqué à ses yeux d'intelligence, de chance ou d'énergie, ou des trois. Tous les autres faisaient à peu près ce qu'ils voulaient, ce qu'ils aimaient : c'était un plaisir intimidant que d'apprendre son métier dans un lieu où les gens étaient aussi nerveux et surprenants. Ainsi le journal brûlait-il les troupes qu'il fortifiait, et cet implacable mouvement permettait de saisir ceux de la société. Il y a eu beaucoup de morts à *Libération*, beaucoup plus qu'ailleurs. La vie continuait.

Du temps où le journal se trouvait rue Christiani, sur la pente est de Montmartre, j'avais souvent vu Serge déjeuner seul, avec ses journaux, dans un petit restaurant grec. Son silence buté et sa minéralité me semblaient admirables : malgré son pouvoir et ses relations, il restait solitaire et, somme toute, en guerre. Sa cinéphilie, son goût pour Stendhal, son intelligence métallique, son indépendance d'esprit, sa violence froide et son absence de sentimentalité, tout cela m'avait formé et suffisamment impressionné pour que le moindre de ses avis importe. Il ne m'aurait jamais interdit d'écrire dans *Charlie*, mais il aurait pu me déconseiller de le faire. Il l'aurait fait avec un regard sans tendresse. Je me serais senti cloué derrière une vitre et je n'y serais pas allé. Dans la galerie, Philippe Val m'a dit : « Ta chronique, tu en fais ce que tu veux. Essaie, transgresse, expérimente, invente des formes. Tu es là pour ça. » Et, quel que soit mon talent, c'est ce que j'ai cherché à faire.

Le lendemain, Marilyn et moi avons rejoint les Américains en début d'après-midi. Cette fois, ils étaient endimanchés. Jon portait un costume noir et un nœud papillon ; Pamela, une longue robe crème. Ils ne devaient plus se voir avant le mariage. Marilyn a conduit Pamela chez son coiffeur et je suis allé marcher avec Jon. Dans le métro, la veille au soir, il avait parlé avec un jeune guitariste sibérien qui faisait la manche et jouait très bien. Le guitariste devait nous retrouver en fin d'après-midi à la fontaine Médicis. À l'heure dite, il s'y trouvait. Il avait les yeux extraordinairement clairs et doux et il ressemblait à un daim. Nous avons vu venir de loin Marilyn et Pamela, ornementées et souriantes. J'avais acheté du champagne et des coupes, bon marché mais en verre. Ils se sont placés debout devant moi. Je tournais le dos à la fontaine. Marilyn nous photographiait. J'ai lu mon discours dans un anglais approximatif. J'ai perdu ce discours et je ne m'en souviens plus, mais il m'en reste tout de même quelque chose, quelque chose d'assez emphatique. Après avoir évoqué le livre d'Hemingway, j'ai souhaité à Jon et Pamela de vivre le plus longtemps possible tout l'amour que l'écrivain semblait regretter avant sa mort, au moins sur la page, d'avoir abandonné. Il avait renoncé au meilleur et au plus intransigeant de lui-même, nous disait-il, à ce noyau dur qui s'exprime et se vit parfois dans la littérature, dans l'art, et en y renonçant il était entré peu à peu, quelle que soit la qualité de son œuvre, sur le chemin du suicide. Ce chemin, en réalité, était tracé depuis le jour où il avait quitté Paris et sa première femme, Hadley, pour devenir ce personnage fatigant, agressif et masochiste, Papa Hemingway. Ai-je employé le mot suicide ? Je ne crois pas. La contrainte du bonheur planait sur la fontaine. Le guitariste sibérien s'est mis à jouer. Marilyn pleurait un peu. Un garde du jardin s'est approché pour dire que toute manifestation privée, sans autorisation, était interdite. Marilyn l'a convaincu d'être un peu moins bête. Je la regardais parler tandis que je finissais mon prêche. Le gardien s'est éloigné tout en nous guettant, comme si Marilyn avait pu mentir sur le sens de ce qu'il voyait. Des promeneurs nous observaient avec une discrétion appuyée. Nous avons rempli les coupes de champagne, puis Jon et Pamela en ont mis une à terre et, selon la coutume juive, l'ont brisée avec le pied. Marilyn et moi étions joyeux. La vie et l'amour étaient devant nous, devant eux, c'était une belle journée de printemps et jamais ça ne finirait : cette petite histoire, dont nous étions les témoins et acteurs improvisés, en était la preuve. Le soir, ils nous ont invités à dîner, avec le guitariste sibérien, dans un restaurant près du Panthéon. C'était de la cuisine française traditionnelle. J'ai pris du confit de canard. Je ne les ai jamais revus. Quatre ans plus tard, j'avais divorcé.

J'aurais eu besoin d'un café, mais souvent la cafetière de *Charlie* ne fonctionnait pas, ou j'arrivais trop tard pour en avoir. Il était question de Houellebecq, mais j'ai commencé par ne pas écouter, car je pensais à Shakespeare. Je quittais généralement les locaux de *Charlie* vers 11 h 30 pour rejoindre ceux de *Libération*, quinze minutes à pied ou cinq minutes à vélo, et fouler leur moquette bleue, aussi tachée qu'un bavoir. Elle n'avait pas été changée depuis sa pose en 1987 – tiens, j'y étais. Si l'on juge une démocratie à l'état des finances et des locaux de sa presse la moins disciplinée, la France était une démocratie en mauvais état. Nous faisions mine d'ignorer à quel point c'était le cas, sans doute parce que nous n'y pouvions rien. Je vivais avec ces deux journaux, selon des processus différents mais pour des raisons semblables, la même expérience : plus ils s'affaiblissaient, plus on les piétinait – cette tendance qu'ont les hommes à crier malheur aux vaincus, pouce vers le bas, avant de les oublier.

Charlie a eu de l'importance jusqu'au moment de l'affaire des caricatures de Mahomet, en 2006. Ce fut un moment crucial : la plupart des journaux, et même certains notables du dessin, se désolidarisèrent d'un hebdomadaire satirique qui publiait ces caricatures au nom de la liberté d'expression. Les uns, par souci affiché du bon goût ; les autres, parce qu'il ne fallait pas désespérer le Billancourt musulman. On se serait cru tantôt dans un salon de thé, tantôt dans la réplique d'une cellule stalinienne. Cette absence de solidarité n'était pas seulement une honte professionnelle, morale. Elle a contribué à faire de *Charlie*, en l'isolant, en le désignant, la cible des islamistes. La crise qui suivit éloigna du journal une bonne partie de ses lecteurs d'extrême gauche, mais aussi les hiérarques culturels et les donneurs de ton qui, pendant quelques années, en avaient fait un journal à la mode. Ensuite, son déclin fut ponctué par une suite de nouveaux locaux, tantôt laids tantôt lointains, et qui ne semblaient destinés qu'à faire regretter l'ancien siège de la rue de Turbigo, au cœur de Paris, et sa grande salle aux baies vitrées. Les plus sinistres étaient ceux, sur un boulevard extérieur, qui furent incendiés par un jet nocturne de cocktail Molotov, en novembre 2011. Nous nous étions retrouvés par une matinée froide et grise devant ce qu'il en restait, l'eau des pompiers ayant achevé de détruire ce que le feu avait entrepris. Les archives étaient transformées en pâte noire. Certains pleuraient. Nous étions accablés par une violence que nous ne comprenions pas tout à fait et que la société, dans son ensemble, si l'on excepte l'extrême droite pour des raisons et avec des objectifs qui ne pouvaient être les nôtres, refusait de constater. Les responsables étaient inconnus, mais nous n'avions guère de doute sur leurs motivations.

Le 7 janvier 2015 vers 10 h 30, il n'y avait pas grand monde en France pour être *Charlie*. L'époque avait changé et nous n'y pouvions rien. Le journal n'avait plus d'importance que pour quelques fidèles, pour les islamistes et pour toutes sortes d'ennemis plus ou moins civilisés, allant des gamins de banlieue qui ne le lisaient pas aux amis perpétuels des damnés de la terre, qui le qualifiaient volontiers de raciste. Nous avions senti monter cette rage étroite, qui transformait le combat social en esprit de bigoterie. La haine était une ivresse ; les menaces de mort, habituelles ; les mails orduriers, nombreux. Il m'arrivait de tomber sur un kiosquier, généralement arabe, qui prétendait ne pas avoir reçu le journal, avec un air mauvais qui semblait revendiquer le mensonge. Insensiblement, l'atmosphère changeait. Il est arrivé un moment, sans doute après l'incendie criminel de 2011, où j'ai cessé, non sans honte, d'ouvrir *Charlie* dans le métro. Nous attirions les mauvais sentiments comme un paratonnerre – ce qui ne nous rendait, je l'admets, ni moins agressifs ni plus intelligents : nous n'étions pas des saints et nous ne pouvions tenir les autres pour responsables du fait que l'état d'esprit de *Charlie* était périmé. Au moins, nous le savions et ne cessions pas d'en rire. Un soir, Charb m'avait dit dans un restaurant auvergnat qu'il affectionnait : « Si nous commençons à respecter ceux qui ne nous respectent pas, autant fermer boutique. » Puis nous avions continué à boire du rouge en mangeant de la viande et en disant merde aux religions et à la grande peur des bien-pensants que nous sentions monter. Depuis que nous n'éprouvions plus le besoin de prouver quoi que ce soit à qui que ce soit, la conférence du mercredi était d'ailleurs redevenue ce moment libre et convivial qu'elle avait cessé d'être à la fin des années Val et pendant la crise qui avait suivi son départ. J'avais une fois de plus senti, à l'occasion de cette crise, à quel point le monde de l'extrême gauche était doué pour le mépris, la fureur, la mauvaise foi, l'absence de nuances et l'invective dégradante. Sur ce plan au moins, il n'avait rien à envier à celui de l'extrême droite. Je continue à me demander si, dans ce processus de déformation, ce sont les convictions qui déforment le caractère, ou si c'est le caractère qui déforme les convictions.

Bernard Maris a commencé à dire tout le bien qu'il pensait de *Soumission*. Houellebecq était devenu un ami et l'affection s'ajoutait visiblement à l'admiration qu'il éprouvait pour lui. J'ai soudain eu envie d'aller aux toilettes, mais je me suis retenu : la conversation s'animait. Cabu a râlé : « Houellebecq, c'est un réac. » Je ne connaissais pas encore le vilain texte que l'écrivain lui avait consacré bien des années plus tôt, et je me demande encore si Cabu l'avait lu, s'il s'en souvenait. Mais je sais qu'il n'avait pas lu *Soumission*. Bernard et moi étions les seuls à l'avoir fait, et nous fûmes les seuls à le défendre. La plupart des autres se taisaient ou l'attaquaient.

Ma mauvaise humeur est remontée. Même ici, où tout était permis et même exigé, je détestais débattre de livres que j'avais lus avec des gens qui ne l'avaient pas fait. Je détestais plus encore, soit dit en passant, le cours de littérature que je m'apprêtais à faire. C'était un cours inutile, puisque ce qui faisait débat n'était pas le livre, mais les opinions et les provocations de son auteur – son pedigree, en quelque sorte. Or, ce pedigree ne faisait guère de doute : ce que Houellebecq attaquait presque systématiquement, c'était bien tout ce pour quoi *Charlie* avait lutté dans les années soixante-dix. La société libertaire, permissive, égalitaire, féministe, antiraciste. Son roman, là-dessus, était clair : l'islamisme sans violence, au fond, ce n'était pas si mal. Ça remettait les hommes et les femmes à leur place et, si ça ne nous délivrait pas du mal, ça nous débarrassait au moins de l'angoisse d'être libres. Bien entendu, comme il l'avait dit sur France Inter, il s'agissait d'un roman : tous les points de vue s'y exprimaient sans qu'aucun ne pût être assimilé au point de vue de l'auteur. Cependant, un parfum s'en dégageait, un parfum qui correspondait à l'époque. C'était lui, Houellebecq, cette icône pop, qui le répandait avec son talent de narrateur et son efficace ambiguïté. Il avait su donner forme aux paniques contemporaines. *Charlie* est l'un de mes deux journaux, ai-je pensé, mais le bon romancier a toujours raison, puisque c'est lui qu'on lit ou qu'on lira. Je crois donc bien l'avoir faite avec Bernard Maris, cette explication de texte, cette défense et illustration de Houellebecq, sous le regard clair et tendre de Sigolène Vinson, dont la bienveillance me rassurait. Était-elle venue ce matin, elle plus légère qu'un faon, sur sa grosse Harley-Davidson ? Je ne l'avais pas vue dans la rue lorsque j'avais attaché mon vélo. Bernard parlait, je parlais, Cabu maugréait, Wolinski dessinait en souriant. Je me suis demandé si je n'allais pas finir dans son carnet, face à une femme nue qui m'aurait plus ou moins dit : « Tais-toi ! », sous une forme que j'étais incapable d'inventer. Il devait plutôt dessiner un nouveau nu inspiré par Sigolène, dont le charme et la silhouette le réjouissaient. Il inventait des créatures assez belles, assez sexy, pour lui dire librement, insolemment, tout ce qu'il aurait voulu dire ou entendre. La beauté a de ces privilèges.

Je ne sais plus comment ni par qui la discussion est passée du roman de Houellebecq à l'état des banlieues, mais j'imagine que les musulmans nous ont fourni une transition naturelle. « Comment en est-on arrivé là ? a demandé quelqu'un. Comment a-t-on pu laisser dériver des populations entières de cette façon-là ? » C'est Tignous, je crois, qui s'en est pris à la gauche et aux politiques menées depuis trente ans. Bernard Maris a aussitôt réagi : « Mais non ! Ce n'est pas la faute de l'État ! On a déversé des tonnes de fric sur les banlieues. On a tout essayé, tout, et rien n'a marché ! » Tignous a haussé le ton. Il a parlé de la banlieue d'où il venait, Montreuil, et de ses amis d'enfance. Plusieurs d'entre eux étaient morts, en prison ou détruits : « Moi, a-t-il tonné, je m'en suis sorti, mais eux ? Qu'est-ce qu'on a fait pour eux, pour qu'ils aient une chance ? Rien ! On n'a rien fait. Et on continue de ne rien faire pour les suivants, pour tous les mecs qui n'ont ni boulot ni rien, qui zonent dans les cités et qui sont condamnés à devenir ce qu'on en fait, des islamistes, des fous furieux, et ça, viens pas me dire que l'État a tout fait pour eux. Il a rien fait du tout, l'État. Il les laisse crever. Il s'en fout depuis longtemps ! » Je reconstitue en la résumant une tirade bien plus tranchante, colérique, nette, une tirade qui jaillissait du cœur, crayon levé, et que l'accent populaire du dessinateur transforma en un cri de colère en faveur des zonards, des chômeurs, des braqueurs, des bougnoules, des musulmans, des terroristes. Bernard s'est tu et j'ai pensé qu'il était temps de partir.

CHAPITRE 4

L'attentat

Il était 11 h 25, peut-être 11 h 28. Le temps disparaît au moment où je voudrais le rappeler à la seconde près, comme une tapisserie filée par une parque nommée Pénélope, dont l'ensemble dépendrait du moindre point. Tout se tient, mais tout se défait.

Je me suis levé et j'ai enfilé mon caban. Il était temps de rejoindre *Libération* pour écrire sur *La Nuit des rois*, mais d'abord sur *Blue Note*, le gros livre de jazz rangé dans le sac que j'avais rapporté cinq ans plus tôt de Medellín, en Colombie. C'était un petit sac en tissu noir, très léger, sur lequel étaient reproduites des caricatures de célébrités nationales. Il me quittait rarement. Il a disparu.

Il m'avait été offert par l'écrivain Héctor Abad, auteur d'un livre sur la vie et la mort de son père et l'histoire tragique de son pays, *L'oubli que nous serons*. Nous étions dans la librairie de livres d'occasion qu'il avait fondée là-bas avec quelques amis. J'ai appris que depuis, faute d'argent, elle avait déménagé. J'ai toujours aimé les petites librairies où les vieux livres envahissent tout, jusqu'à sembler prendre la place de l'air. Ce sont des cabanes au fond des villes, au fond des bois. J'ai l'impression que rien de mal ne pourra y arriver : un labyrinthe sans angoisse ni menace. Celle-ci était petite et s'appelait Palinure.

Palinure est le pilote d'Énée. Apollon lui envoie le sommeil tandis qu'il barre dans la nuit. Tombé à l'eau avec son gouvernail, il échoue sur un rivage où il est tué par des gens cruels. Son âme erre en enfer, où Énée le retrouve. Il croyait que son pilote s'était simplement noyé. L'ombre de Palinure lui apprend sa véritable fin. Il faut rejoindre les morts pour apprendre jusqu'où ils sont allés, mais ce jour-là, à 11 h 25, peut-être 11 h 28, mon sac en tissu noir à l'épaule, je ne le savais pas encore. Neptune avait promis à Vénus qu'Énée et les siens arriveraient sains et saufs au port de l'Averne, mais cette immunité avait un prix : « Un seul sera perdu et recherché dans l'abîme. Pour cette foule sera donnée une tête, une seule. »

Le père d'Héctor, militant démocrate, est assassiné en 1987 par des tueurs paramilitaires sur un trottoir de Medellín. Son fils arrive presque aussitôt. Dans une poche du costume de son père, il trouve un poème attribué à Borges, qui débute par ce vers où prend source le titre de son livre : « Nous sommes déjà l'oubli que nous serons. » C'est le talisman et la dernière trace, le dernier mystère du mort. Comme il n'appartient pas aux œuvres répertoriées, son authenticité est contestée. Héctor en recherche, d'un bout à l'autre du monde, l'origine incertaine. Sa quête fait l'objet d'un second livre, *Trahisons de la mémoire*. Vérifier si c'est un faux ou non devient une question essentielle. C'est le message que lui a laissé, malgré lui, son père. L'enquête sur les traces d'une vie brutalement interrompue est ce qui reste quand la mort a emporté ceux qui nous manquent et ce qui nous laisse, en quelque sorte, seuls au monde. On reproche souvent à l'enquêteur de ce type son obsession, parce qu'on ne peut tout de même pas lui reprocher – pas tout de suite – son chagrin et sa détresse. Ceux qui ne sont pas obsédés, ceux qui passent à autre chose, les élégants et les indifférents, n'appartiennent pas au monde dans lequel il doit vivre. Il y a certes bien des façons de réviser encore et encore la copie de ses propres deuils. Mais, pas plus qu'à l'école une fois la copie rendue, chacun ne dispose d'une gomme à effacer ce qui a eu lieu.

Ce petit sac me rappelait toujours Héctor, son livre, la mort de son père, la vie et la mort du narcotrafiquant Pablo Escobar, les poèmes de Borges et la beauté de la vallée de Medellín. Avec lui, je me sentais ici et ailleurs, ouvert à toute humanité, et j'avais le sentiment de pouvoir à tout moment retourner en Colombie, ce pays où les pires choses avaient été commises au cœur de la plus extrême beauté. J'allais partir quand, voyant Cabu, j'en ai sorti le livre de jazz pour le lui montrer, lui montrer avant tout une photo du batteur Elvin Jones.

En 2004, après avoir appris sa mort, j'écris sur lui une chronique dans *Charlie*. Cabu se souvient, de son côté, des circonstances où il a vu le batteur, en plein air, au festival de Châteauvallon. Il me le raconte et j'insère son souvenir dans ma chronique : « Soudain, l'orage éclate. Il est violent. Les musiciens et le gros du public, tout le monde disparaît peu à peu comme dans *La Symphonie des Adieux* ; tout le monde, sauf Jones. Déchaîné, démesuré, battant la mesure d'outre-tombe, le géant aux mains d'acier anime les peaux et les cuivres parmi les éclairs, seul comme un dieu oublié, un dieu oriental aux mille bras. L'orage semble créé par lui, pour lui. Il se fond dedans. Il a cinquante ans, le tonnerre demeure. » C'était en 1977. Vingt-sept ans plus tard, Cabu en fait un dessin qui, posé à côté de ma chronique, lui donne une valeur qu'elle n'a pas, qu'elle n'aurait pas en tout cas sans lui : être « illustré » par Cabu, en particulier sur le jazz, ou plutôt accompagner par écrit l'un de ses dessins, me fait alors rejoindre une adolescence heureuse, celle où je découvrais en même temps que Céline, Cavanna, Coltrane et Cabu. C'est à peu près comme si, écrivant en 1905 un roman se déroulant dans le monde des danseuses, les illustrations du livre étaient faites par Degas.

Si Elvin Jones n'était pas mort, je n'aurais pas écrit cette chronique. Si je n'avais pas écrit cette chronique, Cabu n'aurait pas fait ce dessin. Si Cabu n'avait pas fait ce dessin, je ne me serais pas arrêté pour lui montrer ce matin-là le livre de jazz qui me l'avait rappelé. Si je ne m'étais pas arrêté pour le lui montrer, je serais sorti deux minutes plus tôt et je serais tombé à l'entrée ou dans l'escalier, j'ai cent fois refait le calcul, sur les deux tueurs. Ils m'auraient sans doute tiré une ou plusieurs balles dans la tête et j'aurais rejoint les autres Palinure, mes compagnons, sur le rivage aux gens cruels et dans le seul enfer existant : celui où l'on ne vit plus.

J'ai posé le livre de jazz sur la table de conférence et j'ai dit à Cabu : « Tiens, je voulais te montrer quelque chose… » Il m'a fallu un peu de temps pour trouver la photo que je cherchais. Comme j'étais pressé, j'ai pensé que j'aurais dû marquer la page ; mais comment aurais-je pu le faire, puisque je ne savais pas, une minute avant, que j'allais la lui montrer. Je ne savais pas s'il serait présent ce jour-là – même s'il ratait rarement la conférence du mercredi : Cabu avait dessiné une infinité de cancres, mais c'était un bon élève.

La photo d'Elvin Jones date de 1964 et s'étale sur les pages 152-153. C'est un gros plan. Il allume une cigarette de la main droite, énorme et fine à la fois, qui tient les deux baguettes en croix. Il porte une élégante chemise à carreaux fins, légèrement ouverte. Les manches ne sont pas relevées. Les yeux clos, il tire sur la cigarette. La moitié du visage, puissant et anguleux, est prise dans le triangle supérieur dessiné par les deux baguettes, comme dans les formes d'un tableau cubiste. La photo a été faite pendant une session d'enregistrement d'un disque de Wayne Shorter, *Night Dreamer*. Cabu l'a trouvée aussi belle que moi. J'étais heureux de la lui montrer. Le jazz était au bout du compte ce qui me rapprochait le plus de lui. Quant au livre, il le connaissait déjà.

Nous l'avons feuilleté et je l'ai refermé quand Bernard, s'approchant, m'a dit : « Tu ne veux pas faire ta chronique sur Houellebecq ? » J'étais sensible à son enthousiasme, toujours annoncé par un grand sourire de lapin bienveillant ; sensible à cette candeur particulière, non dépourvue de ruse, qui naissait de ses élans de sympathie et de sa perpétuelle curiosité, mais j'ai répondu à peu près : « Ah non ! Je viens d'écrire dans *Libération* ce que j'en pensais, je n'ai pas envie de faire une resucée. » Depuis l'autre bout de la table, Charb a dit : « Oh si, s'il te plaît, fais-nous une resucée… » Il y a eu quelques sourires et c'est à cet instant, blague dite, qu'un bruit sec, comme de pétard, et les premiers cris dans l'entrée ont interrompu le flux de nos blagues et de nos vies. Je n'ai pas eu le temps de ranger le livre de jazz dans le petit sac en tissu noir. Je n'ai même pas eu le temps d'y penser, et tout l'ordinaire a disparu.

Lorsqu'on ne s'y attend pas, combien de temps faut-il pour sentir que la mort arrive ? Ce n'est pas seulement l'imagination qui est dépassée par l'événement ; ce sont les sensations elles-mêmes. J'ai entendu d'autres petits bruits secs, pas du tout de bruyantes détonations de cinéma, non, des pétards sourds et sans écho, et j'ai cru un instant… mais qu'ai-je cru, exactement ? Si j'écris une phrase comme : j'ai cru un instant que nous avions des visiteurs imprévus, peut-être indésirables, voire tout à fait indésirables, je voudrais aussitôt la corriger selon une grammaire qui n'existe pas. Elle unirait toutes ces propositions et, en même temps, les éloignerait assez pour qu'elles n'appartiennent plus ni à la même phrase, ni à la même page, ni au même livre, ni au même monde. Sans doute avais-je déjà comme les autres basculé dans un univers où tout arrive sous une forme si violente que c'en est comme atténué, ralenti, la conscience n'ayant plus d'autre moyen de percevoir l'instant qui la détruit. J'ai aussi pensé, je ne sais pourquoi, que c'était peut-être des gamins, mais « pensé » n'est pas le mot, ce n'était qu'une succession de petites visions aussitôt évaporées. J'ai entendu une femme crier : « Mais qu'est-ce que... », une autre voix de femme crier : « Ah ! », une autre voix encore pousser un cri de rage, plus strident, plus agressif, une sorte de « Aaaaaah », mais celle-là je peux l'identifier, c'était la voix d'Elsa Cayat. Pour moi, son cri signifiait simplement : « Mais qu'est-ce que c'est que ces connaaaaards ?! » La dernière syllabe s'est étirée d'une pièce à l'autre. Il y avait dedans autant de rage que d'effroi, mais il y avait encore beaucoup de liberté. Peut-être est-ce le seul instant de ma vie où ce mot, liberté, a été plus qu'un mot : une sensation.

Je croyais encore que ce qui avait lieu était une farce, tout en devinant déjà que ce n'en était pas une, mais sans savoir ce que c'était. Comme un papier calque mal replacé sur le dessin qu'on y a copié, les lignes de la vie ordinaire, de ce qui dans une vie ordinaire dessinerait une farce ou, puisque c'était l'endroit, une caricature, ces lignes ne correspondaient plus à celles, inconnues, qui venaient de les remplacer. Nous étions soudain de petits personnages prisonniers à l'intérieur du dessin. Mais qui dessinait ?

L'irruption de la violence nue isole du monde et des autres celui qui la subit. En tout cas, elle m'isola. Au même instant, Sigolène croisa le regard de Charb et elle a vu que lui avait compris. Ce n'est pas surprenant : Charb avait peu d'illusions sur ce dont les hommes sont capables, il n'avait aucun pathétique, aucune emphase, c'est aussi pourquoi, grimpé tel un furet sur la moustache de Staline, il était souvent si drôle. Ces deux têtes vides et cagoulées qui portaient la bigoterie et la mort, il ne lui a sans doute pas fallu les secondes de vie qui lui restaient pour comprendre de quelle minable bande dessinée elles sortaient, pour les envisager telles qu'elles étaient avant qu'elles ne le défigurent.

Déjà, je ne voyais plus rien ni personne, excepté, face à moi, dos à l'entrée, à l'autre bout de la petite pièce, le silencieux Franck, garde du corps de Charb. Il était là par mission et semblait-il par habitude. Les menaces ne détruisent la perception ordinaire de la vie que lorsqu'elles ont été fixées par des actes. De même, les gardes du corps ne paraissent servir à rien, sinon à être des accompagnateurs fantomatiques et bienveillants, jusqu'au jour où l'on aurait préféré les voir servir à quelque chose, voire à tout. J'ai vu Franck se lever, tourner sa tête et puis son corps vers la porte de droite, et c'est alors, observant ses gestes, le voyant de profil dégainer son arme et regarder vers cette porte ouvrant sur je ne sais quoi, que j'ai compris qu'il ne s'agissait pas d'une farce, ni de gamins, ni même d'une agression, mais de tout à fait autre chose.

Il m'était encore impossible de déterminer la nature de cette chose, mais je la sentais envahir la pièce, annoncée par les bruits et les cris, et ralentir absolument tout autour de moi et en moi, faire le vide et la suspension. Quelqu'un était entré et répandait cette chose, mais je ne savais ni qui c'était, ni combien ils étaient – et je ne le saurais pas avant plusieurs jours. J'ai regardé Franck dégainer avec un double sentiment d'espoir et de panique, mais cet espoir et cette panique étaient ensommeillés, brumeux : à partir de l'instant où le corps de Franck devient la dernière image vivante à occuper le champ, toute sensation s'unit à la sensation inverse, comme des siamois que la séparation tuerait, comme deux enfants faisant contrepoids l'un à l'autre sur une double balançoire. Je ne savais pas quelle était cette chose qui nous enveloppait, mais je sentais que Franck était le seul à pouvoir nous en préserver. Je le sentais, mais j'ai parallèlement senti qu'il n'y arriverait pas et j'ai pensé : « Tu dois dégainer plus vite. Plus vite ! Plus vite ! » Sans savoir exactement pourquoi il devait dégainer. Je ne lui avais jamais parlé et sans parler, dans ce qui pourrait ressembler à un rêve, je le tutoyais. Et tandis que je commençais à courber les épaules et à me tourner vers la droite et le mur du fond et ses fenêtres inexistantes comme pour m'échapper ou ne plus rien voir, je le voyais et revoyais agir de plus en plus lentement, tourner son torse et mettre la main sur son flingue et regarder vers la porte par où les bruits entraient. « Plus vite ! Plus vite ! », mais c'était moi qui ralentissais. Quelque chose repassait la scène en la freinant toujours plus, la répétait et l'étirait comme si elle avait eu lieu pour de faux ou méritait d'être, comme ce texte, perpétuellement révisée. Le mouvement de Franck m'accompagnait sans fin dans la chute de manière à la retarder, pour éviter que n'arrive la suite. Mais déjà la suite était là. J'entendais de mieux en mieux le bruit sec des balles une par une et, après m'être recroquevillé, ne voyant plus rien ni personne, coincé comme au fond d'un caisson, je me suis agenouillé puis allongé doucement, presque avec soin, comme pour une répétition, en pensant que je ne devais pas, en plus du reste – mais quel reste ? – me faire mal en tombant. C'est sans doute dans ce mouvement par palier vers le sol que j'ai été touché, à trois reprises au moins, légèrement à distance, directement ou par balles perdues. Je n'ai rien senti et n'en ai pas pris conscience. Je me croyais indemne. Non, pas indemne. L'idée de blessure n'avait pas encore fait son chemin jusqu'à moi. J'étais maintenant à terre, sur le ventre, les yeux pas encore fermés, quand j'ai entendu le bruit des balles sortir tout à fait de la farce, de l'enfance, du dessin, et se rapprocher du caisson ou du rêve dans lequel je me trouvais. Il n'y avait pas de rafales. Celui qui avançait vers le fond de la pièce et vers moi tirait une balle et disait : « Allah Akbar ! » Il tirait une autre balle et répétait : « Allah Akbar ! » Il tirait encore une autre balle et répétait encore : « Allah Akbar ! » Avec ces mots, l'impression de vivre une farce est une dernière fois revenue pour se superposer à celle de vivre cette chose qui m'avait fait voir et revoir Franck dégainer quelques secondes plus tôt, quelques secondes mais déjà beaucoup plus, car le temps était haché par chaque pas, chaque balle, chaque « Allah Akbar ! », la seconde suivante chassant la précédente et la renvoyant dans un lointain passé et même très au-delà, dans un monde qui n'existait plus. Cette chose m'avait mis au plancher, mais la farce continuait avec ce cri dit d'une voix presque douce et qui se rapprochait, « Allah Akbar ! » – ce cri, écho dément d'une prière rituelle, est devenu la réplique d'un film de Tarantino. Il aurait été facile, à cet instant, de comprendre quelle fascination inspire l'abjection ; de flairer comment ceux qui la justifient se sentent plus forts, et ceux qui tentent de l'expliquer, plus libres. Mais il était plus facile de sentir, à cet instant, à quel point cette abjection dépassait ces discours et ces raisonnements. Ils appartenaient à la misère et à l'orgueil ordinaire, au temps commun et à la logique, aussi flambante et dégradée soit-elle ; l'abjection, non. C'était un génie qui sortait d'une lampe noire, et peu importe la main qui l'avait frottée. L'abjection vivait sans limites et d'être sans limites.

Il y a eu encore des balles, des secondes, des « Allah Akbar ! ». Tout était à la fois brumeux, précis et détaché. Mon corps était allongé dans l'étroit passage entre la table de conférence et le mur du fond ; ma tête, tournée vers la gauche. J'ai ouvert un œil et vu apparaître, sous la table, de l'autre côté, près du corps de Bernard, deux jambes noires et un bout de fusil qui flottaient plus qu'ils n'avançaient. J'ai fermé les yeux, puis je les ai de nouveau ouverts, comme un enfant qui croit que nul ne le verra s'il fait le mort ; car je faisais le mort. J'étais cet enfant que j'avais été, je l'étais de nouveau, je jouais à l'Indien mort en me disant que peut-être le propriétaire des jambes noires ne me verrait pas ou me croirait mort, en me disant aussi qu'il allait me voir et me tuer. J'attendais simultanément l'invisibilité et le coup de grâce – deux formes de la disparition. Je me croyais toujours étranger à toute blessure. J'étais blessé pourtant, assez immobile et la tête baignant probablement déjà dans assez de sang pour que le tueur, en s'approchant, n'ait pas jugé nécessaire de m'achever. Je l'ai senti soudain presque au-dessus de moi et j'ai fermé les yeux, les ai rouverts aussitôt, comme si, pour voir quelques bouts de son corps et la suite de l'histoire, j'étais prêt à prendre le risque d'en subir la fin : c'était plus fort que moi. Il était là, comme un taureau flairant le torero immobile qu'il vient d'encorner, les jambes noires, le fusil pointé comme des cornes vers la terre, se demandant peut-être s'il fallait ou non insister. Je l'entendais respirer, flotter, hésiter peut-être, je me sentais vivant et presque déjà mort, l'un et l'autre, l'un dans l'autre, pris dans son regard et son souffle ; puis il s'est lentement éloigné, attiré vers d'autres corps, d'autres capes, d'autres choses, en réalité vers la sortie comme je l'ai su beaucoup plus tard, puisque l'ensemble n'avait duré qu'un peu plus de deux minutes. Et tout est devenu silencieux. La paix est descendue sur la petite pièce, chassant peu à peu la menace d'une prolongation ou d'un retour des tueurs. Je ne bougeais plus, je respirais à peine. La brume se levait. Je ne sentais rien, ne voyais rien, n'entendais rien. Le silence fabriquait le temps et, parmi les blessés et les morts, les premières formes de la survie.

CHAPITRE 5
Entre les morts

Les morts se tenaient presque par la main. Le pied de l'un touchait le ventre de l'autre, dont les doigts effleuraient le visage du troisième, qui penchait vers la hanche du quatrième, qui semblait regarder le plafond, et tous, comme jamais et pour toujours, devinrent dans cette disposition mes compagnons. Ç'aurait pu être une figure de danse macabre, comme celle que j'allais voir de temps à autre depuis vingt ans sur le chemin de la maison nivernaise de mes grands-parents dans l'église de La Ferté-Loupière, ou une guirlande de personnages découpés dans du papier par un enfant, une sorte de ronde aux arrêts, ou une descente de Croix faite à l'horizontale, ou encore une version inédite et noire de *La Danse* de Matisse. J'étais l'un d'eux, mais je n'étais pas mort et, dans les minutes qui ont suivi le départ des tueurs, je ne les ai d'abord pas vus comme ça, puisque je ne les ai pas vus du tout. Mon champ de vision était réduit au vide qui naissait de l'événement et de ma propre immobilité ou, pour être plus exact, de ma suspension. Je n'avais pas encore posé le mot tueur sur la silhouette que j'avais entrevue et j'ignorais si elle était venue seule ou accompagnée. Je n'avais pas tout à fait conscience de l'attentat, mais il avait mis ses œillères et creusait déjà son sillon vers les désastres solitaires de l'enfance : à cet instant, j'étais seul parmi les autres et je n'avais plus que cinq ou sept ans.

La salle de rédaction a d'abord été ce plan fixe d'un film opaque et mystérieux, pas encore tragique, ni vraiment commencé ni vraiment fini, un film dans lequel je jouais sans l'avoir voulu, sans savoir quoi jouer ni comment, sans savoir si j'étais premier rôle, doublure ou figurant. La scène brutalement improvisée flottait dans les décombres de nos propres vies, mais ce n'était pas la main d'un projectionniste qui avait tout arrêté : c'étaient des hommes en armes, c'étaient leurs balles ; c'était ce que nous n'avions pas imaginé, nous les professionnels de l'imagination agressive, parce que ça n'était tout simplement pas imaginable, pas vraiment. La mort inattendue ; l'éléphant méthodique dans le magasin de porcelaine ; l'ouragan bref et froid ; le néant.

Le néant est un mot qu'on n'emploie plus volontiers et que j'avais utilisé dans trop d'articles pour avoir lu trop de poésies, ou les avoir lues trop mal, un de ces mots qui a gonflé dans les consciences en vieillissant comme un cadavre dans l'eau, gonflé et puis crevé. C'est un état qu'on peut penser, mais on l'emploie et on le pense généralement comme on tire à blanc, sans jamais pouvoir tout à fait se l'appliquer. On ne pouvait imaginer le néant, dans cette petite salle ordinaire et relativement laide, qu'en tant que survivant – prêt à le décrire ou à le dessiner, avant de passer au texte ou au dessin suivant. Mais étais-je, à cet instant, un survivant ? Un revenant ? Où étaient la mort, la vie ? Que restait-il de moi ? Je ne pensais pas ces questions de l'extérieur, comme des sujets de dissertation. Je les vivais. Elles étaient là, par terre, autour de moi et en moi, concrètes comme un éclat de bois ou un trou dans le parquet, vagues comme un mal non identifié, elles me saturaient et je ne savais qu'en faire. Je ne le sais toujours pas et je ne crois pas écrire ce qui va suivre pour le découvrir ou pour me consoler d'avoir perdu, à part un gros bout de mâchoire, je ne sais trop quoi. Je cherche simplement à circonscrire la nature de l'événement en découvrant comment il a modifié la mienne. Je cherche, mais je n'y arrive pas. Les mots permettent d'aller plus loin, mais quand on est allé si loin, d'un seul coup, malgré soi, ils n'explorent plus, ne font plus de conquêtes ; ils se contentent maintenant de suivre ce qui a eu lieu, comme de vieux chiens essoufflés. Ils fixent des limites artificielles, trop étroites, au troupeau anarchique des sensations et des visions.

À terre, j'ai de nouveau ouvert mon premier œil sur quelques mètres carrés et sur ce monde sans limites. Les décombres n'étaient faits ni de poussière, ni de cendres, ni de verre, ni de plâtre. Ils étaient faits de silence et de sang. Je ne sentais pas le sang, dans lequel je baignais pourtant, je n'avais pas même encore vu le mien, mais j'entendais le silence, je n'entendais même que ça. Il m'enveloppait et prenait mon corps pour le faire léviter au-dessus de moi-même et des autres, léviter à l'aveuglette et sans fin pendant quelques secondes, quelques minutes, une éternité, léger, léger, tandis que l'homme d'avant, celui qui était presque déjà mort et qui restait collé au sol, me disait : « Mais que s'est-il passé ? Est-il possible qu'il ne me soit rien arrivé ? Je suis vivant, je suis là ? Ou bien non ? » Ou quelque chose comme ça. Le demi-mort a ajouté : « Il n'est peut-être pas parti, celui qui disait "Allah Akbar". Ne bougeons pas. » Tout se réduisait encore à l'apparition d'une paire de jambes noires et à l'attente de son retour.

Pour le reste, les mots que le demi-mort prononçait étaient un peu semblables, je crois, à ceux qu'on dit pendant un rêve : à la fois clairs pour le dormeur et incompréhensibles pour celui qui, réveillé à ses côtés, les écoute. Je ne pouvais déjà plus tout à fait comprendre celui que j'avais été, mais je ne le savais pas. Je l'écoutais parler et je pensais : mais qu'est-ce qu'il dit ?

J'étais couché sur le ventre, la tête tournée vers la gauche, c'est donc l'œil gauche que j'ai ouvert en premier. J'ai vu une main gauche ensanglantée sortant de la manche de mon caban, et il m'a fallu une seconde pour comprendre que cette main était la mienne, une nouvelle main, taillée sur le dos et découvrant sa blessure entre deux articulations dites métacarpo-phalangiennes, celles de l'index et du majeur. Ce sont des mots que j'ai appris ensuite, parce qu'il m'a fallu apprendre à nommer les parties du corps blessées, les soins qu'on leur apportait et les phénomènes secondaires qui s'y développaient. Les nommer, c'était les apprivoiser et pouvoir vivre un peu mieux, ou un peu moins mal, avec ce qu'ils désignaient. L'hôpital est un lieu où chacun, en paroles comme en actes, a pour mission d'être précis.

La voix de celui que j'étais encore m'a dit : « Tiens, nous sommes touchés à la main. Pourtant, nous ne sentons rien. » Nous étions deux, lui et moi, lui sous moi plus exactement, moi lévitant par-dessus, lui s'adressant à moi par-dessous en disant nous. L'œil est passé sur la main et il a vu au-delà, à un mètre, le corps d'un homme allongé sur le ventre dont j'ai reconnu la veste à carreaux et qui ne bougeait pas. Il est remonté jusqu'au crâne et il a vu entre ses cheveux la cervelle de cet homme, de ce collègue, de cet ami, qui sortait un peu du crâne. Bernard est mort, m'a dit celui que j'étais, et j'ai répondu, oui, il est mort, et nous nous sommes unis sur lui, sur le point de sortie de cette cervelle que j'aurais voulu remettre à l'intérieur du crâne et dont je n'arrivais plus à me détacher, car c'est par elle, à ce moment-là, que j'ai enfin senti, compris, que quelque chose d'irréversible avait eu lieu.

Combien de temps ai-je regardé la cervelle de Bernard ? Assez longtemps pour qu'elle devienne une partie de moi-même. J'ai dû faire un effort pour m'en détourner et tourner la tête vers l'autre côté, vers mon autre bras. Ce fut très lent. Je ne crois pas que nous étions d'accord, celui d'avant et moi-même, sur la nécessité et la nature de ce mouvement. Il y avait débat. Celui d'avant ne voulait pas découvrir les conséquences de ce qui avait eu lieu, il était assez sage pour deviner que les mauvaises nouvelles peuvent attendre lorsque les bonnes ne viennent pas les tempérer, mais il était bien obligé de suivre celui qui les vivait, il n'avait pas la main, il s'éteignait peu à peu sans le savoir dans la conscience nouvelle qui, comme d'un sommeil confondu avec l'existence, émergeait.

J'ai tourné la tête très lentement, de nouveau comme si le tueur était là : comme un enfant qui continue de faire le mort après le départ des méchants qui le cherchent et qui ne peut s'empêcher de regarder à travers ses doigts ce que, s'il était mort comme il feint de l'être, il ne pourrait voir : les morts autour de lui, après l'attaque.

J'ai vu devant moi les jambes d'un homme qui ne bougeait pas et que j'ai cru mort, lui aussi, alors qu'il ne l'était pas : c'était Fabrice. Comme moi jusque-là, il faisait sans doute le mort ou il attendait le coup de grâce, ou il flottait dans cet espace qui n'était pas encore tout à fait un univers de douleur. Ma tête a continué de tourner et elle s'est posée doucement sur la joue gauche. J'ai vu que la manche du caban de mon autre bras, le droit, était déchirée, puis j'ai vu l'avant-bras fendu du coude au poignet. « Comme par un poignard », a dit celui qui n'était pas tout à fait mort, et il a vu un poignard à la Rambo, long, dentelé, bien aiguisé.

La chair était entièrement ouverte et en regardant la plaie il a ajouté : « On dirait du foie de veau. » Et il s'est souvenu du foie de veau que lui servait sa grand-mère, quand il était enfant, rue des Blancs-Manteaux, il avait exactement cette couleur et cette texture, et celui qui n'était pas tout à fait mort avait toujours un grand plaisir à le contempler avant de le manger. « Pour son chat, a-t-il ajouté, ma grand-mère achetait du foie de génisse » – mais le sang qui coulait de la plaie, pour se figer dans le silence de plus en plus épouvantable, le sang a noyé la remémoration et j'ai enfin pensé : « Je suis touché aux bras. » Plus haut, ma seconde main était aussi ensanglantée, mais je ne savais pas, ne sentais pas si le sang venait du bras ou d'une blessure que je n'avais pas encore remarquée. Tout le sang vient de la même blessure, me suis-je dit, et je me suis demandé si, dans cette blessure, des os étaient cassés. J'ai tourné la langue dans ma bouche et j'ai senti des morceaux de dents qui flottaient un peu partout. Après quelques secondes de panique, celui qui n'était pas tout à fait mort a pensé, « Tu as la bouche pleine d'osselets », et il a revu toute son enfance à travers les parties d'osselets, jouées dans des chambres ou dans des tas de poussière. Puis les dents ont remplacé les osselets, chacune avait son histoire liée depuis vingt-cinq ans à mon dentiste, nous avions vieilli ensemble et, ai-je pensé, il avait fait tout ce boulot pour rien. La panique est revenue et j'ai préféré tout oublier, les osselets, les dents, le dentiste, parce que je n'étais pas assez vivant pour retomber tout à fait en enfance ou dans ma jeunesse, dans la vie qu'on mord à pleines dents, expression qui prenait un sens comique au moment où je perdais les unes en ayant failli perdre l'autre, pas assez vivant ni assez mort pour affronter ce qui m'attendait.

J'ai retourné la tête vers le corps de Bernard et, regardant de nouveau son crâne et sa cervelle, j'ai pour la première fois éprouvé une minutieuse tristesse, minutieuse car j'ai eu la sensation d'être chacun de ses cheveux mouillés et collés les uns aux autres par ce qui en sortait : mon corps entier, et ce qu'il me restait de conscience, était monté sur microscope. J'ai une dernière fois fermé les yeux comme pour effacer ce qui avait eu lieu, comme si, à force de ne pas voir, cela pouvait ne pas avoir été vécu. Je les ai rouverts et Bernard était toujours là. Celui que je devenais a voulu pleurer, mais celui qui n'était pas tout à fait mort l'en a empêché. Il a dit : « Ils sont partis, maintenant il faut se relever. » Il l'a dit au pluriel, « ils sont partis », comme si de rien n'était. Celui qui n'était pas tout à fait mort cherchait à retrouver le détail de ses habitudes. Il n'avait qu'une hâte, prendre son sac, retrouver sa bicyclette et rendre ses feuillets sur Shakespeare. Il recherchait ses habitudes et ses scrupules. Il avançait de réflexe en réflexe comme un poulet sans tête.

Je me suis peu à peu mis sur le côté, puis redressé et adossé au mur, assis par terre, face à l'une des entrées. J'ai passé la main sur mon cou et je me suis aperçu que mon écharpe était toujours là, mais trouée. Devant moi il y avait presque sous la table le corps de Bernard et, juste à côté, dans le passage et sur le dos, celui de Tignous. Je n'ai pas vu sur le moment ce que le rapport de police, lu dix-huit mois plus tard, m'a révélé : un stylo restait planté droit entre les doigts d'une main, en position verticale. Tignous était en train de dessiner ou d'écrire quand ils ont fait irruption. Les enquêteurs ont noté ce détail, qui indique la rapidité du massacre et la stupeur qui a précédé l'exécution de chacun d'entre nous. Tignous est mort le stylo à la main comme un habitant de Pompéi saisi par la lave, plus vite encore, sans même savoir que l'éruption avait eu lieu et que la lave arrivait, sans pouvoir fuir les tueurs en disparaissant dans le dessin qu'il était en train de faire. Tout dessinateur dessinait sans doute pour avoir le droit de s'en aller dans ce qu'il dessinait, de même que tout écrivain finissait par se dissoudre, pour un temps, dans ce qu'il écrivait. Cette dissolution n'était pas une garantie de survie ni même de qualité, mais elle était une étape nécessaire sur le chemin qui pouvait y conduire. Cette fois, non seulement ce droit à la dissolution avait été refusé aux dessinateurs, mais il était arrivé exactement l'inverse : on les avait fait entrer de force dans un dessin qu'ils n'avaient pas imaginé, une idée noire de Franquin, et ils n'en étaient plus sortis. Si les tueurs étaient des possédés, mes compagnons morts étaient les dépossédés. Dépossédés de leur art et de leur violente insouciance, dépossédés de toute vie. Quand Salman Rushdie avait été victime de la fatwa de l'ayatollah Khomeyni, l'écrivain V. S. Naipaul avait refusé de le soutenir en disant qu'il ne s'agissait, après tout, que d'une forme extrême de critique littéraire. Son sarcasme, beaucoup plus inspiré par son mauvais caractère et une critique désagréable que Rushdie avait faite de l'un de ses livres que par une sympathie qu'il n'éprouvait pas pour les musulmans, ce sarcasme n'était pas dépourvu de sens : toute censure est bien une forme extrême et paranoïaque de critique. La forme la plus extrême ne pouvait être exercée que par des ignorants ou des illettrés, c'était dans l'ordre des choses, et c'était exactement ce qui venait d'avoir lieu : nous avions été victimes des censeurs les plus efficaces, ceux qui liquident tout sans avoir rien lu.

Les dessinateurs n'avaient pas eu le temps de penser au dessin qui se refermait sur eux. Ont-ils pensé à quoi que ce soit ? Si oui, qu'a pensé chacun d'eux ? J'ai tendance à croire qu'ils n'ont eu le temps de penser à rien, et moi, en tout cas, je n'avais pensé à presque rien. L'effroi, c'était peut-être ça : la réduction au minimum de l'écart séparant la dernière seconde de vie de l'événement qui va l'interrompre, une mort administrée sans préavis. Dans cet écart, il n'y a pas de place pour grand-chose. Pourtant, ce peu de chose n'en finit pas. Tout le reste, quand on survit, lui est soumis.

Je ne sais pas combien de temps le silence a duré. Mais il était tellement installé que j'ai fini par comprendre que mes voix avaient raison : les tueurs ne reviendraient pas. J'ai tendu un bras vers mon sac à dos, qui traînait par terre à quelques centimètres, et je l'ai collé contre moi comme une petite vieille inquiète d'être dépouillée. Dedans, il y avait mes papiers et mes livres, il y avait donc ma vie à cet instant. J'ai su plus tard que la salle de rédaction était une mare de sang, mais, comme je l'ai dit, si je baignais dedans, je ne le voyais presque pas. Je ne voyais que le crâne de Bernard, le visage de Tignous, les jambes de Fabrice, sans même avoir conscience du fait que la jambe d'un autre était sur moi et que le corps d'Honoré s'interposait entre cette jambe et le reste, comme on me l'a dit bien après. Et je ne voyais que mon propre sang, prolongement naturel de mes blessures.

Des silhouettes sont apparues, mais je ne les ai pas tout de suite reconnues, elles ne s'approchaient pas, et enfin j'ai vu Sigolène, ses yeux clairs, sa fine allure de faon. J'étais content de la voir. Elle tentait de s'approcher de moi, mais elle n'y arrivait pas, et je ne comprenais pas pourquoi. Je crois qu'elle pleurait un peu, avec sa discrétion habituelle, personne n'est plus discret et la regarder monter sur sa Harley-Davidson était une expérience délicieuse, la légèreté montée sur la puissance, le tout fondu par le chic et la fragilité. Mais cette fois nous avions chevauché le canasson du *Roi des Aulnes*. Canasson est un mot qu'on aurait pu trouver dans *Charlie* et aussi dans *Don Quichotte*. Son trot fragile ne correspondait ni à la Harley-Davidson de Sigolène, qui me regardait en pleurant, maintenant j'en étais sûr, ni au galop puissant d'un animal qui emporte un enfant vers la mort. C'était pourtant le mot qui convenait pour chacun de nous, pour ce journal, pour la vieille gauche, pour une part grandissante de cette société, canasson, canasson, on achève bien les canassons. Je me suis aperçu que j'avais le souffle court et je n'ai pas compris pourquoi.

Sigolène a fini par s'approcher, plus tard elle m'a dit que nous avions un peu parlé et qu'elle me comprenait parfaitement. Je ne me souviens pas de ce que je lui ai dit. Je me souviens simplement qu'elle fut la première personne vivante, intacte, que j'aie vue apparaître, la première qui m'ait fait sentir à quel point ceux qui approchaient de moi, désormais, venaient d'une autre planète – la planète où la vie continue.

Sa silhouette s'est effacée je ne sais comment dans cet au-delà brumeux, bruyant et froid situé derrière la porte de la salle de rédaction, situé bientôt derrière la porte de la chambre d'hôpital. C'était un au-delà où les gens allaient et venaient librement, dans un espace interdit et lointain, ils galoperaient bientôt d'un point aveugle à un autre avant de réapparaître devant moi, pour quelques instants, comme des acteurs en scène, presque immobiles, découvrant leurs rôles et laissant leurs vies à l'entrée. La silhouette de Sigolène s'est éloignée et je me suis retrouvé seul, pour un temps indéterminé.

Dans le silence renouvelé par son éloignement, la silhouette de Coco est apparue. L'une et l'autre semblaient sortir du cercueil dans lequel j'avais failli entrer. Vivante, elle aussi ! me suis-je dit. Vivante ? J'ai regardé les cheveux noirs et les yeux sombres de la jeune dessinatrice tandis qu'elle s'approchait, je la voyais en double. Celui qui n'était pas tout à fait mort la regardait telle qu'il l'avait vue apparaître, silencieuse, inconnue, avec son air presque égyptien, assise derrière les participants à la conférence quelques années plus tôt. Le journal était encore installé rue de Turbigo, au centre de Paris. Cavanna était présent, avec son menton dubitatif et sa moustache d'apparent mousquetaire. Celui qui allait devoir vivre la regardait approcher comme une créature venue d'un autre monde auquel il n'appartenait plus. Elle s'est penchée vers moi. Comme Sigolène, elle pleurait. J'ignorais qu'elle avait dû ouvrir aux tueurs sous la menace de leur arme et que, bien qu'elle ne soit responsable de rien, elle avait déjà commencé à vivre avec ce souvenir-là, l'un de ces souvenirs qui vous isole et vous tire en arrière vers une scène qu'on aimerait rejouer autrement, librement, idéalement, et qui sans cesse recommence de la même façon pour mieux vous enfermer.

Je regardais régulièrement vers la droite le crâne ouvert de Bernard. Si me rappeler cette image provoque une grande douleur, qu'il m'arrive de relancer comme on appuie sur une dent malade pour mieux sentir le nerf, je n'ai aucune envie que le jour de sa disparition arrive trop vite, je veux vivre assez longtemps pour démentir toute mort et me souvenir de cette image le plus possible, le mieux possible, sans avoir à le dire ou à le répéter ailleurs que dans ce texte qui la perpétue.

J'ai pris le portable dans la poche de mon caban, tapé le code d'accès et fait défiler la liste des contacts. J'étais pressé, mais elle était interminable et elle m'a paru obsolète. Comment avais-je pu connaître tant de gens, dont les noms ne me disaient parfois plus rien ? Et pourquoi ces inconnus semblaient-ils rejoints aussi vite, là, sous mes yeux, par ceux que je connaissais encore et qui devenaient, seconde après seconde, à mesure que les noms défilaient, de plus en plus vagues ? Pas seulement vagues : douloureusement vagues ? Les noms défilaient et ceux qu'ils désignaient me disaient adieu, et cet adieu, silencieux, comme éteint, ressemblait à une anesthésie.

Était-ce cela, la vie d'un journaliste – d'un homme de cinquante et un ans ? Une trop longue existence de queue de comète – jusqu'au numéro de ma mère, indiqué sous le nom « Madre ». Qui d'autre aurais-je pu faire appeler, et pour annoncer exactement quoi ? Gabriela était à New York et dormait. Mon frère était à Nice en voyage d'affaires. Mon père n'utilisait quasiment pas son portable. Je me sentais aussi lucide que déporté, sans savoir sur quoi portait cette lucidité, ni vers où j'étais déporté. J'ai tendu le portable à Coco, et c'est alors, en le lui tendant, que j'ai vu le reflet de mon visage sur l'écran. Les cheveux, le front, le regard, le nez, les joues, la lèvre supérieure, tout était en ordre et intact. Mais, à la place du menton et de la partie droite de la lèvre inférieure, il y avait non pas exactement un trou, mais un cratère de chair détruite et pendante qui semblait avoir été posé là par une main de peintre enfantin, comme un pâté de gouache sur un tableau. Ce qui restait de gencive et de denture était mis à nu et l'ensemble – cette union d'un visage aux trois quarts intacts et d'une partie détruite – faisait de moi un monstre. J'ai eu quelques secondes d'accablement, mais elles n'ont pas duré. J'ai posé la main sous ma mâchoire, pour la tenir et pour la réparer, comme si en maintenant les chairs l'une contre l'autre elles allaient se ressouder, le trou disparaître et la vie continuer.

Mais non : ce geste, Sigolène m'a dit plus tard, avec certitude, que je le faisais déjà lorsqu'elle s'est approchée de moi. J'avais donc sorti mon téléphone et découvert mon visage depuis quelques minutes. Sigolène et Coco se confondent dans une cérémonie qui distribue de faux souvenirs à propos de l'événement qui l'a provoquée. Je ne supporte toujours pas cette confusion : les faits sont les seuls bagages que j'aurais voulu emporter dans le voyage qui a suivi ; mais les faits, comme le reste, se déforment sous la pression. La violence avait perverti ce qu'elle n'avait pas détruit. Comme une tempête, elle avait coulé l'embarcation. Des souvenirs remontaient en surface et en désordre, déformés, hors d'usage, parfois même non identifiables, mais d'une présence ferme. À peine avais-je vécu l'instant que ses traces se déposaient en désordre sur l'île où j'avais échoué, dans cette petite salle saturée de papier, de sang, de corps et de poudre. Je devais faire un tri impossible, mais indispensable, comme le fait Robinson Crusoé avec les vestiges de son navire. Au passage, je m'aperçois que ce navire n'a aucun nom, et, à la veille d'une traversée hospitalière et d'un séjour insulaire et psychique où tu vas peut-être m'accompagner, lecteur, je me demande avec une certaine inquiétude comment il fut possible au célèbre naufragé de s'embarquer sur un navire qui n'avait pas été baptisé. Avec une certaine inquiétude, car, à ce stade, je ne sais comment baptiser ma propre embarcation, sans même parler de mon île – ou, plus exactement, de mes îles. Si écrire consiste à imaginer tout ce qui manque, à substituer au vide un certain ordre, je n'écris pas : comment pourrais-je créer la moindre fiction alors que j'ai moi-même été avalé par une fiction ? Comment bâtir un ordre quelconque sur de telles ruines ? Autant demander à Jonas d'imaginer qu'il vit dans le ventre d'une baleine au moment où il vit dans le ventre d'une baleine. Je n'ai pas besoin d'écrire pour mentir, imaginer, transformer ce qui m'a traversé. Le vivre m'a suffi. Et, cependant, j'écris.

Je crois avoir dit à Coco : « C'est le numéro de ma mère,

préviens-la ! » Mais elle flottait. J'ai commencé par m'éner-ver, d'abord parce qu'elle semblait ne pas me comprendre, ensuite parce qu'elle avait sans doute quelque raison de ne pas me comprendre. Je ne comprenais pas, moi, ce qui résistait. Tout le monde était mort autour de nous, ce n'était pas une raison pour ne pas communiquer entre sur-vivants. Je me comprenais, j'entendais ma voix, mes paroles, tout était parfaitement clair et je savais ce qu'il fallait faire, mais son regard m'indiquait qu'elle avait quelque difficulté à me suivre. Ma voix était bien là, pourtant, bien en place, celle que je supportais si mal d'entendre et que pour une fois j'étais heureux d'entendre.

Quelques bouts de dents sont passés dans la bouche de droite à gauche, de gauche à droite, ma langue a joué avec comme avec des miettes et j'ai senti que j'avais peut-être du mal à articuler. Coco a pris mon portable, regardé le nom qui apparaissait et elle a répété : « C'est ta mère ? J'appelle ta mère ? » J'ai dit oui. Elle a appelé et je l'ai entendue dire : « Bonjour, c'est Coco, je suis dessinatrice à *Charlie*. Il y a eu un attentat. Votre fils est gravement blessé. Il est avec moi, il est vivant, il est défiguré. » A-t-elle dit ça ? Dans mon souvenir, oui, et je crois me rappeler ma réaction : « Ne dis pas ça ! » Coco a parlé quelques secondes de plus avec ma mère, je ne sais plus, mais elle a raccroché, elle suffoquait en silence et pleurait. J'ai su plus tard que ma mère lui demandait ce qui avait eu lieu et où j'étais. Elle a d'abord cru que j'étais la seule victime et qu'on m'avait tiré dessus à cause de l'article sur Michel Houellebecq. Ce n'était pas vrai, mais, après tout, ce n'était pas non plus tout à fait faux. Ceux qui veulent vous éliminer ont toujours une raison de le faire, et il est intéressant d'imaginer qu'ils n'aient pas tort.

Cependant, selon Coco, c'est moi qui lui ai dit : « Appelle

ma mère, dis-lui que je suis défiguré ! » C'est possible. Il est possible que, m'étant découvert par surprise et sous le choc d'une révélation qui par ailleurs me laissait froid, j'aie demandé à Coco de faire passer ce qui a dû me sembler, malgré tout, le message principal. Si c'est le cas, Coco me comprenait parfaitement – ou, en tout cas, suffisamment. Pourquoi la reverrai-je sans cesse hésiter, flotter, comme si elle ne comprenait rien à ce que je lui demandais ? Était-ce moi celui qui flottait, ne comprenait rien, qui parlait sans s'en rendre compte et qui, tel un menteur professionnel mais pour des raisons moins inavouables, se dotait d'une mémoire isolante et sélective ? L'homme qui triait les souvenirs comme si un siècle le séparait de la minute précédente, était-ce celui qui était déjà presque mort, ou celui qui commençait à le remplacer ? Je ne savais pas lequel des deux vivait et je ne sais pas lequel des deux écrit.

Le journal tenu par mon frère trouble un peu plus l'arrangement rétrospectif. Il était en réunion professionnelle à Nice à l'heure de l'attentat, portable éteint. Il écrit : « À 12 h 10, la conversation étant terminée, je prends le temps d'écouter mes messages. D'abord, un message professionnel puis le message de "mon frère". Une voix féminine… quelques secondes d'effroi : "Bonjour, c'est Coco. Je travaille avec votre frère à *Charlie Hebdo*. Il vient d'y avoir un massacre. Il est défiguré." Pendant une seconde, je crois à une mauvaise blague. C'est tellement irréel. Mais ce ne peut pas être une plaisanterie de mauvais goût : l'appel a été passé du portable de Philippe et personne n'a pu faire une telle plaisanterie. J'appris plus tard que, conscient, Philippe avait tenté de nous appeler mais que, ne pouvant pas parler, il avait tendu le téléphone à Coco, survivante du massacre, et lui avait désigné le nom de mes parents, le mien et celui du directeur de *Libération*. » Ai-je aussi dit à Coco de prévenir mon frère que j'étais défiguré ? Ou bien lui a-t-elle répété ce qu'elle venait de dire à ma mère ? Votre fils est défiguré, votre frère est défiguré... Pourquoi n'ai-je pas oublié qu'elle avait appelé ma mère devant moi ? Pourquoi ai-je oublié qu'elle avait appelé mon frère ? Et pourquoi ces questions, qui peuvent paraître vaines, sont-elles pour moi aussi importantes que la résolution d'un crime par un détective qui en ferait dépendre sa vie entière ? Suis-je à la fois le détective, le témoin et la victime ?

J'ai repris le portable à Coco d'une main aussi nerveuse qu'hésitante et cherché le numéro de Laurent Joffrin, indiqué sous le nom « Joffrin OK », parce qu'il avait changé de numéro sans que j'efface le précédent : de même que j'avais du mal à me débarrasser des vieilles choses, semblable en cela à mon grand-père maternel qui entassait dans sa cuisine d'été tout ce qui aurait dû finir à la poubelle, de même avais-je du mal à effacer les numéros devenus obsolètes, comme s'ils allaient brusquement renaître et resservir, comme si tout ce qui appartenait au passé n'était qu'endormi et destiné, non seulement à reprendre vie, mais à se substituer aux vies qui l'avaient remplacé. Tout dormait dans une sorte de sas, en quarantaine indéterminée, et ce que j'avais été jusqu'ici venait peut-être de rejoindre les objets et les numéros qui méritaient de disparaître dans la zone grise où les choses du passé, quoique désactivées, conservent certains droits, modestes, à l'existence. C'est ce qu'on appelle obtenir un sursis.

Parmi ces choses, il y avait mon bonnet rouille, acheté à New York, et des gants fourrés que m'avait offerts, quelques mois plus tôt, une vieille amie. Je ne les ai jamais récupérés et je n'ai pas cherché à le faire. Dix-huit mois plus tard, lisant le rapport de police écrit dans les heures qui suivirent l'attentat, j'ai découvert que les enquêteurs avaient relevé, « collé à la gauche des hanches » de Bernard, « un bonnet de couleur orange sans marque apparente », puis, « à proximité » de ses pieds, « une paire de gants de couleur kaki à doublure beige posée sur le sol et supportant de nombreuses traces de sang » : c'étaient mon bonnet et mes gants. Les retrouver dans ce rapport, objectivés par lui, semblables à de petites branches échouées sur une rive inconnue et hostile, une rive dont les hauts arbres cachaient des Indiens prédateurs et armés, me stupéfia et me coupa littéralement le souffle. Cependant, ils se mirent à me faire signe et à me tirer par la manche vers l'existence d'où ils venaient et qui s'était achevée là. Ils avaient donc fini comme ça, près de Bernard, comme une petite caresse concrète le long de son corps meurtri. Ils étaient le dernier écho de la présence des choses qu'il ne sentirait plus. Lisant ces mots, j'ai senti la présence des choses comme jamais je n'avais senti celle de rien sur cette terre, une présence aussi intense que fragile, installée là pour toujours, menacée là pour toujours, détruite par l'événement et sauvée par les phrases d'un rapport de police. Les gants et le bonnet tendaient un petit pont, fait de quotidien, de mots et de perpétuité, entre le corps de Bernard et la vie qui me restait. Dessous, il y avait autre chose. J'ai relu plusieurs fois le rapport de police pour ne pas y tomber.

Les enquêteurs notent ensuite la présence, entre les corps de mes compagnons, d'un couteau de marque Laguiole « au manche de couleur grise et dont la longueur totale est de 28 centimètres pour une lame d'une dizaine de centimètres », et « un emballage d'aluminium d'un gâteau et des morceaux de cake imbibés de sang ». Mais où étaient donc passés les biscuits de Cabu ?

Il en mangeait volontiers pendant ou après la réunion,

quand ce n'était pas du vieux pain ou quelque chose comme ça, rangé dans du papier aluminium. C'étaient peut-être les seuls instants où il ne dessinait pas – et encore, ce n'est même pas sûr, car il pouvait dessiner d'une main en grignotant de l'autre. Je le regardais souvent faire avec sympathie et inquiétude, comme on regarde agir un enfant jusqu'au moment où l'on s'aperçoit qu'il a quatre-vingts ans, phénomène qui signifie que soi-même on n'en a plus tout à fait vingt. Cabu et sa frange n'avaient pas d'âge, dans la mesure où il était sans cesse rajeuni et comme enluminé par les dessins qui la prolongeaient et, en quelque sorte, la justifiaient. Il était comme ses biscuits, son vieux pain : son intelligence était peut-être limitée, mais son génie donnait du goût à n'importe quoi. Il resterait toujours un écolier insolent, teigneux, timide et surdoué qui caricaturait les fabricants d'autorité sur une vieille table de bois couverte de graffitis et qui, vers la fin du cours, sortait son paquet de biscuits pour en manger un ou deux, comme un rongeur en hiver, avant de continuer à refaire d'un geste sûr le pire et le meilleur des mondes, le nôtre, le seul, sur un support ou sur un autre, y compris dans sa poche ou, pourquoi pas, au creux d'une main ou sur une semelle de chaussure. Tout faisait paroi dans sa grotte, sur quoi laisser des inscriptions et l'ombre d'un rire.

J'étais arrivé à jeun à la conférence de rédaction. Ce jour-là, Cabu avait du cake mais, vers la fin, il a fait circuler un paquet de biscuits. Était-ce vraiment le sien ? Je n'en sais rien. Mais c'est lui qui me l'a tendu et ils ont été mon dernier repas avant extinction. Quelques minutes avant l'entrée des tueurs, j'en ai mangé un non sans scrupules, car je ne me sentais guère en droit d'accepter le moindre don de la part de ceux avec qui je partageais si peu et auprès de qui, malgré les années, je me sentais toujours aussi marginal et peu légitime, aussi peu apte à mener le moindre combat ou à me rappeler la moindre épopée : je n'avais pas été adulte dans les années soixante et soixante-dix, je n'avais pas eu à expérimenter des libertés dont j'avais bénéficié. J'étais un homme sans abus parmi des hommes qui en avaient commis ou qui, en tout cas, les avaient contés, commentés et dessinés. Ce défaut d'abus m'empêchait souvent d'accepter la brioche de Tignous ou les biscuits de Cabu.

De ce biscuit d'exception, le premier et le dernier que j'ai pris, il me reste l'odeur et un goût légèrement beurré. Je l'avais à fleur d'estomac en arrivant au bloc et il y est resté, prêt à remonter jusqu'aux lèvres pour finir dans la mélancolie bleu canard d'une quelconque cuvette. Ensuite, à chaque nouvelle descente au bloc, il arrivait toujours un moment où j'y pensais avec angoisse, comme si, resté coincé là, près de la bouche, il allait remonter jusqu'à la gorge et provoquer un accident d'anesthésie.

Le Laguiole appartenait au journal. Le cake qu'il allait découper venait en réalité d'être acheté par Sigolène à la boulangerie du coin, pour fêter l'anniversaire de Luz qu'on attendait et qui, heureusement pour lui, ne s'était pas levé à temps. J'étais si peu lié à la vie quotidienne du journal que je l'ignorais. L'attentat a mis des vies au cœur de la mienne au moment où la plupart d'entre elles ont disparu.

Coco a appelé Laurent Joffrin en pleurant, mais son téléphone était éteint et elle m'a regardé d'un air de dire, comme si elle y était pour quelque chose : « Pardonne-moi, c'est trop, je ne peux pas ! » J'ai regretté à en pleurer que Laurent ne réponde pas, je me sentais abandonné par mon métier. Après tout, il était le seul ami qui soit aussi mon directeur. J'ai regardé encore une fois les yeux sombres et défaits de Coco. J'étais de nouveau agacé, car, à cet instant, je n'éprouvais rien d'autre que l'impatience d'agir sur les détails. J'aurais aussi voulu qu'elle me rende mon portable : tant que je l'avais en main, je me sentais autonome. Je ne bougeais quasiment plus et j'étais vaguement essoufflé, mais rien ne me semblait grave, rien ne me semblait justifier ni les pleurs ni les hésitations. Toute émotion avait disparu, ou plutôt elle n'était que pour les autres : ceux qui n'étaient ni présents ni blessés. Quant aux morts, aux pauvres morts, plus le temps passe et plus je pense avec Baudelaire ce que je n'ai jamais cessé de sentir depuis ce matin-là : ils ont de grandes douleurs. Et ces douleurs, j'y reviendrai depuis la chambre d'hôpital où je vais bientôt atterrir, n'étaient pas les douleurs de ceux qui les pleuraient. C'étaient des douleurs éternelles et éternellement enfantines.

Coco s'est éloignée avec mon portable, comme sans y penser. J'aurais voulu lui crier de me le rendre, mais je n'avais plus la force de parler. J'ai vu qu'elle le déposait là-bas, sur un bureau, très loin. D'autres personnes se sont approchées.

Parmi elles, un jeune journaliste d'une agence dont les bureaux étaient voisins de ceux de *Charlie*. Neuf mois plus tard, il m'a écrit, au moment précis où je quittais enfin l'hôpital pour rentrer chez ce qui n'était plus tout à fait chez moi. Son mail s'intitulait : « Celui qui a détourné le regard ». Je le cite, car, outre l'émotion et la compassion qu'il m'a inspirées, il révèle comment peuvent vivre ceux qui ont vu des choses qu'ils n'auraient pas dû voir :

Je me permets de vous écrire ce message après avoir longuement réfléchi aux conséquences que cela pouvait avoir pour vous et moi. Je vais vous parler du 7 janvier et de ma lâcheté. Je me doute qu'il vous est difficile d'y songer alors si vous le voulez, vous pouvez dès à présent arrêter de lire ce message, il ne vous apportera rien de bon. Cela fait des mois qu'il est dans mes brouillons. Aujourd'hui je vous l'envoie car je n'arrive plus à avancer, M. Lançon.

Je vous prie de m'excuser de vous imposer mon récit, mais la culpabilité me ronge chaque jour. J'écris ce message en espérant – par pur égoïsme – chercher votre pardon. Je ferai court.

Le 7 janvier dernier, j'étais votre voisin.

Nous étions dans le bureau en face de celui de *Charlie*.

Quand nous avons entendu les coups de feu, nous nous sommes réfugiés sur le toit. C'est moi qui filme les assassins en train de fuir et de tirer sur des policiers à vélo.

Une fois qu'ils ont pris la fuite, au bout de quelques minutes, nous sommes venus porter assistance aux victimes. Je suis, avec mes collègues, l'un des premiers à être rentré chez *Charlie*.

Après avoir débarrassé les tables pour faciliter l'accès des secours, sorti Simon de sa chaise, fait le tour de la rédaction pour orienter les jeunes pompiers – tétanisés –, je vous ai vu. Seul. À l'écart sur une table ou une commode, je ne sais plus trop. Vous étiez choqué, cela va sans dire. Vous ne pouviez pas parler, évidemment, mais vos yeux disaient tout : vous imploriez de l'aide. Votre regard a croisé le mien. Et j'ai détourné les yeux. Lâchement. Je me disais que je ne me remettrais jamais de cette image de vous, en souffrance, dans mes bras ou dans mes mains. Je me disais même que vous alliez peut-être mourir et que je n'y pouvais rien. J'ai détourné le regard parce que j'avais peur de vous. J'ai préféré aller aider les autres, les moins amochés. J'ai réconforté Laurent Léger, Patrick Pelloux. J'ai accompagné toute la rédaction de *Charlie* dans nos locaux. Et je vous ai laissé seul.

Bien sûr, il y a eu les secours. Bien sûr, vous vous en êtes sorti. Mais il n'y a pas une journée où je ne repense à ma lâcheté face à vous. Pas une journée où je ne me regarde dans la glace en voyant toutes mes limites d'Homme. Pas une journée sans penser à vous.

J'ai conscience que mes mots sont durs et qu'ils pourraient vous faire souffrir davantage. C'est ce qui m'a empêché de vous écrire jusqu'alors. Mais je ne peux plus garder ça pour moi. Pardonnez-moi M. Lançon.

Je vous sais en souffrance. J'espère que vous sortirez de ce tunnel brumeux et sombre pour retourner vers la lumière. La vie est belle, paraît-il.

J'ai lu le mail d'abord avec perplexité. Je ne me souvenais absolument pas de lui, de nos regards croisés. Les mois précédents m'avaient certes appris à vivre avec des blancs considérables et de tout ordre, et à quel point pouvaient être désemparés ou effrayés, voire paniqués, ceux qui approchaient de mon regard et de ma mâchoire bandée comme d'un trou dans lequel ils auraient pu tomber. J'étais non seulement leur ami et l'homme qui avait vu l'ours, mais celui qui en avait éprouvé le poids et la griffe – celui dont la simple présence leur rappelait, malgré lui, malgré eux, sans discours, combien nos vies sont incertaines, et combien il est audacieux ou inconscient de l'oublier. Ne me souvenir de rien, à propos de ce garçon, m'a presque autant marqué que tous mes souvenirs réunis. Je n'aurais voulu rien oublier de ce que j'avais vécu, absolument rien, de chaque détail dépendait la vie des morts et la suite de la mienne ; mais comment faire pour ne pas oublier des instants, des apparitions qui semblaient avoir été entièrement effacés ? Comment vivre avec l'attentat, si une apparition aussi importante que celle-là n'avait jamais eu lieu ?

Je ne voudrais pas avoir la tête d'un *memento mori* et je ne crois pas avoir l'esprit d'un curé ni d'un confesseur. Cependant, il fallait soulager celui qui m'avait écrit ce mail dans la mesure du possible, et, huit heures plus tard, je lui ai simplement répondu ce qui me semblait alors, sinon la vérité, du moins ce que j'éprouvais :

Merci pour votre mot. Il y a bien trop de choses du 7 janvier dont je me souviens, mais je vous avoue que je ne me rappelle ni votre apparition, ni votre regard détourné. J'étais assis contre le mur du fond, derrière Bernard Maris et Honoré. Je n'avais pas encore tout à fait conscience de ce qui m'était arrivé. Je ne l'ai compris qu'en tendant mon portable à Sigolène, car je me suis vu dans le reflet. Alors tout est devenu clair.

La mémoire est sélective, plus ce qui la charge est violent plus elle est sélective, et, je ne sais pourquoi, elle ne vous a pas sélectionné.

Mais je pense sincèrement que vous ne devez vous sentir ni faible, ni lâche : ce fut une situation horrible pour tout le monde, les survivants blessés ou non, et ceux qui comme vous sont arrivés juste après. Chacun a fait ce qu'il a pu et si le 7 janvier m'a apporté quelque chose, c'est la fuite du jugement sur ce que font les uns et les autres lorsqu'ils sont pris dans un événement comme celui-ci.

Après l'attentat, je flottais dans un univers à la fois infiniment précis et lointain, et, à aucun moment je n'ai eu le sentiment profond de demander de l'aide, j'étais dans un autre monde tout en étant dans celui-ci – même si je sais, par d'autres témoignages qui rejoignent le vôtre, que mon regard donnait exactement cette impression.

Ensuite, j'ai vécu deux mois et demi d'enfer, mais dans cet enfer j'ai été soutenu et accompagné – par les soignants, la famille, les amis, les collègues. Et je me suis aussitôt senti l'élément d'une chaîne humaine – et cela m'a aidé à tenir et, finalement, à traverser avec une paix relative ces mois-là. Ni la joie ni les sentiments n'ont été absents, à aucun moment, et, puisque je suis journaliste, j'ai eu tout le temps d'explorer et de comprendre un monde hospitalier que je connaissais assez mal.

Si ce mail pouvait servir à quelque chose, ce serait, vraiment, à vous alléger. Je ne peux vous en vouloir de rien, mais je vous suis reconnaissant de m'avoir écrit. Amicalement.

Philippe

Deux jours plus tard, il me répondit :

Cher Philippe,
À moi de vous remercier pour votre message. Il me touche au plus profond de mon être. Merci de vos mots et de votre récit. Votre absolution est généreuse et courageuse.

Je vous trouve plein de lucidité et – je dois dire – d'un calme assez saisissant.

Je ne vais pas vous embêter plus longtemps, j'espère simplement avoir l'occasion de vous revoir, cher confrère.

Pour le reste, je vous souhaite, une fois de plus, le meilleur. Merci.

M.

Le calme et la lucidité dont il m'honorait à distance, s'ils existaient, n'étaient que de longs réflexes de survie. Pour le reste, l'avais-je absous ? L'avais-je voulu ? J'ai plusieurs fois relu ce mail, gêné. En aucun cas je n'aurais voulu obtenir de l'attentat, de la survie et de mon expérience, un pouvoir que leur absence ne m'aurait pas donné.

Peu après l'éloignement de Coco, les secours sont arrivés. Je ne les voyais pas. Je regardais tantôt le crâne de Bernard, tantôt les jambes de Fabrice, que je croyais toujours mort. Je ne les voyais pas, mais j'entendais maintenant leurs voix : « Là, mort ! Là, mort ! Là, mort ! » Ce mot, « mort ! », faisait écho au cri que les tueurs n'avaient cessé de répéter à chaque tir, « Allah Akbar ! ». Allah Akbar, mort. Allah Akbar, mort. Allah Akbar, mort. Le couple odieusement burlesque valsait en moi comme des partenaires boiteux tandis que les secours approchaient lentement, de corps en corps, par des voies qui me paraissaient aussi vierges que mystérieusement détournées. On aurait dit des alpinistes plantant leurs pitons, par temps brumeux, dans une paroi friable et glacée. Leur progression cadencée par le constat me signifiait que j'étais vivant, sans trop savoir ni comment ni pourquoi. Arriveraient-ils jusqu'à moi ? Sans doute, puisqu'à aucun moment je n'ai cru que j'allais mourir – ni même m'évanouir.

Au loin, dans l'encadrement de la porte par laquelle avait disparu Franck Brinsolaro, arme à la main, j'ai vu apparaître Patrick Pelloux, notre compagnon éditorialiste et urgentiste. Il m'a regardé et il a dit : « Ici, il y a Philippe. Il est blessé à la mâchoire ! » Je ne sais plus, à vrai dire, s'il a prononcé mon nom. Mais je me souviens que je me suis accroché comme à une ancre à son visage familier, tendu par le besoin d'agir et déjà froissé par la montée du chagrin ; lui aussi me paraissait déjà venir d'un autre monde, celui des hommes en position debout et qui n'avaient pas subi ce avec quoi il leur faudrait, comme moi, désormais vivre. Je n'aurais pu le formuler ainsi, car tout ne relevait que de la sensation, du flottement, d'imprévisibles remous de pensées et de réminiscences, et d'une compassion presque insupportable pour les morts et pour les vivants.

N'allaient-ils pas être irradiés par la violence qui nous avait emportés ? Était-ce contagieux ? Jusqu'à quel point étais-je touché ? Je ne profitais pas d'une sorte d'élévation. Je la subissais. Avec Baudelaire, qui allait bientôt m'accompagner comme un passager clandestin dans les moments les plus délicats, j'aurais presque pu dire :

Derrière les ennuis et les vastes chagrins
Qui chargent de leur poids l'existence brumeuse,
Heureux celui qui peut d'une aile vigoureuse
S'élancer vers les champs lumineux et sereins

Presque, seulement. L'aile vigoureuse était alourdie par un je-ne-sais-quoi, tandis que les premiers secours se penchaient sur moi et, à mon grand dam, pour me dégager, découpaient avec d'énormes ciseaux brillants les manches de mon joli caban. J'ai protesté, je ne voulais pas me séparer de lui, je ne voulais pas le perdre, ni lui ni mon sac ni mon portable ni rien, mais l'homme qui découpait a continué sa besogne à grands gestes en me disant de rester calme et de ne pas bouger. Une fois le caban ôté, l'homme s'est éloigné et j'ai pris mon sac et l'ai collé contre mon ventre pour ne plus le lâcher. Je comprenais qu'on allait bientôt m'emporter. À ma droite, j'ai entendu des gémissements, à la fois monotones et insistants, si insistants et si monotones qu'ils semblaient faux. Il y avait donc un vivant par là. C'était Fabrice, que ses jambes touchées faisaient souffrir. J'étais soulagé de n'être pas le seul survivant, et aussi d'autre chose, mais de quoi ? J'écoutais les gémissements de Fabrice et soudain, j'ai compris : ils me révélaient que je ne souffrais pas. Ni mon bras droit, ni mes mains, ni mon visage n'éprouvaient la moindre sensation. Je les ai regardés pour tenter de comprendre ce mystère que ma chirurgienne, quelques jours plus tard, allait éclaircir avec son naturel didactique et enjoué. J'ai regardé mes mains et j'ai pensé aux articles sur Shakespeare et sur le livre de jazz que ce jour-là je n'écrirais pas. D'autres hommes se sont approchés. Ils se sont demandé de quelle manière m'emporter. Le passage était étroit, encombré par tous ces morts qu'il ne fallait pas déplacer. Ils ont pris l'un des fauteuils qui se trouvait dans la salle et m'ont installé dessus, puis ils m'ont soulevé. Dans mon souvenir, le fauteuil avait des pieds à roulettes, comme souvent dans les journaux. Deux hommes le portaient, un troisième m'avait pris les jambes. J'ai insisté pour garder mon sac avec moi. Ils m'ont emporté lentement, quoique assez vite, et j'ai une première et dernière fois survolé certains de mes compagnons morts. Baudelaire finissait *Élévation* sur ces vers :

Celui dont les pensées, comme des alouettes,
Vers les cieux le matin prennent un libre essor,
– Qui plane sur la vie, et comprend sans effort
Le langage des fleurs et des choses muettes !

En m'élevant, vers quoi prenais-je essor ? Mes pensées, des alouettes ? Alouettes, je vous plumerai ! Je planais sur mes compagnons morts et comprenais sans effort leur langage sans pleurs. Je comprenais désespérément le mutisme de ceux que j'abandonnais car, à cet instant, j'étais encore l'un d'eux.

Je n'ai pas vu Honoré, qui était pourtant mort quasiment sur moi. Je n'ai pas vu Cabu, dont le corps était cependant sous moi. Mais j'ai vu Tignous, allongé sur le dos, le visage un peu jaune autour de ses lunettes, les yeux clos, semblable à un gisant. Je n'ai pas vu le stylo planté entre ses doigts, j'étais aimanté par son visage et j'ai senti, là, par-dessus lui, la solitude d'être vivant. C'était la tristesse d'aller vers n'importe quoi, n'importe où, en sachant que lui ne pourrait plus me suivre. Nous n'avions jamais été proches, il n'y avait qu'une instinctive sympathie entre nous. L'évé-nement nous a unis à l'instant même où il nous séparait. Nous ne pourrions jamais bénéficier de l'intimité que ses ténèbres avaient forgée. À la vie, à la mort, comme disent les enfants, à la vie dans la mort. J'ai regardé son visage aussi longtemps que le transport le permettait, puis, tour-nant la tête vers la droite, j'ai vu le corps de Wolinski. Il était légèrement adossé à un mur. Son visage était apaisé, un peu triste, les yeux clos, j'ai pensé qu'il était un vieil oiseau splendide, une sorte d'aigle infiniment civilisé, et que la mélancolie qu'il cachait si bien l'avait rattrapé. Le sourire avait disparu. Les morts ne sourient pas et ils ne font pas rire. Georges a rejoint Tignous et le crâne de Bernard et depuis mon siège volant et cahotant je leur ai dit sur un certain ton, comme s'ils étaient vivants : « Vous avez du bol, pour vous c'est fini. Pour moi, ça ne fait que commencer. » Un peu plus loin, il y avait le pull marin de Charb, mais à peine l'avais-je entrevu qu'on me sortit de la salle. Ce mouvement m'épargna la découverte de ce qu'on avait fait de son visage.

Dans l'entrée, j'ai reconnu mon portable, posé sur une table. J'ai tendu le bras vers lui et fait signe à mes porteurs, essayant de leur dire ce que je désignais. L'un d'eux m'a regardé, a hésité et dit : « Vous voulez quoi ? Pas le temps, on verra ça plus tard », et nous sommes sortis. J'ai regardé mon portable une dernière fois, jusqu'au bout, comme si mes yeux pouvaient l'aimanter. Le moment où il a disparu ouvre une période de quatre mois où je ne dépends plus que des autres.

Je ne sais plus si l'on m'a transféré sur un brancard à l'étage ou en arrivant au rez-de-chaussée. Dehors, il faisait gris et froid. Il y avait des gens, du bruit et des ambulances partout, tout un épuisant carrousel de vivants. J'ai pour la première fois éprouvé une sensation qui n'allait plus cesser de se renouveler, avec plus ou moins d'intensité, d'hôpital en hôpital : je sortais d'un cocon où tout était sourd et immobile, où je vivais avec les morts comme j'allais vivre avec les soignants, déposé dans une antichambre aux vibrations profondes et capitonnées, pour entrer à ciel ouvert dans un monde agité, indifférent et incompréhensible, un monde où les gens allaient, venaient et agissaient comme si rien n'avait eu lieu, comme si leurs actes avaient la moindre importance, comme s'ils se croyaient vivants.

On a déposé le brancard devant un homme en uniforme, un pompier sans doute. Pour moi, c'était un géant. Sa puissance verticale et son uniforme m'ont rassuré. Il m'a regardé et il a presque crié : « Ça, c'est blessure de guerre ! » Le mot a explosé puis résonné comme un écho intime, et cependant étranger, un écho provoqué par une histoire qui m'envahissait sans m'appartenir. J'étais une victime de guerre entre Bastille et République, à quelques pâtés de maisons de la librairie russe, de l'épicerie italienne et de *Libération*, à cent mètres de la boulangerie où il m'arrivait d'acheter un croissant après la réunion du mercredi, à quelques mètres de ma bicyclette accrochée à un panneau. J'ai pensé : « Ma bicyclette ! Comme mon portable, on va me la voler ! » J'étais un blessé de guerre dans un pays en paix et je me suis senti désemparé. J'ai recueilli l'expression du géant tout en serrant un peu plus mon sac contre moi, je sentais que son incongruité était précieuse et qu'il me faudrait la ranger dedans et l'emporter partout comme une étrange bénédiction, comme une étrange malédiction ; l'emporter avec tout ce que ce sac contenait ce jour-là, mes livres, mes carnets, mes stylos, mes papiers, mes photos d'identité, les cartes de visite données par des personnes oubliées, et jusqu'à des cailloux ramassés dans une mine chilienne, non loin de la ville natale de Gabriela, et qui ne me quittaient jamais.

Dans l'ambulance, un autre homme s'est assis à côté de moi et m'a dit de ne pas bouger. Je ne lui ai pas obéi et j'ai ouvert la poche avant de mon sac à dos pour y prendre ma carte Vitale et ma carte d'identité : si quelques individus étaient morts ou atteints en moi, l'assuré social obéissant et répertorié ne l'était visiblement pas. Il faisait les gestes que l'administration aurait attendus de lui en temps normal, et il les faisait avec le plus grand soin, la plus grande culpabilité, comme si son existence répertoriée et son avenir administratif en dépendaient. Tandis qu'on emportait le blessé de guerre, le bon citoyen Lançon a pensé : « Quand j'arriverai à l'hôpital, il faut qu'ils voient ces papiers, sinon ils ne sauront pas qui je suis et ils mettront un temps fou à me rembourser – s'ils me remboursent ! Ils perdront mon dossier et ne me rembourseront pas. » Le blessé n'était pas encore entré à l'hôpital que le citoyen, cette mule numérotée, en était déjà sorti. J'ai montré à l'homme assis mes deux cartes, mes deux passe-partout, comme si, avant la chute du mur de Berlin, j'allais passer Checkpoint Charlie. Il les a prises et les a coincées entre mes cuisses. Un temps incertain a passé, je regardais le ciel par la vitre pour deviner comme dans les films vers quel endroit on m'emportait. Je me suis demandé si j'allais vers le nord ou vers le sud, si je traversais la Seine. Le navire de Robinson est anonyme et aucun nom d'hôpital ne m'est venu à l'esprit.

Plus tard, on m'a sorti de l'ambulance, le brancard a roulé dans un hall. Je me suis – soudain ? enfin ? – mis à suffoquer et à pleurer au moment où une infirmière brune au visage doux et concentré me disait de me tranquilliser, ça y est, j'y étais, j'allais m'endormir, on me prenait en charge et tout allait bien se passer. Elle a posé un masque sur mon visage, elle me parlait, je ne la comprenais plus, j'ai senti que j'étouffais et tandis que la panique me saisissait, je me suis mis à pleurer, j'avais de nouveau cinq ou sept ans, je les aurais toujours, j'étais abandonné dans la nuit et dans un pays lointain, sans parents, sans amis, sans collègues, sans femme, sans rien, juste avec ce visage d'infirmière, et voilà comment tout s'est éteint.

CHAPITRE 6
Le réveil

Je me suis réveillé dans les plis quotidiens de l'extase, comme à Cuba, en sentant l'odeur du café. J'étais dans mon lit, reposé, de bonne humeur. C'était l'aube. J'avais bien dormi et j'allais me lever, boire ce café, faire un peu de gymnastique, me doucher, me parfumer, lire et prendre des notes puis, après être passé à *Charlie*, écrire à *Libération* mon article sur *La Nuit des rois*. Je me suis réveillé dans mon lit et, toujours à moitié endormi, j'ai vu passer dans la pénombre la journée devant moi, comme presque chaque matin, mais avec une précision inhabituelle – une précision d'inventaire. C'était une journée qui n'aurait jamais lieu et qui avait déjà eu lieu.

Sur le chemin du journal, je m'arrêtais au Monoprix pour acheter un yaourt liquide que je buvais sur le trottoir du boulevard – et j'ai senti l'odeur vanillée du yaourt. J'ai commencé à mijoter les phrases de l'article en humant les odeurs citadines du matin, les bonnes et les moins bonnes auxquelles je suis exagérément sensible. Un petit groupe de clochards, toujours le même, était assis sur le banc près du Monoprix. Ils émettaient des sons rauques, violents, incompréhensibles pour moi, et je me demandais une fois de plus ce qu'ils pouvaient se dire sur ce ton-là, avec ces voix-là, quelles pouvaient avoir été leurs vies, mais je n'osais ni m'approcher ni leur parler, par confort ou par pudeur, et parce que je n'étais plus le journaliste de vingt ans dont le premier reportage marquant, à Lyon, avait été de vivre de rues en foyers pendant quelques jours avec deux clochards. Tout en jetant la bouteille vide de yaourt liquide dans la poubelle la plus proche, je me suis souvenu des deux clochards de Lyon, comme presque chaque jour et comme si je les avais vus la veille et comme s'ils étaient là, à mon chevet, avec leur teint de fraise des bois, « fraise des bois » était le surnom de l'un d'eux, celui qui ne parlait pas. Je me suis souvenu de la leçon de mendicité qu'ils m'avaient donnée face à ces gens dont je faisais partie, ces gens pour qui la ville n'est pas un territoire de lutte et de conquête, un territoire sans abri comme elle allait bientôt le devenir pour moi et pour d'autres raisons. Je me suis souvenu du moment où ils m'avaient conseillé de rentrer chez moi, tu es trop jeune et l'hiver est trop dur, et donné cinquante francs pour prendre le train ou le car, cinquante francs que je n'avais pu refuser.

Je n'avais pas encore bougé. Dans une semaine, je serais à New York chez Gabriela. Son dernier sourire d'avant l'attentat, sur l'écran de l'iPad, remontait croyais-je à quelques minutes. Il allait bientôt revenir hors de l'écran, face à l'East River, et à l'odeur du café s'est aussitôt mêlée celle de l'haleine de Gabriela. Je les ai senties, l'une et l'autre, l'une dans l'autre, avant d'ouvrir les yeux. Je les sentirai probablement jusqu'à la mort, intactes, flottantes, car elles n'ont jamais eu autant de force ni d'intensité qu'au moment où elles étaient une illusion et un adieu.

J'ai vu et vécu tout cela pendant quelques secondes, pendant vingt ans, tout cela ramassé par le temps d'un seul geste, comme un bouquet de fleurs qu'on croyait cueillies dans les champs et qui se révèlent, à la lumière du salon, artificielles. J'étais habité par les doux fantômes de l'amour, de l'avenir et de l'habitude. Ces fantômes ont la peau dure, l'éternité est toujours derrière et devant eux ; mais leur peau était à cet instant fragile, et soudain tout s'est évanoui : l'appartement, le lit, le café, le yaourt, les fruits, les clochards, la leçon de mendicité, la journée, Shakespeare, le sourire et l'haleine de Gabriela, et tout ce qui avait fait et aurait pu continuer à faire ma vie.

L'homme aux jambes noires est entré dans la rêverie et il a commencé à la perturber sans que je puisse le reconnaître ni l'interpréter : j'étais encore celui d'avant ; mais quelque chose a commencé à se dérégler. Les jambes noires se sont installées partout sans y être invitées. Elles modifiaient les têtes, les gestes, les odeurs. Elles les éloignaient en les désactivant comme des porteurs de lampes qui, une fois éloignés, les éteignent. Elles m'indiquaient une direction inconnue que je ne voulais pas suivre et que pourtant je suivais. Un détail, soudain, m'a alerté : je n'avais pas encore ouvert les yeux quand je me suis demandé comment je pouvais sentir l'odeur du café, puisque je n'étais pas levé et que ma cafetière n'était pas automatique. C'est alors, ouvrant les yeux, que j'ai vu la grande salle de réveil et sa lumière blafarde, entre jaune et vert, et, les baissant vers le pied de mon lit, au lieu de la rambarde en fer forgé et de la housse de couette, ce drap jaune inconnu sur lequel reposaient deux bras et deux mains bandés. Il me fallut quelques secondes pour comprendre qu'il s'agissait des miens et, dans ces secondes qui allaient au-delà du lit, tout le reste s'est engouffré, l'attentat et les minutes suivantes, et avec lui cinquante et un ans d'une existence qui prenait fin ici, dans cette reprise de conscience, à cet instant.

J'ai relevé les yeux et, à ma gauche, au-dessus de moi,

est apparu le visage de mon frère Arnaud. J'ai alors et pour la première fois senti qu'il m'était arrivé quelque chose de grave, que si le café et le reste étaient un rêve, l'attentat, lui, ne l'était pas, et j'ai regardé mon frère, moi l'aîné, comme je ne l'avais jamais regardé. Comme il était mince ! Et étrangement blafard… Il avait maigri et pâli en si peu de temps ? Que faisait-il là ? Tout seul ? Depuis quand ne l'avais-je pas vu ? Quelques jours à peine… Maintenant, les lumières de cet endroit inconnu avaient déteint sur lui. On avait repeint mon frère aux couleurs de ma nouvelle vie et on l'avait rajeuni du même coup, du cœur même de la fatigue et de l'angoisse, rajeuni et affermi dans la mission qu'il acceptait et entamait. Cette mission allait faire de lui mon jumeau et mon directeur de cabinet pratique, administratif, social, intime, pendant plusieurs mois. L'ordre en a été lancé, malgré lui et malgré moi, dans ce premier échange de regards. J'ai déplacé ma main vers la sienne avec une double exigence de consolation : je devais le consoler et il devait me consoler, l'un n'allait pas sans l'autre, il n'y aurait pas de consolation à sens unique.

J'ai pensé que chacun de nous n'avait qu'un frère, l'autre, et cherché ce que pourrait être sa vie sans la mienne, et, le regardant fixement, ma vie sans la sienne. Les enfants font parfois cette expérience, par jeu, pour se faire peur et pour tester les limites de leur endurance à l'effroi – pour mieux se rassurer finalement. L'exercice a besoin de complaisance – comme lorsqu'on appuie sur la dent qui fait mal pour vérifier la douleur qu'on augmente et avoir le délicat plaisir de s'en plaindre en la renouvelant. Ce qui m'arrivait était peut-être de même nature, mais d'intensité différente : je ne jouais pas, j'étais joué, et la vision me tomba dessus sans que j'y sois préparé.

Quand on imagine le moins imaginable avec une force

imprévue et comme détachée de soi-même, une force telle que la scène imaginée devient la seule possible, quelque chose crève dans le tissu fragile et résistant qui sert de conscience : la perspective de nos morts jumelles a ouvert un champ dont j'ai aussitôt pressenti, malgré l'abrutissement, que l'arpenter me rendrait tout aussi fou que de trop voir la cervelle de Bernard. Je voyais mon frère mort et j'ai vu défiler la suite, son enterrement, nos parents défaits, moi les prenant en charge, etc. Je me voyais mort et j'ai vu défiler la suite, mon frère à mon enterrement, nos parents défaits, lui les prenant en charge, etc. Dans les deux cas, l'enterrement avait lieu dans notre village et la tombe de chacun était celle de nos grands-parents, à quelques mètres de celle de l'écrivain Romain Rolland. Les scènes se détachaient de moi-même et tournaient, comme des chevaux de bois sur un manège, se mélangeaient pour m'envelopper et m'enfermer dans leur fixité et leur répétition. Le manège allait revenir régulièrement dans les mois suivants. Il accueillait des scènes différentes, mais récurrentes, et qui tournaient, tournaient. Les unes me faisaient vivre ce que je craignais le plus ; les autres, les plus redoutables, ce que j'avais vécu et ne pourrais plus jamais vivre : j'assistais en boucle à l'enterrement de mes vies passées ; mais qui portait le deuil exactement ? Je n'en savais rien. C'était le champ du pire aussitôt là, une suite d'images qui m'acculaient pour étrangler les restes de ma propre existence et les remplir d'incertitudes, de vide. Je devenais ce que je voyais et ce que je voyais me faisait disparaître. Comme un vol de corbeaux dans un champ de blé était devenu un jour, tandis qu'il le peignait, la seule réalité, celle de l'artiste à l'oreille coupée et du nuage dans lequel il s'est perdu.

Le champ Van Gogh est apparu pour la première fois à

cet instant, dans la nuit du réveil. J'ai fermé les yeux pour lui échapper, espérant retrouver l'illusion du café et de l'haleine de Gabriela, les retrouver par la réalité. Mais l'attentat ne permet pas ce genre de fiction : il dissout toute tentative de retour en arrière. Il est l'avenir qu'il détruit, le seul avenir, sa seule destruction, et tant qu'il règne il n'est que ça. J'ai rouvert les yeux. Mon frère était toujours là et il était vivant. Moi aussi. Le champ Van Gogh a disparu. L'infirmière est arrivée pour vérifier mon état et celui des perfusions. Elle nous a donné une tablette Velleda et un feutre bleu pour qu'on puisse communiquer.

Quels rapports ont les frères, les sœurs ? Comment se mêlent les souvenirs d'une intimité quotidienne – celle de l'enfance – à l'éloignement progressif qui généralement lui succède ? Arnaud et moi nous entendions bien, sans tensions ni conflits, mais sans nous voir beaucoup, sinon aux repas familiaux. Nous avions des vies et des amis aussi différents que possible – deux chiens d'une même portée mais de race différente, et qui ne retrouvent leurs réflexes communs que dans la niche qui les renvoie au temps perdu et partagé. Acquise ou innée, cette distance a sauté dans la salle de réveil – ou bien notre intimité, latente, a profité d'une occasion dont nous nous serions passés pour ressurgir. Nos parents n'étaient pas encore là, je ne savais pas si c'était l'aube, la journée ou la nuit ; c'était Arnaud qui prenait en charge ma vie et l'emploi du temps. Il l'a fait avec la fiabilité, la diplomatie et le sens moral qui le caractérisaient. Notre enfance commune, nos vacances, nos fêtes, nos blagues à deux balles, nos déjeuners rapides et réguliers dans un restaurant chinois situé sur l'avenue de la République où nous mangions toujours exactement la même chose, les mille et un liens qui nous tenaient sans que nous y pensions, tout ne semblait avoir eu lieu que pour aboutir là, dans cette salle de réveil, premier cadre de l'épreuve qui nous attendait. L'attentat a pesé sur nous avec une telle puissance qu'il n'y a jamais eu besoin, dans les mois suivants, de commentaires ni d'explications : sa violence et la violence de ses conséquences simplifiaient tout. Arnaud était arrivé en se demandant ce qu'il faudrait affronter. Il ignorait à quel point j'étais touché, conscient ou diminué. Sa hantise était de tomber sur un légume ou un homme entièrement défiguré. Il a découvert un visage aux deux tiers intact. Le troisième tiers, inférieur, était couvert de pansements. On ne pouvait qu'imaginer l'absence de lèvre, de dents, et le trou. L'opération avait duré entre six et huit heures. Les orthopédistes ont attendu que les stomatologues aient fini leur boulot pour rafistoler les mains et l'avant-bras droit. Ma chirurgienne, Chloé, déjeunait avec une amie quand on l'a appelée. « Et vous savez de quoi on parlait ? m'a-t-elle dit deux ans plus tard. De Houellebecq ! Mon amie était venue avec *Soumission*, qu'elle m'a offert... » Leur repas s'est arrêté là. Plus tard, elle a lu le livre et l'a aimé. Qu'en aurait-elle pensé si mon arrivée au bloc n'avait pas abrégé son déjeuner ? Quand elle m'en a parlé, nous étions dans son cabinet de consultation, je n'étais plus en position horizontale et nous avons simplement ri de la coïncidence, mais, après tout, en était-ce une ? Houellebecq me semblait bien loin, désormais. Il appartenait à mes souvenirs, comme il appartient à mon livre. Je me demande qui a récupéré l'exemplaire annoté de *Soumission*, que j'ai perdu.

J'ignorais quelle heure il était, si une heure, un jour ou un mois avait passé. Plus tard, j'ai su qu'il était minuit. Arnaud m'a dit d'une voix douce : « Nous avons beaucoup de chance, mon frère. Tu es vivant... » Je n'ai compris qu'en écoutant ces mots que j'aurais pu être mort et, regardant de nouveau mes mains et mes bras bandés, me rappelant que la mâchoire était détruite, je me suis demandé pourquoi je ne l'étais pas. Il n'y avait ni colère ni panique ni plainte dans cette question muette, adressée à je ne sais qui. Il n'y avait qu'une recherche du nord. J'étais désorienté. J'ai de nouveau regardé mon frère, senti que j'avais du mal à respirer. Mon ancien corps s'en allait pour laisser place à un encombrement de sensations précises, désagréables et inédites, mais assez bien élevées pour n'entrer que sur la pointe des pieds.

Arnaud me regardait, je le trouvais décidément maigre et blafard comme la lumière dont il semblait sortir. Il avait l'air si jeune, si seul ! Pour un peu, je l'aurais plaint et l'aurais pris dans mes bras ; mais mes bras ne voulaient pas bouger. Et, cette fois ensemble, nous nous sommes regardés comme deux frères qui avaient failli ne plus jamais se voir et que la perspective de la mort venait de souder. Je n'ai même pas essayé de parler. Je n'avais pas encore conscience des pansements qui fermaient le visage et de la trachéotomie, la trach' comme on allait vite m'apprendre à dire, ni de la sonde nasale qui allait bientôt m'irriter insupportablement la gorge et le nez, mais quelque chose m'avertissait que parler était impossible. Le patient pressent ce qu'il ignore. Son corps violé est un aboyeur. Il annonce des invités, inconnus et presque tous indésirables, à la conscience qui se croyait maîtresse de maison. J'ai fait un signe lent à Arnaud, un tout petit geste de souverain moribond, et il a commencé à me parler. De quoi ? Peu importe. Il me parlait.

Plus tard, j'ai fait un autre geste. Il a compris que je voulais la tablette apportée par l'infirmière. J'ai écrit difficilement, en lettres capitales : « C'est foutu avec Gabriela. » À grande vitesse, j'avais fait le point : elle vivait et survivait à New York, sans argent, sans statut solide ; elle endurait un divorce difficile, qui la rendait folle ; son père crevait lentement dans le désert d'Atacama en récitant aux fantômes des poésies de Pablo Neruda. Jamais elle ne pourrait, quelle que soit la force de son amour, soutenir le marathon qui s'annonçait. La suite allait prouver que je me trompais, en partie du moins. Cependant, je n'ai pas écrit cette phrase sur la tablette Velleda pour conjurer ce qu'elle annonçait. Je l'ai écrite pour me soulager du chagrin que je pressentais : écrire, c'était protester, mais c'était aussi, déjà, accepter. La première phrase a donc eu cette vertu immédiate : me faire comprendre à quel point ma vie allait changer, et qu'il fallait sans hésitation admettre tout ce que le changement imposerait. Les circonstances étaient si nouvelles qu'elles exigeaient un homme, sinon nouveau, du moins métamorphosé, au moral comme il l'était physiquement. Tout s'est joué, je crois, dans ces premières minutes. Un mélange de stoïcisme et de bienveillance a défini mon attitude pour les mois suivants : il a pris source dans cet instant, sous cette lumière et dans cette simple phrase, « C'est foutu avec Gabriela ». Ce mélange n'allait pas sans dandysme : j'ai voulu apparaître en toutes circonstances comme celui que j'avais décidé d'être, du bloc aux toilettes, du fauteuil au brancard, de l'austère couloir du service au joli parc ombragé de la Salpêtrière. Mais, dans la mesure où mon corps subissait une métamorphose brutale et irréversible, cette manière d'être est devenue ma seconde nature, celle qui l'accompagnait. La nécessité, tout accepter, et le devoir, l'accepter avec autant de gratitude et de légèreté que possible, avec une gratitude et une légèreté de fer, allaient me conduire à rendre immuable la seule chose qui pouvait, et devait, l'être : mon caractère en présence des autres. Les chirurgiens allaient aider la nature à réparer mon corps. Je devais aider cette nature à fortifier le reste. Et ne pas faire à l'horreur vécue l'hommage d'une colère ou d'une mélancolie que j'avais si volontiers exprimées en des jours moins difficiles, désormais révolus. Je me trouvais dans une situation où le dandysme devenait une vertu.

J'ai effacé la première phrase, écrit la suivante : « Ce petit journal qui ne faisait de mal à personne. » C'est de *Charlie* que je parlais – avec une naïveté un peu criarde, une naïveté d'enfant triste et désemparé, mais pas seulement. Des écrivains, on cite volontiers la dernière phrase prononcée, pourvu qu'elle semble avoir un sens éclairant leur vie et les circonstances, comme à la messe. Quand Tchekhov meurt en disant « Ich sterbe », je meurs, c'est bien du Tchekhov, se dit-on. Il dit la seule chose à dire au moment où il meurt. Son laconique pléonasme liquide tout effet de littérature. Moi, quoique étant dans les limbes et si peu écrivain, j'écrivais maintenant mes « premières phrases ». Et, comme je suis volontiers pompeux et sentimental, celle-ci, « Ce petit journal... », penchait naturellement de ce côté-là. Tant que nos défauts nous suivent, c'est qu'on est vivant, il n'y a plus qu'à les sculpter. La petite phrase suivait la rigole creusée jadis par mon grand-père maternel, un petit homme charmant qui ne pensait jamais à mal. Il était né dans une famille de paysans pauvres des Pyrénées, près de la frontière espagnole, et il avait, comme on dit, la larme facile, peut-être venait-elle de la fonte des glaciers qui faisaient face à son village. C'était un vieux radical-socialiste, né du peuple et y demeurant. Quoiqu'il eût disparu depuis trente-deux ans, c'était lui qui me tenait la main à cet instant. Il était mort au moment où je débutais dans le métier qui venait de me conduire là, dans cette salle de réveil, et nul autre n'aurait pu écrire, après avoir enlevé son béret noir et tremblé un peu des joues dans des odeurs de Caporal, cette phrase juste et embuée : « Ce petit journal qui ne faisait de mal à personne. »

Ce « petit journal » avait une grande histoire et son humour avait, bienheureusement, fait du mal à un nombre incalculable d'imbéciles, de bigots, de bourgeois, de notables, de gens qui prenaient leurs ridicules au sérieux. Depuis quelques années, il était presque moribond ; depuis la veille, il n'existait plus. Mais il existait déjà autrement. Les tueurs lui avaient donné sur-le-champ un statut symbolique et international dont nous, ses fabricants, aurions préféré nous passer. Nous ne voulions pas de cette gloire-là, de ces gens-là, mon grand-père aurait dit « ces genses-là », mais on ne nous avait pas laissé le choix, et il faudrait désormais en profiter, certes, mais aussi le supporter. Nous étions devenus un grand journal qui faisait du mal à plein de monde.

Mon frère a photographié la phrase et envoyé la photo un peu plus tard à mes amis, à des collègues de *Libération*, après tout c'était une preuve de vie : je savais penser, me souvenir, m'émouvoir, je savais tracer des lettres et aligner des mots, j'étais donc vivant parmi les vivants. Puis j'ai repris le feutre et signalé à mon frère que mon vélo était garé devant *Charlie* et qu'il faudrait songer assez vite à le récupérer. J'ai vu dans son regard qu'il était stupéfait.

Vers 2 heures du matin, l'infirmière est revenue et lui a demandé de sortir. Elle devait refaire les pansements du patient voisin. Elle en a profité pour m'apporter un grand cahier saumon de l'Assistance Publique. À son retour, mon frère a eu la surprise de voir le feutre accroché aux trois doigts non bandés de la main gauche et le cahier ouvert sur mon ventre, sur les draps. Il a gardé ce cahier et me l'a rendu quelques mois plus tard. Je l'ouvre de nouveau et je lis ces grandes lettres tracées de manière hésitante, comme écrites dans une langue étrangère, moins par un rescapé que par un inconnu, un ancêtre, un presque dinosaure, sur les murs d'une caverne. Les lettres, capitales, penchent sur la page en tous sens. Il n'y a qu'un ou deux mots par lignes, comme si j'écrivais dans l'obscurité. Je prends une torche et circule dans la caverne par où je suis revenu. J'éclaire ces graffitis.

Première page : « Qui est mort ? / Cabu Wolinski Charb / Riss ? / Quel jour ? / Qui va passer ? / Mon sac est avec moi ici. » J'ai un grand plaisir à écrire les points d'interrogation, à les dessiner. Ce sont des crochets auxquels je me tiens. J'ai besoin de savoir s'il y a eu plus de morts que je n'en ai vus, et lesquels. Ai-je bien vu ce que j'ai vu ? Que n'ai-je pas vu ? Je fais les comptes. Je vérifie. Je suis inquiet à l'idée que mon sac ait disparu, avec mes livres, mes carnets, mes papiers. Je repense au caban déchiré par les balles puis par les gros ciseaux des secours. Les clés de mon appartement étaient dans une poche. Je repense à mon vélo. Ces disparitions m'angoissent, en plus du reste on va peut-être me cambrioler, me déposséder. Je ne sais plus ce que mon frère répond. Son propre journal indique qu'il me parle, me parle, de tout et de rien, de ce qu'on sait de l'attentat, à cette heure pas grand-chose, des amis qui demandent des nouvelles, de tous ceux qui vont bientôt entrer dans le carnet de bal hospitalier tenu par lui avec, je le répète, la compénétration d'un jumeau et l'efficacité d'un surintendant. Lorsqu'il arrête, je lui donne une petite tape sur le coude. Il me dit : « Tu veux que je te parle ? » Je fais oui de la tête, systématiquement. Je veux qu'il parle, de l'attentat mais surtout des choses les plus quotidiennes, de nos parents, de ses enfants, c'est pour l'instant la seule chose qui me rattache à la vie. Alors, même quand il ne sait plus quoi dire, il continue.

Il était à Nice ce jour-là, pour voir des clients de l'entreprise d'informatique qu'il a fondée voilà quinze ans. À 11 h 45, il reçoit l'appel de Coco depuis mon portable, qu'il ne prend pas : il est en réunion. Il va partir déjeuner avec eux quand, s'isolant pour consulter ses messages, il l'écoute. Abasourdi, il consulte l'actualité sur son smartphone et apprend qu'il y a eu, en effet, un attentat à *Charlie*. Il appelle mes parents, qui sont déjà au courant. Laurent Joffrin, le directeur de *Libération*, les a appelés. Ils savent que je suis vivant, mais ils ne savent ni où ni dans quel état je suis. Mon frère annonce la nouvelle à ses clients et rejoint l'aéroport, conduisant « comme un robot », ce sont les mots qu'il emploie.

En atterrissant à Orly, vers 16 heures, il apprend par notre mère que je suis à la Pitié-Salpêtrière. La famille a des nouvelles par le mari d'une jeune cousine, Thibault, qui a commencé son métier d'anesthésiste dans cet hôpital. Ses amis l'informent en léger différé de l'intervention. Elle se prolonge et Thibault conseille à mon frère de ne pas aller à l'hôpital dans la nuit, je serai trop abruti pour échanger quoi que ce soit avec qui que ce soit. Dans son journal, mon frère écrit : « Il est inimaginable que, après ce qu'il a vécu, Philippe ne trouve pas un visage familier et une présence aimante lorsqu'il ouvrira les yeux. Je préfère y aller éventuellement pour rien plutôt que de rester à la maison. » C'est le bon choix : sa présence, en m'installant dans une lucidité maniaque et attendrie, provoque d'innombrables... comment appeler ça : émotions, réflexions ? Émotions réfléchies plutôt. Je sors d'un attentat et d'une opération de six ou huit heures, je suis couvert de tuyaux et de pansements, je ne sens rien et je souffre déjà de tout, mais je suis obsédé par les détails pratiques et par le sens d'une expérience que je n'ai pas encore assimilée, ni même, à vrai dire, vécue.

Deuxième page : « Annuler / Air France Annuler / État mâchoire / Je devais aller à NY le 14/1 / Annuler Air France. » Mon frère déchiffre les mots, les répète, bouche les trous comme dans une autodictée. J'ai failli mourir et je pense à me faire rembourser mon billet par Air France : le petit-bourgeois survit à tout. Troisième page, qui s'adresse sans doute à l'infirmière de garde, puisque mon frère connaît Gabriela : « Mon amie Gabriela est à NY. » Quatrième page, de nouveau sans doute destinée à mon frère : « Merci / C'était comme un rêve / Qui est-ce ? / Tueur. » Ici, je peux reconstituer les trous. Je le remercie d'être là, premier remerciement d'une chanson récurrente et destinée à tous dont le refrain deviendra vite : « Merci beaucoup. » Jusqu'au jour où, à l'hôpital des Invalides, trois mois plus tard, une virulente et comique aide-soignante antillaise me séchera d'un : « Pourquoi merci beaucoup ? C'est trop. Merci suffit. Soyez simple, je n'aime pas ceux qui passent la pommade. » Elle a tort. Je ne passe aucune pommade : je m'efforce d'être le plus courtois possible envers ceux dont je dépends. Et elle a raison : je cesserai peu à peu de dire « beaucoup », ne voulant pas que la courtoisie soit confondue avec la flatterie de celui qui vit aux dépens de ceux qui l'écoutent. Je veux bien être renard, mais juste assez pour ne pas transformer les soignants en corbeaux.

« C'était comme un rêve » sont mes premiers mots, banals, pour définir l'attentat. Banals, et pas tout à fait justes : ce n'était ni comme la vie, ni comme un rêve. C'était dans un espace et dans un temps auxquels rien n'aurait pu nous préparer. Et cet espace et ce temps étaient non pas le contraire d'un rêve, mais son prolongement au-delà des nerfs coupés. « Qui est-ce ? » fait référence au mot suivant, « Tueur », que d'abord mon frère n'a pas compris. On ne sait pas encore qui c'est, je crois qu'il n'y a qu'un tueur, celui aux jambes noires, le seul que j'aie vu, même si j'ai aussi pensé : « Ils sont partis. » Les pages suivantes informent mon frère sur ce qu'il sait (mais je ne sais pas qu'il le sait) : Coco a appelé avec mon téléphone portable, il faut prévenir Luce Lapin, l'assistante du journal, pour qu'elle le récupère. Je n'ai pas conscience du fait que ce portable est devenu, comme le reste, une pièce à conviction. Puis je reviens à mon sac : « Suis arrivé avec sac à dos noir / Dedan, iPad. » Et, page suivante : « Marilyn ? / Ils vont pas être déçus ! / Jamais perdu conscience. » Je demande à mon frère si mon ex-femme est prévenue. La certitude de son chagrin m'effraie. Comment va-t-elle encaisser ? Je ne m'accorde plus grande importance, mais je sais ce qui nous unit. Nous avons vécu pendant dix ans dans une fusion presque totale : il n'y a qu'elle pour comprendre de moi tout ce qui m'échappe. « Ils vont pas être déçus ! » fait référence à mes parents. L'absence de négation et le point d'exclamation ne sont pas là par hasard : j'essaie d'introduire un zeste de familiarité dans le désastre, comme s'ils étaient tous à table, il y a quelques jours, avec nos blagues et du bon vin ; comme si j'allais apparaître avec un masque de carnaval sur le visage. « Jamais perdu conscience » est d'emblée une circonstance, chance ou malchance, dont je m'enorgueillis. Le tueur a blessé l'homme, mais il a raté le témoin. Tant mieux pour moi, tant pis pour lui.

Maintenant, ma page préférée :

J'ai touché
Bras et visage Parmi
Les morts et
compris
Adieu Princeton !

Si je continuais d'en lire, il y avait déjà pas mal de temps que j'avais cessé d'écrire de la poésie, autrement que sous forme de médaillons et de vers de mirliton. Quand il n'est plus question de devenir La Fontaine ou Rimbaud, le mieux est d'appliquer son talent résiduel aux circonstances, au plaisir et à l'oubli. L'apparition des SMS a favorisé cette résurrection d'un mode mineur, sans lendemain. Ces mots écrits en salle de réveil au cœur de la nuit sont peut-être mon meilleur poème. Il a le mérite d'être involontaire et, puisqu'il s'agit d'expérience, l'inconvénient d'avoir un peu trop exigé de ma vie. « Adieu Princeton ! », j'aime bien cette chute qui mélange Fitzgerald, Perrette et son pot au lait, je l'aime parce que je ne l'ai pas cherchée. Adieu Gabriela, « Adieu Princeton ! », je l'ai écrit dans la nuit blanche comme une bonne blague, en levant les yeux au plafond, tandis qu'il fallait dire adieu à pas mal de choses et que la trach', en signalant sa pénible existence, commençait à m'apprendre qu'il faudrait bientôt en accueillir d'autres.

Sur la page suivante, j'ai écrit tout naturellement : « Besoin de vous / et de / Gabriela ! » Ici, le point d'exclamation a un tout autre sens que celui qui suit Princeton. J'écris à ma famille et à Gabriela, absente, qu'il n'est pas imaginable de continuer sans eux. Mais continuer n'est pas le mot qui convient. Je ne le sais pas encore : c'est d'une suite folle de naissances qu'il s'agit – chaque naissance effaçant les douleurs de la précédente sous le poids de celles qui les suivent. D'ailleurs, n'ai-je pas écrit deux heures plus tôt qu'avec Gabriela, c'était foutu ? À cette heure, la mémoire est un disque vite saturé. Elle efface ou modifie ce que la conscience, qui lutte au présent, ne pourrait supporter.

Les dernières pages de ce premier cahier sont de plus en

plus couvertes de mots : la folle habitude d'écrire reprend ses droits et s'impose au corps blessé, à la morphine, à toute dérive, à n'importe quoi. Je décris à mon frère les moments qui suivirent l'attentat : « Les gens / avaient plus / peur que moi. Je / le voyais dans / leurs yeux. Et ma / défiguration ! » Puis : « Pas senti / la balle. / Ai fait le mort. / Le type passait / criant Allah Akbar ! » Au moment où j'écris ces mots, Allah Akbar, je sens un froid lourd et une nausée descendre et monter de partout. Je me dissous dedans. Allah Akbar s'étend sur moi comme tout à l'heure le champ Van Gogh et c'est à cet instant que je sens à quel point l'expression est devenue la réplique d'un personnage de Tarantino : cette prière religieuse que j'ai si souvent entendue dans les pays arabes, en Inde, en Indonésie, cette prière qui me berçait en me réveillant avant l'aube quand je dormais près d'une mosquée, cette prière pacifique qui élargissait le ciel en annonçant le jour, cette prière n'est plus qu'un cri de mort aussi ridicule que sinistre, un gimmick stupide prononcé par des morts-vivants, un cri que je ne pourrai plus entendre sans avoir envie de vomir de dégoût, de sarcasme et d'ennui. Puis : « Pas bougé / D'un poil. / Pensai à Gabriela / et aux parents / Étrangement calme. » Le cahier finit sur un constat : « Ça s'achevait / J'allais partir ! », et cette observation : « Je voyais / la cervelle / du pauvre Bernard Maris / sous mon nez. » Je pleure pour la première fois au moment où j'écris ces mots dans le cahier, ce nom d'une femme que je ne pense pas revoir mais dont la présence flottait sur moi, en moi, tandis que les jambes noires apparaissaient ; ce nom d'un compagnon que je voudrais, dans ce contexte, ne plus écrire. Je pleurerai malgré moi, dans les mois qui viennent, chaque fois que je penserai, dirai ou écrirai ces noms qui déposent en moi, autour de moi, la présence de ceux qu'ils désignent et qui, tandis que le tueur approchait et s'éloignait, m'ont accompagné.

Mon frère est parti vers 4 heures du matin et j'ai pu, grâce aux potions, m'endormir. Mes parents sont arrivés dans la matinée, au moment où l'on me transférait du bâtiment des urgences à celui de stomatologie. Je ne les avais pas vus depuis le week-end précédent. Nous avions fêté chez eux la nouvelle année. Droits et bien habillés, tendres et un peu perdus, ils débarquaient de cet autre monde, plein d'huîtres, de cadeaux, de souvenirs et de foie gras. Je les ai regardés d'en bas et perpendiculairement, depuis le berceau où je n'avais pas la possibilité de vagir ni de croire que j'allais renaître, mais aussi d'en haut, comme une sorte de Bouddha lévitant par-dessus leurs silhouettes, leur douleur. Eux souffraient, je le voyais, mais moi, je ne souffrais pas : j'étais la souffrance. Vivre à l'intérieur de la souffrance, entièrement, ne plus être déterminé que par elle, ce n'est pas souffrir ; c'est autre chose, une modification complète de l'être. Je sentais que je me détachais de tout ce que je voyais et de moi-même pour mieux le digérer. Les têtes de mes parents flottaient comme celles de personnages qu'il me fallait créer, nourrir, développer, des êtres intimes et qui ne l'étaient plus. J'entrais avec eux et par eux dans cette fiction particulière qu'est le brutal excès de réalité.

Je leur ai plus ou moins écrit, avec un feutre bleu, ce que j'avais écrit à mon frère quelques heures plus tôt, avec des variantes qui pourraient sembler déplacées, si elles n'indiquaient que j'essayais déjà, par tous les moyens, de prendre quelque distance par rapport à ce que j'étais devenu. Par exemple : « J'ai fait mort / très vite / Je me suis allongé / et je n'ai plus bougé / Tous morts autour / Vue imprenable sur la cervelle du pauvre », et ici de nouveau le nom de mon voisin mort et les pleurs silencieux qui l'accompagnent. Puis je leur ai demandé de me raconter ce qu'on disait. Je voulais être bercé par leurs voix, comme je l'avais été par celle de mon frère, par l'éternité tranquille de nos rapports, et je suis devenu tout à fait ce que je n'avais jamais cessé d'être, leur enfant. Ils avaient quatre-vingt-un ans et ils allaient bénéficier pendant quelques mois de cet extravagant privilège, redevenir indispensables à la vie de leur vieux fils comme s'il venait de naître. Je leur ai écrit comme à mon frère qu'il fallait annuler ma carte bancaire, couper le chauffage chez moi, prévenir les voisins qui avaient les clés, arroser les plantes dans quelques jours, etc. Tout ce qu'il y avait de dressage quotidien faisait de nouveau barrage à l'absurde par l'absurde : j'étais le compagnon des pauvres K de Kafka. Cette tendance allait vite s'accentuer. Je voulais tout bien faire pour qu'on ne puisse rien me reprocher. Je voulais être en règle avec les autorités. Plus la situation devenait extraordinaire, plus je voulais être conforme. Plus je comprenais que j'étais victime, plus je me sentais coupable. Mais de quoi étais-je coupable, si ce n'est d'avoir été au mauvais endroit au mauvais moment ? C'était déjà beaucoup, c'était trop. J'ai regardé mes parents, solides, en bonne santé, debout à droite et à gauche de mon lit. J'étais au moins coupable de ça : leur imposer cette épreuve à la fin de leurs vies. Le tueur aurait pu avoir quelques égards, sinon pour moi, du moins pour eux. Leurs vieilles mains fermes, chaudes et ridées m'ont touché légèrement, comme pour me sculpter. J'ai senti dans leurs regards leur force, leur désespoir, leur amour, et aussi, à la place des pansements, les langes dans lesquels ils auraient voulu m'envelopper. La barbe blanche, comme toujours bien taillée, de mon père, son élégance et sa tenue, la placidité apparente de ma mère et ses petits gestes tendres poussés par ses yeux plissés, tout cela me rassurait. De nouveau, comme mon frère, j'aurais voulu les consoler autant qu'ils me consolaient. J'aurais voulu les consoler d'être là, dans cette grande salle blafarde où les hommes souffraient et mouraient parfois, à côté du voisin aussi perfusé que moi, là et non chez eux, ma mère faisant des mots croisés, mon père lisant *Le Figaro*, une revue de marine ou un texte d'anglais après avoir pris le café, en écoutant une cantate de Bach sous les yeux aveugles du masque nègre qu'il avait, dans les années cinquante, rapporté d'Afrique.

On m'a mis sur un brancard. La période de stricte antichambre s'achevait. Cette période entre rêve et sensation, entre effroi et lévitation, celle où l'on se souvient de tout ce qu'on a perdu et de tout ce qui vous advient comme si c'était vécu par un autre, mais un autre se développant tel un nénuphar à l'intérieur de soi-même, cette période d'intensité nuageuse et de soumission totale à ce qui tient lieu de destin, ce huis clos en suspension, tout cela n'avait existé que pendant quelques heures, dans la solitude et avec mon frère, un peu encore avec mes parents, et maintenant s'évanouissait.

Tandis qu'on me déplaçait la douleur est arrivée, la vraie, et avec elle, un instant, comme une lumière rouge à travers une persienne, la perception du combat que j'allais devoir mener. J'ai brièvement et violemment regretté cette nuit d'antichambre, qui m'avait donné accès à un état que les mots ne permettent pas de restituer. Le dernier qui me vint fut Pilar, l'infirmière de la salle de réveil : c'était le prénom de la femme d'un poète, Jules Supervielle, dont la mélancolie d'exilé avait enchanté mon adolescence, et celui que j'avais pour cette raison donné à l'héroïne de mon premier roman, écrit sous pseudonyme, à une époque où je me croyais assez indigne de publier pour le faire sous un autre nom que le mien. Le poète était oublié, aujourd'hui, et mon roman n'avait eu aucun succès, ce qui était sans importance, puisque je ne savais plus grand-chose de celui qui l'avait écrit. Mais ce mot, Pilar, est remonté avec la fée solide des premiers soins. Il revenait d'entre les pages, d'entre les rêves, d'entre les morts, à travers les odeurs fictives du café et de l'haleine de Gabriela, et à travers celles, bien réelles, de la Bétadine et du désinfectant. Le roman s'intitulait *Je ne sais pas écrire et je suis un innocent.* C'était le vers d'un poète cubain. Onze ans après publication, le titre se justifiait : j'étais dans un état et une situation qui faisaient de moi, au sens propre, un innocent, et il me faudrait lentement surmonter, si c'était possible, le sentiment que je ne savais rien écrire de ce qui m'arrivait. Il le faudrait, simplement, pour réapprendre à vivre.

Mes parents m'ont accompagné dans l'ambulance, qui me conduisait à l'autre bout de la Pitié-Salpêtrière. C'était une ville en patchwork, produit de trois siècles et demi d'architecture et de politique policière et sanitaire qui semblait destiné à justifier un cours de Michel Foucault. Je n'ai rien vu par les carreaux bouchés. Le bâtiment du service de stomatologie était situé à l'opposé de l'entrée principale, tout au fond, non loin du métro aérien. Il devait avoir été construit dans les années soixante-dix. Il était particulièrement laid. On m'a installé au premier étage.

CHAPITRE 7

Grammaire de chambre

Le 8 janvier, en entrant dans la chambre 106, j'ai pensé
entre les tuyaux à une phrase de Pascal. C'était un vrai cliché, mais j'avais beaucoup lu Pascal dans mon adolescence,
à cet âge où l'on n'oublie à peu près rien et où l'on croit à
peu près tout, bon ou mauvais, de ce qui vous tombe sous la
main. On le répète comme un mantra et quand, trente-cinq
ans plus tard, on se retrouve à l'hôpital après un attentat,
c'est cela qui vous vient : « Tout le malheur des hommes
vient de ce qu'ils ne savent pas rester au repos dans une
chambre. » Il me faut donc commencer par avouer que,
malgré les souffrances, les angoisses, les cauchemars, les
attentes, les déceptions, les visions de mes plaies, l'enchaînement des blocs, la sensation de n'avoir plus aucun avenir
en dehors de la chambre, j'ai éprouvé un certain bonheur
à résider ici sans téléphone, sans télévision, presque sans
radio, sous surveillance policière permanente, avec des
visites systématiquement filtrées. Le sens du combat s'était
simplifié.

Ce bonheur était le bonheur fragile d'un petit roi impuissant, immobile et improvisé, mais d'un roi malgré tout,
enfin livré à lui-même et à ses ressources, sans distractions
ni rencontres inutiles, avec pour seul accompagnement,

outre l'équipe soignante, la famille et quelques amis, des livres, un ordinateur et de la musique ; le bonheur d'un roi qui ne rendait compte, finalement, qu'à un seul dieu, son chirurgien, et à un seul Saint-Esprit, sa santé. C'était presque le bonheur du capitaine Nemo dans le *Nautilus*, mais un bonheur sans amertume, sans colère. Mon chagrin était compatissant envers mes hôtes et je n'avais aucun compte à régler avec le genre humain. Ce n'était pourtant pas le bonheur souhaité par Pascal, car il n'y a pas de repos à l'hôpital. En tout cas, il y en avait peu pour moi et dans le service où j'étais. L'hôpital est un lieu à l'emploi du temps serré, où tout est action, tension, attente, discipline et crise de nerfs, comme à l'armée ; un lieu où, pendant les trois premiers mois, je suis devenu, parce qu'il le fallait bien, un athlète en chambre.

Mis aux arrêts à la suite d'un duel, le héros militaire de *Voyage autour de ma chambre*, le roman que Xavier de Maistre publia en 1794, promène son lecteur dans sa chambre pendant quarante-deux jours. J'ai vite compté le nombre de pas qu'il me fallait pour parcourir dans un sens et dans l'autre le couloir hospitalier du service où j'avais atterri, cinquante-deux, je les comptais jusqu'à m'en étourdir, mais je n'avais pas compté jusqu'ici les jours passés dans mes chambres de la Salpêtrière puis des Invalides. Je peux au moins, pour commencer, dénombrer les chambres, cinq, où j'ai séjourné à cette époque qui me paraît aussi récente que préhistorique. Récente et préhistorique : cette contradiction, il faudra t'y faire, lecteur, car, depuis l'attentat, il est exceptionnel qu'en éprouvant ou en pensant une chose je n'éprouve ou ne pense pas aussitôt la chose contraire. Le huis clos hospitalier a développé une sorte de dialectique effrénée, spontanée, qui lui a survécu et qui casse toute ligne d'horizon. Je ne parviens pas plus à m'en débarrasser que des sensations qui la déclenchent. La fatigue accentue le phénomène : permanente, elle dissout toute activité, toute ambition cherchant à lui échapper. Dans la chambre, point de lendemain. La réalité ne paraît plus être qu'un démenti à la réalité. Peut-être la vie qu'on m'avait permis de continuer ne faisait-elle que renvoyer à la mort que j'avais côtoyée. Si c'était le cas, leur gémellité et leur antagonisme répandaient leur grammaire sur tout ce qui m'entourait et me constituait.

Si je mordais dans une pomme, mes dents allaient tomber et les champs de pommiers disparaître, jusqu'à ce qu'un rayon de soleil – ou le sourire d'une infirmière, ou le vers d'un poète, ou un air de Chet Baker qui, lui aussi, maintenant que j'y pense, avait perdu d'un coup la plupart de ses dents – rétablisse la mâchoire, la lumière, le verger et l'horizon. Mais l'horizon disparaît vite, à l'hôpital : le patient ne cesse de passer de l'aube au crépuscule et il craint comme la peste la nuit qui l'attend. C'est une personne étrange, à la fois assaillie de cruelles nuances et simplifiée.

La novlangue de Big Brother dans *1984*, le roman de George Orwell, m'a permis de formaliser, sans le dire, ce que j'éprouvais dans la première de mes chambres : mon état flottant était celui de « morvif », le réflexe qui lui convenait était « ouinon ». Les trois catégories dans lesquelles la novlangue répartit le vocabulaire étaient adaptées à la situation : vocabulaire A (mots nécessaires à la vie de tous les jours), vocabulaire B (mots formés à des fins politiques, destinés à imposer l'attitude mentale voulue à la personne qui les emploie), vocabulaire C (mots techniques et scientifiques). J'aurais pu même aller plus loin : le vocabulaire A et le vocabulaire C, dans la chambre, avaient tendance à se confondre. Quant au vocabulaire B, il découlait d'une attitude mentale assez simple, que la cadre du service, plantée devant moi dans sa blouse blanche et son visage refait, me résuma peu après mon arrivée : « Dans un an, Monsieur Lançon, vous verrez qu'on n'y verra plus rien ! » Naturellement, c'était faux, et naturellement je l'ai crue. N'était-elle pas passée, elle-même, par un accident terrible ? J'observais sa peau autour de ses yeux fauves, intenses et un peu fous : nulle trace. Ou alors je préférais ne pas les voir. Ce serait donc pareil pour moi. Beaucoup, ici, me racontaient leurs malheurs passés ou présents, la morale était toujours la même : il faut se battre, on s'en remet. J'ai cru tout ce qu'on me disait parce qu'il fallait le croire pour que ça ait une chance d'arriver un jour, plus tard, le plus vite possible. Tout allait mal, mais tout irait mieux, donc tout allait bien. J'ai également inventé un mot pour ça : il faut être « mieuxmieux ».

La novlangue avait aussi un mot pour signifier un peu plus qu'éprouver ou ressentir, « sentventre », ce qui veut dire, explique Orwell, « sentir avec les entrailles ». Je l'ai peu à peu décliné, selon les heures de la journée et les points d'incommodité – « incommodité » est le mot que j'ai assez vite choisi pour définir devant les autres ce que mon corps subissait. Ce n'était pas une coquetterie, et pas seulement un euphémisme : en réduisant le mot, je réduisais la douleur et le pathétique qui l'accompagnait. L'incommodité, c'était tantôt « sentmâchoire », tantôt « sentnez », tantôt « sentgorge », tantôt « sentœil », tantôt « sentmain » ou « sentbras », et, dans la nuit, comme un bouquet final, « senttout ». Quoi que ça sente, ça piquait, ça irritait, ça brûlait, ça inondait. J'ai pensé tous ces mots, et bien d'autres, mais je ne les ai pas écrits et nul n'en a rien su.

Aurais-je dû le dire ? Pas forcément. D'une part, j'étais déjà assez bavard comme ça, même sans pouvoir parler.

D'autre part, à l'entrée dans la chambre 106 et durant les mois qui suivirent, la plupart de mes sens me parurent affectés ou éteints pour toujours. Je voyais mal. Je ne pouvais ouvrir la bouche. J'avais des perfusions et des drains dans les bras, un drain dans le cou, un énorme et complexe pansement sur le tiers inférieur du visage, une désagréable sonde gastrique dans le nez – comme aurait pu dire l'autre, il faut manger pour vivre et non pas vivre pour manger. Mes mains étant bandées, je pouvais à peine toucher. Je ne pouvais ni manger, ni boire, ni sourire. Par chance, je n'avais pas perdu l'odorat et, si j'étais devenu aveugle, j'aurais vite pu identifier les soignants par leur odeur ou leur parfum. Ne pouvant embrasser personne, j'ai aussitôt repris un réflexe d'enfance : tendre le front aux lèvres des autres quand ils approchaient pour m'embrasser. Leurs bouches entières touchaient mes cheveux. J'ai mis deux ans à perdre ce réflexe du front tendu. Les derniers à en avoir bénéficié sont mes parents.

Quatre dans un hôpital, une dans l'autre : ce sont les chambres où je suis resté à plein temps du 8 janvier 2015 au 17 octobre 2015, ce qui, si finalement je compte et si je ne me trompe pas, donne un total de 282 jours. Ce sont les prisonniers qui comptent, et souvent les malades, parce qu'ils voudraient s'enfuir et disparaître. Je n'étais ni prisonnier ni malade : j'étais une victime, un blessé, et j'aurais voulu rester dans mes hôpitaux le plus longtemps possible. Ils me protégeaient et me sauvaient d'un mal que j'avais les plus grandes difficultés à comprendre et auquel je ne voulais, ni ne pouvais, opposer aucune fureur. Je ne voulais surtout pas m'envoler comme, du bagne, l'avait fait Henri Charrière dit Papillon. Ce n'est que par le quotidien hospitalier que j'ai pu apprivoiser ce qui avait eu lieu.

Pendant cette période, j'ai découché quatre fois : une

nuit chez un ami avec Gabriela, un week-end à la campagne dans la maison familiale, trois semaines de vacances estivales en famille et chez des amis, une première réinstallation de quelques jours chez moi à l'automne, entre fuites et travaux, un mois avant de véritablement « rentrer » – un mot que je place entre guillemets, car je ne comprenais et ne comprends toujours pas ce qu'il peut signifier : « rentrer », pour moi, c'est revenir à l'hôpital. Ces chambres étaient devenues mes ports, mes cabanes. J'y ai parfois cru ou craint, en écoutant passer dans la nuit le chariot d'une infirmière, en entendant le cri d'un patient ou la pétarade d'un moteur, que les tueurs circulaient dans les couloirs à ma recherche. Je n'y ai jamais assez cru pour me lever et m'allonger sous mon lit – où d'ailleurs, pensais-je lorsque j'étais malgré tout tenté de le faire, ils m'auraient vite retrouvé. J'imaginais assez la scène pour la vivre, je ne la vivais pas assez pour agir. Plus rien, à vrai dire, ne me semblait tout à fait crédible : ni la vie, ni la mort. Mais les deux, ensemble, fonctionnaient plutôt bien, avec une force et une fragilité de siamois dont on sait que si l'un disparaît, l'autre le suit.

La chambre 106 était une petite chambre propre où j'ai aussitôt senti virevolter autour de moi un ballet de blouses blanches et bleues. Tout ce qui entrait dans ma chambre était une apparition.

La parole m'était interdite, du fait de la canule non fenêtrée qu'on m'avait plantée dans le cou ; la seconde nature étant bien faite, je n'en éprouvais pas le besoin. Je ne sentais pas encore véritablement la douleur qui lui était propre, même si j'avais l'impression de ne pouvoir tout à fait respirer. On a fait sortir mes parents, qui entamaient la première de leurs interminables attentes dans le couloir nu et froid tandis que j'étais en soins. Il y avait deux chaises près de l'ascenseur. Le café le plus proche était à quelques centaines de mètres. Ils ont toujours été traités avec égard dans un lieu sans égard. Le patient lutte, survit, meurt. Les autres sont en visite simple. Leur vie ordinaire et leur confort sont déplacés. J'y pensais peu : ce qui avait lieu au-delà de ma porte et de l'ascenseur appartenait à un monde qui me semblait plus qu'éloigné, improbable. Les gens avaient sans doute des vies, dehors, mais ces vies ont disparu, dès le premier jour, dans des coulisses d'où elles ne sortaient que pour exister ici, sur ma scène, dans ces quelques mètres carrés. Ceux qui entraient dans la chambre avaient, en dehors d'elle, moins d'existence que des personnages de roman, une fois le livre fermé. Je ne parvenais plus à les imaginer en dehors du cercle réduit de ma propre vie.

La première des apparitions dont je me souviens, Émilie, était une petite infirmière brune de vingt et un ans. Elle était têtue et volontaire, elle fermait et plissait sa petite bouche quand elle était contrariée. Je crois me rappeler qu'elle était bretonne. C'était son premier poste. Il fallait faire des analyses, comme toujours lorsqu'on arrive dans un service. Mais où piquer, avec ces tuyaux partout ? Quelqu'un de plus expérimenté l'a aidée à trouver une veine. Elle était agacée. Allongé dans mon lit et respirant comme je pouvais, je l'ai regardé faire en me demandant si ma vie pouvait dépendre de quelqu'un d'aussi têtu et, plus encore, d'aussi jeune. Mais la plupart des infirmières et des aides-soignantes du service étaient jeunes, voire très jeunes, sinon têtues. Cette sensation s'est accentuée dans les heures suivantes. Je me suis aperçu que je n'avais plus aucune familiarité avec des gens de vingt ou trente ans. Je me sentais vieux soudain et, pour la première fois de ma vie, *livré à ceux qui me survivraient*. Je regardais le visage concentré et froncé d'Émilie et j'ai entrepris à travers lui, en lui, une méditation incertaine où l'angoisse luttait pied à pied avec l'enthousiasme. Chaque détail éclairait la lutte, ses lèvres, ses yeux, ses cheveux, ses mains, ses gestes, sa voix pointue et ferme qui disait : « Ah ! Dites donc, vous n'êtes pas facile à piquer ! On dirait que vos veines ont décidé de se cacher. » J'ai pris mon carnet de l'autre main et péniblement écrit : « Elles sont timides. » Son nez a plissé : « Eh bien, ça serait mieux si elles ne l'étaient pas ! » Nous attaquions ensemble le voyage, elle comme infirmière, moi comme patient, main dans la veine. Sa virginité épaulait la mienne et ce premier moment, comme le réveil auprès de mon frère, a déterminé la suite. J'étais enveloppé dans sa jeunesse comme dans un tapis, certes rugueux, certes troué, mais volant et filant dans l'instabilité vers une contrée où je n'aurais pu aller seul, une contrée où la vie était brutalement la plus forte. Et peu importaient les erreurs commises en cours de route, les veines mal piquées, les pansements mal faits et le reste, tout faisait partie du chemin.

Cette nuit-là, je n'ai dormi par intermittence que grâce à la morphine. C'était ma première nuit dans ma nouvelle vie. J'ai tout oublié, mais, le lendemain, j'ai noté ce rêve sous morphine, en capitales hésitantes et en espagnol : « J'étais dans une belle maison au bord de la mer. Soudain, des milliers de gitans arrivaient pour célébrer la fête de la pastèque. » Je n'ai pas noté la suite, mais, en lisant ces mots, je m'en souviens : les pastèques étaient entassées en pyramides, des pyramides bientôt plus hautes que la maison et qui menaçaient à tout instant de s'écrouler. Peu à peu l'émerveillement a été chassé par la menace et l'asphyxie. La fin du rêve, oubliée, a réveillé un souvenir d'enfance.

Un été, sur un marché espagnol, j'avais sept ans, ma mère m'a confié une énorme pastèque. Je devais la porter pendant qu'elle continuait de faire les courses. J'étais debout au milieu des grandes personnes, du bruit et de l'atmosphère joyeuse propre à un marché espagnol dans ces années-là. La pastèque était dans mes bras. Je la tenais comme on tient un enfant, ou un nouveau ballon, ou son oreiller. Je la serrais, je la serrais, j'avais peur de la laisser tomber. Puis j'ai commencé à penser à autre chose, et, naturellement, je l'ai laissée tomber. Elle a explosé à mes pieds. Le liquide rouge, plein de pépins, s'est répandu sur plusieurs mètres autour de moi. Les gens riaient, je me suis mis à pleurer, me regarder pleurer les faisait rire davantage. La journée entière n'a pas été de trop pour me consoler. Dans la chambre, j'ai revécu l'histoire de la pastèque comme si j'avais sept ans. J'étais de nouveau sur ce marché espagnol. La pastèque, à mes pieds, s'était fendue et elle se vidait. À quoi pensais-je au moment où je l'ai lâchée ? Je me suis dit que l'existence devait être circulaire, et que, sur ce marché, quarante-quatre ans plus tôt, j'avais pensé à ce qui venait de m'arriver.

Le lendemain matin, je ne savais toujours pas qui étaient les tueurs et je n'y pensais pas, mais il fallait se lever pour aller aux toilettes et prendre la première douche. C'est Linda qui m'a aidé, en commençant par me soulever. Linda était une aide-soignante antillaise particulièrement costaude, non loin de la soixantaine, au caractère bien trempé, qui ne semblait pas fâchée d'approcher de la retraite. La vie était dure dans le service, et certains patients odieux : Linda les abordait avec une indifférence souveraine. En aurais-je eu envie qu'il ne me serait pas venu à l'idée de lui marcher sur les pieds. En revanche, j'aimais l'écouter et la regarder agir. Comme beaucoup d'aides-soignantes, elle disposait ici d'un certain pouvoir sur la vie des patients et des infirmières, mais il y avait autre chose. Elle était dotée, en quelque sorte, d'une bienveillance martiale, assise sur ce que lui avaient appris son métier et sa propre vie, et cela me rassurait. Elle avait de la puissance et un zeste de coquetterie.

Comme le rêve de la pastèque, son doux parfum me plongeait en enfance. Ses mises en plis, toujours parfaites, me tranquillisaient. Elles me rappelaient celles de ma grand-mère maternelle, dont les cheveux étaient, comme les siens, gris, fins, bouclés, nombreux et toujours propres. À quatre-vingt-quatorze ans, ma grand-mère sortait de la salle de bains dans un état impeccable et annoncée par un nuage d'eau de Cologne qui, vingt ans après sa mort, flottait autour de moi, dans cette chambre. J'appuyais légèrement sur ses cheveux, qui avaient la légèreté d'un soufflé. Elle se dégageait en riant d'un air agacé et criait : « Ah ! Mais, ne défais pas ma mise en plis ! » J'ai regardé Linda approcher avec convoitise. J'aurais voulu appuyer sur la sienne, mais je pouvais à peine respirer et bouger, et, à la place du cri posthume de ma grand-mère, qui s'appelait Germaine, j'ai entendu Linda tonitruer d'un ton jovial : « Allez, Monsieur Lançon, il faut aller à la bouche ! » Elle voulait dire « à la douche ! », et elle l'a dit sans doute, mais j'entendais de travers, et puis tout me ramenait vers cet orifice détruit d'où rien ne pouvait sortir. Peut-être était-ce un signe supplémentaire de ma grand-mère qui, outre ses mises en plis, avait pour caractéristique de déformer les mots inconnus et les noms des autres, comme le font certains personnages de Proust. L'étrangeté et l'étranger payaient un droit à sa douane berrichonne, un droit dont le prix était d'être impitoyablement transformé. C'est ainsi que le magret de canard, quand elle le découvrit, fut baptisé Maghreb de canard, bien qu'elle ne fût jamais allée en Afrique, ni dans aucun pays étranger, sans doute en référence au couscous qu'elle avait découvert à la même époque et qu'elle aimait tant, surtout celui de chez Garbit, qu'elle préférait au Buitoni. J'allais à la bouche et je la rejoignais dans une vie sédentaire où il me fallait aussi tout apprendre, quitte à le déformer.

Linda m'a empoigné. Lentement, en claudiquant, un monstre bicolore à deux têtes, quatre jambes, quatre bras, une potence et plusieurs tuyaux s'est dirigé vers la salle de bains et le carreau antidérapant qui a aussitôt fait mon plaisir. À chaque nouveau séjour hospitalier, je retrouve les longs granulés du sol comme la madeleine ou le pavé disjoint. Ils me conduisent non pas, comme le petit Marcel, vers le vitrail d'une église, le cul d'un giletier ou l'indifférence d'une duchesse, mais vers la certitude amniotique d'être en vie. C'est bien moi qui me dirige vers la douche, d'une fragilité burlesque et saisi par le puissant corps de Linda. Plusieurs fois, tenant à peine sur mes jambes, j'ai failli tomber. La masse rebondie et musclée de Linda me soutenait et m'enveloppait comme un nouveau-né.

Dans la salle de bains, elle m'a aidé à enlever, ou plutôt à déchirer la blouse de bloc, ce qui évitait d'avoir à faire passer les tuyaux par les manches, et à me harnacher de sacs-poubelle en prévision de la douche. Les sacs-poubelle protégeaient les cicatrices fraîches, les pansements et les perfusions. Il n'est pas si facile de les installer et le jour où l'on y parvient vite et seul, on éprouve un légitime orgueil. Ils m'annonçaient aussi une caractéristique de la vie dans un service de chirurgie de pointe : un mélange de technicité, de rusticité et de pauvreté. Linda a emmailloté mes bras. Le visage était interdit de douche. Pour me laver les cheveux, je devais m'asseoir et me pencher le plus possible en arrière. Linda s'est chargée du shampoing tout en me disant : « La prochaine fois, c'est vous qui le ferez, Monsieur Lançon. Vous verrez que vous y arriverez. » J'aimais sa rudesse, bienveillante. Deux mois et demi plus tard, entrant dans la chambre et observant de près un visage qu'elle n'avait pas vu depuis un mois pour cause de vacances, elle m'a dit en souriant : « Faites voir ? Ce n'est pas si mal. Vous n'êtes pas si défiguré que ça ! On a vu bien pire ! » Ici, on voyait toujours pire que soi-même, mais je n'ai pu m'empêcher d'être accablé par sa réaction. J'ai mis un disque de Bach, je me suis calmé et j'ai pensé qu'après tout elle avait raison. La même remarque, ou à peu près, me fut faite un mois plus tard, dans mon village, par Ginette, la paysanne chez qui depuis mon enfance nous allions chercher des œufs. Elle a eu un geste de la tête comme pour chasser la plainte et comme pour dire : « L'esthétique, bah ! quelle importance... Vous êtes en vie, vous mangez et vous parlez. » Il y avait du vent. Ses oies se sont mises à cacarder.

Pendant la douche, plusieurs fois, j'ai failli tomber. Chaque fois, le corps de Linda m'a servi de matelas, de corset et de tuteur. Plus l'eau coulait, plus je rapetissais et plus Linda grandissait. Si la douche avait duré une heure, j'aurais eu la taille d'une souris et elle d'une montagne. À cet instant, suffoquant, au bord de la métamorphose et de l'évanouissement, j'ai su ce que ça me rappelait : une page de *L'Île*, de Robert Merle, un roman qui avait enchanté mon adolescence. Le héros britannique, épuisé, presque moribond, planqué dans une grotte par les indigènes qui le protègent pour échapper aux méchants, est frictionné et réchauffé par le corps géant, odorant et nu d'Omaata, une Tahitienne tout droit sortie d'un tableau de Gauguin. Cette page, je l'avais lue dix fois, cent fois, elle m'apportait le même soulagement et la même force vitale qu'à son pauvre héros, Adam Purcell. Le 8 janvier, pendant la douche et désormais vêtue, Omaata s'est réincarnée en Linda.

J'ai regardé comment elle s'y prenait pour défaire les sacs-poubelle : elle les déchirait, tout simplement. Puis elle s'est redressée et, m'ayant empoigné de nouveau, elle m'a séché et frictionné avec une eau de Cologne qui n'était pas celle de ma grand-mère, mais qui me la rappela et que mes parents avaient apportée. Linda m'a raccompagné jusqu'au lit, qu'elle avait refait pendant que je restais assis sur la chaise, tremblant, près des toilettes. Les soins pouvaient commencer.

Les premières heures, on avait mis devant ma porte un paisible et maigre vigile africain dont la discrétion m'avait ému et que j'avais salué depuis mon brancard en entrant, du geste le plus amical possible, comme si nous allions vivre ensemble et comme si ma vie entière dépendait de lui. Il a été vite remplacé par quatre policiers armés de fusils Beretta, deux devant la porte, deux à l'entrée de l'ascenseur. Les infirmières ne s'en réjouissaient pas, mais, assez vite, elles se mirent à leur servir du café et à leur parler. Au bout de quelques jours, ils faisaient partie des meubles. Avec leurs armes et leurs gilets pare-balles, ils avaient une vingtaine de kilos sur le corps et ils changeaient toutes les neuf heures. Souvent, j'entendais la relève du soir et celle du matin sans avoir pu saluer ceux qui m'avaient gardé la nuit. Je les entendais parler, j'entendais leurs radios, mais c'étaient des voix sans visages : les voix derrière la porte. Comme ma première chambre était quasiment face à l'ascenseur, ils formaient autour d'elle un quarteron. La porte de l'ascenseur s'ouvrait et les visiteurs tombaient sur ces hommes en uniforme, armés, relativement menaçants, surtout au début, qui leur demandaient où ils allaient. Il ne m'a pas fallu deux jours pour sentir à quel point, de même que la morphine me soulageait, leur présence me rassurait. Elle inquiéta tant mes neveux, âgés de six et huit ans, que la première fois qu'ils entrèrent dans la chambre, ils n'osèrent pas s'approcher de moi. La peur que ces hommes en armes leur avaient inspirée les suivit jusqu'au pied de mon lit. Ce n'était pas comme à la télé.

C'est alors que sont entrés, comme jaillis d'une pochette-surprise, Toinette et son compagnon, Christophe. C'était la fin de matinée, j'étais surpris, mon frère ne m'avait prévenu de rien et je savais déjà que les visites, plus que filtrées, ne débutaient qu'à 13 h 30. J'étais à la fois heureux, curieux et déstabilisé : avec Toinette, mon enfance et mon village faisaient irruption dans l'événement qui me semblait les avoir détruits, et ils le faisaient au moment où je m'y attendais le moins. Quelque chose explosait, comme si deux planètes entraient en collision sur ce qui n'était plus, ou pas encore, une table de dissection. J'étais terrorisé.

La longue cascade rousse de Toinette s'est répandue dans la pièce comme un feuillage d'automne. Elle ne portait pas tout à fait bien son prénom, car, plus que d'une servante de Molière, elle avait l'air d'une soubrette de Marivaux. Elle n'avait plus l'âge d'être soubrette, mais c'était sans importance : avec elle, on était toujours au théâtre. Toinette en faisait depuis l'enfance, c'était sa passion et son métier, mais son tempérament la portait vers d'autres mondes que Molière ou Marivaux : le théâtre élisabéthain, le Grand-Guignol, le théâtre baroque, tout ce qui mettait la mort, la folie et le sang sur scène avec le maximum de violence, de contraste et d'effets. Son comique frontal, morbide, venait du burlesque. L'un des grands amis de Toinette s'était suicidé, pendu je crois, et un autre, que j'avais bien connu dans notre jeunesse, était mort d'un arrêt cardiaque, jeune encore, alors qu'il courait. La mort était sa voisine, l'une de ces vieilles veuves aux yeux perçants comme nous en avions connu dans notre village et qui frappaient chez vous la nuit, au moment où vous vous y attendiez le moins. Elle visitait souvent Toinette, je crois,

146

et l'effrayait tout autant. Elle m'en parlait en tout cas, elle en rêvait et elle la supportait si peu, si mal, qu'elle l'invitait volontiers sur scène pour mieux l'apprivoiser – en vain. Puis elle éclatait de rire, car elle était douce, délicate même, et elle avait une bonne nature. Christophe jouait dans la plupart des pièces qu'elle montait. Sans doute avait-il sacrifié, sinon son talent, qui était grand, du moins une partie de sa carrière à Toinette et à leur famille ; mais, s'il l'avait fait, c'était avec un naturel et une égalité d'âme que j'avais toujours jugés admirables. J'aimais courir et parler avec lui et j'aurais voulu l'entendre dire, dans notre village, tous les poèmes que j'aimais. L'été précédent, je lui avais passé mes vieux exemplaires de Francis Ponge, dans l'espoir qu'il les apprendrait.

Toinette était une amie d'enfance, nous avions passé nos vacances dans le même village du Nivernais, celui de mes grands-parents et de sa grand-tante. C'est là, dans son grenier, qu'elle avait commencé à monter pour d'autres enfants de petites pièces. Je n'y assistais guère à cette époque, peut-être parce que j'avais quelques années de plus, sans doute parce que alors ni le théâtre ni la littérature ne m'intéressaient vraiment. Je préférais pédaler sur les routes forestières, nager dans l'Yonne, jouer au tarot ou au croquet dans un pré. Il nous avait fallu trente ans, à Toinette et moi, pour donner sens à notre amitié. La première fois que je l'avais revue à Paris, près du jardin du Luxembourg, elle était devenue metteur en scène et moi journaliste. Elle portait une spectaculaire combinaison argentée qui lui donnait l'allure d'un cosmonaute dans une série de science-fiction sans budget des années soixante-dix. Plus tard, j'avais participé à un travail collectif qu'elle dirigeait, écrit des articles sur les pièces qu'elle montait et que j'avais aimées. L'été, elle travaillait dans sa maison, moi dans la mienne, nous étions à quelques dizaines de mètres l'un de l'autre. Nous nous retrouvions en fin de journée, chez elle, autour de sa grande table de bois, avec Christophe, pour boire un verre ou pour dîner. La lumière du soir était tamisée par un noyer. À l'intérieur, il y avait des livres et de vieux objets partout. Le vin nous détendait. Parfois, on jouait au ping-pong. C'était toujours le bel été, un été qui avait débuté ici même quand nous avions dix ans, et les souvenirs épaississaient les instants.

Comment était-elle arrivée là ? Dans la petite chambre, à peine m'avait-elle regardé que Toinette m'a pris la main et l'a embrassée comme si, ai-je pensé en observant cette bouche et cette main, j'étais le détenteur d'un secret horrible et magique qu'elle recherchait et qu'elle craignait depuis longtemps, depuis toujours, d'insomnies en mises en scène. Je flottais encore entre vie et mort et j'étais encore vierge face aux réactions des autres : chaque apparition me déflorait. Paniqué, j'ai regardé Christophe. Il était debout au pied du lit et il me regardait, lui aussi. Son regard et son attitude, sobres, auraient dû me rassurer, il avait toujours eu un bon sens et une fermeté qui me donnaient confiance ; mais il était pris dans le tourbillon émotif de Toinette et sa silhouette et son œil, derrière elle, n'ont rien pu pour moi. J'ai pris mon ardoise et j'ai écrit : « MIRACULÉ ! » Je me sentais incapable de faire les gestes que Toinette semblait attendre de moi, comme si j'avais été un acteur, ces gestes qui lui révéleraient la nature de ce que j'avais subi. Mais étaient-ce bien ces gestes qu'elle attendait ? Qu'attendait-elle, exactement ? Peut-être simplement ça : que je prenne une ardoise et que j'écrive dessus « MIRACULÉ ! ».

Toinette avait appris la nouvelle, sur son portable, dans un train qui la conduisait au Havre, où elle allait au concert de réouverture d'un théâtre. Avant le concert, il y a eu une minute de silence pour les victimes de *Charlie*. Toinette s'est demandé ce qu'elle faisait là, pourquoi elle n'était pas à Paris, près de moi. Le lendemain, à l'aube, elle a dit dans le train de retour à Christophe : « On y va, et peu importe s'il ne faut pas y aller. Je veux être là-bas, avec lui. » Christophe lui a répondu : « Sens-toi libre, je suis avec toi. » En arrivant dans le service, elle est tombée sur ma chirurgienne. Chloé a dû sentir le désarroi de Toinette, car elle l'a autorisée à entrer. Ce n'était ni le moment, ni l'heure, ni la règle, tout le monde improvisait et agissait selon son instinct. Mon père lui avait dit qu'il était trop tôt pour venir, mais elle n'avait pu attendre, il fallait qu'elle vérifie que j'étais vivant, qu'elle me voie et me touche. Je sentais tout cela, elle était ma plus ancienne amie, mais sa présence, sa position, son regard, sa compassion effrayée, tout me devint insupportable, et j'eus même l'impression – fausse, selon elle – qu'elle s'agenouillait devant moi. Ils sont partis assez vite, mes minutes comptaient plus que double, et ont croisé mon frère et sa femme Florence, surpris, à la sortie de l'hôpital. Ils venaient de déjeuner au Saint Marcel, ce bistrot à l'ancienne où atterrissaient entre deux steaks les familiers mélancoliques des patients. On aurait pu l'appeler, comme le bar qui se trouvait devant la prison de Fresnes : Ici… mieux qu'en face. Dans les semaines qui suivirent, Toinette prit l'habitude de s'y installer. Elle travaillait sur place, près de la fenêtre, à la traduction des *Soldats*, de Lenz. Elle voyait passer les silhouettes qu'elle connaissait et qui entraient dans l'hôpital pour me voir. Elle m'écrivait des messages auxquels je ne répondais pas. Elle attendait de ma part un signe qui n'est pas venu.

Elle payait, je crois, le fait de m'avoir vu trop tôt. Un an et demi plus tard, elle m'a dit chez elle, dans notre village, ce qu'elle avait alors éprouvé :

— Si tu étais mort, le village et la vie n'auraient plus jamais été les mêmes. Sur le moment, je n'ai pas compris pourquoi tu m'interdisais de venir te voir, de t'aider. Pourquoi tu me mettais en dehors du cercle de tes amis. Si c'était comme ça, quel sens avait notre amitié ?

— L'amitié n'était pas en question, ai-je dit. Mais je n'étais pas en état de supporter ta présence et ton émotion. J'avais l'impression que tu allais tout théâtraliser, et cela, je ne le voulais pas. Je devais faire un tri et ce tri n'avait rien à voir, ou pas seulement, avec la proximité. Je m'aperçois que j'ai choisi, à ce moment-là, ceux dont je sentais qu'ils me rendaient plus fort. Tu n'en faisais pas partie.

— Mais peux-tu comprendre ce que j'ai ressenti ?

— Je peux et sans doute je pouvais. Mais, à ce moment-là, tenir compte de ce que tu pouvais ressentir était pour moi un luxe que je ne pouvais pas me payer. Il est important que tu le comprennes.

L'a-t-elle compris ? Je l'ignore, mais je ne me sens coupable de rien. J'ai fait comme j'ai pu et ce que je pouvais, ce 8 janvier, dans le no man's land où je me trouvais, c'était liquider Toinette, sa main, son regard et sa génuflexion apparemment rêvée. Je l'ai sacrifiée à celui qui, désormais, devait tout simplifier. Je l'ai fait sans hésitation, sans presque réfléchir. Plus tard, je l'ai retrouvée avec une joie qu'aucune honte, aucun regret n'est venu limiter. La culpabilité a très peu survécu à l'attentat.

Un peu plus tard, les chirurgiens et la cadre du service sont entrés dans la chambre où flottait encore la présence de Toinette. Je ne les avais pas encore identifiés. Je voyais passer l'un après l'autre ces géants blancs, froids et bienveillants comme si, du fond de mon cercueil, devant l'autel, je m'étais réveillé pour voir des étrangers défiler, me bénir, m'observer ou, pourquoi pas, me ressusciter. Je ne les connaissais pas, mais je sentais que mon destin d'allongé dépendait d'eux. Ils parlaient avec tranquillité d'un homme qui devait être moi et que j'observais comme eux, mais du dedans. Je m'accrochais au regard clair et très expressif de la cadre, Christiane, l'ancienne lectrice de *Charlie Hebdo* que l'attentat avait particulièrement secouée, et qui allait faire de mon séjour une affaire personnelle. J'étais là, j'étais ailleurs, j'étais à eux, mais où étais-je ? Je n'en sais rien. Dans le couloir, avec mes parents, mon frère et ma belle-sœur, Marilyn attendait.

Elle arrivait de Belfort et devait repartir le soir même. Mon frère l'avait retrouvée la veille chez un petit traiteur arabe où elle et moi, quinze ans plus tôt, avions nos habitudes. Nous connaissions bien la patronne, Naïma. Quand elle vivait encore à Paris, Marilyn était toujours ravie d'aller déjeuner chez elle. Tel n'était plus mon cas depuis longtemps. J'avais été proche de Naïma. Nous parlions de tout, de rien, de nous. Parallèlement à la cuisine, elle fabriquait des chemises pour un grand couturier et m'avait offert l'une d'elles, qu'il m'arrive encore de mettre en hiver. J'allais déjeuner dans sa boutique assez tard, quand partaient les derniers clients. Elle me réservait un plat. Un jour, quelques mois après le 11 septembre 2001, Naïma a fini par me dire : « Tu sais, j'ai appris par un oncle, qui travaille dans les services secrets algériens, que ça ne s'est pas passé comme on le dit. Tout était prévu. C'est un coup monté par Israël. Il ne peut pas en dire plus, mais c'est certain... » On savait par la presse que ce scénario paranoïaque et antisémite était répandu chez les musulmans. Le lire dans la presse était une chose, une chose abstraite, l'entendre devant moi dit par quelqu'un que je fréquentais et appréciais en était une autre. Ce n'était pas la première fois que j'entendais la théorie : un journaliste algérien et un universitaire iranien me l'avaient servie, et aussi, pour être honnête, un chirurgien français qui n'avait rien de musulman. Ces trois-là, je n'avais eu à les supporter que le temps d'une soirée. Pour ne rien oublier, je dois ajouter que la plupart de mes amis latino-américains avaient commencé par se réjouir, serait-ce une minute ou une journée, de l'attentat contre les tours du World Trade Center, sur le thème : « Ces Yankees, depuis le temps qu'ils emmerdent le monde et le mettent à feu et à sang au nom de leur morale, ils ne l'ont pas volé ! » Ce réflexe n'avait pas duré et les islamistes leur étaient vite apparus pour ce qu'ils étaient, d'infâmes rabat-joie et un remède cent fois pire que le mal. Naïma n'était pas islamiste, mais elle était musulmane et je la voyais presque chaque jour. Je n'ai pas su quoi lui répondre, car je ne croyais déjà plus qu'on puisse convaincre quiconque tenait ce genre de discours, qui indiquait une déroute fantasmatique de l'intelligence. J'ai cessé d'aller déjeuner chez elle, tout en continuant de passer devant sa boutique, avec un pincement au cœur et sans la regarder.

Le 8 janvier, Marilyn n'avait pas vu Naïma depuis longtemps. Elle lui a raconté sa vie, pourquoi et comment nous avions divorcé huit ans plus tôt. Naïma lui a parlé de la sienne. Puis mon frère est arrivé et ils ont commencé à parler de l'attentat, de mon état. Naïma les écoutait, compatissait, participait. Une de ses amies est arrivée, également arabe, et alors, peu à peu, Marilyn a commencé à se sentir mal. Elle ne voulait pas que ces deux femmes en sachent trop sur moi, où je me trouvais. Les tueurs n'avaient pas encore été identifiés ni retrouvés. Ils vivaient quelque part, peut-être à quelques mètres. Elle a pensé : on ne peut pas continuer à parler devant elle, c'est peut-être une amie des terroristes. Si elle dit où il est, ils vont à l'hôpital et ils le trouvent. La paranoïa, m'a-t-elle dit plus tard, s'était installée. Mon frère et elle sont sortis. Dehors, il a dit à Marilyn que mes blessures étaient des « égratignures », c'est le mot qu'il a employé. Il était souriant, détendu. Il voulait se rassurer, la rassurer. Elle l'a cru.

Le soir, elle est revenue chez de vieux amis chez qui elle allait passer la nuit. À son tour, elle les a rassurés. Ils ont commencé à faire des blagues sur moi, à la cubaine, d'un humour noir et bon enfant. La chose n'était pas si grave, après tout. Une amie a dit ces mots, que Marilyn n'a jamais oubliés : « Ah, bueno, el bicho está bien, dejémosle el tiempo de recuperarse y ya iremos a verlo. » Ce qui voulait dire : « Ah, bon, la bestiole va bien, laissons-lui le temps de se remettre et puis on ira le voir. » « El bicho », la bestiole : un terme affectueux, intime, animal, qui me remettait dans la vie quotidienne, dans le passé cubain, comme si rien n'avait eu lieu.

Marilyn est entrée seule dans la chambre et nous nous sommes regardés. Lentement, elle m'a pris la main. Nous nous étions tant aimés. Qu'a-t-elle pensé en apprenant la nouvelle ? Qu'a-t-elle vu ? À l'été 2016, elle m'a écrit cette rencontre. Je reproduis sa lettre sans presque la modifier :

« Sur le chemin de l'hôpital, tes parents m'ont donné des nouvelles de la journée concernant ta santé, puis on est arrivés dans le service. Arnaud et Florence étaient là. Tu recevais la visite de 6 ou 7 personnes, des hauts cadres de l'hôpital, des médecins. On a attendu dehors. Entre-temps, Florence m'appelle et m'emmène dans la cage d'escalier. Elle me dit : "Il faut que tu te prépares psychologiquement, parce que ce n'est pas beau à voir", je crois que c'étaient ses mots ou quelque chose comme ça. Puis : "Ce n'est pas le

Philippe que tu as vu la dernière fois, ça va être un choc, il est défiguré", et elle me montre la partie concernée. Elle était très efficace et intelligente dans ses mots. Les gens importants de l'hôpital sont sortis de la chambre, mais on ne pouvait pas encore entrer, car c'était l'heure des soins. Les gens importants nous ont salués un par un et on s'est présentés à eux, chacun son tour.

Puis la grande porte s'est ouverte, elle me paraissait énorme. Je rentre en prenant une grande respiration et je te vois. C'était impressionnant, c'est vrai, mais, ce qui m'a vraiment choquée et déstabilisée, c'étaient tes yeux et ton regard. Ils étaient noirs ! Un regard profond, et les yeux débordaient presque, tellement ils étaient noirs. Je ne sais pas si ce sont les mots de Florence avant de rentrer qui m'ont fait cet effet, mais la blessure à la mâchoire ne m'a pas traumatisée autant que "les égratignures" des bras. Ce n'étaient pas des égratignures, c'était un massacre, et j'en voulais à ton frère pour cela. J'ai regardé la blessure à la mâchoire et j'étais presque rassurée car je me suis dit : "C'est réparable." Je voyais presque le travail que devraient faire les chirurgiens, mais j'étais persuadée que ça allait s'arranger. »

Pas plus que d'autres, Marilyn n'a vu le bas de mon visage. À quoi ressemblait-il, sous le pansement ? Deux jours avaient passé et déjà j'oubliais ou croyais oublier ce que j'en avais vu dans mon portable après le départ des tueurs. D'ailleurs, j'avais déjà changé. J'étais passé au bloc et le long processus de réparation avait commencé. On avait installé dans le trou un collier en titane pour maintenir ce qu'il restait d'ossature.

Deux ans plus tard, me voyant déprimé par une rééducation interminable et douloureuse, l'infirmière dont j'étais le plus proche, Alexandra, me dit dans un bistrot :

— Vous n'avez pas le droit de faiblir. Pas vous ! Si vous aviez vu à quoi vous ressembliez en arrivant au bloc... Je n'y étais pas, mais j'ai vu les photos.

— À quoi je ressemblais ?

— Les deux tiers supérieurs du visage étaient intacts. Jusque-là...

Elle a indiqué sa lèvre supérieure.

— Ensuite, on aurait dit un steak. On ne pouvait plus distinguer la chair de l'os, ce n'était qu'une bouillie qui pendait.

C'était comme chez Racine, lorsque Athalie rêve que sa mère se penche sur elle pour la plaindre : « Son ombre vers mon lit a paru se baisser ; / Et moi, je lui tendais les mains pour l'embrasser. / Mais je n'ai plus trouvé qu'un horrible mélange / D'os et de chairs meurtris, et traînés dans la fange, / Des lambeaux pleins de sang, et des membres affreux, / Que des chiens dévorants se disputaient entre eux. » Après ma sortie de l'hôpital, des inconnus, souvent des commerçants, me demandaient ce qu'il m'était arrivé. Je répondais : « Un accident. » C'était trop vague pour eux. Beaucoup, croyant avoir la bonne réponse, me disaient : « Une morsure de chien, non ? » Je leur répondais oui. Je répondais toujours oui aux hypothèses qu'on me présentait, ça rassurait ceux qui les faisaient, mais j'ai fini par aimer plus que les autres celle des chiens dévorants, d'autant plus qu'elle était vraisemblable. Jamais la bonne hypothèse n'est apparue.

Ma mère suivait de près Marilyn. Elle a dit qu'elle allait nous laisser seuls, et, comme celle d'Athalie, elle s'est penchée sur moi pour m'embrasser. Seulement, ce n'était pas son visage qui était dévoré, c'était le mien. J'ai oublié le moment où elle s'est penchée sur moi. Marilyn, non : « Elle t'a embrassé sur le front. Voir cette dame si forte affaiblie en quelques heures, ce que quatre-vingts ans n'avaient pas réussi à faire, c'était vraiment intense. J'ai dû me retenir pour ne pas pleurer. Tu prenais le regard de petit enfant qui m'avait tellement agacée quand on était mariés, mais celui-ci avait un autre ton, tu étais gêné car tu ne voulais pas lui faire vivre ce qui se vivait à l'instant. Les quatre-vingts ans et les cinquante ans pesaient lourd dans cette scène. Surtout par les places qu'ils occupaient. » Ma mère est sortie et Marilyn est restée avec moi.

Elle ne savait quoi dire, moi non plus. J'ai pris mon carnet et je lui ai demandé des nouvelles de Jonathan. Jonathan était son fils. Il était né un an après notre divorce. Son père était devenu le mari de Marilyn. J'ai alors pensé à une coïncidence qui m'avait échappé. C'était ici, à la Salpêtrière, dix ans avant, que nous avions cherché à avoir l'enfant que nous n'avons pas eu. L'hôpital où j'étais plusieurs fois venu me branler à l'aube dans une cabine encombrée de vieux magazines pornos qui ne produisaient sur moi aucun effet ; l'hôpital où je regardais d'autres hommes, embarqués dans la même galère infertile que moi, regarder le plancher et leurs pieds comme des éléments du désastre ; l'hôpital où certains d'entre eux entraient dans la cabine pour ne plus en sortir, car ils n'arrivaient pas à éjaculer ; l'hôpital où nous avions eu quelques rendez-vous dramatiques avec des médecins qui nous servaient une psychologie pour les nuls (« Si vous n'arrivez pas à avoir d'enfant, c'est peut-être parce qu'au fond vous n'en voulez pas ? ») ; l'hôpital où ces mêmes médecins avaient, d'un bâtiment à l'autre, fini par perdre notre dossier. L'hôpital où nous avions cherché en vain à donner la vie était celui où je devais maintenant tout faire pour la retrouver.

Un peu plus tard, on est venu me chercher pour effectuer le premier scanner postopératoire. La salle se trouvait dans un autre bâtiment. Le brancardier est arrivé. Mon frère a proposé à Marilyn de m'accompagner. Elle a accepté sans hésiter. Une infirmière m'a posé un masque sur le visage. J'ai pris mon feutre et mon ardoise, entamant une habitude qui de brancard en brancard n'allait plus me quitter. Nous sommes descendus par le monte-charge et nous avons pris des couloirs en sous-sol, glauques et déserts, de plus en plus sinistres. Ils permettaient de passer d'un bâtiment à l'autre en évitant le mauvais temps. Deux des quatre policiers nous accompagnaient, mains sur les Beretta. Ils marchaient, selon la consigne, légèrement derrière nous. J'avais repris connaissance sous les yeux de mon frère. J'avais maintenant le sentiment d'aller paisiblement vers la mort, et d'y aller en compagnie de mon ancienne femme – la personne qui, sans doute, me connaissait le mieux. Elle me prenait la main, me caressait le bras. À un moment, au plus nu de ces couloirs, elle m'a caressé le front et embrassé. Plus tard, elle a continué de m'écrire dans ce français approximatif qui m'avait toujours ému, et dont j'aurais voulu connaître le secret et la simplicité : « Cela m'a fait penser aux moments de tendresse que nous partagions mariés. La tendresse était la seule chose autorisée entre nous, puis ça apaise la fatigue. En plus je te voyais tellement désemparé, perdu, déprotégé, que mes gestes étaient un moyen court de te porter soulagement. » C'est un mot qui n'existe pas en français, « déprotégé », un mot venu de l'espagnol « desprotegido », sans protection. C'était sans doute le bon. Marilyn a rejoint la cabine du technicien pendant que j'entrais dans l'étroit tunnel blanc. J'ai cessé de bouger comme on me le demandait, j'ai pensé à la vie que nous avions eue, une vie relativement bonne, et je me suis dit que l'enfer n'était pas un lieu si infréquentable que ça. C'était un lieu clinique et discrètement spectaculaire, situé sur terre, où des tueurs surgissaient de nulle part pour des raisons inconnues. Ils exécutaient ceux qui vous entouraient en récitant des formules mystérieuses et stupides et ils vous envoyaient, sur un brancard, jusqu'aux limites d'un autre monde. Dans les parages de ces limites, vous retrouviez un par un les gens que vous aviez aimés, que vous aimiez. Ils ressurgissaient comme des rois et des reines de cœur sur le tapis pour une partie de cartes vers 5 heures du matin. Ils vous accompagnaient aussi loin que possible dans celle que vous aviez à jouer et, au moment où vous entriez dans une boîte, dans un rêve, ils disparaissaient derrière une porte et vous pouviez enfin vous abandonner à tout ce que la solitude, les souvenirs et la technique pouvaient vous apporter.

Mais l'enfer ne dure pas plus que le reste, je suis ressorti du scanner et Marilyn m'a raccompagné jusqu'à la chambre. Sur l'ardoise, j'ai écrit ce qu'elle savait déjà : dans deux heures, venue de New York, Gabriela serait là. Comme dans un vaudeville, l'ancienne femme devait sortir pour que la nouvelle entre, et d'autant plus que celle-ci ignorait la présence de celle-là. Personne ne l'avait prévenue ni ne voulait la prévenir, craignant sa réaction si elle apprenait que Marilyn l'avait précédée. Marilyn m'a demandé si Gabriela parlait français, elle s'inquiétait de son efficacité. Je lui ai répondu que oui. De retour dans la chambre, elle a dit à mon frère que Gabriela ne pouvait débarquer ici, dans cette chambre, avec les microbes et la saleté, qu'elle devait d'abord aller se doucher et se changer chez moi. Mon frère lui a répondu que Gabriela venait directement et se laverait ici, dans ma salle de bains. Marilyn a poussé un cri furieux : « Mais c'est une folie ! » Elle avait travaillé pendant dix ans dans un hôpital et supportait mal les entorses au protocole sanitaire. Mon frère l'a calmée et, me dit-elle, « j'ai brusquement senti que je n'étais qu'une intruse dans un monde dont je ne faisais plus partie, en plus venue en cachette ». C'était faux : à partir du 7 janvier, tous les mondes dans lesquels j'avais vécu, toutes les personnes que j'avais aimées se mirent à cohabiter en moi sans préséance ni bienséance, avec une intensité folle, proportionnelle à la sensation qui dominait : j'allais les perdre, je les avais déjà perdus.

Plus tard, Marilyn m'a aidé à aller aux toilettes. Elle tenait les tuyaux pendant que je pissais. Pour la première fois depuis notre séparation, elle me voyait nu. Elle me voyait comme elle m'aurait probablement vu si nous avions vieilli ensemble, car c'était bien ce qu'elle avait devant elle : un jeune vieillard. Ce vieillard voulait pisser, se recoucher, s'endormir, s'éteindre, avec dans la sienne la main d'une femme qu'il avait aimée. Mon frère est revenu : on demandait là-bas, à l'extérieur, si je voulais écrire pour *Charlie*. Marilyn a poussé un nouveau cri : « Vous ne pouvez pas lui foutre la paix ? Il a besoin de calme, de repos. Il n'est pas en état de prendre des décisions comme ça. » Mon frère lui a répondu calmement que la famille avait décidé de me demander mon avis sur tout. J'écoutais sans écouter, je voyais sans voir. Marilyn m'a regardé. Elle a vu dans mon regard deux expressions qui, d'après elle, signifiaient : « Faites quelque chose, je suis terrifié et fatigué » et « Finalement, ils sont gentils, mais ils ne comprennent rien. » Qu'auraient-ils pu comprendre ? La vie des journaux continuait. L'actualité, les réactions, la vie des autres, ce qu'il faut faire et ce qu'il ne faut pas faire. D'ailleurs, à quoi servaient les journaux, s'ils n'accueillaient et ne restituaient pas la vie ? Tandis que Marilyn et Arnaud me parlaient, ou parlaient devant moi, je mâchais le biscuit de Cabu, murmurais une blague à Wolinski, voyais et voyais encore avec espoir, avec désespoir, Franck dégainer son arme pour signaler d'un coup la fin du spectacle. Il n'y arrivait pas et le spectacle ne faisait que commencer, celui qui mettait peu à peu les spectateurs dans le cercueil et sur la scène. Marilyn s'est habillée, m'a repris la main et embrassé sur le front. Il était temps de partir. Elle rentrait le soir même dans son village, près de Belfort. Je l'ai regardée s'éloigner en pensant que je ne la reverrais peut-être pas. Au même moment, on apprenait dehors qu'un dénommé Coulibaly avait pris en otages les clients et le personnel d'un supermarché casher. Je n'en ai rien su. Mon frère et ma belle-sœur ont raccompagné Marilyn jusqu'à la sortie de l'hôpital. Elle s'est mise à pleurer. Ses jambes tremblaient. Ils l'ont soutenue. Sur le chemin, ils sont tombés sur mon père. Il racontait les dernières nouvelles en répétant « et ça continue », « et ça continue ». Il a dit le nom de Coulibaly. Coulibaly est un nom fréquent au Mali et Marilyn s'est souvenue d'une jeune autiste qu'elle avait suivie et qui le portait également. Dans la même lettre, un an et demi plus tard, elle m'a écrit : « La jeune autiste avait une mère très belle et hautaine, grande et élégante dans ses habits africains. Nous avions visité sa maison dans le 19ᵉ arrondissement de Paris avec l'assistante sociale. Mme Coulibaly était difficile. Elle ne parlait pas le français, mais comprenait ce qui l'arrangeait. Ensuite, à chaque fois que j'ai entendu le nom Coulibaly j'ai pensé à la petite, si douce et souriante. Se bouchant les oreilles avec ses doigts et assise sur le canapé du groupe d'enfants. Je me demandais : le tueur et elle, ils sont de la même famille ? » Nous n'avions même pas eu le temps de nous boucher les oreilles, à *Charlie*. Mon père a serré Marilyn dans ses bras, il répétait « et ça continue », « et ça continue », et ils se sont mis à pleurer.

Une heure plus tard, Gabriela est entrée avec sa grosse valise par la porte que Marilyn avait refermée. Je l'avais toujours connue avec de gros sacs de danseuse et de grosses valises. *Libération* avait spontanément payé son voyage depuis New York. L'hôpital avait installé un petit lit pour elle, parallèle au mien. Elle se tenait droite dans son grand manteau bleu foncé. Ses épais et longs cheveux noirs tombaient sur la laine sombre jusqu'au bas du dos. Ses yeux noirs m'ont fixé. Elle souriait. Elle allait vivre ici pendant une semaine.

CHAPITRE 8

Pauvre Ludo

Un jour, on m'a dit qu'il y avait une manifestation dans Paris. C'est mon frère qui me l'a annoncé. Il m'avait déjà dit qu'elle aurait lieu, que la plupart de nos amis s'y rendraient, c'était un moment important pour la France et pour nous, mais j'avais dû l'oublier. Dans la chambre, les nouvelles arrivaient comme la lumière vient des étoiles, de trop loin, déjà morte, pour finir entre pansements et tuyaux. Tout était invraisemblable et atténué. De quelle planète arrivaient ceux qui portaient ces nouvelles ? Je n'avais ni télescope ni vaisseau ni énergie pour le savoir et pour y voir de plus près. Je n'étais pas comme l'astronome qui, dans *L'Étoile mystérieuse,* va faire acheter des caramels mous parce que la fin du monde n'a pas eu lieu. Elle avait eu lieu, la fin d'un monde en tout cas, le mien, le nôtre peut-être. Personne ne s'était trompé dans les calculs, puisque personne ne les avait effectués. Même si cette fin était provisoire, à cet instant elle était perpétuelle et dans le brouillard je n'y voyais rien. Dans le brouillard de la fin, il n'y avait ni renouveau, ni percée. Il n'y avait rien, pas même une manifestation de soutien. Les nouvelles, pour s'en réjouir ou pour les craindre, il faut pouvoir les imaginer.

La veille, mon frère était entré dans la chambre et il

avait dit : « Ils les ont butés, ces salopards. On ne va pas pleurer. » C'est ainsi que j'ai appris l'existence des frères Kouachi. Les jambes noires avaient un nom, à présent, et elles n'étaient plus seules. Il y avait deux paires de jambes noires. Elles avaient atterri et fini là-bas, quelque part, dans une petite imprimerie en dehors de Paris. Il y avait eu d'autres attentats, d'autres tueurs. Un jogger avait été attaqué sur la coulée verte, en banlieue sud, exactement là où mon père allait courir et où parfois je l'avais accompagné. Qui étaient ces zombies ? De quelle zone revenaient-ils ? De la zone où j'étais plongé ? Une zone où les morts étaient une espèce des vivants et où n'importe quelle vision avait la force irréversible d'un acte ?

« Buter », « salopards », je n'avais jamais entendu mon frère employer des mots comme ça, ce n'était pas du tout son genre. Je comprenais la dissonance, un effet de l'émotion, mais j'étais choqué. Je n'aurais voulu aucune violence d'aucune sorte dans cette chambre, ni dans ma propre vie. J'aurais voulu en faire un caisson de décompression, l'une de ces boîtes par où l'on doit passer quand on remonte trop vite d'une plongée. Tout ce qui entrait d'agressif ou d'inutile était un obstacle à ce qu'il me restait de vie. Tout ce qui sortait de moi devait être également pacifié et flotter dans un air pacifié.

Depuis quatre jours, je ne pouvais plus parler. Non seulement j'ai eu très vite l'impression de n'avoir jamais parlé, mais je commençais à croire que, pour l'avoir fait si longtemps, mon châtiment était mérité. Tu ne crois pas en Dieu, me disais-je, mais quelque chose te punit d'avoir tant parlé, tant écrit pour rien. Quelque chose te punit de tes bavardages, de tes articles, de tes tirades, de tes jugements, de tes numéros auprès des femmes, de tout le bruit que tu as alimenté. Si tu le décides, ce bruit restera enfin derrière la porte, avec celui des voix et des radios des policiers et du chariot des infirmières. Oui, tu es puni par où tu as péché, même si tu ne crois pas au péché ni à la rédemption, et même si ceux qui t'ont puni l'ont fait pour des raisons tout autres. Profite du silence que ces tueurs stupides t'ont imposé.

Des policiers sont entrés et ils se sont penchés sur moi. Ils enquêtaient sur les frères Kouachi et ils voulaient savoir ce que j'avais vu. Ils étaient doux, attentifs. Ils étaient deux. Je cherchais au fond de leurs yeux une réponse qu'ils n'étaient pas venus trouver et que j'étais incapable de leur donner. Avec mes trois doigts, j'ai dessiné sur un carnet le plan de la salle de conférence. Des rectangles représentaient les corps dont je me souvenais. J'ai pensé que tout cela était bien mal dessiné et je me sentais coupable de n'avoir pas grand-chose à dire. Comme toujours, ai-je pensé. Jusque dans cette affaire, tu restes un mauvais journaliste, un type qui n'a rien à apprendre aux autres. Aucune info à donner, rien d'inédit. Juste quelques traits sur une page de carnet. Tu ne feras pas avancer l'enquête.

Dans le service, tout le monde semblait horrifié. Et j'étais la victime de ce qui horrifiait. Victime, moi ? Un journaliste peut être blessé ou tué en reportage, mais, victime, il ne peut pas l'être. Un journaliste peut être une cible. Il n'est pas un sujet. Il n'est pas préservé de l'histoire qu'il couvre, mais il ne peut devenir le cœur de l'histoire elle-même. C'est une plante qui pousse dans l'angle mort de l'événement. Cette idée n'était pas exactement un credo ; c'était une sensation. Ce métier, m'avait-on appris, exigeait la discrétion. Comment être discret quand on est sous le regard de tous sans rien contrôler de ce qu'on vit ?

Dans le service, il y avait ceux qui, comme Christiane, la cadre du service, pleuraient les figures sarcastiques de leur jeunesse, et, avec elles, un morceau de civilisation bien française. Elle avait accueilli mes parents les larmes aux yeux. Cabu, Wolinski, comment avaient-ils pu ? Mes parents n'avaient jamais ri avec Cabu et Wolinski, parce qu'ils ne les avaient jamais lus. Ce fut l'un de mes plaisirs, teinté de compassion, en plus du reste ils n'avaient pas mérité ça, de les voir entrer dans un monde auquel ils étaient étrangers : les tueurs avaient accompli ce prodige. Certes, mes parents y entraient un peu tard et sans l'avoir choisi. Ils couraient derrière les morts pour soutenir leur fils *démandibulé*. Ils allaient séjourner dans leur contrée par solidarité. Ils y séjourneraient aussi longtemps qu'il le faudrait, plus longtemps que d'autres a priori plus favorables (ou moins défavorables) à *Charlie*. Ils étaient de droite, d'une bourgeoisie moyenne, attachés à la bienséance, à la réserve, au point trop n'en faut, hermétiques au virulent second degré du journal et à ses combats. Ils avaient des principes, mais ils n'auraient jamais employé le mot « valeurs ». Ils n'appartenaient pas au monde culturel et en ignoraient la malveillante bienséance.

Christiane aurait pu être un personnage de Wolinski, une créature méchante et sensuelle, avec les yeux d'un tigre prêt à sauter sur n'importe qui, et peut-être voyait-elle mourir avec Georges des possibilités intimes de caricature et de fiction. Les morts nous avaient fait don des ridicules que nous avions, mais aussi de ceux qu'on aurait pu avoir. Avec elle et quelques autres, mes parents découvraient qu'on pouvait être sérieux, selon leurs critères en tout cas, et profiter de l'humour des dessinateurs de *Charlie*. Il n'y avait pas tant d'hommes sur terre pour faire rire les autres de tout et de n'importe quoi, les faire rire en réveillant ce qu'ils avaient en eux de naturel, de mauvais goût, d'enfantin, d'anarchiste, d'indigné, d'infréquentable, d'antiautoritaire, de récalcitrant. C'était drôle de laisser parler ses monstres, puis de sortir tout propre et bien habillé.

Le week-end, Christiane allait souvent faire du cheval en province. Elle en revenait avec un mal de dos dont elle me parlait volontiers. Tout ce qu'elle contait d'elle, bonheurs, malheurs, avait toujours assez d'intérêt pour me sortir de moi-même. Pendant quelques instants, le galop de son cheval emportait mes douleurs et mes tuyaux. C'était merveilleux, cette chambre, parce que c'était concret : ceux qui entraient me passionnaient, pourvu qu'ils me parlent d'eux, mais, s'ils me parlaient d'actualité, ils se dissolvaient dans l'abstraction. Je m'endormais à moitié. J'ai oublié le parfum de Christiane, mais je sais qu'elle en avait un.

Plus jeune, elle avait eu un accident de voiture. Son visage, m'a-t-elle raconté un matin, était refait. Elle l'a tendu vers moi, m'a indiqué son profil retapé et m'a dit : « Vous voyez, Monsieur Lançon, on n'y voit plus rien ! Ce sera pareil pour vous ! » Comme j'étais content de la croire ! D'autant qu'elle m'apporta vite une huile qui d'après elle faisait des miracles, si on l'utilisait pour masser avec rigueur les cicatrices. L'huile était si grasse que, une fois étalée, je ne pouvais que l'étaler davantage. Elle me dégoûta vite autant que la salive qui coulait sans cesse par le trou de la mâchoire, humectait le pansement qui m'enserrait le visage, le faisait doubler ou tripler de poids jusqu'à ce qu'il descende et se détache comme un fruit trop mûr. Ce qui venait du dehors était une intrusion ; ce qui sortait du dedans également.

La kiné d'une douceur d'ange, Corinne, me parlait aussi en commençant à me masser (sans l'huile de Christiane) les doigts qui ressurgissaient progressivement des bandages comme de petites momies difformes. Elle m'a raconté l'accident qui lui avait détruit une partie du bas du visage : elle était tombée d'une échelle. Quand sa fille l'avait vue, elle l'avait à peine reconnue, puis, l'ayant fait, s'était évanouie. La lèvre inférieure pendait, le menton était ouvert, une vraie boucherie me dit-elle. J'ai écrit sur l'ardoise : « Et maintenant ? » « Maintenant, répondit-elle, il y a juste cette petite cicatrice, mais je ne sens presque plus rien, sauf quand j'y pense et que par exemple je vous en parle, comme maintenant. » Le service semblait plein de revenants, destinés à me rassurer sur mon avenir. Je regardais le visage de Corinne plus attentivement. Je cherchais la petite cicatrice. J'étais ravi de ne pas la trouver.

En quelques jours, ça devint une habitude : chaque fois que Corinne ou Christiane entrait, je guettais leurs blessures et les traces de leur disparition. Leurs visages étaient les cartes de mon futur territoire. Je les imaginais détruits, l'un par l'accident, l'autre après la chute de l'échelle. Je manquais d'œil clinique. Je voyais ce que je voulais voir et je n'avais pas compris à quel point le bas de mon propre visage était décomposé. On ne tenait d'ailleurs pas à ce que je le comprenne. Je l'avais vu pourtant quelques jours plus tôt, ce bas de visage qui pendait, sur les lieux mêmes de l'attentat, mais le souvenir avait, sinon disparu, du moins migré vers l'étoile où s'entassaient les nouvelles inutiles ou nuisibles, comme dans une cave ou un frigo. Le phénomène allait s'accentuer dans les mois suivants. Les souvenirs ne disparaissaient pas : ils rejoignaient une brume épaisse, froide, silencieuse, tombant indifféremment sur le jour d'avant ou sur une décennie lointaine, comme ce brouillard qui, dans *Les Vikings*, le film de Richard Fleischer, envahit le fjord au moment où Tony Curtis et Janet Leigh tentent de s'échapper. C'est l'un des premiers films que j'ai regardés, dix mois plus tard, une fois chez moi. C'était la nuit, j'étais seul, comme souvent je n'arrivais pas à dormir. C'était depuis l'enfance un de mes films préférés. J'ai regardé l'œil de Kirk Douglas, crevé par un faucon, le bras de Tony Curtis, amputé par une épée. Ils étaient frères, j'étais leur frère, et ils allaient s'entre-tuer. J'aurais voulu les réconcilier au moment du duel final, rendre son œil à l'un et sa main à l'autre, et aux deux le contraire de la rage qui les unissait. J'ai pleuré.

Les gens du bloc opératoire n'auraient pas été surpris de soigner un Viking s'ils avaient travaillé chez les Vikings. Mais ils découvraient cette présence inédite, un blessé de guerre à Paris. Certains en avaient vu et soigné en Afrique, en Yougoslavie, dans des pays arabes. Moi aussi, j'en avais vu. C'était ailleurs. La conscience était préparée par le contexte. Cette fois, elle ne l'avait pas été. Mais, pour affronter le changement, les soignants avaient ce privilège : ils répondaient à la destruction par des gestes précis, destinés à réparer, comme des automates doués de raison. Ces gestes remplaçaient les larmes, le bavardage, la compassion inutile, la pitié dangereuse. « Il va falloir apprendre à vivre comme les Libanais, et moi qui les plaignais… », me dit ma chirurgienne, Chloé, après l'attentat suivant, celui du 13 novembre. Dans sa thèse, elle avait cité une pièce de Sophocle, *Ajax*. Elle s'en souvint au moment opportun et me cita en consultation un vers qu'elle n'avait pas oublié. Comme je ne l'avais pas noté, je lui ai demandé un peu plus tard de me le rappeler. Elle m'a répondu par texto : « Traduction libre : un bon médecin ne récite pas de formules magiques au-dessus d'un mal qui appelle le fer. C'est ce que dit Ajax avant de se jeter sur l'épée d'Hector. Hors contexte, c'est une façon comme une autre de dire : "Quand faut y aller, faut y aller." Bonne journée. »

Il y avait enfin ceux qui, comme Aïcha, l'aide-soignante arabe qui lisait toutes sortes de journaux et de livres, étaient simplement écœurés par l'imbécillité des tueurs. J'ai senti ces jours-là comment un journal comme *Charlie* participait du contrat social français – ou, plutôt, de ce qu'il en restait. La plupart n'auraient jamais signé ce contrat si on le leur avait tendu ; mais il n'était pas nécessaire de le signer pour en vivre, même malgré soi. Il suffisait de respirer l'air dans lequel son encre avait depuis longtemps séché. Ce n'était pas l'air du qu'en-dira-t-on, ni même celui de la finesse ou de la compétence. C'était l'air de la farce et de l'irrespect, celui qui mettait chacun en état d'insouciance et d'esprit critique.

Le 11 janvier en début d'après-midi, mon frère m'a dit : « Il paraît qu'il y a déjà un monde fou à la manifestation. Si je n'étais pas avec toi, je serais avec eux, là-bas. Tout le monde dit : Je suis Charlie. Tout le monde est Charlie. On dirait que c'est un raz-de-marée dans le pays. » Ou quelque chose comme ça, je n'ai pas noté. Je ne notais presque rien, alors, c'est une habitude que je n'ai pas perdue. Le peu que j'écrivais, je l'écrivais sur l'ardoise avant de l'effacer, pour des raisons pratiques, et comme si ça n'avait jamais existé. Pendant trois mois, dans les périodes où j'ai dû me taire pour que la lèvre inférieure et ses alentours aient une chance de cicatriser, mes doigts n'ont cessé d'aller et venir sur le vide de cette ardoise et d'être noircis par les feutres comme ceux d'un écolier peu soigneux. C'était un moindre mal. Ça me rappelait les classes de primaire, quand on écrivait encore avec un encrier, à l'ombre d'Alphonse Daudet ou d'Henri Bosco. J'étais gaucher et je salissais d'encre la feuille, le majeur, l'annulaire, parfois le bas du poignet. Maintenant, j'avais un gros pâté sanglant sous le pansement entre les deux phalanges du majeur et de l'annulaire, à la main gauche. On aurait dit un tas de boue entre deux collines. Est-ce que ça finirait par s'en aller ?

Mon frère continuait de parler de l'emploi du temps de la journée nationale. Dehors, ils manifestaient. Dedans, l'enfance continuait de manifester. On la sortait du coffre, comme une roue de secours, et le voyage continuait. Mais quel voyage ?

Dans la chambre, assez vite, il a fallu remplacer la première ardoise. Je l'ai gardée, par fétichisme, avec les derniers mots écrits dessus. Je ne comprends pas – ou plus – ce qu'ils signifient. Ils sont écrits en espagnol, au feutre bleu et en capitales. C'est un poème. Il doit être écrit pour Gabriela, mais je ne sais pas si elle l'a lu, et d'ailleurs il ne lui est pas forcément destiné. Peut-être n'est-il écrit que pour moi ou pour l'un de mes meilleurs amis, Juan, avec qui nous échangions volontiers par texto des poèmes hispaniques tantôt lus, tantôt écrits. Ces mots m'informent sur l'état d'esprit ou d'âme, comme on voudra, dans lequel je baignais quand mon frère m'a fait part de la manifestation. Je traduis : « Profite du sommeil du malade / Dans la paresse du marbre / Recouvert de son drap / De morphine. / Il y a peu tu me dansais / Un poème de Mickiewicz / Qui certainement n'existe pas, / "Rêve d'un homme calme tranquille" / Sur mon bras blessé. »

Comment le poète polonais Adam Mickiewicz, dont je ne me rappelle pas avoir lu le moindre vers, a-t-il atterri là ? J'ai cherché la réponse. Je ne l'ai pas trouvée. Je ne me souviens que d'une chose : au moment où je l'ai inscrit sur l'ardoise, ce poème me paraissait résumer ce que je vivais. Il a été écrit comme un rêve qu'on note en demi-sommeil, le croyant déterminant, et qui, au réveil, apparaît pour ce qu'il est : la trace médiocre et incompréhensible d'une émotion vitale, mais enterrée ; le hiéroglyphe d'une personnalité disparue.

En parlant de la manifestation, mon frère souriait. Il était heureux et fier du soutien général, national, heureux de me l'annoncer. Cependant, il avait reconduit sa femme et ses enfants chez eux, en banlieue. Je crois qu'il craignait un nouvel attentat, des mouvements de foule, un supplément d'angoisse. Depuis quatre jours, la famille en avait assez vu comme ça. La chambre était dans la pénombre. Je l'écoutais, j'acquiesçais. La trach' me faisait mal et la sonde nasale commençait à m'irriter le nez et la gorge. Je n'étais pas certain de comprendre ce qui avait lieu et, à part ce malaise saupoudré de douleurs, je n'éprouvais rien. J'ai entendu pour la première fois prononcer ce slogan, Je suis Charlie. La manifestation et le slogan concernaient un événement dont j'avais été victime, dont j'étais l'un des survivants, mais cet événement, pour moi, était intime. Je l'avais emporté, comme un trésor maléfique, un secret, dans cette chambre où rien ni personne ne pouvait tout à fait me suivre, si ce n'est celle qui me précédait dans le chemin que j'avais maintenant à entreprendre : Chloé, ma chirurgienne. J'écrivais dans *Charlie*, j'avais été blessé et j'avais vu mes compagnons morts à *Charlie*, mais je n'étais pas Charlie. Le 11 janvier, j'étais Chloé.

Depuis deux jours, j'étais aussi Gabriela. Ou plutôt : j'étais le sourire de Gabriela. C'était exactement le sourire qu'elle avait eu vingt-deux ans plus tôt, à Paris, quand on me l'avait présentée, dans une soirée où nous étions arrivés en travestis, deux amis et moi. Je revenais de Cuba. Elle était assise, seule, le long d'un mur. Elle portait un pantalon de cuir noir et elle avait ce cou et ce dos droits de danseuse, ces longs cheveux noirs épais et ce sourire qui envahissait le visage, un sourire de corps de ballet qui apparaît en toutes circonstances, même sous la torture. Les danseuses classiques sont des soldats et Gabriela était un soldat.

Deux jours avant la manifestation, son sourire était entré dans la chambre et il me soulagea aussitôt. S'il était arrivé jusqu'ici, la vie allait reprendre. Gabriela était peut-être une apparition destinée à me consoler de tout ce qui venait d'avoir lieu, de tout ce qui allait advenir, de je ne sais quoi, peut-être simplement de moi-même. Par son sourire je vivais et revivais l'instant où je l'avais vue pour la première fois, et pourtant, celle qui aurait dû l'accompagner, quoique présente, était morte, comme tous ceux que j'avais connus et aimés avant l'attentat. J'avais cinquante et un ans et un trou dans la mâchoire. J'avais sept ans et la nuit arrivait. Un joli revenant au visage indien se présentait devant moi sous la forme d'une femme que j'aimais et qui ne pouvait être ici, dans cette chambre, après l'attentat, puisque celui qui la regardait entrer n'était plus vraiment là. Comme aurait dit Verlaine, elle n'était ni tout à fait la même, ni tout à fait une autre. Elle volait dans cette pièce étroite et sombre aux odeurs de désinfectant. Peut-être allait-elle faire un entrechat ? Je me suis rappelé que si je l'avais souvent vue répéter ou enseigner en salle d'entraînement, jamais je ne l'avais vue danser sur scène. Je me suis accroché au sourire comme à une vision et, pendant quelques secondes, j'ai abandonné mon âge et mon enfance pour retrouver l'année de mes trente ans. J'ai tendu deux doigts vers Gabriela, c'est fou ce que les signes deviennent lourds, presque religieux, lorsqu'ils sont réduits à presque rien. Je lui parlais de Cuba, le long d'un mur d'appartement, en buvant un mojito. Le sien, comme toujours, était sans alcool.

C'était en 1993. Elle avait passé trois ans dans un ballet mexicain. Quand je l'ai rencontrée, elle venait de quitter Mexico et tentait sa chance à Paris. Nous nous sommes séparés assez vite. Je n'ai pas su qu'elle était entrée à l'Opéra, ni qu'elle en était sortie.

Douze ans plus tard, à la suite d'un rêve et par les vertus d'Internet, j'ai retrouvé sa trace. Je venais de divorcer. Elle avait un site, je lui ai écrit. Elle a mis quelques mois à me répondre. Elle vivait maintenant à New York, où elle enseignait la danse et la méthode Pilates. Elle avait joué la méchante – latino, évidemment – dans des séries télévisées. Elle vivait avec un banquier américain de Chicago, plus âgé qu'elle. Ils n'avaient pas d'enfants. Quand je lui ai écrit, elle avait ouvert un petit studio, où beaucoup de Chiliens venaient danser. Quelle est la vie des gens lorsqu'ils sont sortis de la nôtre ? On n'en sait rien et ce qu'on imagine est presque toujours faux.

Ils habitaient à Manhattan, dans Midtown, un appartement relativement grand et sombre situé près de l'East River. Son mari l'avait acheté à la faveur de la brève crise immobilière qui avait suivi les attentats du 11 Septembre. Ce jour-là, il était absent, et, après la chute des tours, Gabriela avait marché seule comme tant d'autres vers la rivière, dans une atmosphère de fin du monde, en pensant qu'une guerre commençait. Elle avait passé son adolescence sous la dictature chilienne et connaissait encore par cœur les hymnes nationalistes qu'on lui faisait apprendre au collège. Elle m'en chantait volontiers en riant, l'Histoire et le patriotisme relevaient d'une comédie qu'il valait mieux éviter. Elle aimait son pays comme un souvenir qu'elle retrouvait avec joie, non sans agacement. Elle ne cessait de penser à son père malade dans le désert d'Atacama.

Elle avait quitté son pays à dix-huit ans, pour danser. Un ballet étranger lui avait accordé une bourse, mais il lui manquait le billet d'avion. Sa famille ne pouvait le lui offrir. Quand elle voulait obtenir quelque chose, Gabriela ne reculait devant rien. Depuis Copiapó, sa ville natale, elle écrivit à Pinochet, qu'elle détestait et craignait, pour expliquer sa situation. Elle avait dû être convaincante : le secrétariat de la présidence fixa rendez-vous à la gamine provinciale. Elle prit le bus de nuit avec sa mère jusqu'à Santiago. On les installa sur un canapé devant une assistante désagréable, qui leur annonça que le secrétaire du président était occupé. Le temps passait. La mère de Gabriela, honteuse, voulait s'en aller. L'assistante disparut sans un mot. Gabriela s'enfonça dans le canapé, ferma les yeux et, comme je la vis souvent faire par la suite dans ma chambre d'hôpital et ailleurs, se mit à respirer lentement et entra en méditation. La méditation, ce jour-là, n'avait qu'un objet : « Cette femme va revenir avec un sourire. Elle aura le billet d'avion et, en prime, elle va nous servir un café. » Et c'est exactement ce qui arriva. L'assistante réapparut avec un sourire, du café, et leur annonça que le secrétaire du président leur donnait un bon pour un billet à retirer auprès de la compagnie chilienne d'aviation. Quelque temps plus tard, Gabriela s'envolait pour Genève. Elle n'avait jamais vu la neige et on lui avait dit que cette ville était entourée de montagnes. Elle débarqua en anorak, mais c'était le mois d'août, il faisait une chaleur infernale, et elle fila dans les toilettes de l'aéroport pour se changer, aussi honteuse de sa naïveté que sa mère devant l'assistante du secrétaire du président.

Physiquement, elle avait peu changé en trente ans. En matière d'alcool, elle ne supportait que le champagne, et encore, quelques gouttes pour se mouiller les lèvres. Elle ne fumait pas, mangeait peu, mais elle était gourmande et raffolait du gingembre et du chocolat. Elle prenait du ventre dès qu'elle arrêtait de danser, mais elle arrêtait peu et s'entraînait régulièrement chez elle, sur ses machines, entre deux échanges de mails et un livre à étudier. Elle ne lisait pas les journaux, ne regardait pas la télé, n'écoutait pas la radio. L'actualité ne l'intéressait pas et n'arrivait jusqu'à elle que par les paroles des autres, un peu au hasard, dans un brouillard d'indifférence électrisé par sa sensibilité. Elle y voyait, je crois, la présence du mal et de l'inutilité, de tout ce qui éloignait les hommes du meilleur et du plus appliqué de leurs passions – dans son cas, la danse. Elle s'obstinait à vivre dans son « petit monde », c'était son expression, de même que la rose, sous cloche, sur la planète du Petit Prince. Ce n'était d'ailleurs pas une rose sans épines. Elle avait remplacé la coquetterie du végétal trop humain de Saint-Exupéry par une discipline solitaire que j'admirais, tout en la trouvant austère, ou peut-être parce que je la trouvais austère.

Quand nous nous sommes revus, les circonstances et un divorce en cours, particulièrement difficile, avaient fendu la cloche sous laquelle elle vivait. Vivre sans moyens à New York, et persécutée par un banquier aussi retors que persuadé de son droit, la rendait malheureuse, et même folle, car prisonnière d'un cercle vicieux. Elle continuait d'aller et venir avec ses valises et ses sacs sous la cloche, d'un gymnase à l'autre, d'une salle de danse à l'autre, d'une salle de classe à l'autre, d'un bout du monde à l'autre, de Copiapó à New York, de New York à Paris, et maintenant de Roissy à la Salpêtrière. L'air froid du drame, qui entrait par la fêlure, avait assombri son caractère, mais il ne modifiait qu'à peine son allure et, pour parler comme les anciens, le sens de sa destinée. Ses divertissements restaient rares, plutôt enfantins. Sa discipline de vie luttait avec le désordre mental que lui imposait son imagination, ses rêveries, sa situation. Elle fuyait tout ce qui la rendait triste, mais ce qu'elle chassait par la porte entrait par la fenêtre, et, quand elle ne parvenait plus à fuir, c'était la colère ou le chagrin qui s'imposaient. Alors, le sourire disparaissait, le visage se fronçait, le regard se durcissait ou fondait en larmes, et il ne restait absolument rien de la douceur tranquille de Gabriela : des crapauds finissaient par lui sortir de la bouche. J'aimais ses pleurs, car ils me permettaient de la consoler, mais je craignais sa colère, car je ne pouvais l'apprivoiser. Une heure de danse quelque part chassait tous les nuages, tous les crapauds, et le sourire réapparaissait.

Elle a enlevé son manteau, elle s'est penchée sur moi et, après avoir touché mes doigts valides, elle m'a parlé tout en précisant qu'elle ne voulait pas me fatiguer ; puis elle a pris sa douche. Plus tard, sur mon ardoise, je lui ai demandé de raconter son voyage, de parler de sa vie à New York. J'ai de nouveau écrit quelques mots sur l'attentat, mais elle n'avait pas envie d'entrer dans les détails de cette réalité-là. Je ne sais plus à quel moment elle est repartie vers une salle de danse pour ressusciter. La chambre était petite, nous allions devoir vivre ici pendant une semaine. À chaque instant, Gabriela serait susceptible de sortir pour qu'on procède aux soins. Jamais elle n'entendrait le son de ma voix.

Dans la nuit, le moindre de mes gestes ou de mes cauchemars la réveillait. Elle sursautait. J'avais l'impression d'être éveillé par son sursaut, qui me rassurait. Depuis son lit, elle tendait le bras vers le mien et, ne sachant comment me toucher sans me nuire, elle serrait mes trois doigts non bandés ou me caressait le crâne. Mon corps entier vivait dans sa main. Pour quelques minutes, je me rendormais.

La veille de la manifestation, elle a aidé Linda pour la douche et, à partir du 11 janvier, je l'ai prise seul avec elle. Elle riait et me soutenait avec douceur, une certaine fantaisie. C'était comme un jeu, avec ses règles et ses défis ; mais, quand ma belle-sœur tomba sur elle dans les rayons de la supérette la plus proche de l'hôpital, elle pleurait. Dans la douche, elle m'a dit :

— Ils n'ont pas autre chose que les sacs-poubelle ? Ce n'est pas grave. Tu as un certain charme comme ça.

Ils n'avaient pas de quoi m'éviter ce charme : en dehors du bloc, l'hôpital était fauché. Encore bénéficiais-je d'un régime de faveur. À part les parents des enfants hospitalisés, nul n'avait le droit de dormir ici. Mais, comme me le dit bientôt une infirmière, « vous n'êtes pas un patient ordinaire ». Pour la première fois depuis la maternelle, j'étais le chouchou. Comme je détestais la cantine, la gardienne de l'école m'avait accueilli le midi chez elle. Elle me donnait à manger le meilleur de son repas, en particulier ses steaks, et se contentait d'avaler le mien. C'était l'époque où, quand mon grand-père m'accompagnait jusqu'à l'école à travers les rues pavillonnaires, je le faisais changer de trottoir au moindre chien qui aboyait derrière une grille. Dans la ville dont le prince est un enfant, l'enfant est presque toujours tyrannique et ingrat. Il meurt généralement exécuté, comme un prince, avant d'avoir eu le temps d'accéder aux souvenirs. Cette fois, l'enfant avait survécu à tout, mieux en tout cas que les différents personnages qui lui avaient succédé. Il me rejoignait dans cette chambre à tous moments. Profite du steak de la gardienne, me disait-il, tout ce que tu obtiens est un dû.

Le jour de la manifestation, je me suis levé. Gabriela m'a aidé à faire les premiers pas jusqu'à la porte et ma première longueur dans le couloir. Il y avait des tuyaux partout. Elle faisait rouler la potence. Nous n'avons pas fait les 104 pas aller et retour ce matin-là, mais elle m'a aussitôt regardé comme une danseuse :

— Tiens-toi droit, relève la tête, rentre les omoplates, imagine que tu es une marionnette et qu'on te tient le haut du crâne par les cheveux. Tu penches à droite, redresse-toi !

Nous marchions au ralenti. Deux policiers suivaient à

quelques mètres, mains sur les Beretta. Les deux autres restaient près de l'ascenseur, debout. Il ne m'a pas fallu beaucoup de longueurs pour apprendre à vivre en leur compagnie comme avec des ombres, qui me suivaient sans dépendre de moi et sans trop m'approcher. J'allais cohabiter avec eux, vingt-quatre heures sur vingt-quatre, pendant quatre mois et demi, et le jour de leur départ me laissa nu. Leur présence doublait celle des soignants, installant une privauté sans solitude. Elle m'obligeait à de la tenue.

Tout en marchant avec Gabriela, je regardais les portes des autres chambres. Chacune, ici, n'était occupée que par un patient. Il n'y avait quasiment que des cas assez lourds, beaucoup de trach', beaucoup de tuyaux, beaucoup de bave sur le sol. La plupart des patients venaient d'un milieu populaire. Beaucoup avaient des cancers à la mâchoire, à la langue. Ils fumaient trop, buvaient trop. Certains arrivaient ivres la veille d'une opération. D'autres quittaient leurs chambres sans prévenir, c'étaient parfois les mêmes. Il y en avait qui fumaient dans leurs chambres, parfois même par la trach' quand la bouche ne le permettait plus : la locomotive survivait aux tuyaux. Et il y en avait qui sortaient avec leurs potences pour aller fumer dehors, au soleil, assis sur le muret gris, face à l'arrivée des ambulances. Les plus vaillants allaient jusqu'aux bancs du parc, somptueux, entre les bâtiments et la grande chapelle bâtis sous Louis XIV.

Il y avait les accidentés de toutes sortes. Il y avait les petites frappes aux mâchoires fracturées. L'arrivage se faisait généralement le week-end, dans la nuit, après une baston. Ils recevaient les visites de leurs familles ou de leurs potes en nombre, qui roulaient des yeux dans les couloirs comme des guerriers en territoire étranger. Leurs corps cherchaient les réflexes habituels, mais leur instinct ne suivait pas et ils semblaient embarrassés. Cet embarras ouvrait parfois sur une espèce de délicatesse. L'incertitude suspendait les gestes. Rien de ce qu'ils auraient voulu faire n'était à sa place ou ne pouvait être déterminé. Parfois, une mère allait au poste de soins pour réclamer quelque chose, qu'elle obtenait ou pas. Sa silhouette fatiguée, presque fanée, dégageait comme une odeur de destin. C'était une odeur épaisse, sur fond de Javel et de Bétadine. Comme la moiteur tropicale, elle ralentissait le pas.

Je ne savais pas ce qui se passait derrière les portes closes, mais il m'arrivait de l'entendre et, quelquefois, le temps passant, les infirmières ou les aides-soignants m'en parlaient. Parmi les petites frappes, il y en avait de très machistes, qui ne supportaient pas de dépendre des femmes. Ils traitaient les soignantes avec rage, mépris. L'un d'eux, qui occupa la chambre située face à la mienne, jetait son gobelet à l'entrée d'une infirmière en lui criant : « Ramasse ! » Elles n'entraient plus dans sa chambre qu'à l'heure des soins.

En général, les chambres étaient fermées et il n'y avait aucun rapport entre les patients. D'une part, ils ne restaient pas longtemps. D'autre part, comme aurait dit Corneille, chaque homme est dans sa nuit – surtout dans un service où tout ce qui exigeait un travail de la bouche créait des difficultés. On se croisait parfois avec les potences dans le couloir, traînant les pieds et sans parler. Au mieux, un signe ou un petit salut. On n'avait pas gardé les vaches ensemble et on ne souhaitait pas le faire, le troupeau longeait la falaise quand il ne tombait pas dedans. Chaque visage était déformé, éborgné, tordu, tuméfié, bleui, bosselé, bandé. Pour un jour ou pour toujours, c'était le couloir des gueules cassées. Les uns finiraient par se ressembler de nouveau ; les autres, jamais. Certains des cancéreux allaient mourir, dans un mois ou dans un an. Quel que soit l'avenir, dans ce couloir chacun était le miroir de l'autre.

Il n'y a que les fous et les vilaines reines pour parler à leur miroir, surtout déformant.

On laissait la porte d'une chambre ouverte en cas d'urgence ou de grave difficulté, par exemple respiratoire. La porte ouverte l'était souvent sur l'au-delà. À quelques mètres de la mienne, je découvris celle d'un patient recroquevillé sur son lit, en chien de fusil, immobile et muet, la tête tournée légèrement vers le haut. Il avait une face de lune, qui formait un ovale concave allant du front au menton. Une scie semblait avoir découpé le visage pour n'en laisser que chaque extrémité et au milieu, dans le vide, des yeux qui paraissaient ne plus rien voir. Ses jambes avaient tellement maigri qu'elles semblaient fines comme des allumettes, prêtes à casser ou à flamber. Il était depuis un an dans le service et il ne marchait plus, ne parlait plus. On lui avait mis la radio, une radio où passaient bruyamment des tubes. Une infirmière m'a dit qu'il aimait ça et qu'il réagissait encore, avec des mouvements. Simplement, il fallait savoir les interpréter. On l'appelait Ludo. Il appartenait à une autre catégorie de patients : ceux qui avaient voulu se tuer. Ludo s'était tiré une balle dans la tête, à cause d'une femme, et il s'était raté.

Je voyais pour la première fois ce visage sans visage, ce corps amaigri par la souffrance et dans la survie et j'ai fait un geste à Gabriela qui signifiait : « Tu as vu ? » Elle avait vu et elle m'a fait signe de revenir en arrière. J'avais fait assez d'effort comme ça. Je n'avais pas à voir ça. Au-delà de Ludo, pour aujourd'hui en tout cas, il n'était pas question d'aller.

Depuis cette première marche, je n'ai pu passer une seule fois devant sa porte ouverte sans m'arrêter devant la chambre de celui que j'appelais maintenant le pauvre Ludo : le regarder était comme une prière. Je ne savais rien de lui, et je n'en sais toujours pas beaucoup plus, mais il m'accompagnait. Il était l'ouvreur et il était ce que j'aurais pu être. Il aurait suffi que la balle passe un peu plus haut ou qu'une deuxième la suive. Sa solitude, vierge de toute visite, m'en imposait. Au début, le pauvre Ludo avait récupéré quelques fonctions. Il pouvait presque parler, ou du moins se faire comprendre. Sa famille, ses amis venaient le voir. Il y avait eu une époque, aussi lointaine et improbable que celle des dinosaures, où il s'était déplacé lui-même jusqu'au poste de soins ou à la petite salle du personnel. On avait célébré son anniversaire et, même si Christiane l'avait pris en grippe pour des raisons que nul n'expliquait, peut-être simplement parce qu'il occupait un lit et mettait du temps à mourir, il était devenu la mascotte du service.

Puis, peu à peu, son état avait dégénéré et les gens avaient cessé de venir le voir. Désormais, il était seul. Il s'en allait avec pour compagnons les soignants. Les plombs qui restaient dans la tête avaient multiplié les problèmes cérébraux, nerveux. Les intestins s'étaient détraqués. Le pauvre Ludo avait cessé de se déplacer, de s'exprimer, de bouger. Il fallait le retourner, le laver, le changer. Il craquait de l'intérieur et de partout. Il ne faisait plus qu'être : une existence pure de toute contingence, envahie par une souffrance devenue muette, où tout ce qui restait de vie échappait aux vivants. Cette présence, d'un bout à l'autre du couloir, fixait mes longueurs et m'a aidé à vivre.

Un jour Linda, voyant que je le regardais, me dit : « Ah ! Monsieur Lançon. Si on veut se tuer, il ne faut surtout pas se tirer une balle dans la tête ou se défenestrer. Car si on se rate... Non, le mieux, c'est encore un bon gros gâteau au poison ! » Elle le dit d'un air onctueux, presque gourmand, comme une cuisinière prête à délivrer sa recette de crème pâtissière. Je me suis demandé de quelle couleur serait le gâteau et j'ai pensé : encore faut-il avoir les ingrédients. Le soir même, j'ai écrit à mon frère que je voulais m'inscrire à l'Association pour le droit de mourir dans la dignité. Moi aussi, me dit-il. Nous ne l'avons pas fait.

Une nuit, en février, le pauvre Ludo est mort juste avant l'aube. Il y a eu du bruit dans le couloir – un certain bruit, mélange nerveux de voix, d'appareils et de chariots que j'avais appris à reconnaître. Les infirmières qui me donnaient les premiers soins m'ont apporté la nouvelle que j'attendais. Ce matin-là, en faisant mes longueurs, je savais qu'il était parti, mais j'ai cherché le pauvre Ludo. La porte était ouverte. La pièce était vide, le matelas plastifié, nu. On allait nettoyer. J'ai continué d'y penser chaque jour en passant devant cette chambre, occupée le jour même par un autre patient, désormais close. Souvent, j'y pense encore. Je revis ce jour où, passant au ralenti, je l'ai vu pour la première fois vivre et se laisser mourir. C'était le jour où l'on m'a dit qu'il y avait une manifestation dans Paris. Elle a eu lieu, je n'y étais pas, et le lendemain matin je suis retourné au bloc. C'était la première fois que j'y entrais conscient. Pendant un an, pour tout, ce fut toujours la première fois. Le bloc était une pièce de ma nouvelle maison. J'ignorais encore à quel point cette pièce me deviendrait familière, et même désirable. C'était la pièce où le corps changeait et où les autres, ceux du dehors, ne me suivaient pas. J'y suis entré pour échapper au destin du pauvre Ludo.

CHAPITRE 9
Le monde d'en bas

— Vous passez en première position, Monsieur Lançon. C'était l'infirmière de nuit qui parlait. Je la voyais pour la première fois. Elle m'a dit son prénom. J'ai pensé que c'était celui d'un personnage de Raymond Queneau, qu'il était daté, qu'elle devait avoir à peu près mon âge et que moi aussi j'étais daté. Quand on est daté, c'est qu'on a survécu à quelque chose, à plusieurs choses même, et qu'on n'aurait peut-être pas dû. On a survécu, mais à quoi ? Du fond de mon lit, je croyais maintenant que l'attentat m'avait donné une date de péremption. Depuis quelque temps, je ne me sentais plus adapté à un métier affolé, affolant, exigeant de coller à un monde qui allait beaucoup trop vite et trop brutalement pour moi. L'actualité était devenue une galerie des glaces, remplie de lampes surchauffées qui n'éclairaient plus rien, et autour desquelles voltigeaient des nuages de moustiques de plus en plus stupides, moralisants, publicitaires, nerveux. Désormais, toute parole, toute phrase me faisait sentir son prix. Ma mâchoire détruite avait une gueule de métaphore et ce n'était pas plus mal comme ça.

L'infirmière de nuit avait le prénom d'un personnage de Raymond Queneau, mais aussi, ai-je pensé en la regardant, d'une fille que j'avais connue à dix-huit ans et qui, un soir, m'avait offert une peluche au moment où j'allais l'embrasser, ça refroidit. Depuis la veille, mon frère m'avait installé Internet, une petite borne coûteuse qui allait me suivre de chambre en chambre. On pouvait payer moins cher pour disposer du réseau de l'hôpital, mais il fonctionnait mal. La télé marchait mieux, c'était comme l'air pollué qu'on respire, mais j'ai maintenu la décision que je n'ai jamais regrettée : dans la chambre, ni télévision ni radio. J'aurais eu le sentiment d'être envahi par les moustiques. Je ne voulais entendre ou subir que les bruits directement liés à ma propre expérience, et cela dans le plus de silence possible, quitte à mettre des tortillons sous mon lit. Quand les portes des chambres s'ouvraient pendant que je faisais mes premières longueurs de couloir, j'avais découvert sans surprise que la plupart des patients, cloués dans leur lit et aussi moribonds soient-ils, regardaient la télé nuit et jour, le son poussé à fond comme pour réveiller un sourd, sinon le mort qu'ils risquaient d'être à brève échéance, et particulièrement la dernière et la plus efficace des machines à décerveler par l'actualité, BFM. Je les comprenais, et n'aurais pour rien au monde jugé la manière dont chacun affrontait la condition que nous partagions ; mais je ne voulais pas ajouter aux images qui m'occupaient, et qui avaient au moins pour mérite d'être intimes et relativement discrètes, ce tableau collectif de l'enfer : les informations et les divertissements en boucle.

Un peu plus tard cette nuit-là, j'ai continué de penser à Raymond Queneau. Son humour métrique et mélancolique m'avait toujours consolé, sans que je sache trop de quoi. Maintenant, je savais. Deux vers sont venus, tout seuls – il est vrai que je n'en connaissais pas beaucoup d'autres : « Je crains pas ça tellment la mort de mes entrailles / et la mort de mon nez et celle de mes os. » En position allongée, la mâchoire fuyait moins, mais elle s'est remise à fuir, je bavais à la moindre émotion, et la sonde naso-gastrique m'a brûlé la gorge et le nez. Une escarre était apparue dans l'intérieur de la narine par où le tuyau passait. On ne cessait de me l'enlever, de le remettre. J'avais vite compris que, pour limiter le désagrément, il fallait accepter ce tuyau, l'accueillir pour ainsi dire, de même qu'en plongée, lorsqu'on a un début de sinusite, il faut ouvrir les sinus à l'eau salée et accepter qu'elle les décape pour avoir une chance de descendre et surtout de remonter sans dégâts. Le tuyau est dominateur : plus on le craint et plus on lui résiste, plus il sanctionne et martyrise. Ce qui valait pour le nez valait pour les veines, de prises de sang en cathéters, et valut bientôt pour l'estomac. Il fallait aimer les tuyaux car, s'ils vous violaient, c'était pour votre bien. Ils vous apportaient l'eau, le sucre, la nourriture, les traitements, les somnifères, et finalement la vie, la survie et le soulagement. C'étaient des tyrans bienveillants.

Par ailleurs, je me sentais coupable d'éprouver ces douleurs car, si je comparais l'état du nez ou des veines à celui des mains et surtout de la mâchoire, le cas des premiers était, comme les effets, secondaire. S'en plaindre, c'était comme si, ayant sauté sur une mine, un cul-de-jatte de fraîche date se plaignait d'avoir une piqûre de taon sur le bout du nez. J'aurais voulu hiérarchiser les maux avec la sagesse de Bouddha, mais j'en étais incapable. Je ne vivais pas sous un banyan ou près d'une fleur de lotus, mais dans un lit d'hôpital, et je me sentais coupable de n'être pas à la hauteur de l'épreuve. Un infirmier m'avait dit la veille en riant : « Maintenant, il y a un héros dans la famille ! » Je ne me sentais pas un héros, mais j'avais honte de ne pouvoir vivre le rôle que les circonstances me donnaient. C'était une première manifestation de cette culpabilité particulière, à la fois déprimante et ombrageuse : la culpabilité du patient. Il dépend des autres pour presque tout et il aimerait au moins contrôler la manière dont cette dépendance s'exprime. Elle n'a fait que croître et se décliner de toutes les façons possibles dans les semaines qui suivirent, au point de devenir un mal en soi, un mal contre lequel il me fallait lutter, au même titre que mes chirurgiens luttaient contre la perte de poids, la brûlure des tissus, la suppuration des plaies, les fuites mentonnières et buccales et un épuisement qui, de bloc en bloc, devenait préoccupant.

Dans la nuit, j'ai cherché la trace de la fille qui m'avait offert la peluche. Je me suis rappelé son cou large, son visage androgyne, ses cheveux courts et blonds, à la Jean Seberg. J'ai mis du temps à retrouver son nom. Plus de trente ans avaient passé, elle en avait peut-être changé. Étais-je déjà vivant, en ce temps-là ? J'ai surfé en vain, maladroitement. La tête de la fille m'entrait dans le corps et me faisait tourner la tête. Je respirais de plus en plus mal. L'effet de la morphine s'estompait. La peluche, je m'en suis souvenu soudain, était un écureuil, charmant petit rongeur qui n'est fait que pour évoquer l'automne, les arbres, un plumeau et sa propre disparition. Quand elle me l'avait offerte, Mitterrand venait d'être élu, l'Europe était un projet d'avenir que nous étudiions en droit, et qui faisait quasiment des fonctionnaires de Bruxelles de nouveaux aventuriers. J'ai cherché les odeurs de la cafétéria de l'université et des bistrots enfumés, graisseux, où nous allions boire un café, manger un croque-monsieur, parler d'un cycle Bergman ou Anthony Mann, du dernier film de Godard ou de Truffaut. Je n'ai pas trouvé non plus. J'ai eu dix-huit ans et je laisserai volontiers dire à qui veut que c'est le plus bel âge de la vie, mais, face à cet ordinateur, à cette recherche, dans ce lit, c'était un âge qui n'avait pas existé, un de plus, un âge dont l'attentat avait effacé non pas toutes les images, mais toutes les sensations.

— Qu'est-ce que tu fais ? m'a dit Gabriela.

La lumière de l'ordinateur l'avait réveillée. J'ai écrit sur l'ardoise :

— Rien. Je réfléchis.

— Tu ne t'informes pas sur les attentats, hein ? Tu dois absolument éviter ça. Tu dois penser à des choses positives, des choses qui te font du bien. Concentre-toi sur un paysage que tu aimes, concentre-toi très fort et rejoins-le.

Gabriela semblait croire qu'il suffit de penser au Bien pour chasser le Mal. Je n'ai jamais pu imaginer un lac des Pyrénées – sans doute le paysage que je préfère au monde – au point de sentir que j'y plongeais. Mais m'informer sur les attentats, je ne l'aurais pas fait non plus. Je le répète : à tort ou à raison, j'aurais eu l'impression de dévaluer ce que nous avions vécu. L'actualité, maintenant, c'était pour les autres. Mais Gabriela n'avait pas fait six mille kilomètres pour apprendre que je cherchais sous morphine la trace d'une fille oubliée pendant qu'elle s'inquiétait pour moi. Comment lui dire, d'ailleurs, que j'avais commencé à chercher la trace de tout ce qui remontait à la surface, en désordre, comme des cadavres au fil de l'eau, pour une raison ou pour une autre ? Tout, et d'abord ce qui avait disparu depuis longtemps. C'étaient des noms, des silhouettes, des instants qui n'apparaissaient que par court-circuit. Je n'aurais su comment l'expliquer à quelqu'un qui comme elle vivait, même en pleine crise, même avec des ruptures, dans la continuité : ce que Gabriela aurait pris pour une indélicatesse n'aurait fait qu'alimenter son angoisse et même sa jalousie. Nous étions là, dans cette petite chambre, comme au fond du ventre d'une baleine, elle avec sa vie coupée, moi avec mon visage défait, suspendus entre les drames, et elle n'allait changer ni de situation ni de caractère sous prétexte que je devais changer de mâchoire et de vie.

L'infirmière de nuit avait le prénom d'un personnage de Raymond Queneau. Dans ce livre, plutôt que Zazie je l'appellerai Madeleine. Ses cheveux étaient longs, clairs et raides. Ses lunettes carrées avaient une monture légère qui paraissait luire méchamment dans l'obscurité. Elle s'est avancée vers mon lit en passant devant celui de Gabriela. J'ai regardé si Gabriela était là pour me défendre, au cas où – où quoi ? Eh bien, au cas où Madeleine m'assassinerait. Depuis qu'ils avaient surgi à l'improviste dans *Charlie*, j'imaginais que les tueurs prenaient toutes les formes et qu'ils étaient partout chez eux, en particulier chez moi. Gabriela semblait dormir. Sa chevelure bougeait un peu sur l'oreiller. Le sourire de Madeleine et sa voix douce, presque murmurante, se sont encore rapprochés. Un petit regard dur et un cou trapu les contredisaient. J'ai pensé que Madeleine était célibataire et sportive, le genre à passer ses vacances à marcher sans confort mais bien équipée dans des pays lointains, pauvres, des pays sans Queneau, sans infirmières, sans soins, des pays où l'on survivait beaucoup plus mal qu'ici à un attentat. Tandis qu'elle se penchait sur moi et me parlait, j'ai cherché son regard et je me suis demandé si elle voyageait aussi dans des pays où il était impossible de rire de tout.

Elle avait traversé la petite chambre à pas souples de cambrioleur. Sans doute était-elle chaussée, comme les autres, de sabots en caoutchouc perforé, puisqu'ils couinaient légèrement sur le revêtement. Elle était costaude, carrée d'épaules, et, tandis qu'elle changeait la poche alimentaire et m'injectait la morphine bienfaisante et nourricière, je l'ai imaginée dans une salle de gymnastique, donnant des cours sur un cheval-d'arçons, aux barres parallèles, aux anneaux, dans toutes les positions, puis dans une salle de torture clinique où elle devenait, avec chaque patient, un excellent bourreau. Elle a vite pris ce dernier emploi dans la file de mes rêves. Elle revenait chaque nuit pour m'enlever quelque chose et me faire avouer autre chose, n'importe quoi. Son rôle imaginaire était de provoquer la confession et de prolonger le châtiment. Dans la réalité, Madeleine ne m'a jamais maltraité et, comme la plupart des gens de la nuit, elle m'a plutôt et largement rassuré ; mais il émanait d'elle une menace, un manque d'affection, et je me suis aussitôt senti coupable de souffrir et de le lui avoir dit. Était-ce une mauvaise chose ? Je n'en suis pas sûr. Avec la figure de Madeleine, pas de laisser-aller. Et elle m'a annoncé :

— Vous passez en première position, Monsieur Lançon.

Le lendemain matin, 12 janvier, je suis descendu au bloc un peu avant 8 heures. C'était la deuxième opération et c'était la première fois que j'entendais ce mot, « première position ». J'ai pensé à « pole position », aux ronflements des voitures de course sur la ligne de départ, comme des molosses qu'on retient, et à un accident que j'avais vu en direct, celui qui avait provoqué la mort du pilote suédois Ronnie Peterson. J'avais quinze ans et j'avais décidé de regarder, pour la première fois, un grand prix de Formule 1. Ronnie Peterson était mon favori. À cette époque, en partie du fait de Borg, le tennisman qui dominait le circuit à peu près autant que l'Everest, les Suédois avaient la cote dans mon imaginaire. C'étaient des gens grands, blonds, muets et discrets, et, s'ils gagnaient à la fin comme les Allemands, ils n'étaient pas aussi désagréables qu'eux. Ils ne nous avaient pas occupés. Ils n'avaient pas exterminé les Juifs. Ils n'avaient pas les arbitres dans leurs mains. Ils ne répandaient pas leurs ventres et leurs cris sur les plages espagnoles. Leur langue était aussi peu compréhensible, mais personne n'était obligé de l'apprendre à l'école. Les Suédois étaient mes bons Allemands, les grands blonds qui me complexaient sans être antipathiques. Après la mort de Ronnie Peterson, je n'ai plus jamais regardé un prix de Formule 1.

En pole position pour ma deuxième opération... J'en suis à la dix-septième au moment où j'écris ces lignes, en août 2017, dans le fin fond de l'Écosse. Il pleut, il fait beau, le temps change ici beaucoup plus vite que le cœur d'un mortel, sans jamais donner l'impression d'être capricieux ou inconséquent : aux hommes de s'adapter. De nouveaux attentats ont eu lieu loin d'ici, en Catalogne, sur la Rambla de Barcelone et dans une station de vacances populaire. J'y ai des souvenirs d'été assez désagréables. Franco venait de mourir. L'Espagne et ses modestes pesetas offraient des vacances à bas prix à l'Europe du Nord, aujourd'hui c'est la Grèce. J'étais adolescent et j'étais horrifié par le grégarisme et la vulgarité des vacanciers, et donc d'abord par les Allemands. J'avais l'impression que mes parents cédaient à l'atmosphère, que leur courtoisie devenait une soumission aux brutes. Je n'étais pas différent d'eux.

Sur des plages proches de Cambrils, je lisais tantôt Balzac, tantôt *SAS*. J'aimais beaucoup Vautrin et Félix de Vandenesse, beaucoup moins Rastignac et Rubempré, et j'aimais Malko, le prince espion et pornographe de Gérard de Villiers, celui qui défendait l'Occident contre les Rouges. Les monstres de Balzac rejoignaient ceux de Gérard de Villiers avec un grand naturel entre les ventres et les bikinis. Je ne regrette pas ces années-là, marquées par le malaise, mais je les regrette au moins pour deux choses, l'isolement que procurait la lecture en toutes circonstances et l'absence de bon et de mauvais goût : l'esprit ne faisait pas plus le difficile que l'appétit de Balzac ou mon estomac rempli en fin d'après-midi, quand la brise de mer adoucit l'air, par un cornet de churros bien gras.

J'écris pour me souvenir de cela aussi, de tout ce que j'ai failli oublier, de tout ce que j'ai perdu, en sachant que je l'ai tout de même oublié ou perdu. Il m'était arrivé comme tout le monde de le perdre et de le retrouver brutalement, sans y être préparé, mais la continuité de la vie me protégeait de tout ce qu'il y avait de menace dans ces éclairs remémoratifs. Le 7 janvier a mis la menace au premier plan, chaque jour, chaque minute, dans chaque détail. Depuis, à chaque attentat, j'ai un peu plus la certitude que je mourrai dans un monde où les héros de Balzac n'existeront plus pour personne, où plus personne ne lira un roman vulgaire de Gérard de Villiers sur une plage espagnole en été. Comme les précédents, les attentats de Barcelone et de Cambrils m'éloignent d'une histoire où, une fois les bougies éteintes et les petits cœurs rangés, tout le monde fait comme si rien n'avait eu lieu – comment faire autrement ? – et comme si ces tueurs n'étaient pas une conséquence désastreuse de ce que nous sommes, de ce que nous vivons.

Ma deuxième opération, disais-je. Je n'ai pas cessé de compter les opérations comme je n'ai pas cessé de compter les attentats. Je sais que le compte n'est pas clos et que cette comptabilité est devenue sans importance. Je continue de la faire connaître, non sans complaisance, à ceux qui me la demandent comme aux lecteurs de *Charlie*. Elle a nourri la plupart des articles qui évoquaient mon cas, les gens aiment les chiffres et les records et la plupart des journalistes sont toujours prêts à leur donner, comme aux enfants, ce qu'ils sont dressés à vouloir. Cette comptabilité me rappelle une chose : tant qu'il y a du bloc, il y a de l'espoir – espoir de s'améliorer un peu, beaucoup, passionnément, à la folie. Ou pas du tout, mais je n'en suis pas encore là. Je ne suis pas, comme on dit dans le jargon des évaluateurs d'État, consolidé. Rejoindre le bloc n'est plus une habitude, mais il reste une perspective et, dès que j'y retourne, il redevient l'une et l'autre. C'est moi le vieux cheval de bloc, qui remue des oreilles et frémit des naseaux en descendant vers la chambre légèrement froide, légèrement verte, comme l'animal va au parcours de saut d'obstacles après la pesée. Le patient n'est d'ailleurs pas fait pour rester au lit. L'action a lieu dans le monde d'en bas.

Ce matin-là, Madeleine m'a réveillé vers 5 h 30. Gabriela a bougé, mais elle ne dormait pas vraiment. Comme la veille au soir, elle m'a aidé à me doucher. Pour la première fois, j'ai fait les gestes de l'aube que tout habitué connaît. Ils allaient vite devenir un rituel puis, les opérations s'espaçant de trois ou six mois, un plaisir commémoratif. Aller vers la salle de bains avec la potence. Déchirer la blouse de nuit et la jeter dans la poubelle. Vérifier que le kit est là et entier : les capsules jaunes de la Bétadine qui fait office de savon, l'alèze verte et rêche qui fait office de serviette, la charlotte pour recouvrir les cheveux mouillés après la douche, les surchaussures pour les pieds nus. Mettre les sacs-poubelle autour des pansements et les nouer aussi peu mal que possible. S'asseoir sur la chaise apportée alors par Gabriela ou par une aide-soignante, pencher la tête le plus en arrière possible. Ouvrir l'eau et se mouiller en évitant au maximum les zones sous pansement, et absolument la mâchoire et ses alentours. Enlever les sacs plastique. Se sécher avec le drap vert qui ne sèche pas en effectuant le moins d'acrobaties possible. Mettre la blouse de bloc. La nouer autour de la taille. Me coiffer de la charlotte et retourner au lit en mettant les surchaussures sur la table de nuit. Prendre le sédatif léger que l'infirmière dilue dans un minimum d'eau. Puis, fermer les yeux et attendre l'arrivée du brancardier.

Cette fois-là, je ne l'ai pas entendu arriver. Je somnolais et n'étais pas encore habitué au bruit spécifique des roulettes qui annonce, comme la crécelle d'un lépreux, que l'action approche. Il y avait plusieurs brancardiers dans le service. L'un d'eux était antillais, costaud, très beau, et plus tard, en me remontant d'un bloc, il m'a promis de me préparer un jour ses plats préférés. J'attends toujours, mais c'est sans importance : l'idée de ce repas a permis, dans le monte-charge qui me ramenait vers la chambre, de me persuader qu'un jour prochain je pourrais de nouveau manger.

Celui qui m'a le plus souvent accompagné était jeune, pâle, châtain clair, avec une barbe de quelques jours. Sa charlotte m'a toujours empêché de voir la nature et la longueur exacte de ses cheveux, les gens du bloc ne se découvraient jamais pour saluer le patient qu'on allait opérer, et je n'ai pu imaginer sa taille que par rapport à celle des murs et des autres soignants, puisque je ne l'ai vu, comme tant d'autres, que depuis la position allongée. Je n'ai pas davantage appris son nom, alors je l'appellerai Bill. Bill avait une voix douce, un peu désespérée, et un sens de la dérision qui en aurait fait un bon personnage de série télévisée, hospitalière ou non. J'en profite pour dire que, si je n'avais pas suivi *Urgences*, j'étais devenu fan de *Dr House*. Bill avait affiché sur son casier la phrase qui ouvre l'*Enfer* de Dante : « Vous qui entrez ici, quittez toute espérance. » Dr House n'aurait pas dit mieux.

Bill n'était pas seul à m'accompagner. Les deux policiers qui avaient passé la nuit devant ma chambre ont paisiblement exigé de nous suivre. C'était la consigne. Nous voilà tous les quatre dans le monte-charge qui descend vers le bloc. Il y avait peu d'espace entre les parois et le brancard. J'avais le nez et les tuyaux au ras des Beretta. Je regardais tantôt le visage de Bill, tantôt celui de chacun des policiers, en leur souriant comme si ma vie en dépendait : ils étaient là pour me rappeler que les tueurs n'étaient jamais loin. Ils me souriaient aussi. Nous ne parlions pas. Bill était embarrassé par la présence de ces uniformes. J'avais pris mon ardoise et mon feutre, j'ai écrit : « Drôle d'endroit pour une rencontre. » J'avais l'impression de rejoindre non pas l'étage du dessous, mais une planète inconnue, lointaine, dans le genre Pluton. La porte s'est ouverte sur une antichambre étroite, encombrée d'objets et de vêtements de bloc, une sorte de penderie blafarde. La négociation entre les cosmonautes a commencé. Les policiers voulaient m'accompagner le plus loin possible. Je me suis demandé s'ils seraient dans le bloc pendant l'intervention, s'ils regarderaient Chloé bricoler ma mâchoire. Il me semblait improbable qu'elle pût le supporter. Bill a expliqué qu'au-delà de la première porte, l'accès était interdit à ceux qui n'étaient ni soignants ni patients. De toute façon, pour des raisons sanitaires, même en restant dans l'antichambre ils devaient mettre une charlotte, des surchaussures et une blouse. Des sourires embarrassés sont passés d'un visage à l'autre, comme des nuages sur un paysage. On flottait entre métier et comédie. Imaginer les policiers dans le bloc m'a aussitôt conduit à imaginer que des tueurs y entraient. Mais imaginer est un mot trop faible. La scène était comme projetée devant moi. Une fois de plus, j'en faisais partie.

Un policier a dit :

— Il y a plusieurs portes d'accès ou c'est la seule ?

Il y en avait une autre, a dit Bill, de l'autre côté des blocs, mais personne ne l'utilisait. Le policier lui a répondu que s'il y avait une porte, quelqu'un pouvait l'utiliser, l'un d'eux irait donc s'installer devant. Puis ils ont lentement posé leurs armes à terre et enfilé avec difficulté les charlottes et les surchaussures. Les cosmonautes flottaient maintenant dans une atmosphère sans gravité. Peut-être leurs armes allaient-elles s'envoler, et eux avec, pour finir au plafond, comme le whisky solidifié du capitaine Haddock. La blouse de bloc par-dessus l'uniforme, il ne fallait pour eux guère y songer, ils auraient dû commencer par tout enlever et on y aurait passé la matinée. C'est peut-être pour cette raison, lestés par les vingt kilos d'uniformes, de radios, de pistolets et de ceintures, qu'ils sont finalement restés à terre.

Derrière la porte, ceux du monde d'en bas regardaient la scène d'un air mi-narquois, mi-effaré. Il faisait froid, mais on était un peu au théâtre sur Pluton et, tout en respirant de travers, j'ai pensé que si ce devait être ma dernière vision, c'était réussi.

Je suis entré dans la « salle d'attente » en regardant l'un des deux policiers disparaître derrière le hublot, sa charlotte sur la tête et le fusil-mitrailleur à la main. À bientôt ! ai-je pensé. Bill m'a rangé le long d'un mur en me disant bonne chance, et qu'on allait venir s'occuper de moi. C'est alors que la Castafiore est apparue.

C'était l'infirmière responsable de la salle de réveil. On l'appelait comme ça dans le service, parce qu'il était difficile d'ignorer sa présence et parce que longtemps elle avait chanté. Elle adorait l'opéra, être cantatrice avait été son rêve et assez vite, lors des blocs suivants, en attendant le billard, c'est de ça que nous avons parlé. Elle s'appelait Annie. Elle me prenait la main ou le poignet et me malaxait doucement, me caressait les doigts et les paumes et me procurait ainsi un certain réconfort. Mon corps entier se détendait sous sa main ferme, puissante et rebondie. Elle me parlait de ses airs préférés. Contrairement au capitaine Haddock, toujours lui, j'aurais bien voulu l'entendre chanter, mais le bloc n'est pas une salle d'opéra ou un studio d'enregistrement, et Annie ne pouvait que préparer mon entrée en scène opératoire et, si elle en avait le temps, me tenir compagnie jusqu'au bout. Elle le faisait volontiers. De bloc en bloc, nous avons échangé des conseils sur l'interprétation de telle ou telle œuvre. Un jour, elle est entrée dans le bloc et, pour ajouter à mon confort, a voulu disposer les tuyaux d'une certaine façon et me donner un produit relaxant. On lui a demandé brutalement de partir, le bloc n'était pas fait pour la courtoisie, et elle est sortie en murmurant : « Bon, puisque c'est comme ça, j'y vais, je voulais simplement l'aider… »

Une infirmière anesthésiste est venue installer la perfusion. Ce jour-là, ce fut facile : j'avais encore des veines. De bloc en bloc, elles se firent plus dures, plus rares, minces et discrètes, roulant et fuyant sous la longue aiguille, disparaissant pour finir sous la mince surface de la peau. Cette réaction sensitive accentuait la douleur des piqûres et l'embarras des infirmières qui, après quelques essais infructueux, en appelaient à ce chien truffier de première qualité : l'anesthésiste. À mon anesthésiste préférée, Annette, dont il sera bientôt question, j'écrivis quelques jours plus tard sur l'ardoise : « Pardonnez à mes veines, elles sont timides. » C'était pour moi un miracle et un soulagement de la voir apparaître (elle ou un autre, ils étaient quatre anesthésistes dont trois fortes femmes qu'on n'avait pas envie de contrarier). Elle tâtait l'avant-bras et la main et découvrait, là où nul n'avait rien vu, la veine paresseuse, traînarde, complaisante, qui attendait d'être saisie et aussitôt percée. Malheureusement, l'anesthésiste arrivait quand les autres avaient renoncé, et la recherche de la veine, après le quatrième bloc, devint pour moi le principal repoussoir, l'autre étant les états du réveil. J'aimais retrouver le monde d'en bas et ses habitants, je me sentais bien parmi eux, mais j'avais beau donner l'exemple de la plus grande civilité à mes veines, mes petites prostituées, elles s'obstinaient à refuser le contact avec le soignant. Elles n'avaient que quatre ou cinq jours, entre deux interventions, pour se reconstituer. Ce n'était pas assez.

Un mois plus tard, j'ai effectué pour quelques heures l'une de mes premières sorties. J'avais proposé à mon frère d'organiser avec les policiers une visite dans un musée que j'aime particulièrement : le musée Guimet, consacré aux arts asiatiques. Je voulais voir la Chine, qui est lointaine, et je voulais voir la Seine, dont il est proche : voir autre chose, revoir la même chose. Il y avait une exposition sur la splendeur de la dynastie chinoise des Han. Les statues de danseuses étaient si fluides qu'elles semblaient bouger. L'une d'elles avait au bout des bras des manches échancrées qui dissimulaient les mains comme sous des fleurs en forme de petites cloches. Leurs corps se mélangeaient à l'air qui devenait les manches. Moi dont chaque geste était devenu difficile et dont le cou n'était plus qu'un périscope rouillé, j'étais intimidé par ces antiques créatures si élégantes, si souples, qui faisaient sauter la frontière entre immobilité et mouvement. Je tournais autour d'elles péniblement, tandis que dans la vitrine se reflétait la silhouette de l'un des deux policiers en civil qui m'accompagnait, se mêlant peu à peu à la statue comme pour lui donner un supplément de vie. L'autre policier était à légère distance : il ne fallait pas offrir de cible groupée à d'éventuels agresseurs. Les cavaliers et leurs chevaux, avec leurs petites queues fières nouées en chignon, semblaient jaillir du tombeau pour accomplir toutes sortes de rêves et venger toutes sortes d'humiliations. Il y avait la statue de Tianlu, en charge des richesses accordées par le ciel, et celle de Bixie, qui chasse les esprits malfaisants. Mais celle qui m'a le plus attiré représentait Guan Yin, la déesse aux mille bras, parce que j'aurais voulu, à l'arrivée au bloc, en disposer. À chaque intervention j'aurais tendu un bras vierge au garrot de l'anesthésiste tandis que la Castafiore, toujours soucieuse de me détendre et de me changer les idées, aurait dit : « Ah ! Monsieur Lançon, si tous les patients avaient autant de bras que vous, les infirmières seraient aux anges ! Et moi qui rêve d'aller en Chine… » Éviter quelques douleurs en facilitant le boulot des soignants, c'était bien la mission que je rêvais de remplir. Je n'étais pas un héros, mais j'aurais quand même voulu en être un. Que Guan Yin soit une déesse vouée à la miséricorde et au sauvetage des personnes menacées, entre autres, par le fer et le feu, ne faisait qu'ajouter à ses charmes et à son utilité.

Le catalogue de l'exposition ne m'a plus quitté jusqu'au moment où, quelques mois plus tard, et pour le remercier, je l'ai offert à Joël, le coiffeur qui vint plusieurs fois dans la chambre me couper les cheveux gratis. La première fois, c'était juste avant l'opération la plus importante : la greffe de la mâchoire. « Dites donc, il serait temps de passer chez le coiffeur ! Vous n'allez pas continuer à descendre au bloc comme ça ! » m'avait dit Chloé qui, comme tous les chirurgiens, n'aimait pas les poils. Joël m'a coiffé en silence pendant que nous écoutions *Le Clavier bien tempéré*. Il coiffait des bourgeoises du 7ᵉ arrondissement parisien, des actrices, des gens chics et refaits, mais il allait aussi coiffer en prison et à l'hôpital, et maintenant il coiffait un journaliste au visage en travaux. Il arrivait avec son matériel et la cérémonie commençait. Tandis qu'il installait le tissu protecteur et me vaporisait le crâne, j'ai fermé les yeux et, sous cette rosée artificielle, éprouvé une brève jouissance. Pendant quelques minutes, les douleurs se sont éteintes, il y a eu des frissons, je renaissais un peu, et, Bach aidant, j'ai eu l'impression sensible, amicale, presque tendre, qu'en m'offrant la jolie coupe du condamné, Joël me préparait au mieux pour une exécution.

Un certain temps a passé avant qu'on me fasse entrer dans le bloc. On s'agitait autour de moi. Jusqu'au dernier moment, j'ai gardé mon ardoise et mon feutre. Enfin, on m'a fait passer du brancard au billard.

— Mettez-vous un peu plus vers le haut, Monsieur Lançon !

La tête devait être posée à la lisière du billard, dans une sorte de renfoncement qui la faisait pencher en arrière, presque dans le vide, et ne facilitait pas la respiration : le visage était tendu vers le chirurgien, quasiment comme celui d'une bête à égorger. Annette préparait l'anesthésie, après qu'une infirmière eut posé les électrodes, tout en m'expliquant ce qu'elle faisait avec une légère grimace, un peu gourmande, un peu sauvage, qui ressemblait à un sourire et n'en était peut-être pas un. Elle avait une bonne cinquantaine d'années, un visage ridé et de grands yeux clairs qui vous fixaient comme depuis le fond d'un lac inquiétant auquel vous n'auriez jamais accès. Je suivais son regard et son étrange sourire comme un enfant celui d'un moniteur dont le chemin dépend. Elle installa la couverture chauffante en polyester, fine et transparente. J'ai pensé à du matériel de camping. Un peu plus tard, Chloé est apparue. C'était la première fois que je la voyais avec une charlotte sur la tête. Sa chevelure blonde avait disparu. Elle m'a parlé en souriant comme elle faisait souvent, « à la cantonade », et Annette m'a annoncé que j'allais sentir une légère brûlure au bras gauche, au point d'entrée du produit anesthésiant. À cet instant, j'ai imaginé l'irruption des tueurs pendant mon sommeil et j'ai regardé tous les visages coiffés qui m'entouraient comme si nous allions tous mourir, eux dans la terreur et moi en paix. Un an plus tard, un article m'apprenait qu'en Syrie, à Homs, pendant un bombardement, des chirurgiens avaient dû fuir les blocs en pleine intervention, laissant leurs patients inconscients. J'étais si choqué que j'en ai parlé aussitôt à Chloé, qui m'a répondu : « Que voulez-vous, il y a des moments où il n'y a plus qu'une chose à faire, sauver sa peau. » De quoi rêve le patient lorsqu'il va mourir seul, sous anesthésie, au milieu d'un bloc bombardé ? Je me suis endormi.

J'ai du mal à retrouver les sensations du deuxième bloc, car elles sont recouvertes par l'habitude que m'en ont donnée les suivants. À partir de la cinquième ou sixième intervention, j'étais content d'y retourner. Je retrouvais en habitué ce monde verdâtre et ceux qui l'occupaient. Je les dévisageais un par un comme un homme qui, après un voyage, revient au village et retrouve des têtes familières. Je savais le peu que j'avais à faire. Je savais que chaque geste de l'équipe me transformait. J'y arrivais parfois avec un livre planqué sous le drap : les *Lettres à Milena* de Kafka. Je l'avais ouvert à l'aube, juste avant le troisième bloc, et c'est en attendant d'y entrer, rangé sur mon brancard le long d'un mur, Annie absente, que j'ai sorti le livre de sous le drap et lu quelques passages, dont celui-ci : « Bon alors tu vas mal, comme jamais depuis que je te connais. Et cette insurmontable distance en plus de ta souffrance produit cet effet : c'est comme si je me trouvais dans ta chambre et tu pourrais à peine me reconnaître et j'irais désemparé du lit à la fenêtre et je n'aurais aucune confiance en personne, en aucun médecin, en aucun traitement, et je ne saurais rien et je regarderais ce ciel sombre qui se dévoilerait en quelque sorte à moi pour la première fois après toutes les plaisanteries des années passées dans son véritable désespoir… »

On est venu me chercher une première fois, pour me laisser juste à l'entrée du bloc. J'ai ressorti le livre de sous le drap et, un peu plus loin, j'ai lu cette phrase : « Le malade est abandonné par le valide, mais le valide l'est aussi par le malade. » Ce double abandon demeurait-il vrai ici, dans le monde d'en bas ? On m'a emporté tandis que je ruminais un autre passage, où il était question des marmites de l'enfer.

Une fois harnaché sur le billard, j'ai commencé à raconter une histoire à ceux qui se préparaient à m'endormir. Une minute environ après la petite brûlure au poignet gauche, j'ai perdu conscience au milieu du récit. Aujourd'hui, j'en ai même oublié le début. Mais il devait être assez précis pour que le lendemain matin, pendant la visite, Chloé me demande : « Mais c'était quoi, la fin de l'histoire ? Que vouliez-vous nous dire ? On a passé tout le bloc à se le demander. » C'est peu dire que j'ai cherché dans les jours suivants – en vain – quelle pouvait être la fin de l'histoire – comme je cherche, aujourd'hui, quel pouvait en être le début. Au moment où je finissais ce chapitre, j'ai de nouveau écrit à Chloé pour lui demander si elle s'en souvenait : elle aussi avait tout oublié. À l'époque, je me suis consolé en pensant qu'une fois au moins dans ma vie j'avais été un bon conteur, un homme qui laisse en haleine ceux qui l'ont endormi et qui doivent continuer à veiller sur lui, mais sans lui ; qui doivent en quelque sorte survivre à la fin d'une histoire qu'ils ne sauront pas. Puis je me suis dit que si Kafka était incapable de retrouver pour moi cette histoire, il donnait au moins une raison d'être à sa disparition. Plutôt que d'achever un récit dont la fin n'aurait fait qu'ouvrir sur le vide et davantage de peine, je l'avais volontairement raconté à des gens, dans un endroit et à un moment où il ne pourrait qu'être interrompu et disparaître, comme un rêve. Puis je m'étais allongé dans le jardin ouvert par la petite brûlure, ce jardin dont la perspective m'enchantait et qui me plongeait, pour quelques heures, dans le coma.

La plupart des réveils ont été soit difficiles, soit épouvantables. Les uns étaient dominés par la douleur physique : gorge en feu, incapacité à respirer, nausée. Les autres ajoutaient à cette douleur la répétition du réveil initial, celui du 7 janvier : de nouveau j'étais chez moi et une journée ordinaire allait commencer, de nouveau les lumières blafardes et les voix des infirmières chassaient le bien-être éprouvé, cette queue de coma, pour me replonger dans l'une des marmites kafkaïennes ; mais l'enfer, n'était-ce pas justement ça : l'éternel retour d'une sensation fictive, créée par la mémoire, et la brutale expulsion du paradis ordinaire qu'elle rappelait ? Quoi qu'il en soit, ce fut le cas au réveil du deuxième bloc. J'étais chez moi, bienheureux entre les draps, quand la gorge se mit à brûler horriblement. J'ai ouvert les yeux, vu cette lumière, je les ai aussitôt refermés pour rejoindre le sommeil qui avait interrompu mon récit. Mais la douleur, cette fois, est venue au secours de l'éveil. Elle le fouettait et m'obligeait à ne plus traîner en route, dans l'interzone où n'existe pas la limite entre conscience, perception et souvenir. Alors, l'ordre des exigences s'inversait : réveillé, livré tout entier à la douleur et au malaise, je devais au plus vite mordre aux hameçons que la salle de réveil me tendait. Ce matin-là, deux infirmières, au pied de mon lit-brancard, faisaient des mots fléchés. Je me suis concentré pour les écouter, les comprendre. L'une a dit : « Madame Bovary en quatre lettres ? » Elles ne trouvaient pas. Mes yeux se fermaient. Réveille-toi ! ai-je pensé. J'ai fait un geste, qu'elles ont vu. J'ai entendu : « Il veut nous dire quelque chose, le petit monsieur ? » J'ai fait oui de la tête et montré leurs mots fléchés du doigt. « Vous voulez nous aider, c'est ça ? » J'ai fait de nouveau oui. L'une a pris mon ardoise et mon feutre, rangés avec les *Lettres à Milena*, les deux se sont approchées. « Alors, vous avez une idée ? Madame Bovary en quatre lettres ? Nous, on cale... » D'une main tremblante, j'ai écrit : « Emma ». Et dessous : « C'est son prénom. » M'étais-je déjà senti aussi heureux d'avoir lu un roman et de n'avoir pas oublié son titre ? En tout cas, j'étais réveillé et j'ai pensé : Merci Flaubert.

CHAPITRE 10

L'anémone

« Chers amis de *Charlie* et *Libération*,
 Il ne me reste pour l'instant que trois doigts émergeant des bandelettes, une mâchoire sous pansement et quelques minutes d'énergie au-delà desquelles mon ticket n'est plus valable pour vous dire toute mon affection et vous remercier de votre soutien et de votre amitié. Je voulais vous dire simplement ceci : s'il y a une chose que cet attentat m'a rappelée, sinon apprise, c'est bien pourquoi je pratique ce métier dans ces deux journaux – par esprit de liberté et par goût de la manifester, à travers l'information ou la caricature, en bonne compagnie, de toutes les façons possibles, même ratées, sans qu'il soit nécessaire de les juger. »

Sept jours après l'attentat, j'ai publié dans *Libération* l'article qui débute par ces lignes, mais je n'ai pas eu l'impression de l'avoir écrit. C'est la seule fois de ma vie où, si j'excepte les regrettables poèmes de jeunesse dont j'ai parlé plus haut, je savais le texte à peu près par cœur au moment où je me suis mis à le taper. Je l'ai tapé comme un rêve et comme je pouvais, entre infirmière et attente d'infirmière, entre morphine et attente de morphine, sur l'ordinateur que mon frère avait rapporté de ce poussiéreux capharnaüm appelé : chez moi. Le journaliste, avec sa discipline pavlovienne, venait au secours du blessé pour que le patient puisse s'exprimer. Il n'a pu éliminer le dolorisme dans lequel les deux autres baignaient. Il est difficile de ne pas prendre au sérieux ses émotions et ses sensations quand ce qu'on est devenu se réduit à elles. Il faudrait les tenir à distance et pratiquer l'art confortable de la dérision ; mais le confort est absent et la dérision ne serait qu'une pose. Il faut du temps pour poser et je n'en avais pas.

C'est aussi la première fois en trente ans de métier que je donne directement, dans un journal, des nouvelles de moi. Comme je fais partie de l'événement, je le décris du dedans et en le survolant, mais je ne le fais pas sans gêne. Du fond de mon lit, j'ai l'impression de faire quelque chose d'interdit et même de dégoûtant. Qu'est-ce que je fais exactement ? Je signifie aux autres que je reste vivant et serai bientôt de retour parmi eux. Du moins, c'est ce qu'ils croient ou veulent croire, on me le dit et me l'écrit, et c'est sans doute ce que je cherche à croire et à leur faire croire : cet optimisme de la volonté, après tout, est signe de vie. Cependant, au moment où je l'écris, le texte signifie également l'inverse : c'est à ceux qui ont fini là-bas, autour de la table de conférence et dans le couloir de *Charlie*, que je m'adresse. Leçon de piano posthume : si la main droite joue pour les vivants, la gauche joue pour les morts et c'est elle qui bat la mesure.

Je ne dirais certainement pas que ce texte m'a été « dicté » par une voix. Je ne m'appelle pas Jeanne d'Arc et je n'ai jamais cru à l'idée de l'écrivain « habité ». C'est bien moi qui l'ai fabriqué et envoyé en toute conscience au journal, comme n'importe quel article, mais cette fabrication, ou plus exactement cette fermentation, est née d'un état entre veille et sommeil, entre deux mondes, où, du fond de ma chambre, je parlais bien aux morts plus qu'aux vivants, puisqu'en ces jours-là je me sentais proche des premiers, et même un peu plus que proche : l'un d'eux. J'ai donc écrit et publié un article adressé en priorité à des lecteurs qui ne pourraient jamais le lire. Leur absence m'attirait, elle me pénétrait. Ils étaient entrés dans un puits où une partie de moi-même, par solidarité, par compassion, ou simplement par douleur, aurait voulu les suivre et se sentait prête à le faire. Si bien que je ne saurais dire, aujourd'hui encore, si j'ai écrit cet article, cette lettre, cette confession, pour les rejoindre ou pour m'éloigner d'eux. Ou les deux. Une paire de mains sur le clavier, disais-je. Il est possible que mes compagnons aient tenu la gauche, mais à aucun moment je n'ai entendu leurs voix. C'est même parce que je n'arrivais plus à les entendre que j'ai commencé à répéter les mots, certains mots, qui allaient devenir ce texte. Il n'a pas été écrit par Jeanne d'Arc parmi ses blancs moutons, mais il est assurément le produit d'un sourd et d'un illuminé.

Il n'y avait pas de fleurs dans la chambre 106, ni réelles ni dessinées par des enfants, mais il est né un soir où l'anémone battait sous la morphine un peu plus fort que d'habitude. C'était deux jours après la manifestation du 11 janvier. La fleur battait si fort qu'elle menaçait de m'avaler. Le store à enrouleur de la fenêtre était baissé. Gabriela travaillait à côté de moi sur le petit lit qu'on lui avait installé. Son visage concentré était éclairé par la lumière de l'écran. J'ai fermé les yeux.

C'était une anémone de mer – comme celles que dans ma jeunesse j'aimais regarder, surtout la nuit, éclairées par le faisceau d'une torche sous-marine, quand je plongeais. Le mouvement lent des tentacules me ravissait. Depuis mon arrivée ici, l'anémone apparaissait le soir, à l'heure où, dans le service, les patients déclenchaient les sonneries posées à la tête du lit. Ces sonneries tombaient souvent par terre. Coincer le fil qui les reliait au mur avec la barre du lit et les poser à l'endroit où l'on peut s'en saisir sans effort, presque sans geste, comme une souris d'ordinateur ou un doudou, tranquillise la vie du patient désorienté : le sentiment du confort et la perspective du sommeil en dépendent. C'est pourquoi, vers le soir, tout le monde en usait et en abusait – mais l'idée d'abus, ici, n'avait aucun sens, puisque chacun avait le sentiment, dans son lit, d'être victime d'un abus – du corps, des hommes ou du destin. C'était l'heure de l'angoisse pure, vierge de tout avenir, et je n'y échappais pas, même si j'avais conscience, dans mon nuage de rêveries sombres, que cette angoisse vivait comme la grenouille, du temps qu'il fait, et ne devait sa force qu'à l'arrivée de la nuit.

Quand un visiteur était là, j'écrivais parfois sur l'ardoise ou le carnet : « C'est l'heure où les oiseaux chantent. » Et il les entendait. Il ne m'avait fallu que quelques jours pour être fier de mon savoir hospitalier et pour en informer les autres, comme un enfant ou un parvenu. Mon ignorance était bienfaisante : elle me permettait de ne pas remarquer un état que je croyais comprendre, ni les erreurs ou les oublis des infirmières. L'accès à la connaissance des gestes et des procédures allait peu à peu, comme tout savoir, augmenter l'attente, l'inquiétude et le sentiment de solitude. Le moment où le patient croit devenir expert de ses propres soins est un moment dangereux, car cette croyance, si elle est exagérée, n'est pas injustifiée : comme un petit vieux ou un paysan, il finit par presque tout connaître de son maigre territoire. Aucune des attentions qu'on n'a pas ne lui échappe. Il vit dans le soupçon et la vérification des négligences. J'en suis venu, par la suite, à regretter l'époque où je ne savais rien de ce que je croyais savoir et où j'écrivais fièrement, comme si les mots pouvaient me libérer de ce qu'ils désignaient, « C'est l'heure où les oiseaux chantent ».

Les sonneries des chambres voisines, je les appelais en réalité les merles noirs, mais cela c'était mon secret : tant que je ne les nommais pas devant les autres, pas même devant Gabriela, les merles noirs n'envahiraient pas ma chambre et je n'aurais pas à les nourrir. En les écoutant chanter au-delà des murs, je me disais : « Tu comprends ceux qui appellent à l'aide, mais tu n'es pas comme eux. Il y a des corbeaux dehors, tu les vois par la fenêtre, mais dans ta chambre il n'y a pas de merle noir. Tu n'appuieras pas sur la sonnette. Non, tu n'appuieras pas. » Je tenais un certain temps, puis j'appuyais et, bien avant l'aide-soignante, mon merle noir entrait. Il était seul, se posait sur moi, m'empêchait de respirer. Ma vue se troublait, mes yeux piquaient, je ne pouvais plus lire : allait-il en plus, comme les corbeaux de la tour de Londres au Moyen Âge, me dévorer les yeux ? J'ai eu peur pendant des semaines, chaque soir, de devenir aveugle. J'ai écrit à mon frère : « En plus du reste, je perds la vue. J'ai assez lu comme ça dans ma vie, beaucoup trop lu de livres inutiles, mais j'aurais tout de même bien continué. Les tueurs manquent de compassion. » Je faisais le malin. J'aurais voulu être un vieil Espagnol sarcastique, mais ça ne s'improvise pas plus que la dérision et je voulais d'abord, comme les autres, être soulagé.

Le premier soir, j'avais fermé les yeux pour échapper au merle noir et à la perspective du corbeau et ce qui est apparu, sous les paupières, ce fut la cervelle de Bernard. Elle était étalée à côté de moi dans la salle de conférence, toute fraîche, seule désormais : sans cris, sans bruit, sans parquet, sans jambes noires, sans corps autour, sans main blessée au premier plan, sans rien d'autre qu'elle et moi pour la regarder à l'intérieur de moi. Je l'observais. Je l'assimilais. Peu à peu, elle se mettait à bouger et se transformait. Elle devenait une plante, une plante vivante, une plante maritime, et l'anémone de mer apparaissait. Contraction, dilatation, contraction, dilatation : elle battait dans un milieu liquide, amniotique, rouge sombre et mortellement lustral. C'était du sang et c'était la mer, et plus précisément l'embouchure d'une petite rivière cubaine où j'aimais aller nager au crépuscule, dans les courants mélangeant l'eau salée et l'eau douce, avec l'envie d'atteindre l'autre rive, montagneuse, lointaine, pas si lointaine, et la peur enfantine de me noyer ou d'être dévoré par un requin dans la nuit.

Dans la chambre 106, l'anémone de mer revenait chaque soir. Elle remontait du passé cubain et se substituait à la cervelle de Bernard. Elle battait sa propre mesure, mon pouls. Elle m'envoyait du sang, de l'eau sombre, des souvenirs interrompus ou menacés, comme des images projetées sur un écran dans lequel le spectateur finit par disparaître et, assez vite, ce battement m'attirait. Elle projetait de moins en moins d'images et m'aspirait de plus en plus vers son propre vide, vers le fond. Elle me pompait. Je devenais l'anémone de mer, la sanglante anémone, et, une fois à l'intérieur, dans ses tentacules, son velours, sa pulsion, je redevenais la cervelle de Bernard, une cervelle océanique détachée du petit parquet de la rue Nicolas-Appert, comme une méduse en pleine eau. À cet instant, une tristesse panique m'envahissait. Elle était le don de l'anémone, une réalité absolue et aussi peu comestible que le cacao à 100 %, et que pourtant il me fallait avaler. J'ouvrais les yeux pour échapper à l'attraction, à la digestion. Si j'avais continué de les fermer, la réalité de l'attentat se serait refermée sur ce qui me restait de conscience : l'anémone née de la cervelle de Bernard aurait dévoré la mienne, et, si je n'en étais pas mort, peut-être en serais-je devenu fou. J'aurais rejoint le cœur de l'événement et je me serais décomposé là-bas, en lui, sur ce parquet où nous restions allongés. C'est peut-être cela qui caractérise le fou : être prisonnier à perpétuité de l'événement cruel et impensable qui, croit-il, l'a fondé.

L'anémone était en moi, sous les paupières, dans la peau. Ouvrir les yeux était la seule façon de lui échapper. Mais ouvrir les yeux signifiait ne pas dormir, ne plus dormir, me livrer à d'autres angoisses plus rationnelles, nées de l'épuisement et d'une obscure perception de l'avenir – ou plutôt, à cette époque, de son impossibilité. J'entrais alors dans un no man's land dont ne pouvait me délivrer que l'apparition de Christian, l'infirmier de nuit, que j'appelais Brother Morphine. Je réveillais mon merle noir et, annoncé par l'aide-soignante, il apparaissait. Il était un peu chauve, entre deux âges. Il avait une voix gracieuse, chaleureuse et haute. Il portait des lunettes et toujours il souriait. Je crois qu'il s'occupait beaucoup de sa mère. Il y avait pas mal de destins discrètement tragiques dans les équipes de nuit, peut-être était-ce aussi le cas de Madeleine. Je le sentais plus que je ne le savais. Le sentir me suffisait et me rassurait. Qui aurait envie de livrer sa détresse et sa solitude à celui qui n'en a pas véritablement éprouvé ?

Certains disaient en souriant que Christian était géné-reux avec la morphine, mais, si c'était le cas, je ne m'en plaignais pas et je lui en garde une solide gratitude : celui qui par sa présence et ses piqûres chassait l'anémone et la veille, c'était lui.

— Dans le bras ou dans l'épaule ?

Je prenais mon feutre et j'écrivais :

« L'épaule. Au plus près du cou. »

La morphine agissait ainsi plus vite et plus violemment Elle conduisait à des visions plus acceptables, sinon plus appropriées – des visions distribuées par l'anémone à quoi elles échappaient dans la nuit éclairée par l'ordinateur de Gabriela. Le cerveau et le corps, morceau par morceau, fleurissaient. Les visions ne me faisaient pas tout à fait perdre conscience. Elles donnaient forme à des états qui se transformaient sans cesse, avec naturel, produisant un feu d'artifice ralenti : je le regardais vivre et je vivais en lui, comme si j'avais été le spectateur, la fusée, la fleur, le bouquet et la nuit.

Un soir, une fois la piqûre faite et Christian sorti, la cervelle s'est transformée en anémone et les morts en sont sortis. Je me suis adressé à eux, un par un puis tous ensemble, comme s'ils étaient vivants ou comme si moi je ne l'étais plus. Je leur parlais de ce que nous avions vécu, je leur demandais ce qu'ils vivaient, je leur expliquais où je me trouvais. Je n'avais pas de chagrin : j'étais le chagrin. Insensiblement, passant d'une rêverie profonde à un moment de double clarté, j'ai commencé à les voir à distance, tels qu'ils étaient, tout à fait morts, et simultanément tels qu'ils avaient été, bien vivants. En les regardant d'un peu plus loin, de haut, détachés de l'anémone, j'ai séché le chagrin. J'ai commencé à leur murmurer une sorte de prière que ma bouche à une lèvre et mon absence de canule fenêtrée m'interdisaient de prononcer. Je ne savais pas où je pourrais l'envoyer, je n'y pensais pas. L'important était de la dire. Elle s'adressait d'abord à celui dont la mort m'avait ouvert les yeux, Bernard, mais souriant et vivant, puis à celui dont je me sentais le plus proche, Wolinski.

Je relis l'article qui en est sorti pour retrouver, prenant le relais de la quasi-prière, par quelle phrase j'ai basculé

de celle-ci dans celui-là. C'est, me semble-t-il, cette phrase :
« Tandis que les pompiers me soulevaient sur un fauteuil
à roulettes de la conférence, j'ai survolé les corps de mes
compagnons morts, Bernard, Tignous, Cabu, Georges, que
mes sauveteurs enjambaient ou longeaient, et soudain, mon
Dieu, ils ne riaient plus. » Mais ce que j'ai d'abord dit dans
la chambre 106, pour échapper à l'anémone, était différent. J'ai commencé par répéter dix fois, vingt fois : « Les
pompiers m'ont soulevé et j'ai survolé *vos corps morts* qu'ils
enjambaient, et soudain, plus personne ne riait. » Cette
phrase n'était pas qu'une phrase. C'était une adresse et
une formule magique. En la répétant, je survolais de nouveau le paysage, comme à l'instant où les secours m'avaient
emporté sur la chaise. D'autres phrases ont suivi, plus
douces, plus intimes, celles-là je les répétais pour ne pas
abandonner mes compagnons à leur sort. Je les ai répé-
tées toute la nuit, mot par mot, dans un sens et puis dans
l'autre, comme une confidence, sans penser encore qu'il
pourrait s'agir d'un article destiné à être lu. J'essayais de
parler aux disparus pour qu'ils ne disparaissent pas, comme
on conseille aux soldats sur le champ de bataille d'agir avec
un blessé – dans les films en tout cas : « Parle-lui ! Parle-
lui ! Surtout, qu'il ne s'endorme pas ! » Je ne voulais pas
que les morts s'endorment et je ne voulais pas m'endormir
sans eux.

Au matin, après la douche et les soins, Gabriela est partie faire une barre dans une de ces salles de danse qui
fixaient sa géographie. J'ai continué à répéter les phrases,
mais elles avaient changé de nature. Ce n'était plus une
prière, ni une formule, ni une adresse, ni une confidence,
ce n'était pas encore un article ; ça flottait entre les deux.
Les phrases étaient au milieu d'un gué. Elles ne savaient
quelle rive rejoindre. J'ignore à quel moment « Les pom-

piers m'ont soulevé » est devenu « Tandis que les pompiers me soulevaient », à quel moment est apparu « et soudain, mon Dieu, ils ne riaient plus », mais c'est le changement de syntaxe, l'apparition de « tandis » et de « mon Dieu », qui m'ont suggéré que je m'adressais maintenant à d'autres, à ceux qui pourraient me lire. J'écris *m'ont suggéré*, car je n'avais toujours pas conscience de ce que je faisais en écrivant ce que j'avais passé la nuit à remâcher, à ruminer, pour me détourner de la douleur ou pour accompagner les visions modifiées par la morphine. L'anémone s'était déployée comme une menace ; je la redéployais comme une pensée, liquide puis verbalisée, et cette matière qui semblait couler par l'un de mes tuyaux pour réapparaître transformée en une sorte de discours intime et politique, c'était l'amorce d'un retour vers les vivants. Où aurais-je pu mieux le faire savoir que dans les endroits et par les moyens qui m'avaient donné tant de liberté ? Celui que les tueurs avaient raté travaillait, comme ceux qu'ils avaient liquidés, dans des journaux. C'était dans des journaux qu'il devait réapparaître. En fin de journée, la prière aux morts était devenue un article.

Le dernier mot sur lequel j'ai hésité était l'un des premiers : ce « mon Dieu » qui ressemblait à une plainte, mais qui était écrit par un incroyant, un mécréant si l'on veut, et qui apostrophait des morts qui ne l'étaient pas moins. Je l'enlevais, le remettais, l'enlevais, le remettais. Il ne me convenait pas, mais il convenait à la situation. Je l'ai finalement laissé pour restituer un soupir, une suspension par-dessus ceux que j'avais quittés six jours plus tôt, et que je quittais une nouvelle fois en achevant ce texte. « Mon Dieu » était aussi un adieu.

Ce soir-là, vers 18 heures, j'ai tendu l'ordinateur à Gabriela et à mon frère, et je leur ai demandé sur l'ardoise ce qu'ils pensaient du texte : était-ce trop intime ? Était-ce un article ? Devais-je l'envoyer à *Libé*, à *Charlie* ? Le garder pour moi ? Je n'en avais aucune idée. Ce que j'avais écrit était essentiel pour moi, mais était-ce intéressant pour les autres ? L'un et l'autre m'ont répondu qu'ils n'en savaient rien et que je devais me sentir libre, mais qu'il leur semblait qu'aucun de mes journaux ne serait embarrassé de le publier. Je n'en étais pas si certain. Du fond de ma chambre, dans ce vase clos où la vie extérieure me parvenait assourdie et déformée par le silence qui s'était fait en moi et autour de moi, toute parole publique était frappée d'indifférence et de vanité, toute, à commencer par la mienne. Les mots ne vivaient plus que dans le champ le plus intime, le plus concret, c'était là qu'ils pouvaient vivre, et cette sensation, si elle s'est amenuisée, ne m'a toujours pas quitté au moment où j'écris ces lignes, quoi qu'elles vaillent, deux ans et demi plus tard. J'ai toujours l'impression d'écrire à côté de moi-même, quand j'écris pour ceux qui n'ont pas connu la chambre et le silence qui l'enveloppait. La chambre est l'endroit où les mots crèvent, s'éteignent. Je n'en suis pas sorti. J'ai toujours l'impression que ce que j'écris est de trop.

Le 13 janvier, un peu avant 19 heures, j'ai envoyé par mail le texte à *Libération*, avec ces mots :

Chers amis, j'ai écrit ce petit texte depuis l'hosto, c'est ma manière de penser à vous, et surtout à mes compagnons morts, du côté de chez *Charlie*.

Vous en ferez ce que vous pensez juste.

Je suis trop long comme d'habitude ; même les tueurs ne changent pas les mauvais plis.

J'envoie bien sûr le texte à *Charlie*.

Voyez entre vous.

Moi, repos : une troisième intervention, longue, est possible (mais pas sûre) jeudi.

Dites à tous que je vais mieux, et aussi bien que possible.

Je vous embrasse.

Par retour de mail, Stéphanie, une vieille amie qui dirige l'édition de *Libération*, m'a répondu :

Cher Philippe,

Après discussion, il semble que le mieux est de le publier. Dès ce soir pour le journal de demain. Michel m'ayant vue partir pour l'hôpital, il s'est méfié et avait gardé toute une page, au cas où, bien que je n'aie parlé de rien.

Donc, non, pour une fois, tu n'es pas trop long.

Si jamais ça ne te convient pas, fais-moi prévenir tout de suite par Gabriela. On remettra la pleine page d'autopromo.

Je t'embrasse aussi

et vais boire un coup (comme tous les soirs depuis qu'ils sont là) à ta santé chez les *Charlie*.

Stéphanie

J'ai lu le mail de Stéphanie, souri et pensé : « C'est la deuxième fois qu'elle m'aide à un moment important. » Elle se remettait d'un cancer, fumait toujours autant et buvait, je crois, à peine moins. En matière hospitalière, elle avait quelques longueurs d'avance. Si je descendais au bloc avec un livre planqué sous le drap, elle devait y aller avec un paquet de cigarettes dissimulé au même endroit. Je l'imaginais même buvant un whisky ou une bière dans sa chambre, à peine revenue du monde d'en bas, et, si je l'imaginais si bien, c'est que ça devait être vrai. J'étais soulagé de lire que pour une fois je n'étais pas trop long. C'était l'un de mes péchés de journaliste, et souvent, lorsque j'écrivais un article, je croyais voir se bomber d'ironie les pommettes de Stéphanie et l'entendre me dire : « Alors, Lançon, trop long comme d'hab ? T'es chiant. »

On ne se fréquentait plus depuis longtemps. Mais il y a plusieurs vies en nous et dans l'une des nôtres, nous nous étions beaucoup aimés. Vingt-trois ans plus tôt, en plein été, à la suite d'une histoire d'amour qui avait mal tourné, je m'étais à moitié évanoui dans une rue de Lyon. À moitié seulement, l'autre étant vouée à la comédie qu'un médecin qui passait avait, sur le trottoir, vite résorbée : il y a toujours un médecin qui passe par là quand vous préféreriez qu'il n'y en ait pas. Remis de mon malaise plus vite que de ma honte et de mon chagrin, j'avais appelé Stéphanie en catastrophe, suffoquant, depuis une cabine téléphonique, il n'y avait pas de portable en ce temps-là. Je savais qu'elle se trouvait dans cette ville, sa ville d'enfance, en visite chez ses parents. On était en août. Lyon était brûlante et déserte. Stéphanie avait vingt ans, elle était étudiante, nous étions amis. Elle vint me chercher et me ramena dans sa famille où elle s'occupa de moi avec une douceur, une délicatesse, que je n'ai jamais oubliées. Elle commanda des pizzas. Nous les avons mangées en regardant une saga télévisée de l'été qu'elle adorait et qui avait du succès : *Les Cœurs brûlés*. C'était de circonstance. Mireille Darc était parfaite dans le rôle d'une vieille garce pleine de duplicité, patronne d'un hôtel de luxe sur la Côte d'Azur. *Les Cœurs brûlés*, c'était mieux qu'un bain chaud pour vaporiser tout le tragique que je donnais à ma propre vie. Plus tard, nous sommes partis marcher dans l'Ain. Le traitement avait réussi.

J'ai relu le mail de Stéphanie et pensé que, somme

toute, elle avait été une excellente infirmière. J'aurais aimé revoir *Les Cœurs brûlés* et manger des pizzas avec elle, dans cette chambre, comme si nous n'avions pas vingt-trois ans et quelques vies de plus, elle un cancer en supplément et moi treize dents de moins. Comme toute réminiscence, celle-ci m'a ému dans la mesure où elle prenait la forme d'une soustraction. Le hasard des situations continuait de faire l'inventaire anarchique de ce que j'avais aimé, perdu.

Le lendemain matin, l'article était publié. Il eut un drôle d'impact. Ceux qui me connaissaient étaient satisfaits de me savoir aussi vivant. Ceux qui ne me connaissaient pas semblaient l'être également. Après tout, plus qu'un homme, j'étais désormais, pour un temps indéterminé, sans doute assez bref, un symbole. Je reçus énormément de courrier. Je ne l'ai lu que peu à peu, au hasard, parfois un ou deux mois plus tard. Le temps ne comptait plus et je répondais peu : je n'avais pas d'énergie pour ça. Les mails et les lettres étaient pour la plupart sympathiques, encourageants, pleins de bons sentiments... et merveilleusement irréalistes. Tout le monde paraissait croire que dans quelques jours je serais sorti, bon pied bon œil, et que j'allais reprendre le boulot la plume au fusil : tout le monde rêvait. Sauf les autres victimes, les habitués de la chambre et les soignants. Écrire provoque et entretient ce genre de malentendus, certes, mais c'était tout de même curieux, cette bienveillante cécité. On m'écrivait moins pour me rassurer que pour être rassuré : comment un cul-de-jatte pourrait-il l'être, rassuré, par une troupe d'aveugles lui expliquant avec maints soupirs dolents et cris de joie que bientôt il sera sur ses deux jambes ? Lève-toi, imbécile, et tu marcheras ! J'ai commencé à sentir que pour la victime, c'était double peine : elle était responsable non seulement d'elle-même, mais aussi de ceux qu'elle ne devait pas décevoir. Elle devait accueillir et supporter la faiblesse des autres, ceux dont ma rude kiné me dit bien plus tard en me torturant le cou avec les serres qui lui servaient de mains, avant de m'offrir un chocolat ou un café : « Ne les écoutez pas, ils ne vivent pas dans la réalité. » Ils vivaient pourtant dans un monde qui célébrait par tous ses orifices politiques et culturels le culte de cette réalité. Dans la vraie vie, comme toujours, c'était bidon. La réalité difficile des autres était l'une de ces planètes invivables qu'on aime voir en images, entendre à la radio, lire peut-être, mais où l'on ne pourrait pas respirer une minute. Je n'étais pas au bout de mes surprises en la matière, mais je ne pourrais le découvrir qu'en explorant le labyrinthe chirurgical et mental dans lequel je venais d'entrer. Pour beaucoup, c'était bien comme au cinéma. Dans la scène 1, je m'étais pris une balle dans la gueule. Comme ma mâchoire était en carton-pâte, je revenais presque intact dans la scène 2. Dans la scène 3, je croquais la pomme du scout avec une discrète grimace d'homme blessé mais pudique, n'est-ce pas, quelle pudeur, quelle dignité. Muni de ces certificats de résilience et de bienséance, le film pouvait continuer, puisque leurs vies continuaient. Naturellement, c'était un navet.

L'anémone a survécu à l'article, mais pas trop. Pendant dix mois, elle m'a rendu des visites de moins en moins fréquentes, de moins en moins intenses, jusqu'à l'attentat suivant, celui du 13 novembre, qui a agi comme un remède de cheval en me transformant, d'une minute à l'autre, en ancien combattant. Jusqu'à cet événement, cette réplique accentuée, l'anémone installait une sorte d'effroi intermittent. Elle me tirait par la manche en me rappelant d'où je venais, qui je n'étais plus. Cependant, c'est en elle et par elle que j'ai recommencé à écrire, d'abord ce texte, puis d'autres. C'est le premier pas qui compte, n'est-ce pas ? Ou le premier mot. Peut-être a-t-elle été le dernier cadeau de Bernard : une poche d'encre.

CHAPITRE 11

La fée imparfaite

Quittons un moment la chambre 106 et faisons, si vous le voulez bien, un léger bond en avant.

Le 6 janvier 2017 vers 10 heures, je me suis assis une fois de plus dans un box du service de stomatologie face à une femme que je connaissais peu et qui avait pris une importance démesurée dans ma vie : Chloé, ma chirurgienne. Il faisait à peu près le même temps, gris et frais, que deux ans plus tôt lorsque j'étais arrivé à la Pitié-Salpêtrière. La première fois, c'était en ambulance. Cette fois, je suis venu à pied. J'en avais pris l'habitude. C'était toujours quand je marchais que je me sentais le moins mal – comme lorsque je faisais mes « longueurs » de 52 pas dans le couloir du service. Et c'était quand j'allais voir Chloé que je marchais le mieux.

Quand j'entrais dans son bureau, j'étais Pangloss. Tout allait pour le mieux dans le meilleur des mondes, tout finirait par s'arranger. Quand j'en ressortais, une fois sur deux, j'avais relu *Candide* : le réalisme de Chloé crevait mes illusions. Comme un jour je m'en plaignais, elle m'a dit : « Je comprends votre impatience. Mais si je vous annonce des choses qui n'ont pas lieu, c'est ça que vous ne me pardonnerez jamais. » Il ne me restait qu'à cultiver mon jardin ;

autrement dit, à faire chaque jour mes exercices labiaux et mandibulaires en attendant le prochain bloc, dans un mois ou dans un an. La vie était rythmée par la discipline qu'exige la reconstruction.

Quelqu'un a crié dans un box voisin. C'était le cri particulier qui devance la douleur crainte plus qu'il n'exprime la douleur ressentie. C'était un cri masculin. Il pouvait venir d'un enfant, d'un adulte : il confondait les âges. C'est comme ça avec les dents, me suis-je dit. D'abord, on a peur de souffrir. Ensuite, on joue la souffrance selon les registres que l'orgueil propose et dont la voix dispose, passant brusquement de la basse au soprano. Enfin, on éprouve cette souffrance, car les nerfs se vengent d'une comédie qui, en les devançant, les a stimulés. Les trois stades – peur, jeu, douleur – sont parfois si rapprochés qu'on ne parvient pas à les distinguer, mais, à force d'expérience, l'oreille s'affine ; de consultation en consultation, les sources invisibles de ces cris m'avaient presque donné, à moi le sans-dents, une sensibilité d'accordeur de piano. La douleur des autres me tranquillisait. Leurs cris sortaient d'une mauvaise pièce de théâtre dont je n'aurais entendu que les voix dans la nuit, une dramatique radiophonique avec des bruitages excessifs. Je m'endormais dans leur récit avec la bienheureuse certitude de ne pas y avoir participé.

Ce jour-là, une nouvelle étape de la reconstruction commençait. Comme toujours, Chloé était à la manœuvre. Peu après l'attentat, elle m'avait dit un soir dans ma chambre : « La tentation du chirurgien est d'aller le plus loin possible, de s'approcher de retouche en retouche du visage idéal. Évidemment, on n'y arrive jamais et il faut savoir s'arrêter. » C'est pareil avec un livre, lui avais-je répondu. On essaie de rapprocher celui qu'on écrit de celui qu'on imaginait, mais jamais ils ne se rejoignent, et il arrive un moment où, comme vous dites, il faut savoir arrêter. Le patient reste avec sa gueule tordue, ses cicatrices, son handicap plus ou moins réduit. Le livre reste seul avec ses imperfections, ses bavardages, ses défauts. Nous en avions banalement conclu que l'horizon n'est pas fait pour être atteint.

Depuis, je ne pouvais penser au travail de Chloé sans penser au mien. Sa précision et sa patience, la manière dont elle avait franchi ou contourné les obstacles liés à l'état de mes cicatrices et de ma lèvre inférieure, tout me renvoyait à ce que j'aurais dû faire lorsque j'écrivais, et le jour où une infirmière m'a dit : « Elle est complètement folle. Elle ne supporte pas l'échec ! », j'ai pensé que cette folie, qui me sauvait la face, aurait pu faire de moi un homme que l'écriture sauvait. Il me suffisait de me relire pour savoir qu'il n'en était rien. Mon écriture avait quelque temps de retard sur ma mâchoire. Elle ne la rattrapait ni dans sa chute, ni dans ses progrès.

Deux ans après, Chloé avait toujours des idées et des doutes sur ce qu'il fallait faire et moi, si je n'avais plus guère de fantasmes esthétiques et littéraires, je continuais d'avoir quelques espérances mécaniques : j'aurais volontiers renoncé à écrire le moindre article pour pouvoir mordre dans un fruit ou un sandwich sans douleur et sans en mettre partout, pour boire un verre sans mettre la langue, comme une moitié de chien, pour sentir entièrement les lèvres que j'embrassais. Nous n'étions pas encore au point final.

Elle préférait être qualifiée de chirurgien. Je l'appelais Chloé à l'hôpital, et, quand je parlais d'elle à ceux qui ne la connaissaient pas, je l'appelais ma chirurgienne. C'était exagérément possessif, je l'admets, mais comment appeler autrement la branche à laquelle le naufragé se raccroche et qu'il finit par transporter, une fois sur la rive, comme un trophée ? Chloé, ma chirurgienne... et pourtant, il m'avait fallu des mois pour écrire correctement son nom de famille. Je lui ajoutais toujours un h au milieu, comme à hôpital, un lieu en dehors duquel je ne l'ai jamais vue – sauf une fois.

Le 6 janvier 2017, je l'ai de nouveau regardée : blonde, souriante, les yeux clairs, toujours droite, plutôt pâle avec des rougeurs, paraissant plus grande qu'elle ne l'était, se tenant droite malgré le mal de dos, avec des rondeurs dans le visage qui auraient pu en faire une héroïne de bande dessinée, mais que son caractère pointu faisait vite oublier. Très ironique et tonique, presque joyeuse au cœur du désastre, respirant une santé qu'elle avait peut-être, ou peut-être pas, m'apparaissant d'autant plus grande que j'étais allongé, d'autant plus volontaire qu'il me fallait l'être, d'autant plus allègre que je me cramponnais à son humeur pour sortir de la mienne. S'il n'y avait pas eu sa blouse et le contexte, elle aurait eu l'air de ce que par ailleurs elle était : une jolie bourgeoise du 7ᵉ arrondissement, légèrement doublée d'un garçon manqué ; une bourgeoise cultivée, dominante et rapidement impatientée par la lenteur et les faiblesses des autres, un garçon détestant le laisser-aller et l'absence de propreté. Elle aurait pu être arrogante, et certains la jugeaient telle, si, comme tant de femmes ayant dû s'imposer dans un milieu d'hommes, elle n'avait pas eu un orgueil dépourvu de vanité : l'humilité que lui imposait son métier n'avait pas été détruite par le pouvoir qu'on avait fini par lui accorder. Son humour un peu hautain, très direct, la protégeait des autres mais aussi, dans une certaine mesure, d'elle-même. Elle attendait d'eux beaucoup, trop sans doute, mais finalement moins que ce qu'elle exigeait de ses propres forces.

Elle connaissait sa valeur et n'était pas économe de son mépris. Elle connaissait sa folie et n'était pas économe de sa raison. Elle connaissait sa dureté et n'était pas économe de son attention ni même de sa tendresse – à certaines heures, en tout cas, et sans témoins. Elle avait donné sa vie à la chirurgie, mais sans le proclamer : sa détestation de l'emphase et de la sentimentalité était immédiatement perceptible et m'obligeait à tenir le rôle du patient stoïque, voire amusé. À un jeune chirurgien qui se plaignait des horaires, effectivement épouvantables, elle répondit un jour : « De quoi tu te plains ? De toute façon, nous serons morts avant d'avoir vieilli. » Elle m'avait dit, un jour où je comparais le service à un asile : « Mais qu'est-ce que vous croyez ? Il faut être fou pour croire qu'on peut sauver les hommes et passer ses journées au bloc à les réparer ! » Un étudiant en médecine, qui l'avait eue comme professeur, m'avait dit qu'elle pouvait terroriser les élèves. Dès le début de l'année, elle leur avait dit : « Ceux qui échoueront, je ne veux plus jamais entendre parler d'eux. » Un adjectif qu'elle employait souvent, quand quelqu'un bénéficiait d'un plaisir, c'était : « Veinard ! » Elle me l'a souvent répété, quand j'ai recommencé à aller voir des expositions. Je me sentais en dette avec elle et je lui envoyais des photos de Poussin, de Picasso, comme un enfant qui veut plaire à sa mère absente. « Veinard ! » m'écrivait-elle, comme elle me l'avait dit quelquefois dans ma chambre ; et j'entendais résonner, comme la vibration d'une flèche, le point d'exclamation. Elle était si sérieuse dans son métier, si scandalisée par la négligence, qu'elle ne pouvait supporter les apparences de l'importance. Une fois, je lui ai envoyé la photo d'un oiseau burlesque, sculpté par Picasso. Elle m'a répondu : « Quel sympathique poulet ! Je crois que Picasso tout en étant très conscient de son génie ne s'est jamais pris au sérieux. » Moi : « En tout cas, il est drôle. » Elle : « Peut-on être drôle si on se prend au sérieux ? Je veux dire, drôle sans que ce soit à ses dépens ? »

L'été, elle allait souvent sur une île grecque qu'elle connaissait, je crois, depuis l'enfance. Comme un soir elle m'en parlait, j'ai écrit sur mon carnet : « Vous connaissez la correspondance entre Henry Miller et Lawrence Durrell ? Ils parlent si bien des îles grecques. » J'avais écrit un article sur cette correspondance et j'aurais voulu l'avoir sous la main. Elle la connaissait. J'ai pensé à Durrell. Un écrivain qui l'avait connu là-bas, dans une autre île grecque, m'avait raconté comment il buvait l'alcool à même la bonbonne. Est-ce qu'il y avait des alcooliques dans la famille de Chloé ? Son père, ingénieur, avait créé des réseaux électriques dans plusieurs pays. Son enfance semblait avoir été enchantée et nomade.

Les infirmières vérifiaient mes plaies. Je n'avais pas le droit de parler. Elle a dit : « Durrell a été diplomate en Grèce, d'ailleurs. » J'ai écrit : « Dans sa jeunesse, oui. Mais pas en Grèce : dans les Balkans. » Elle a insisté : « Non, en Grèce ! » À peine l'équipe était-elle sortie que j'ai vérifié : c'était bien dans les Balkans. J'en aurais bavé de joie, mais je n'avais besoin d'aucune émotion pour baver. Le lendemain matin, jour de sa visite, elle est entrée avec l'équipe et, avant toute chose, devant les infirmières et les internes interdits, au moment où j'allais lui tendre fièrement mon carnet, elle a dit en redressant la tête : « Oui, je sais, je sais, c'était dans les Balkans ! » Elle aussi avait vérifié. Ce matin-là, par ce détail, j'ai compris qu'elle emportait chez elle la vie de ses patients – et, en tout cas, la mienne. L'emporterait-elle jusque sur son île grecque ? « Oh ! J'y passerais ma vie ! » me disait-elle, mais sa vie, c'était au bloc qu'elle la passait – et elle se moquait de ses propres regrets. Chloé n'avait que peu de rapports avec Emma Bovary. On m'a dit qu'elle avait un chat, mais je n'ai pas osé lui demander comment il s'appelait.

Elle était parfois vêtue comme une retraitée et une infirmière qui l'aimait bien, tout en la craignant comme à peu près tout le monde, lui avait dit un jour qu'elle devrait faire un effort pour ne plus avoir « l'air d'une mémère ». J'ignore quelle a été sa réponse ; je pense qu'elle a dû sourire et s'en aller.

Elle avait une petite quarantaine d'années. Elle avait joué du violoncelle, mais son emploi du temps était devenu tel qu'elle avait dû y renoncer, comme ces chirurgiens passionnés d'automobile dont Proust dit qu'ils cessent de conduire à la veille d'opérer. Je ne cite pas Proust par hasard : *À la recherche du temps perdu* m'a suivi de chambre en chambre et j'y ai puisé sans cesse de quoi méditer, ou de quoi rire, sur ma condition et sur Chloé.

Sa famille avait accueilli Giono dans le Dauphiné, mais les livres de Giono lui tombaient des mains, comme ils tombent maintenant des miennes, alors que je l'ai tant aimé, ai-je pensé en lisant le mail où elle me l'apprenait. J'aimais l'attirer sur le terrain littéraire, le seul où je pouvais ne pas me sentir dépendant et dominé. Quand on est allongé et couvert de cicatrices qui suintent, c'est toujours bien de parler d'un écrivain qu'on aime à ceux qui vous examinent. À l'été 2016, elle avait lu *La Lie de la terre*, de Koestler, des livres d'Annie Ernaux, de Philippe Djian, de Delphine de Vigan, et pour la première fois des romans de Le Clézio dont elle m'écrivit : « Quelle pose ! Quel manque de vie ! Où a-t-il attrapé son Nobel ? » Je n'en savais rien.

Depuis qu'elle était entrée dans la chambre 106, deux ans et un siècle avaient passé. Elle m'avait découvert, examiné et opéré vingt-quatre heures avant que nous puissions faire connaissance. Nos rapports avaient débuté sur des bases inverses à celles qui déterminent la plupart des relations humaines : le corps d'abord, dans l'abandon le plus complet, et le reste ensuite. Nous n'avions pas eu rendez-vous, mais mon visage avait aussitôt dépendu d'elle et il continuerait d'en dépendre bien au-delà de la période que ce livre évoque. L'intimité qui nous liait était vitale, et pourtant elle n'existait pas. Je pouvais lui envoyer des photos prises en voyage, ce qu'elle appelait mes cartes postales, mais je n'aurais jamais osé lui parler de mes soucis intimes – même si elle les devinait. Il y avait un cadre dont il ne fallait pas plus déborder que mes couilles du caleçon pendant la visite, ce qui lui avait fait dire un jour devant les infirmières : « Dites, essayez de ranger ça, ce sera mieux pour tout le monde. » J'avais vieilli, mes couilles pendaient, je ne pouvais tout de même pas lui demander de faire un lifting qui ne relevait pas de sa spécialité. Je m'étais senti comme le Gros Dégueulasse de Reiser, avec la honte en plus mais aussi un certain agacement, dans la mesure où si elles dépassaient ce jour-là, c'était d'abord parce que je devais laisser mes jambes nues et le caleçon assez replié pour que les zones de greffes à vif, sur le haut de la cuisse gauche, puissent être préservées de tout frottement et examinées : l'hôpital est souvent le lieu des injonctions contradictoires. Agacement, mais aussi reconnaissance, puisqu'en matière de dignité, semblait-elle me dire, à l'impossible j'étais tenu – ou, en tout cas, à l'absence de négligé et, comme le vieil Hegel, au dépassement pratique des contradictions. Chloé était proche et lointaine, juste et injuste, bienveillante et sévère, toute-puissante et toute-distante. Elle finissait les phrases que je commençais. Elle était la fée imparfaite qui, penchée sur mon berceau, m'avait donné une seconde vie. Cette seconde vie m'obligeait.

Dans le box deux ans après, je la regardais toujours

comme si elle allait sortir une baguette magique et anéan-
tir mes embarras, quand d'une voix agacée elle a dit : « Pas
ces seringues-là, elles sont beaucoup trop grosses et vont
bousiller la valve ! Combien de fois je dois le dire : pour
ça, il faut les petites seringues orange ! Les petites seringues orange, vous comprenez ? » L'infirmière est revenue
un peu plus tard, flegmatique comme un gnou. Je les ai
regardées pour bien les mémoriser, ces seringues, en digne
élève-patient qui pense : « S'ils se trompent la prochaine
fois et si Chloé n'est pas là, c'est moi qui rectifierai. » Si
je ne voulais pas finir dans le ventre d'une baleine, il ne
fallait pas être comme Pinocchio. Il fallait être à la hauteur
des soucis de la fée. D'ailleurs, ce n'était pas mon nez qui
devait s'allonger : c'était mon cou qui devait enfler, le plus
possible, jour après jour, dans le mois qui débutait.

Je raconterai dans les chapitres suivants les premières
étapes de la reconstruction. Pour l'instant, et pour la bonne
compréhension de ce qui va suivre, il suffit de savoir que
ma mâchoire inférieure ayant largement disparu, on avait
greffé à la place mon péroné droit, accompagné d'une
veine et d'un bout de peau de jambe qui, sous le nom de
palette, me tenait lieu de menton. Deux ans et bien des
opérations plus tard, on allait gonfler la peau du cou, grâce
à un expandeur en silicone qu'on y avait installé et qu'on
allait peu à peu remplir de sérum physiologique, puis tirer
cette peau pour la mettre à la place de celle, imberbe et
couleur peau de pêche, qui transformait le bas de mon
visage en patchwork. Ainsi aurais-je de nouveau un menton à peu près uni, avec une barbe destinée à masquer les
cicatrices, et non quelques longs poils épars, comme on en
a sur les mollets.

Chloé a planté la petite seringue orange dans la valve
en silicone qui se trouvait derrière l'oreille droite, au

cœur de la zone dite rétro-auriculaire. C'était par là qu'on allait gonfler l'expandeur. Comme la peau qui aurait dû recouvrir cette valve était en voie de nécrose, j'avais l'air d'un extra-terrestre ou d'un héros du genre *Matrix* : vu depuis ce point d'entrée, mon squelette entier semblait bâti dans une matière moitié opaque, moitié transparente, qui aurait pu faire de moi un immortel. Un immortel, ce n'est pas forcément un dieu, ni même un héros. Ça peut être quelqu'un qui a senti toute sa mortalité et qui a le sentiment fragile de survivre à cette sensation, mais sous forme de matière plastique. Une fois de plus, je me sentais absurdement prolongé. Quelques semaines plus tôt, pour un congrès qu'elle devait introduire et qui était consacré au sourire – le sourire, c'est important, en particulier pour ceux qui n'y ont plus accès –, j'avais offert à Chloé *Le Rire*, de Bergson. Finalement, elle n'avait pu aller à ce congrès et je ne sais pas si elle l'a lu. Ce que je savais, c'était que moi aussi, désormais, j'étais du mécanique plaqué sur du vivant ; mais c'était moins drôle.

Je n'ai d'abord rien senti. Lentement, Chloé a injecté vingt centimètres cubes de sérum physiologique. Le liquide a peu à peu rafraîchi le tuyau qui passait sous la peau. Puis il est entré dans l'expandeur. Une légère brûlure a circulé, comme si elle était vivante, sous le menton. J'ai eu l'impression qu'un écorcheur me décollait délicatement la peau. J'ai pensé : quel crime faut-il avouer ?

L'expandeur, ou prothèse d'expansion, avait été posé deux mois plus tôt. Comme c'est souvent le cas, il avait commencé par s'infecter : le cou est un carrefour sensible et un bouillon de culture qui n'aime guère les corps étrangers. Les bactéries avaient dû entrer par la valve. Elles s'étaient mises dans les plis de cette prothèse encore largement vide, comme dans ceux d'une bouée dégonflée, et elles avaient attendu leur moment pour agir. L'infection était apparue brutalement, tandis que j'écrivais un article sur les peintures d'Arnold Schoenberg. Soudain, j'ai senti une brûlure intense au niveau du cou. J'avais l'impression qu'on m'étranglait. Je me suis regardé dans le miroir. Le cou avait doublé de volume et il était de la couleur du canapé sur lequel j'étais assis : rouge vif. J'étais moins hideux – ou moins inquiétant – que les autoportraits de Schoenberg, mais j'avais bon espoir de leur faire bientôt concurrence. La nuit fut courte et désagréable.

À l'aube, j'ai fait un selfie que j'ai envoyé à Chloé. Elle m'a répondu : « Pouvez-vous passer ce matin ? Il est temps de jeter un coup d'œil je pense. » Il fallait essayer de sauver la prothèse. Depuis, j'étais sous antibiotiques et l'infection, après quelques péripéties, semblait stabilisée. Cependant, Chloé m'avait dit : « De toute façon, si ça ne marche pas, on recommencera plus tard de l'autre côté. » Je l'avais regardée, accablé. Deux anesthésies générales de plus, et de nouveaux mois d'incommodité permanente, sans même parler du goitre artificiel et des soins : jamais je n'en aurais le courage. Mais je n'ai rien dit. Les chirurgiens vivent dans un monde où tout ce qui est techniquement possible finit par être tenté.

Maintenant, jour après jour, il fallait gonfler. L'objectif était une prothèse à deux cents centimètres cubes minimum, pour obtenir le supplément de peau nécessaire au « drapage » du menton. « Drapage » était le bon mot : on allait tirer la peau du cou jusqu'à la lèvre inférieure, et même au-delà, car la peau se rétracte, comme le drap sur la barbe du capitaine Haddock. Jusqu'à cette opération, l'expandeur allait faire de moi un pélican ou un crapaud, provoquer quelques solides douleurs dans le cou et dans le dos, les unes comme des brûlures, les autres plantées comme des clous, mais ceci est une autre histoire, également postérieure à celle que je raconte ici. La chirurgie est un livre qui n'en finit pas.

Après l'injection, Chloé s'est assise en face de moi sur le tabouret, pour voir comment je réagissais. C'est alors que je lui ai dit : « Demain, ça fera deux ans qu'on se connaît. » J'y pensais depuis la veille et je m'étais promis de le lui dire. Je n'aime pas les anniversaires, celui-ci moins que d'autres, mais j'aurais préféré, pour cette première injection, qu'on soit le 7 janvier. « Oui, m'a-t-elle dit, et j'ai compris qu'elle y avait pensé aussi. Vous savez ce que je faisais quand vous êtes arrivé ici ? » Je lui ai répondu : « Hossein m'a dit que vous étiez en train de déjeuner. Il vous a appelée et il m'a mis au frais en attendant que vous arriviez. » Hossein était un jeune chirurgien, de garde le 7 janvier 2015. Plus tard, il est devenu un ami : le jour où, changeant d'hôpital, il ne s'est plus occupé du patient. Les dieux gardent leurs distances, les chirurgiens aussi. Les premiers ont créé l'homme avec de la glaise, dit-on. Il y a toujours un moment où vous redevenez pour les seconds un tas de viande et d'os à refaçonner.

Elle a soupiré : « Celui-là, il faut toujours qu'il parle… » J'avais du mal à imaginer Chloé en train de déjeuner un jour de semaine. Je ne la voyais pas autrement que debout, plus ou moins penchée sur moi, comme une déesse sur le destin d'un marin grec, mais certainement pas assise en train de manger une salade ou un couscous. Elle a continué : « Je déjeunais au restaurant avec une amie, ce qui ne m'arrive presque jamais… » Ah ! J'avais donc raison. Et c'est là qu'elle m'a raconté comment cette amie lui avait offert *Soumission*, livre qu'elle continuait de trouver prémonitoire. Était-il prémonitoire, ai-je pensé tandis que l'infirmière plaçait le pansement sur la valve d'injection ? J'ai dit à Chloé : « Vous savez que *Soumission* a été le dernier sujet dont nous avons parlé à... » « ... la conférence de rédaction ? » Il est agréable d'être compris à demi-mot par son chirurgien, surtout quand on a du mal à parler.

Dans le box, un interne et deux externes nous écoutaient. L'un des externes, jeune, très brun, avec une petite barbe légère, me regardait attentivement sans réagir à nos propos. Je me suis demandé s'il était arabe et ce qu'il pensait. C'est peut-être pour le savoir que j'ai une fois de plus répété : « Ce jour-là, nous étions deux à avoir lu *Soumission*, Bernard Maris et moi, et nous l'avons défendu tous les deux. Ceux qui l'attaquaient ne l'avaient pas lu. C'est presque toujours comme ça. » Des sourires sont passés sur les visages, sauf sur celui du jeune externe brun et barbu, toujours plus attentif et plus sérieux. Allait-il bondir dans ce box et m'égorger ? J'ai continué : « Nous n'étions pas d'accord. Puis les tueurs sont entrés et ils ont mis tout le monde d'accord. » Quand je parlais de l'attentat, je le faisais maintenant comme s'il s'agissait d'une farce – puisque après tout c'en était une. Je n'étais pas certain que le roman de Houellebecq n'en était pas une autre. Elle avait au moins eu le mérite de ne pas tuer ses lecteurs. « Il y avait peut-être d'autres moyens d'arriver au consensus », a dit Chloé sur le même ton. Nous n'avions pas eu le temps de les trouver. Nous n'avions pas eu le temps d'avoir de l'imagination, et maintenant, au moment où il était préférable de ne plus en avoir, il m'arrivait d'en avoir trop. Tout le monde continuait de sourire, sauf l'externe brun. L'infirmière en avait fini avec le pansement. Je me suis levé. En remplissant mon ordonnance (antibiotiques, ultra-levure, Doliprane, le bon vieux trio, auquel manquait cette fois l'élément formant quatuor, la vaseline, j'en avais plusieurs tubes à la maison), Chloé s'est mise à parler en anglais avec le garçon mystérieux et inquiétant. Je n'ai senti qu'à cet instant qu'il ne comprenait pas le français. Il était syrien, dentiste. Il venait d'arriver de Damas. Il avait fui un pays où, a-t-il dit, l'avenir de chacun était loin derrière lui. Chloé m'a présenté. Je lui ai serré la main, souhaité la bienvenue, comme si lui et moi étions des ministres – de quoi ? « Voilà, a-t-elle dit, maintenant les présentations sont faites. »

Quand les présentations avaient-elles eu lieu entre elle et moi ? Entre son monde et moi ? Si j'excepte mon oncle Pierre, facétieux obstétricien à moustache d'allure Belle Époque aujourd'hui en retraite, je n'avais jusqu'au 7 janvier aucun rapport avec le monde des chirurgiens. On m'avait opéré des tympans dans mon enfance, de l'appendicite l'année du baccalauréat, d'un pouce cassé au ski deux ans plus tard. Ces médiocres aventures avaient glissé sur moi.

De la première opération, je me souvenais d'un gros masque en plastique brun désagréable qui sentait mauvais et qui m'avait endormi comme à l'intérieur du vomi qu'il donnait envie de produire. Je m'étais éveillé en pleurant de douleur, comme après une angine aiguë. On m'avait dit que j'étais douillet.

De la deuxième opération, je me rappelais un évanouissement dans la chambre de ma troisième grand-mère, la seconde femme de mon arrière-grand-père. Il était mort en 1937, à côté d'elle, dans un accident de la route près d'Angoulême. Elle était jeune et ne s'était jamais remariée. Elle habitait dans la banlieue de Grenoble, où elle évangélisait les enfants pauvres de sa cité. Une foi sauvage lui avait permis de survivre à son mari, à tout. Elle avait marché droit et longtemps, un chapeau noir en forme de coprin sur la tête, malgré une colonne vertébrale presque entièrement décalcifiée : les médecins ne semblaient pas comprendre comment elle tenait debout. Chaque matin, elle mettait une cantate de Bach sur le tourne-disque, prenait une grosse pastille de calcium, que je regardais fondre comme une hostie dans un grand verre d'eau, puis elle faisait de la gymnastique au sol avec un oreiller et un balai. Elle avait de lents mouvements de dame, grande, sèche, élégante, un humour froid. Son menton tremblait légèrement sous l'effort de volonté. Elle ne se plaignait jamais de rien. Il est possible que son extravagante discipline m'ait préparé à ce qui, trente ans après sa mort, me tombait dessus. Comme on dit en droit, le mort saisit le vif. Elle n'était d'ailleurs pas la seule grand-mère dont le destin, ou l'exemple, me suivait jusqu'à l'hôpital ; j'y reviendrai dans le chapitre suivant.

Je me rappelais un nouveau réveil difficile à l'hôpital de Grenoble et un appendice énorme, à la limite d'exploser, que le chirurgien m'avait apporté dans un flacon, comme un monstre ou un trophée, sans que j'en éprouve la moindre satisfaction. Et je me rappelais les vacances de Pâques foutues et un baccalauréat mal préparé pour cause de fatigue et d'indifférence, morne état que couronnait le visage légèrement porcin d'un professeur de mathématiques éprouvant du mépris pour ceux, dont j'étais, qu'il ne parvenait pas à éclairer. J'appartenais à cette époque récente, prétendument bénie, où la plupart des médecins n'expliquaient rien à leurs patients et où une quantité non négligeable de professeurs prenaient pour des imbéciles les élèves qui subissaient leur manque de pédagogie, de sympathie et de patience.

De la troisième opération, je me rappelais une anesthésie locale, encore quelque douleur, un plâtre énorme et lourd que j'ai traîné pendant des semaines à l'université sans que nul n'écrive quoi que ce soit dessus, comme c'était pourtant l'usage, et un pouce qui suppura pendant deux mois avant que n'en sorte, un matin d'été, dans la salle de bains familiale, un long petit bout d'acier noirci, résidu de la broche : on n'avait fait aucune radio de contrôle et on m'avait rééduqué avec cette petite chose dedans, je comprenais mieux maintenant pourquoi j'avais souffert sans oser me plaindre. Je ne voulais pas être encore traité de douillet. Ayant vu apparaître sur le flanc du pouce cette petite pointe après la douche, j'avais pris une pince à épiler, tiré dessus. Celles de la Salpêtrière me rappelaient à quel point la salle de bains est le lieu de toutes les hontes et de quelques découvertes – celui où, des plaies aux branlettes et des grimaces aux toilettes, on fait sous une lumière généralement froide les expériences les plus sensibles de son propre corps. C'est l'endroit où tout homme est un patient. Après avoir tiré un centimètre de la pointe d'acier, il me sembla plus sage d'en rester là et d'aller à la clinique voisine, où un médecin me retira la chose, assez longue, et fit cette fois une radio, à peine confus, vous comprenez, ce sont des choses qui arrivent. De ces infimes péripéties chirurgicales, il me reste deux cicatrices. Elles sont encore visibles, mais elles paraissent, comme tant de souvenirs, effacées par celles qui depuis le 7 janvier les ont rejointes et, en quelque sorte, recouvertes. Ce sont mes cicatrices d'insouciant.

Je ne me souviens du visage d'aucun de mes anciens chirurgiens. Ils n'ont fait que passer sur des plaies secondaires et dans ma vie, comme des divinités d'occasion. Je n'avais aucune idée sur leur métier ni sur leur caractère, mais la sympathie que j'ai pour mon oncle Pierre, son humour, son absence de sentimentalité affichée, le souvenir de nos marches en montagne et d'une mémorable visite qu'il me fit faire de sa clinique, à Tarbes, tout cela me les rendait par assimilation rétrospective aimables – même si la réputation de cette profession conduit plutôt à penser qu'ils le sont peu.

Mémorable, la visite de sa clinique le fut car, passant de service en service et de chirurgien en chirurgien, je sentis vite qu'une comédie tout en litotes face à la souffrance, à la décomposition, à la mort qui vient, devenait ici le contraire de l'indécence qu'elle aurait pu signifier partout ailleurs. Comme le Dr House, certains collègues de mon oncle – et lui d'abord – se protégeaient avec une certaine férocité de ce que les corps leur révélaient et des mauvaises nouvelles qu'il fallait annoncer aux condamnés. Ce mauvais esprit me semblait le seul juste. Il correspondait à ce que j'aimais quand je lisais un livre, une sorte de stoïcisme bouffon face aux croche-pieds et aux insuffisances de la vie : la manifestation glacée, comme un quatre-quarts recouvert d'une fine pellicule de sucre, d'une colère rentrée. La seule manière d'affronter la souffrance et la disparition était de faire comme si rien, jamais, n'avait pu scandaliser. C'est armé de ces maigres souvenirs et de la leçon implicite de l'oncle Pierre que j'ai commencé ma propre visite hospitalière, un peu moins simple qu'au Monopoly. C'est d'ailleurs lui et son gendre, Thibault l'anesthésiste, qui dans les premières heures ont tenu mes parents informés de mon état.

Dix ans avant l'attentat, c'était déjà lui qui avait informé mes parents par téléphone, en direct, de la mort de mon autre oncle, André, celui dont mon frère et moi étions infiniment proches. Les derniers souvenirs précis de mon enfance sont presque tous liés à lui. Il passait pour la seconde fois à soixante-sept ans sur le billard, où on allait lui remplacer un bout d'artère. Il était entré à l'hôpital avec son calme habituel, son orgueil muet, n'ayant prévenu personne, pas même ma tante, de ce que lui savait parfaitement : ses tuyaux étaient dans un état si déplorable qu'il avait toutes les chances d'y rester. Nous avons su plus tard qu'il avait dit à son chirurgien : « Si ça tourne mal, vous ne me réveillez pas. Je ne veux pas être un légume. » Mon oncle a-t-il dit exactement cela ? Ou bien le chirurgien a-t-il transformé ses propos pour justifier, a posteriori, l'échec de l'opération ? Quand on ouvre un corps, on ne sait jamais ce qu'on va trouver dedans, et nous ne le saurons pas. Mais c'était bien dans sa manière. Il n'aurait pas voulu remonter du bloc en infirme à perpétuité. Il ne voulait dépendre de personne, ne se plaindre de rien. Nous avions été en dehors du coup, comme presque toujours les proches du patient.

J'étais chez moi, assis à mon bureau, en train de me disputer violemment avec Marilyn, quand le téléphone a sonné. C'était ma mère. D'ordinaire, elle a une voix ferme, un peu sévère. Cette fois, elle tremblait : « Je t'appelle, parce que tu sais, je ne sais pas si Tonton va s'en sortir. Ils sont toujours en train de l'opérer et ça se passe mal… » Elle m'appelait depuis sa ligne fixe. J'ai regardé Marilyn, flottant, abasourdi. Je ne pouvais imaginer que mon oncle allait disparaître et je n'y croyais pas encore. Toute mon enfance si pâle et tous les moments qu'il nous avait donnés apparaissaient pour disparaître et j'ai senti de nouveau, mais avec une force inédite, qu'on mourait un nombre incalculable de fois dans une vie, des petites morts qui nous laissaient là, debout, pétrifiés, survivants, comme Robinson sur l'île qu'il n'a pas choisie, avec nos souvenirs pour bricoler la suite et nul Vendredi pour nous aider à la cultiver.

Nous avions vu que mon oncle était pâle et fatigué, ça ne datait pas d'hier, mais nous ne voulions pas le savoir. Deux ans plus tôt, il avait dû renoncer à une petite marche en montagne, après quelques centaines de mètres, le corps en sueur et le visage stoïquement décomposé. J'étais avec lui et j'ai pensé que c'était passager, on ne croit pas à la faiblesse des héros de son enfance. J'ai cru de la même façon qu'il s'agissait d'une opération importante, mais sans conséquences graves. Il était entré la veille à l'hôpital. Je n'étais pas allé le voir, pas plus que d'autres, pensant m'y rendre dans les jours suivants et rire avec lui de tout et de rien. Je ne pouvais toujours pas l'imaginer sur un lit d'hôpital, les yeux clairs, lisant un livre d'histoire, rétréci, amoindri et en position allongée.

J'ai écouté ma mère me dire que mon oncle était en train de mourir. Marilyn a vu changer mon regard. Une stupeur qui n'était pas encore précisée avait dû y chasser la colère. À cet instant, nous nous disputions à cause d'une fécondation *in vitro* que nous devions faire et que, fatigué, inquiet, pessimiste, dégoûté par les tentatives d'insémination ratées, je ne cessais de repousser. Tout en écoutant ma mère expliquer l'état de mon oncle, j'ai dit à Marilyn : « L'opération de Tonton se passe très mal. » Marilyn aimait énormément mon oncle. J'ai vu son visage se froisser d'un chagrin qui ne devait pas encore avoir recouvert le mien. Je flottais entre colère et stupeur. Depuis un an, le chagrin à domicile était permanent. Ne pas avoir d'enfant tuait lentement notre couple sans que nous en soyons tout à fait conscients. L'échec avait liquidé notre désir et ce qu'il me restait d'estime pour moi-même. Et soudain, comme au théâtre, un homme que nous aimions, quelqu'un qui nous avait donné force et humour, cet oncle dont l'orgueil sarcastique nous avait tant marqués, mourait au moment même où nous ne savions plus comment donner la vie. Nous aurions d'ailleurs pu en rire avec lui, qui avait eu tant de mal à procréer et l'avait fort mal vécu. Notre dispute faisait maintenant écho à sa disparition. Elle avait un goût amer et ce fut comme si nous étions responsables de ce qu'il endurait, comme si la dispute nous avait plongés dans une indifférence que nous regrettions déjà. Développées par la colère, notre énergie et notre tristesse s'inversèrent, tel un réacteur d'avion à l'atterrissage, pour nous déposer dans un pays dévasté où nous n'avions pas prévu d'aller.

J'ai entendu un téléphone sonner dans l'appartement de mes parents, c'était le portable de ma mère. « Attends, me dit-elle, c'est Pierre… » Il y a eu des oui, puis une sorte de soupir ou de cri, je ne sais plus, et la voix de ma mère a dit dans un petit sanglot : « Eh bien voilà, cette fois c'est fini, Tonton est mort… » Puis un nouveau bruit, comme celui d'un téléphone lâché, et la tonalité sonnant dans le vide. J'étais assis avec cette nouvelle, je me demandais si ma mère s'était évanouie et si ce n'était pas un rêve, et j'ai regardé de nouveau Marilyn. Elle se tenait debout devant moi, les bras le long du corps, son petit corps solide et ses yeux noirs brillant intensément, et je lui ai dit en espagnol : « Tonton ha muerto. » Elle a eu un hoquet et s'est mise à pleurer. Je me suis levé et je l'ai prise dans mes bras. Quelques minutes plus tard, Marilyn est passée dans la chambre pour s'injecter les hormones en prévision de la FIV. Il n'était plus question d'hésiter. C'était bien dans sa manière : une vie contre une mort, et plus vite que ça. Nous n'avons jamais eu d'enfant.

J'ignore si Chloé est revenue me voir dans la nuit du 7 au 8 janvier, après la première opération. Je l'ai vue pour la première fois le 8 janvier, dans ma chambre, cou droit, blouse blanche et sourire aux lèvres : ce fut comme une apparition – et j'écris cela au sens propre, car celui qui la regardait n'était rien de plus qu'un enfant prêt à s'émerveiller de tout ce qui pouvait l'aider à vivre. Si de moi elle ne savait rien, de mon corps elle savait déjà tout ce qui pouvait lui servir – de sa mécanique et de son état de santé. Je lui ai demandé sur l'ardoise si elle voulait une vieille photo de moi en prévision des opérations. Je voulais être *utile*. Elle a

haussé les épaules et souri : « Bah ! Je n'en ai pas besoin ! »
J'étais surpris. J'aurais aimé lui dire : « Comment voulez-
vous refaire mon visage si vous ignorez à quoi il ressemblait ? » Je me croyais encore chez Photoshop. Cependant,
qu'elle en sache autant et si peu sur moi ne me gênait pas
et j'ai cessé d'y penser en m'abandonnant pour la première
fois à ce sentiment dangereux et nécessaire : la confiance.
D'elle je ne savais rien mais, très vite, me renseigner sur
elle, auprès d'elle, devint pour moi essentiel. Il fallait que je
m'en rapproche pour oublier à quel point j'en dépendais.
Je devais connaître les secrets de la fée imparfaite.

J'ai eu pour elle, outre la confiance, une sympathie
immédiate. Cette sympathie n'était pas seulement due au
fait qu'elle était ma sauveuse, ou plus exactement la com-
mandante en chef de l'équipe qui allait me redonner, peu
à peu, une bouche, un menton et une mâchoire. Elle était
due, plus que tout, à son absence de complaisance. Sa sévé-
rité enjouée me rassurait.

Son jour de visite était le jeudi. Les premiers temps, quand
je descendais au bloc avec une fréquence d'abonné à carte
illimitée, elle passait me voir quotidiennement. Souvent,
elle débarquait le soir, sa journée finie, obligeant ceux qui
me rendaient visite, à commencer par mes parents, à quitter la chambre. Ce n'est que pour quelques minutes, leur
disais-je. Mais cela pouvait durer trente, quarante minutes,
une heure parfois. Les visiteurs attendaient dans le couloir
froid, à quelques mètres des policiers, tantôt debout, tantôt
assis près de l'accueil sur un des deux sièges, tantôt assis par
terre, en proie aux courants d'air. Je les oubliais : j'écoutais
Chloé me parler de mon cas et d'elle-même. Les femmes
que j'ai aimées m'ont toutes reproché un jour ou l'autre
de n'être pas attentif, de flotter, d'être ailleurs, je ne sais
où, tandis qu'elles me parlaient. L'une d'elles avait résumé

ce qu'elles avaient, semble-t-il, toutes éprouvé : « Vivre avec toi me rendrait folle. Je ne me suis jamais sentie aussi seule qu'en ta présence. » Chloé bénéficiait d'un supplément d'attention qui n'était pas dû à l'amour, mais aux circonstances. Quand elle entrait, je lui tendais en général une liste de questions écrites, portant aussi bien sur mon destin chirurgical que sur un point de littérature ou de musique évoqué lors d'une visite précédente.

Je coupais la musique. Elle s'asseyait près de moi, prenait mon bloc et mon crayon et m'expliquait ce qu'elle pensait faire dans les jours qui viendraient. Elle dessinait des schémas, me présentait les inconvénients et les avantages de chaque option chirurgicale. Il y a un grand soulagement, lorsqu'on est dans un tel état, à être pris pour quelqu'un de fort et d'intelligent – un élève doué, en somme, plutôt qu'un patient. Les décisions se prenaient naturellement au staff, entre chirurgiens, et j'ai vite compris que Chloé ne me donnait que les explications qu'elle jugeait possibles ou nécessaires ; mais elle le faisait de telle façon qu'elle ne semblait rien me cacher de ses hésitations.

J'ai vite appris, grâce à ce cours particulier d'après nature, que la chirurgie est du grand art et du bricolage incertain : mélange de technique, d'expérience et d'improvisation. On ne choisissait généralement pas entre deux solutions, la bonne et la mauvaise, mais entre plusieurs possibilités qui présentaient toutes des inconvénients. Il fallait les mettre en balance avec les avantages. La balance était équilibrée par un fléau en alliage composite : l'état physique et mental du patient, le suivi postopératoire, les incertitudes cellulaires. Je suis assez vite devenu le chroniqueur en chambre de ma chirurgienne. Puisqu'elle refaisait de moi un homme avec un visage, tous ceux qui passaient devant moi devaient faire d'elle une héroïne. À elle l'action ; à moi le récit. Les romans de chirurgie sont des romans de chevalerie.

Je la comparais volontiers, en présence de mes amis, à un excellent joueur d'échecs, Fischer, Kasparov ou Capablanca. Elle connaissait toutes les combinaisons maxillo-faciales ; elle calculait ses coups à l'avance ; sa technique était sûre et sa passion du geste, exagérée comme toute passion ; mais elle devait aussi, face à certains cas comme le mien, qui relevaient du défi aussi bien chirurgical que social, faire preuve d'intuition et d'imagination. Je relevais autant de la menace que du défi. Avant la greffe de mon péroné sur la mâchoire, elle m'a dit paisiblement : « Ça marche dans un peu plus de 90 % des cas. Si ça ne marche pas, on recommence avec l'autre péroné, et avec une équipe différente. Il n'y a jamais d'échec complet. » Le service était d'ailleurs réputé pour ses « péronés », on en faisait environ quatre-vingt-dix par an. Mais, longtemps après la réussite de cette greffe, elle m'a dit un jour en consultation : « Savez-vous ce que vous avez traversé ? Quand la greffe du péroné a eu lieu, on n'en menait pas large. Si elle avait raté, c'est nous qui plongions tous avec vous. » Je l'ai regardée, stupéfait : cette expression me fit sentir la violence que cette histoire lui avait imposée. Je les ai vus sauter l'un après l'autre dans le trou de la mâchoire, tous et Chloé devant, et, aspirés entre les muqueuses détruites, disparaître avec l'énergie, le savoir-faire et les illusions qui les avaient mobilisés, tandis qu'en ressortaient, triomphants de malveillance et de stupidité, les frères K, leurs supporters et tous ceux qui n'osaient pas encore pleurer, au nom de la lutte des classes, sur leur enfance orpheline.

Un jour, en avril, à l'époque où les greffes secondaires échouaient l'une après l'autre et où je ne cessais de fuir sous la lèvre inférieure, elle est entrée avec une fierté presque rayonnante et m'a dit : « J'y ai pensé toute la nuit, et je crois que j'ai trouvé la solution... » Je l'ai écoutée en pensant que j'allais bientôt cesser de fuir. Mais il me fallait évacuer le soulagement anticipé, qui m'infantilisait, pour me concentrer sur les explications, qui m'éduquaient. J'étais une fois de plus le patient, l'élève et l'observateur, triple position que son amicale exigence m'aidait à tenir et qui avait aussitôt flatté ce qui restait de journaliste en moi : j'expérimentais enfin les souffrances et les étapes d'une reconstruction que j'observais, qu'il me fallait comprendre et qu'il me faudrait un jour décrire.

Ce soir-là, je suis allé pour la première fois sur son compte Facebook. Elle l'utilisait peu. Elle avait mis un « Je suis Charlie » à la date du 7 janvier. Elle a mis des signes de deuil à la date des attentats suivants. Je n'ai jamais demandé à être son « ami ». Elle aurait sans doute refusé en jugeant ma demande déplacée. Elle aurait eu raison. Je cherchais les traces de ses sentiments, de sa vie. J'ai toujours été satisfait de comprendre que je ne les trouverais pas.

CHAPITRE 12

La préparation

Le jour du départ de Gabriela, j'ai quitté la chambre 106 pour rejoindre la chambre 111, plus grande. Les numéros réveillent les souvenirs. Gabriela est partie après les soins, en fin de matinée. Je l'ai accompagnée jusqu'à l'ascenseur. J'ai regardé sa grosse valise, ses longs cheveux, son long manteau, elle a souri et, comme dans un film, la porte s'est refermée. Il y avait une odeur de formol et d'eau de Javel dans le couloir. Je suis retourné dans ma chambre et j'ai attendu les infirmières. Je savais que Gabriela ne reviendrait pas avant plus d'un mois. À cette époque, j'aurais changé – même si j'ignorais à quel point et de quelle façon. Celui qui la regardait disparaître ne la reverrait pas, dans la mesure où il n'existerait plus. J'étais triste, mais j'étais presque soulagé. Je ne savais plus trop quoi faire de mes sentiments. Le corps et ses désirs, tous absents, n'étaient plus là pour les faire vivre. J'avais l'impression de les oublier malgré moi, de les diminuer, comme un feu qu'on réduit sous la casserole, pour me concentrer sur autre chose – mais sur quoi ?

Christiane, la cadre, avait prévu de m'installer dans la plus grande chambre de toutes, la chambre 102, tout au bout du couloir, près d'une sortie de secours qui avait été condamnée. J'y suis entré avec les deux policiers de garde et mon ami Juan, venu me rendre visite, et qui prenait soudain un rôle d'acteur plus que de visiteur. Juan et moi avons aussitôt compris que l'endroit était impossible : la fenêtre donnait sur un toit gris et plat, grand comme un court de tennis, auquel n'importe qui pouvait avoir accès et, de là, pourquoi pas, me descendre. J'ai frissonné. Juan a vu, je crois, l'ombre de panique qui passait dans mon regard : devant ce toit je revoyais les tueurs, n'importe quels tueurs, tout en noir, avec des cagoules, mitraillant la chambre sur-le-champ. Ce n'était pas un effet de l'imagination : c'était une scène véritable, qui faisait irruption dans celle que nous vivions et jouait des coudes pour s'y substituer. Pendant quelques secondes, ces tueurs fantômes ont été plus réels que Christiane, Juan, les policiers et moi-même. Ou plutôt : nous n'étions plus réels que sous leurs balles, les uns planqués sous la fenêtre ou sous le lit, les autres morts, et moi dans la salle de bains, avec mes tuyaux, attendant le coup de grâce. Ce jour-là, et pour plusieurs mois, la salle de bains de ma chambre d'hôpital, quelle qu'elle soit, est devenue ma « querencia », l'endroit où le taureau s'installe pour mourir, épuisé, la langue hors de la gueule, prêt pour l'estocade. C'était là que je finissais quand ils entraient.

— Je crois que ça ne va pas être possible, a dit l'un des policiers avec un léger sourire. Ou alors, il faut que nous soyons dans la chambre vingt-quatre heures sur vingt-quatre. Ce n'est peut-être pas idéal pour Monsieur Lançon.

Je voulais sortir de cette chambre le plus vite possible, mais la panique s'éloignait. Il y a eu un moment de flottement. Comme dans un western, à l'instant où au comptoir le conflit va éclater, nous nous regardions en chiens de faïence, sans savoir lequel allait dégainer le premier. Ce ne serait pas moi : mon pansement commençait à fuir.

Christiane était embarrassée. Non seulement elle avait cru bien faire, mais, maintenant, il lui fallait revoir son organisation. Elle a écarquillé ses yeux clairs. Dans ces cas-là, elle avait l'air de sortir d'un bas-relief maléfique. Le service accueillait des patients sous surveillance, des détenus, mais il n'était pas fait pour accueillir des patients menacés. M'installer là quand même ? Elle pesait en silence le pour et le contre. J'ai vu le moment où, si les tueurs ne venaient pas finir le travail que les frères K avaient commencé, j'allais vivre nuit et jour avec les policiers, assister à leurs relèves et à leurs discussions, sans parler de leurs radios qui, derrière la porte, se laissaient rarement oublier. Ils seraient là, au pied de mon lit, comme des domestiques au pied du baldaquin du roi, comme des lions de pierre aux pieds d'un gisant. Je ne dormais quasiment pas. J'ai eu peur de ne plus dormir du tout. Christiane a cessé d'écarquiller les yeux, le bas-relief a rejoint la jungle asiatique dont il sortait et elle a dit :

— Bon, on va voir ce qu'on peut faire.

Nous avons regagné la chambre 106. Quelques minutes plus tard, je m'installais dans la chambre 111, à vrai dire aussi spacieuse que celle qu'on venait de m'épargner, mais ne donnant, elle, sur aucun toit. Déménager dans un autre pays n'aurait pas été une aventure plus épique. À chaque déménagement, la sensation s'est renouvelée. Changer de chambre, c'était changer de monde ; c'était donc changer de vie. La fenêtre de la chambre 111 donnait sur un pin où se perchaient, de temps à autre, des corbeaux. Depuis mon lit, j'ai observé chaque matin et chaque soir sa forme et ses glissements de couleur comme si ma vie en dépendait. Souvent, il semblait noir. Quand j'ai pleuré, tout seul, quelques semaines plus tard, c'était en le regardant. Je suis resté dans la chambre 111 jusqu'au jour de la grande greffe, le

18 février. Mes parents ont emporté une partie des affaires qui s'étaient accumulées. Christiane en a entassé d'autres dans son bureau. L'étage entier allait être fermé pendant une semaine pour un grand nettoyage. J'étais perdu en le quittant, à l'aube, pour le bloc le plus long. Je craignais de changer de peau, de souffrance, de mémoire, de vie.

La veille du départ de Gabriela, Chloé m'avait enlevé la canule non fenêtrée. C'était une petite cérémonie et, là aussi, un changement de vie. À l'hôpital, dans la plus stricte routine, il n'y avait que l'urgence, le désordre et l'apprentissage au cœur de l'habitude. Chloé m'a dit :

— Vous allez pouvoir reparler, mais pas trop, hein ?

Elle n'avait jamais entendu le son de ma voix, mais elle semblait le connaître et on n'avait pas eu besoin de lui dire que j'étais bavard. J'allais pouvoir reparler ? Le corps n'oublie rien, mais la conscience oublie vite, et il ne m'avait pas fallu huit jours pour perdre jusqu'au souvenir de la parole articulée. Je m'étais fait à mon ardoise, à mes doigts noircis par le feutre, à mon silence, à mon carnet.

Chloé a demandé à Gabriela, debout au pied de mon lit, de s'écarter, « à moins que vous ne vouliez finir au pressing ». Puis, sous les regards de l'équipe, elle a retiré la canule. J'ai violemment toussé. Du sang mêlé de glaires a jailli par le trou et rejoint le mur en face de mon lit, comme un mollard. Pour une fois, je visais juste. Mais je visais quoi ? Gabriela a ri. Le nez me piquait. Chloé a nettoyé le point d'entrée puis installé la canule fenêtrée, qui allait me permettre de parler. J'ai essayé de dire un mot, rien n'est sorti. J'ai pris mon carnet et écrit : « Je ne peux pas parler. » Maintenant que j'étais censé pouvoir, ne pas y parvenir m'inquiétait. Chloé s'est redressée :

— Il n'y a aucune raison pour que vous ne puissiez pas. Un peu de patience…

J'ai essayé de nouveau. Peu à peu, des sons de plus en plus articulés ont fait leur apparition, des sons qui semblaient venir du plus profond de moi-même et de je ne sais où, même s'ils ne signifiaient à peu près rien. Les visages bienveillants et amusés de Gabriela et de Chloé étaient penchés dessus. J'ai oublié les premiers mots compréhensibles qui sont sortis. Ils devaient être aussi simples, aussi concrets que ceux d'un enfant.

Plus tard, avec Gabriela et mon frère, nous avons écouté des sketchs de Coluche sur Internet. Gabriela préparait pour l'un de ses cours un devoir, je crois, sur l'humour français. Elle ignorait tout de cet humour et le comprenait mal. Elle trouvait les Français trop amers, trop agressifs, elle ne connaissait pas Coluche. J'ai pris mon carnet pour lui expliquer le contexte de blagues qui lui échappaient, mais ces blagues, ce contexte, tout demeurait dans une chambre forte d'où j'avais été moi-même extrait. Je connaissais les codes pour l'ouvrir et y retourner, mais ce qui se trouvait à l'intérieur ne correspondait plus à rien. Quelqu'un avait coupé la communication avec le sens des souvenirs qui continuaient plus ou moins de m'habiter. On a écouté « Le flic », « Gérard », « L'étudiant », « Les journalistes ». Je me suis endormi dans une légère nausée, saturé par l'excès de mots, de rires, par l'accent de Coluche mêlé aux vapeurs de ma jeunesse, chassé par un morceau de monde qui n'était plus le mien et qui agissait sur moi comme quelques verres de trop. Coluche appartenait à un monde où l'on aurait pu rire d'un attentat comme celui contre *Charlie,* parce qu'il n'avait pas eu lieu. Un troisième bloc approchait.

— Alors, voilà…

Chloé a pris mon carnet et mon stylo et m'a donné un cours dont j'étais le sujet. C'était un soir, assez tard. Elle avait mis tous les visiteurs dehors. Ils ont attendu cinquante minutes dans le couloir. Mes parents étaient mécontents et fatigués. D'autres sont partis. Personne n'osait rien dire. C'est ce soir-là, je crois, qu'elle m'a parlé de sa famille et, avec ce sourire qui mettait tout à distance, de quelques-uns de ses chagrins. La chambre est aussi un confessionnal, un lieu voué au secret. Je n'en parlerai pas.

Elle espérait encore conserver les tissus et les bouts de mâchoire intacts. Elle voulait réduire peu à peu la plaie et effectuer des greffes. La « perte de substance » était importante, mais ne semblait pas rédhibitoire. Puis Chloé préférait toujours aider la nature plutôt que lui faire violence. Elle m'a dit : « La nature est meilleure chirurgienne que moi. » En suivant ce processus, a-t-elle poursuivi, il y en aurait pour des mois d'interventions, de pompage de sérosité, de cicatrisation, mais elle paraissait confiante. Dix jours après l'explication, l'option fut abandonnée : la balle avait brûlé trop de tissus et d'os pour qu'on puisse ne pas les remplacer. Chloé m'a longuement expliqué, avec de petits dessins sur mon carnet, en quoi consistait l'autre option, celle du « péroné ». Elle m'a précisé comment la décision serait prise en staff, après des échanges serrés d'arguments. La greffe du péroné était depuis plusieurs années pratiquée, d'abord sur les cancéreux de la mâchoire et de la bouche, principaux patients du service. On lui donnait aussi un autre nom et un autre soir, pour la première fois, j'ai entendu sortir de la bouche de Chloé le mot qui allait désormais, en grande partie, me caractériser : le lambeau. On allait me faire un lambeau.

Je reprends les explications du chapitre précédent. On prélève sur le patient un péroné et on le greffe sur ce qui lui reste de mâchoire, pour combler le déficit d'os. Une veine, un bout d'artère et de peau du mollet correspondant au péroné prélevé sont également greffés, comme un kit, afin de vasculariser – d'irriguer, en somme, comme une plante – l'os greffé et lui permettre de s'adapter en compagnie familière à son nouveau milieu. À la place de la peau enlevée sur le mollet, on met une tranche de peau prélevée sur la cuisse de la même jambe, la droite dans mon cas. Le péroné choisi, après scanner, est le plus solide et le mieux vascularisé des deux. L'opération dure une douzaine d'heures. Elle exige deux équipes chirurgicales : l'une travaille sur la jambe, l'autre sur le visage. On ne prend pas le péroné entier : on laisse les pinces à chaque bout, pour permettre aux articulations avec le tibia – et, donc, à la jambe – de fonctionner. Le principe est celui de l'autogreffe : le corps l'accepte beaucoup mieux qu'une greffe exogène. Le patient fournit le matériel. Il se sauve par ses propres moyens.

Pourquoi le péroné ? Parce qu'il est l'un des os les plus compatibles, par nature et par forme, avec la mâchoire, et parce qu'il n'est pas indispensable à la marche et à l'équilibre : c'est un tuteur dont des mois de rééducation peuvent compenser l'absence. L'idéal serait, si j'ai bien compris, de greffer l'os crânien ; mais il ne peut être utilisé que pour de petites surfaces. On peut vivre sans péroné ; on peut vivre sans trop utiliser sa cervelle ; on ne peut vivre sans le crâne qui la contient.

Chloé hésitait. Ce fut le professeur G, chef du service, qui m'annonça un soir la solution choisie – c'était après tout sa responsabilité. G était un homme d'une petite soixantaine d'années, solide, massif même, la voix paisible et confortable, de taille moyenne, qui avait pour habitude d'écouter des radios comme NRJ pendant qu'il opérait : c'est ce qu'on m'a dit, mais je n'ai pu le vérifier, car il ne m'a jamais opéré. Il venait à l'hôpital à moto. Son regard était ce qu'il avait de plus étrange : il vous fixait avec une attention totale et totalement froide, la tête en avant et tendue sur la plaie, et il y avait tout au fond des yeux comme une absence, un petit astre dépoli qui semblait indiquer qu'une partie de lui-même était ailleurs, lointaine, peut-être morte. Cette partie, je l'appelais l'étoile G. J'aimais la retrouver, car elle objectivait ma souffrance et mon angoisse, et, en les objectivant, pour quelques secondes elle les éloignait. L'étoile G brillait d'attention et d'indifférence au ras du visage, tel un astéroïde en surplomb, puis un léger sourire, une remarque pince-sans-rire émise d'un ton bonhomme, la chassaient vers un quelconque néant tandis que la tête reculait pour reprendre sa position initiale et qu'un regard amusé, humain, se réinstallait dans les lueurs froides de la chambrée. Une infirmière m'avait dit qu'il était lui-même passé près de la mort, du côté des patients, et que cette aventure l'avait changé. Fréquenter le billard avec assiduité ne faisait pas de moi un chirurgien, mais m'avait rapproché d'eux, et, depuis que l'infirmière m'avait parlé de G, je ne pouvais le regarder sans une sympathie particulière, celle d'un poisson regardant un autre poisson dans l'estuaire opaque et fangeux qui leur sert de milieu.

G me tomba dessus à l'improviste. J'étais remonté d'un bloc depuis quelques heures et je respirais ce soir-là particulièrement mal, en sueur, immobilisé par les perfusions et luttant dans mon lit aux barrières relevées comme un nouveau-né dans un berceau arrangé par une association bénévole de sorcières : c'était l'un de ces moments où la minute suivante semble aussi peu accessible que le plus lointain eldorado. G se planta à ma droite et, de cette voix chaude qui m'apaisait, m'annonça comme entre gens de bonne compagnie, sans paraître s'apercevoir de mon état suffoquant :

— Bon. On en a discuté ce matin au staff, ça suffit

comme ça, assez tourné autour du pot ! On prépare tout et on y va pour le lambeau, péroné et implants, hop, on vous fait tout d'un coup et on n'en parle plus !

G me parlait comme si j'avais été assis ou debout devant lui, parfaitement bien portant et prenant des notes, et non cette momie humide et amaigrie aux yeux cernés qui le contemplait avec avidité et soulagement : une décision était prise, l'avenir se dégageait, l'aventure continuait ! Rien n'est pire à l'hôpital que l'absence d'action et de visibilité : c'est un lieu fait pour la décision. Je m'efforçais de ne pas tousser, de ne pas suer, et même, oui, de ne pas souffrir, pour être à la hauteur de la nouvelle que G venait de m'annoncer – pour être en somme dans le ton. Je me suis concentré sur les derniers mots, « et on n'en parle plus ! », qui sonnaient comme un sésame, la formule magique que tout mon corps attendait. Il n'y avait pas d'étoile G ce soir-là, simplement le professeur G et son vigoureux défaut d'affect si rassurant. On pouvait y voir un manque de psychologie. J'y pressentais, moi, l'implacable et merveilleux au-delà de toute psychologie – son abolition par les gestes et les mouvements de troupes qui, autour de mon modeste corps, s'annonçaient. Je venais d'assister à l'annonciation du professeur G.

Il repartit aussi massivement et naturellement qu'il était venu, après m'avoir fait quelques commentaires amusés sur ceci et cela, sur une visite officielle qu'on venait de me faire, « alors, il paraît qu'on reçoit du beau monde, vous êtes un homme célèbre, Monsieur Lançon ! », tandis que, la souffrance revenant, je me demandais si j'allais passer la nuit, bénéficier d'une mâchoire flambant neuve, ou si je venais d'assister à la résurrection du docteur Cottard.

Plus tard dans la soirée, calmé par une dose de Tramadol et en attendant l'Imovane, j'ai pris le deuxième tome du roman de Proust, dans la vieille édition Clarac de la Pléiade, et relu les pages sur la maladie et la mort de la grand-mère où apparaissait encore, mais cette fois dans la sûreté de son diagnostic plutôt que dans son imbécillité, le célèbre médecin proustien. Il me fallait de toute urgence vérifier son degré de familiarité avec le professeur G – et le mien avec cette grand-mère près de mourir dont la fin m'avait, à chaque relecture, traumatisé.

Trois morts avaient survécu à mes lectures de jeunesse : celle de Coupeau dans *L'Assommoir*, celle du père Thibault dans *Les Thibault*, celle de la grand-mère du narrateur dans la *Recherche*. Je les relisais régulièrement, comme on appuie sur un souvenir pour sentir la douleur. Il y avait pas mal de patients alcooliques dans le service. Quand j'en croisais un pendant mes longueurs de couloir, je me demandais parfois si ses pieds, comme ceux de Coupeau, se mettraient à gigoter au moment fatal, à l'heure du départ du pauvre Ludo. La fin du père Thibault m'avait encore plus impressionné, sa crise d'urémie et ses cris tandis qu'on le plonge dans un bain chaud, mais la grand-mère de Proust était plus aimable que lui et c'était elle, avec sa propre crise d'urémie, que j'avais choisie pour m'accompagner de la chambre au bloc et du bloc à la chambre. Sa descente vers la mort en faisait quasiment une compagne de chambre, j'étais avec elle dans son lit, avec son regard absent ou renonçant, près de la fenêtre qu'elle tentait d'ouvrir pour sauter. Quand ma canule mal posée ou trop longue m'empêchait de respirer et formait un kyste dans la trachée, elle rejoignait les sangsues qui, à la grande joie de Françoise, bougeaient sur son corps et son crâne. J'avais la sensation que la familiarité ne pouvait monter que du silence des livres ; quelques lignes suffisaient à me fatiguer et je me suis endormi avant de l'avoir établie.

À ce stade, il est temps de revenir deux ou trois jours en arrière, le 20 janvier précisément, pour évoquer la visite de celui auquel le professeur G avait fait allusion et qui était encore président de la République : François Hollande. La sécurité avait averti mon frère la veille au soir, tandis que je remontais du bloc où Chloé entamait ma « reconstruction ». Elle avait pu travailler sur la lèvre, mais n'avait pu effectuer la greffe prévue : les tissus étaient plus abîmés qu'elle ne le pensait. J'étais revenu accompagné des deux policiers en charlotte, blouse et surchaussures, au grand plaisir de mon frère, surpris et ravi d'assister à une scène comique. Sa joie n'avait pas duré car, dans ma chambre, je toussais, suffoquais et ne parvenais déjà plus à respirer correctement. On appela l'infirmière, puis l'interne, personne ne comprenait rien. On m'a mis au doigt cette petite pince à linge qu'est le saturomètre. L'oxygénation était presque parfaite, 96 %, et ils ont commencé à me répéter ce chiffre comme si j'étais coupable de jouer la comédie ou, simplement, pour une raison aussi mystérieuse qu'agaçante, de ne pas correspondre aux données qui me caractérisaient. « Vous dites que vous ne respirez pas, mais ce n'est qu'une impression, en réalité vous respirez ! » On m'a montré le chiffre qui démentait mes suffocations, sans doute pour me convaincre qu'il était temps de les faire cesser pour correspondre à ce que les chiffres indiquaient. Me sentant plus capricieux avec ma canule qu'un enfant refusant un jouet, je me suis efforcé de satisfaire mes soignants et de donner raison à leur appareil, comme un homme qui, le jour où la planète disparaît, continue de lire la Bible et d'écouter les prêtres pour croire en l'existence de Dieu, mais rien n'y faisait, la planète avait disparu et la respiration ne revenait pas. Ils m'ont alors mis des électrodes et un masque. Il n'y a pas plus détestable que ce masque, en plastique vert translucide. Il semble devoir vous faire payer d'avance le bien qu'il vous fera – s'il le fait, car il lui arrive d'être un prélude à la mort, et aucun habitué du service, même hors de danger, ne peut tout à fait l'ignorer. Il commence le plus souvent par étouffer celui qu'il va aider à respirer. C'est le moment qu'a choisi mon père pour arriver et j'ai pu lire mon état apparent, celui d'un moribond, dans son vieux et beau visage décomposé, ce visage d'élégant loup de mer à barbe blanche qui rappelait tantôt le capitaine Nemo, tantôt l'acteur espagnol Fernando Rey, bref, le patron d'un sous-marin ou un personnage du Greco qui aurait eu autre chose à manger qu'une gousse d'ail, une goutte d'huile et un quignon de pain. Une brève pensée pour les fiers hidalgos du Prado ne m'a pas consolé de la peine que je lui faisais. J'ai regardé mon frère, qui était là, d'un flegme paralysé. Il a lu dans mon regard qu'il était inutile d'imposer plus longtemps le spectacle à notre père et j'ai lu dans le sien qu'il pensait comme moi. Il l'a fait sortir doucement et j'ai su bien plus tard que notre père avait rejoint ma mère en pleurant.

Dans la nuit, j'ai rêvé que New York était envahie par des eaux gelées et si sales qu'on ne pouvait y mettre un doigt. Je marchais le long des rivières sans pouvoir les traverser comme je l'aurais voulu : tous les ponts étaient coupés. Plus l'eau était sale, couverte d'une glace noire, plus la ville était déserte. Je me suis réveillé quand la saleté me contaminait, dans la plus grande solitude. J'ai sonné. Christian m'a injecté de la morphine. Je me suis rendormi et le rêve a recommencé. Les eaux sales montaient dans la ville qu'avait retrouvée Gabriela.

Au matin, vers 10 heures, tout le monde attendait François Hollande et sa suite. J'ignorais à quel point le personnel était excité, comme me l'apprit plus tard Chloé avec une condescendance amusée : « Voir un président, c'est un événement qui ne leur arrivera pas souvent dans leurs vies ! » Elle avait en partie raison, mais moins qu'elle ne semblait le croire. Douze jours m'avaient appris ou rappelé que les vies de ceux qui s'occupaient de moi étaient pleines de micro-événements, dans la mesure où ces vies provenaient de vies antérieures le plus souvent marquées par des drames.

J'avais mis pour l'occasion un pantalon sous la blouse d'hôpital, et, ne voulant pas les recevoir au lit, je me suis levé pour l'accueillir au moment où les policiers ont annoncé son arrivée. Je n'avais jamais rencontré le président. Il est entré dans la chambre accompagné par Martin Hirsch, qui dirigeait l'Assistance Publique, le directeur de l'hôpital, un personnage qui semblait là pour jouer le chroniqueur du roi, et le directeur de *Libération*, mon journal : Laurent Joffrin. Mon frère était présent. De près, François Hollande était beaucoup plus élégant que de loin, et la première chose que j'ai remarquée, outre son teint agréablement rose et sa peau légèrement maquillée, c'est la coupe parfaite du costume sombre et le regard amusé, presque primesautier, qui sous les fines lunettes mettait à distance, comme un épouvantail efficace mais discret, tous les affects. Le regard de Hirsch, également sous lunettes, était celui d'un courtisan : pointu, sauvage et aux aguets – légèrement ivre d'être là où ça se passait. Je ne me souviens ni du scribe, ni du directeur de l'hôpital, mais je n'ai pas oublié le regard de Laurent.

Je le connaissais depuis trente ans. Pour la première fois, j'ai vu ses yeux légèrement piqués, cernés de rouge, embués par l'émotion. Laurent, cible récurrente des brutes de droite et des ivrognes intellectuels de la colère sociale, avait la réputation d'être un notable indifférent, un acrobate du compromis. En réalité, son talent choisissait ses passions et livrait le reste à ce qui, lorsqu'on le connaissait, le rendait presque enfantin : son étourderie. Les choix politiques sont souvent les effets des caractères. Laurent était social-démocrate par nature, par conviction – et par rejet d'une violence que son père avait incarnée. Il raffolait du débat, et même du duel, mais il fallait que ça s'arrête au premier sang et que, une fois sorti du champ, les adversaires se saluent. Il croyait au progressisme, à l'arrangement, à la conciliation, à une forme de négligence civilisée, et, s'il n'était pas forcément très éduqué, il respirait la civilité. Sa barbe était à l'avant-garde de ses idées et de ses sentiments : elle les annonçait, les atténuait et les ornementait. Ses multiples ennemis le désignaient comme social-traître, hypocrite et mou. Il était au contraire clair dans ses combats, dans ses valeurs, qui n'avaient guère varié et qui étaient sans rapport avec la pureté. Sa morale était faite pour une guerre tranquille, en temps de paix, où les mauvaises actions des uns ne détruisaient pas entièrement, et massivement, les vies des autres. Aux grands soirs, il préférait les crépuscules allongés.

Sa facilité d'écriture était prodigieuse. Trente ans plus tôt, il avait corrigé ligne à ligne l'un de mes premiers articles, mal écrit, mal construit, à propos d'un enfant qui s'était pendu au fin fond de la Bretagne, devant la mare familiale, parce qu'on l'avait accusé d'un vol qu'il n'avait pas commis. Au journal, l'article écrit, je m'étais assis à côté de lui. Il me posait des questions et me proposait d'autres formulations, plus claires et plus simples. Il coupait les adjectifs, plus encore les adverbes, en disant : « Quand on utilise des adverbes, c'est souvent parce que l'enchaînement des phrases manque de logique. Chateaubriand n'utilisait presque jamais d'adverbes. » Ses cheveux étaient encore un peu longs.

Maintenant, il avait devant lui ce journaliste qu'il avait contribué à former, qu'il avait souvent accueilli chez lui, devant qui il avait refait un jour une bataille de Napoléon son héros, ce journaliste avec qui il s'était quelquefois engueulé à propos de littérature et de critique, et en particulier à propos de Houellebecq et de *Soumission*, ce collègue et ami dont l'état présent était la conséquence de tout ce qu'il abhorrait : un fanatisme inculte, stupide et sanguinaire. J'ai regardé ce regard à peine rougi, amical, moins protégé soudain, et j'y ai trouvé la force de raconter pour la première fois l'attentat aussi précisément que possible, mais comme une scène de comédie. Il ne s'agissait pas uniquement de recevoir ces gens debout et de faire belle figure, mais aussi de les divertir en les informant, comme Laurent et quelques autres me l'avaient appris. D'ailleurs, l'attentat avait aussi été une scène de théâtre, un dramolet, et le serait en partie resté si les tueurs avaient utilisé, tout en récitant de travers quelque sourate du Coran, des pétards ou des balles à blanc. La mort était une conclusion qui ne devait pas nous empêcher de rire du comique de situation qui l'avait précédée.

J'allais du regard de Laurent à celui de François Hollande et ces deux hommes si souvent vilipendés, à cet instant, dans cette chambre, avec leurs légers sourires, avec l'émotion contenue de l'un et la lueur bienveillante et primesautière de l'autre, m'ont affermi, rassuré et comme retrempé dans ce que je pouvais attendre de la civilisation : une distance curieuse et courtoise, sensible à l'autre sans excès d'émotivité, une compassion qui ne renonce ni aux besoins de la légèreté, ni aux bienfaits de l'indifférence. Tandis que je parlais, mon gros pansement prenait du poids et se détachait imperceptiblement du menton, comme un rideau de scène, en se saturant d'une bave qu'ils ne pouvaient voir.

J'ai insisté sur le fait que je n'avais aucune colère envers les tueurs et que je ne les reliais pas aux musulmans. Ma période « politiquement correcte » – ou, si l'on préfère, évangélique – venait de commencer. Depuis mon petit Golgotha hospitalier je voulais ne penser du mal de personne et j'ai toujours regretté par la suite, même au prix d'une certaine niaiserie, cet état de suspension complet, intime, des hostilités. François Hollande a fait un ou deux bons mots que j'ai oubliés, mais qui tombaient bien, puis il a dit : « Vous avez raison, il faut se tenir, prendre ça avec distance et ne pas faire d'amalgames ni de discours. » À cet instant, Chloé est entrée.

Elle portait sa blouse blanche et remontait sans doute d'un petit bloc : les longs blocs étaient le lundi et le jeudi. Bien droite, l'air mutin et ironique, elle venait voir comment volait son patient au-dessus d'un nid de notables et, naturellement, se frotter à eux en leur rappelant qu'ils étaient sur son territoire. Nous étions debout et au salon, soudain, faisant assaut d'esprit comme si rien n'avait eu lieu, parce que quelque chose avait eu lieu. François Hollande regardait Chloé et un certain plaisir, comme l'ombre d'un nuage, est passé sur son visage lisse, rond, détendu, un visage presque princier qui m'a rappelé, sous des allures Louis XVI, quelque chose du Régent, oui, du jouisseur Philippe d'Orléans, de sa morale paisiblement relâchée. J'aurais voulu arrêter ce passage du plaisir, ou plus exactement le découper, comme un pochoir, et l'étendre sur ce qu'il me restait de vie. La visite a duré quarante minutes, tout le monde est reparti, j'ai enlevé mon jeans et je me suis écroulé sur mon lit. Il fallait payer la note du numéro que je venais de jouer.

Quelques semaines plus tard, me rendant de nouveau visite, Laurent m'a dit : « Dis donc, ta chirurgienne, elle a tapé dans l'œil de Hollande. Il m'en a encore parlé l'autre jour ! » Nous avons ri, mais pas plus, car j'étais de nouveau dans une période où il m'était interdit de parler.

La chute de cette histoire a lieu au mois de juin, dans la première de mes vies ultérieures. Le président remet la Légion d'honneur à Patrick Pelloux, dont le visage et le corps restent pour moi encadrés dans la porte où il est apparu quelques minutes après l'attentat, et n'en sortent pas plus qu'un enfant d'un paysage où il a été ensorcelé. J'ai entre-temps atterri, comme mon ami Simon Fieschi, à l'hôpital des Invalides, où je vais passer six mois à me rééduquer. C'est de là, conduit par mon escorte policière, que je rejoins l'Élysée pour deux heures et pour ma première sortie « officielle ». Pendant le cocktail qui suit la cérémonie, je commence à faire ce qui va devenir une règle de vie en société durant les sorties des mois suivants : boire une coupe de champagne ou un verre de vin à circonférence étroite, pour ménager ma lèvre, anesthésier ma bouche et noyer ma fatigue, en restant debout et en observant les petits-fours que je ne peux manger. Le cocktail et le dîner sont devenus des exercices de rééducation et des sports de combat. Chaque fois je rentre à l'hôpital épuisé, avec la satisfaction d'avoir rempli une mission que nul ne m'a donnée, sinon mon propre corps dont les impératifs m'échappent. Mission accomplie, les policiers silencieux et musclés me reconduisent au cimetière des éléphants. J'ai hâte d'y retrouver les infirmières, les gueules cassées, les amputés, les AVC, mes compagnons de bloc, de couloir et de gymnase, tout le silence et tous ceux dont la vie me paraît plus solitaire et, finalement, plus juste. L'hôpital est l'endroit où l'accident donne vite un sens à l'échec.

François Hollande s'approche de moi en souriant et me dit :

— Ah ! Vous avez l'air d'aller mieux... Et votre chirurgienne, vous la voyez toujours ?

Surpris, je réponds :

— Oui. Et je suis appelé à la revoir davantage.

— Eh bien ! Vous avez de la chance !

Mon premier réflexe est de lui répondre : « Je m'en serais passé. » Mais je ne le fais pas, car, en partie au moins, c'est faux. Cinq mois ont passé et je me suis approprié l'événement, le parcours chirurgical, qui ont fait de moi ce que je suis devenu. Je ne peux me passer de ce qui m'a aussi violemment transformé.

Les jours suivants, je raconte l'anecdote à quelques amis. Plusieurs d'entre eux manifestent de l'indignation. Cet homme, semblent-ils penser, est décidément frivole et inconséquent. N'a-t-il rien d'autre à dire ou à penser en revoyant un blessé ? Quand ils sont jeunes, la plupart des gens jugent de tout. Quand ils vieillissent, c'est pareil. Entre les deux, il y a peut-être un moment où ils pourraient ne juger de rien, s'abstenir, s'amuser, ne prendre au sérieux que leur propre misère, mais ce moment est celui où ils agissent, bâtissent, font carrière ou la ratent ; le moment où ils s'y croient, comme on dit à l'école, et où ils ont rarement la possibilité ou l'envie de faire le pas de côté. Est-il indigne, de la part d'un président, de se souvenir d'abord de la beauté d'une femme qu'il a vue quelques mois plus tôt, quelques minutes, dans la chambre d'hôpital d'une victime d'attentat ? En matière de femmes, la réputation de François Hollande n'est certes plus à faire, mais sa réaction me paraît, à moi, réjouissante et même souhaitable. Le meilleur de la vie, me dis-je en regardant ses fins yeux luisants, presque bridés, c'est bien ça : ne pas oublier ce qui nous a plu, même un instant, et, si possible, oublier au maximum tout le reste, à commencer par tout le pathétique d'une situation. Son insouciance fait mieux que rendre hommage à mon petit chemin de croix, ce dont je me fiche : elle me soulage. « Eh bien ! Vous avez de la chance ! », je rumine cette petite phrase en revenant aux Invalides dans la voiture des policiers. Elle me devient aussi chère qu'au narrateur de la *Recherche* la petite phrase de la *Sonate de Vinteuil* : un indicatif intime, profond et frivole qui m'entrouvre une porte joyeuse, quoique sans lendemain, joyeuse parce que sans lendemain. Non seulement il a raison pour moi, cet aimable président, j'ai bien de la chance d'être tombé entre les mains de Chloé, mais il a raison pour lui et pour nous deux : rien ne peut mieux rappeler à la vie et au plaisir que l'élégante silhouette de cette femme dominante et probablement caractérielle, posée entre nous à l'occasion d'une rencontre imprévisible et discrètement organisée, d'une femme dont le professionnalisme renvoie l'un à ses désirs et l'autre à ses blessures, pour de nouveau s'imposer, absente, à l'occasion de mondanités mélancoliques et sous lambris. Le charme est bien la dernière chose, après la dernière goutte de sang, qui devrait nous abandonner.

Après la visite de François Hollande, une nouvelle période a commencé : celle qui me conduisait vers la greffe du péroné, prévue le 18 février. Je retournais au bloc, en anesthésie générale, tous les quatre ou cinq jours, accompagné par les policiers en charlotte et surchaussures. Le monde d'en bas était devenu ma seconde maison, ma maison de campagne. J'étais heureux d'y retrouver ceux qui, pas plus que les créatures des Enfers mythologiques, ne semblaient devoir en remonter. La Castafiore, c'était Orphée. Elle ne s'était pas contentée de chanter. Elle avait joué aussi, comme Chloé, du violoncelle. Elle finirait sa vie dans les étages inférieurs en se rappelant que naguère, sur terre, elle avait joué à Sainte-Cécile. Et moi, de quoi me souviendrais-je ? Plus les jours passaient, plus j'entrais dans ce no man's land où un brouillard opaque et des sensations féroces, inédites, se déposaient sur les minutes, les heures, les jours, les visites, la conscience de mon corps et de ma vie passée. La liste des gens autorisés à entrer s'allongeait de jour en jour. La journée était rythmée par les soins, les longueurs de couloir, les visites quotidiennes de mes parents et de mon frère, les apparitions des amis. La nuit, une « veille » était organisée avec mon frère par cinq d'entre eux : on leur avait permis de dormir à tour de rôle dans ma chambre. Les infirmières avaient placé un petit lit bancal au pied du mien, un lit d'enfant, sous les dessins effectués par des enfants. Les amis veilleurs dormaient peu, réveillés par mes problèmes, mes ronflements tonitruants, les visites de nuit, la radio et les discussions des policiers, le dernier tour du soir et le premier tour du matin. Mon frère travaillait dans le fauteuil à ma droite, tapant sur son ordinateur. Odalys, une vieille amie cubaine, me massait – tout comme Alexis et Blandine qui travaillaient également : aux heures creuses, la chambre 111 était idéale pour lire, écrire, rêver, penser à sa propre vie. Je regardais un film ou écoutais du jazz avec Juan. De l'est de la France, Marilyn est venue deux fois. Tout avait lieu en silence, de plus en plus lentement. La souffrance, quasiment permanente, était diffuse, toujours surprenante. Les amis repartaient au matin, tôt, avant les soins des infirmières qui leur offraient un café. Les uns se douchaient dans ma salle de bains, les autres non. Je les regardais s'en aller vers un monde qui n'existait plus, un monde où ils vivaient, bougeaient et vieillissaient tandis qu'ici, eux comme moi, nous étions arrêtés. La chambre était mon royaume et nous y vivions hors du temps.

Chaque matin et chaque soir, parfois même le midi,

les infirmières venaient changer le pansement de gaze de plus en plus gros qui, après m'avoir enveloppé tout le bas du visage, avait été noué autour de la tête, pour tenir, et me transformait maintenant en œuf de Pâques. J'étouffais comme dans une camisole. Un jour, pour me soulager, l'une d'elles, Alexandra, a pris des ciseaux et taillé lentement dans la gaze pour me dégager les oreilles. Leurs bouts légèrement poilus ont jailli comme des petits champignons d'une mousse. Alexandra m'a tendu en riant le miroir pour que je les voie, des bords de pied-de-mouton, celui que j'aimais trouver dans les bois de mon enfance parce que je le trouvais beau comme un jouet. Je me suis senti soulagé : je respirais par les oreilles. Le pansement, lui, se gorgeait de salive toujours plus vite, comme il avait commencé à le faire le jour de la visite de François Hollande. Il pesait sur la tête, le cou, les vertèbres, il pesait sur mon corps entier jusqu'au moment où, le sparadrap ne tenant plus, et malgré les bandes de gaze qui momifiaient la tête, il se détachait comme du papier peint sur un mur trop humide.

La scène qui suit, avec des variantes, s'est répétée cent fois. Les infirmières entraient comme les ballerines de *La Bayadère* dans la scène du *Royaume des Ombres*, au ralenti. Gabriela m'avait souvent parlé du ballet, qu'elle avait répété comme doublure sans jamais le jouer. Si je n'avais pas pris d'opium, contrairement à Solor, j'étais dans un état semblable au prince malheureux, dans un rêve : c'était la manière la plus *réaliste* d'assimiler mes sensations. Avant leur entrée, j'ai vérifié l'état du sol. Je me suis levé, j'ai nettoyé jusqu'à l'étourdissement la moindre tache avec les mouchoirs en papier marron, puis j'ai entrouvert la fenêtre qui ne pouvait s'ouvrir davantage, et j'ai parfumé l'atmosphère avec une eau de toilette à dominante d'agrume qu'une amie m'avait apportée. Comme Solor, j'avais fait tomber les murs de la chambre. Elles sont arrivées l'une derrière l'autre avec le chariot, souriantes, à deux. Une troisième les suivait. Elle a regardé, au pied du lit, comment les autres faisaient.

— Vous voulez de la musique ?

J'en voulais, mais pas n'importe laquelle. Sur le ghetto-blaster de mon neveu, j'ai mis du Bach : soit *Le Clavier bien tempéré*, par Sviatoslav Richter ; soit les *Variations Goldberg*, par Glenn Gould ou Wilhelm Kempff ; soit *L'Art de la fugue*, par Zhu Xiao-Mei. La musique de Bach, comme la morphine, me soulageait. Elle faisait plus que me soulager : elle liquidait toute tentation de plainte, tout sentiment d'injustice, toute étrangeté du corps. Bach descendait sur la chambre et le lit et ma vie, sur les infirmières et leur chariot. Il nous a tous enveloppés. Dans sa lumière sonore chaque geste s'est détaché et la paix, une certaine paix, s'est installée. Un poème de John Donne, lu bien des années avant, prenait sens : « Il n'y aura ni nuage ni soleil, ni obscurité ni éblouissement – mais une seule lumière. Ni bruit ni silence – mais une seule musique. Ni peurs ni espoirs – mais une seule possession. Ni ennemis ni amis – mais une seule communion. Ni début ni fin – mais une seule éternité. » Le changement du pansement pouvait commencer.

Elles m'ont débandé peu à peu du crâne au menton. Elles ont dégagé les oreilles, ôté les compresses maculées, nettoyé, préparé les compresses stériles avec une pince en trempant les unes dans le sérum physiologique, en enduisant les autres de vaseline. Leurs gestes étaient ralentis par le clavier. Quand le visage a été nu, l'une d'elles m'a dit :

— Vous voulez voir ?

C'était la question rituelle. J'ai dit oui. Elle a pris le petit miroir à bord noir qui se trouvait sur ma table de nuit, celui avec lequel Alexandra m'avait montré les bouts d'oreilles poilus, et me l'a tendu. J'ai regardé le trou, bien en face. À quoi il ressemblait. Comment il évoluait. S'il réduisait ou grandissait. En quoi il avait changé depuis la veille, depuis le jour de l'attentat. Je l'ai regardé froidement, dans les notes de Bach, comme on descend dans un puits. Personne, à part les soignants et moi et ceux qui m'avaient découvert le 7 janvier, ne l'a vu. Au milieu de la chair déchiquetée, il y avait maintenant cette petite muselière de titane qui tenait les restes de mâchoire et dont je voyais pour l'instant quatre maillons. C'était une chaîne, mais aussi la portée d'où montaient les notes que nous écoutions. La lèvre et la plupart des dents inférieures avaient disparu. J'ai retrouvé, à la base du visage intact et avec une satisfaction masochiste, le monstre familier. Si j'étais un portrait peint, il fallait croire que la main de l'artiste, aussi sûre que celle de Raphaël, avait saccagé une dizaine de centimètres vers le bas pour rappeler au monde que toute cette harmonie n'était rien d'autre, ni plus ni moins, que de la peinture. Le visage que j'avais eu était une convention qui avait disparu. C'étaient Bach et les gestes des infirmières, à cet instant, qui lui redonnaient son unité – sans effacer sa monstruosité.

Un matin, j'ai levé les yeux du miroir et regardé la troisième infirmière, Ada. Pendant que les autres agissaient, ses yeux noirs me fixaient. Elle venait d'entrer dans le service, elle avait vingt ans. Son copain était croupier dans un casino. Elle était moitié française, moitié sénégalaise, mais elle avait l'air d'une princesse indienne avec ses longs cheveux bruns, son air toujours un peu indifférent ou imperceptiblement agacé d'être là. Les anciennes disaient des nouvelles qu'elles n'avaient plus le sens de la vocation, qu'elles s'en foutaient. Moi, j'aimais bien Ada. Bach l'ennuyait, comme toute la musique classique, mais elle ne me l'a dit que plus tard. J'ai regardé ce visage parfait, cette beauté nerveuse et inentamée, regardé de nouveau le trou et les chairs, regardé de nouveau le visage d'Ada. J'étais la bête, elle était la belle, et c'était elle, ici, qui avait les clés du château. Ses longs yeux ont légèrement souri. Étaient-ils maquillés ? Je ne voyais pas très bien. J'ai haussé les sourcils d'un air de dire : « C'est comme ça. » Elle a fait une moue qui voulait sans doute dire : « Oui, c'est comme ça. » Puis, lentement, les deux autres se sont mises à nettoyer la plaie, ses alentours, à refaire autour de ma tête l'œuf de Pâques. Gladys avait oublié ce jour-là de dégager les oreilles, j'étouffais déjà. Je le lui ai signalé. Comme Alexandra, elle a pris des ciseaux et commencé à tailler des fentes dans la gaze, à l'aveuglette, en craignant de me blesser. Sous l'œuf de Pâques elle ignorait à quel niveau exact se trouvaient les bordures et les lobes. Je l'ai guidée comme je pouvais. Nous cherchions les champignons sous un tapis de mousse et elle a fini par trouver. Les oreilles sont sorties de la gaze, je les ai dépliées. Je ne me serais pas senti plus libre à la sortie d'un caisson.

Vers cette époque, Alexis est arrivé avec une grande photo en noir et blanc qu'il avait prise à Cuba quinze ans plus tôt. C'était dans un village de la Sierra Maestra, coincé entre mer et montagne, au bout d'une route presque abandonnée. Il y allait alors régulièrement. Une fois, je l'avais accompagné. Alexis est photographe. Pour lui comme pour moi, Cuba avait été le pays où nous avions réfléchi et changé nos vies. Dans la lumière et les rires nous y avions commencé à vieillir : lui en cessant d'être orphelin, moi en cessant d'être solitaire. C'était l'île où se dépouiller de l'immaturité en la vivant une dernière fois. Cuba a été le terrain enchanté, difficile, de nos renaissances.

La Sierra Maestra était une zone interdite aux journalistes étrangers. Les autorisations étaient données au compte-gouttes, dans des buts de propagande précis – ou que la bureaucratie cubaine semblait trouver précis. Les bénéficiaires de ces autorisations étaient surveillés. On pouvait transgresser l'interdit et y aller comme ça, c'était le jeu du chat et de la souris. C'était aussi, lorsqu'on vivait comme Alexis à La Havane, risquer l'expulsion du pays.

Le village s'appelait La Bruja – La Sorcière. Il avait un statut de village pilote. Alexis n'était pas dupe des raisons pour lesquelles l'État lui avait proposé, par l'intermédiaire d'une amie, ce lieu Potemkine ; mais il voulait travailler dans la Sierra Maestra et il savait que tout était suffisamment décomposé dans l'île pour qu'un vernis de propagande ne puisse tenir longtemps. Il lui suffisait d'être patient, de parler espagnol et d'obtenir la confiance de certains habitants. Il voulait montrer ces femmes, ces hommes, dans cet écrin montagnard ; il voulait saisir la vie pauvre et austère qu'ils menaient. Rien ou presque ne leur appartenait, sinon quelques haillons, parfois un ou deux cochons, trois poules rachitiques et une vaisselle dépareillée. La plupart allaient pieds nus dans la montagne, très raide, où ils cultivaient difficilement quelques arpents à flanc de coteau. Et cependant, de toute cette misère gonflant des poches de mesquinerie et de jalousie non négligeables, une splendeur s'élevait – une splendeur spontanée, muette, que la photo apportée par Alexis résumait. Il y avait un groupe électrogène, une télé et un idiot pour tout le village. J'avais longtemps gardé sur un mur de mon appartement la photo de l'idiot.

Celle qu'Alexis a posée en silence sur le mur de la chambre, face à mon lit, représentait une fillette. Elle était vêtue d'un haut blanc qui s'arrêtait au-dessus du nombril, enfoncée jusqu'à la taille dans un champ de fleurs que j'avais prises pour du tabac et qui ressemblaient à des œillets. Sur la photo, elles étaient blanches. Dans la réalité, elles étaient orange. La fillette regardait l'objectif bien en face, avec un air indéfinissable, peut-être sérieuse, peut-être amusée, les enfants échappent généralement aux catégories psychologiques dans lesquelles on veut les faire entrer. Maintenant, c'était moi qu'elle regardait. Moi, mon pansement et mon trou. Elle tenait l'une des fleurs dans la main gauche. Je n'ai pas demandé à Alexis pourquoi il avait choisi cette photo d'Éden, parmi tant d'autres qu'il avait prises et que je connaissais. Je n'en avais pas besoin. Nous avions des souvenirs communs, là-bas, et, dans cette chambre d'hôpital, ces souvenirs faisaient la chaîne avec ceux qui commençaient à naître ici. Est-ce qu'en espagnol nous ne nous appelions pas *hermano*, frère, lui et moi ? Mais il y avait autre chose : la nature même du lieu, de la photo et du regard de la fillette. On ne pouvait imaginer un monde plus beau ni plus rude que les hauteurs de La Bruja, et cette fillette, si imposante, d'un raffinement si naturel, ne me faisait cadeau de rien d'autre que d'un charme produit par la plus sévère réalité. J'ai beaucoup parlé avec elle dans les semaines suivantes, de préférence la nuit. Son regard fleurissait aux heures sombres et me disait, comme Ada – comme ce que j'avais cru voir dans le regard d'Ada : « Oui, c'est comme ça. » La regarder, c'était regarder l'envers du trou : une plénitude sans affects et sans paroles de circonstance, un œil nu face à un homme nu. Je la regardais et la regardais encore, tandis que la nuit avançait et que, les yeux brouillés, piquants, je voyais de moins en moins. Je me revoyais là-bas, quinze ans avant, également dans la nuit, entrant dans une rivière légèrement fraîche avec Alexis, mais très vite mon corps et le souvenir de mon corps disparaissaient dans la rivière, puis dans l'image, et je me retrouvais, effaré, près de pleurer, devant cette gamine qui me disait :

— De quoi te plains-tu ? Oui, c'est comme ça.

Plus tard, j'ai su qu'elle s'appelait Yarima. Un habitant de La Bruja, Amarillo, avec qui Alexis et moi étions restés amis à distance, avait fini par la retrouver. Il a fait une photo d'elle et me l'a envoyée sur Facebook : une jeune femme désormais, assise sur un banc, très souriante, avec un pantalon moulant noir et des ballerines. Elle ne se souvenait pas de moi, m'a écrit Amarillo, mais elle voulait avoir de mes nouvelles. J'étais sorti de l'hôpital et je n'en ai pas donné.

J'avais connu Alexis au début des années quatre-vingt-dix, de retour d'un reportage en Somalie. Il y avait suivi la guerre civile d'un peu plus près que moi. Nous avions publié quelques-unes de ses photos dans le journal où je travaillais alors. Je ne sais plus si elles accompagnaient l'un de mes articles. Je n'ai rien archivé. Les articles, comme la plupart des livres, sont faits pour être oubliés. Alexis et moi nous étions perdus de vue quand, quelques années plus tard, je l'ai croisé par hasard sur un trottoir. Il partait vivre à Cuba. J'en revenais et je m'étais marié avec Marilyn. Notre amitié a débuté comme ça, sur un bout de trottoir. C'est aussi sur un bout de trottoir, où il marchait avec sa fille, qu'il a appris que j'avais été blessé dans l'attentat. Il ne savait pas plus que les autres si j'étais vivant ou mort. Il est resté là, sur ce bout de trottoir, immobile et décomposé devant sa fille qui ne l'avait jamais vu pleurer.

À l'hôpital, nous avons parlé une fois des multiples blessés que nous avions vus en Somalie, de ces blessés que l'absence de soins postopératoires conduisait inévitablement, sourire aux lèvres, vers la gangrène et l'amputation. De là-bas comme du reste, ce dont je me souvenais n'existait que dans la mesure où ce n'était plus intime – comme si l'attentat avait tiré toute la couverture des événements à lui. Un soir, seul face à la fillette cubaine, j'ai fait l'inventaire somalien.

J'ai senti la puissante odeur de merde qui s'était répandue dans le palais pillé de Siad Barre, le dictateur somalien. J'ai vu la chèvre qui traînait parmi les milliers de papiers officiels recouvrant ce qui restait de plancher. Tout avait été détruit et arraché, jusqu'aux canalisations, car tout pouvait être utile ou revendu. Je me suis souvenu des lasagnes préparées par le cuisinier de Médecins sans frontières, des séances de tirs à la kalachnikov et des parties de football sur la plage, de l'eau sombre dans laquelle flottait la menace des requins, de l'arrivée du kat à l'aéroport, des hommes qui rentraient à fond en pick-up pour le vendre au meilleur cours dans la ville. Je me suis souvenu des balles et des roquettes perdues qui touchaient généralement les femmes et les enfants. Je me suis souvenu de l'exemplaire du *Rouge et le Noir* que j'avais lu dans un hôtel de Mogadiscio dont j'étais le seul occupant, à la lueur d'une petite bougie, tandis que les tirs se multipliaient dehors et qu'un groupe de chats hurlait dedans. Je me suis souvenu du petit savon et de la serviette blanche et bien pliée que ceux qui me protégeaient avaient laissés sur un tabouret au pied de mon petit lit parfaitement propre. Je me suis souvenu qu'ils avaient fermé les grilles de l'hôtel après m'avoir salué et qu'ils avaient monté la garde toute la nuit, avant de m'offrir le thé au matin. Je me suis souvenu de la violence environnante, de leur beauté et de leur courtoisie. Je me suis souvenu de l'élégance et du kriss du général Aïdid, qui citait Virgile en latin et n'avait pas encore piégé les Américains.

Je me suis souvenu des blessés gangrenés qui riaient, des mouches dans le bloc opératoire, des cours donnés par un anesthésiste français à de ravissantes infirmières somaliennes infibulées. Je me suis souvenu surtout, face à la fillette par qui tant de choses remontaient, de la kalachnikov qui m'avait mis en joue dans le marché aux armes de Mogadiscio. Je me suis souvenu du moment où j'avais vu dans le regard rouge, absent et drogué de celui qui la tenait que tirer ou non, c'était pareil. Je me suis souvenu de ce regard, de la sensation mortelle du hasard, j'en avais souvent parlé avec Alexis, mais je savais maintenant que le journaliste qui l'avait subi, les jambes tremblantes, ne savait rien de ce que ça signifiait, puisque la peur n'est que l'aboyeur de l'événement. Je me suis rappelé cet instant et je l'ai vu simultanément de haut, de loin, de près, comme né autour d'un autre, parce que je n'étais absolument plus celui qui l'avait vécu.

Quelles vies avais-je vécues, allais-je vivre ? Quel sens pouvait bien avoir cette expérience ? Un jour, une infirmière m'a demandé si j'acceptais de voir l'aumônier de l'hôpital. Il avait dit qu'il me rendrait volontiers visite. Pourquoi pas l'imam ? ai-je pensé. Mais nul ne me l'a proposé et je n'en ai rien dit, il ne fallait tout de même pas exagérer. Je l'aurais pourtant bien écouté, celui-là, même si à cette époque tout Arabe croisé dans le couloir – et il y en avait beaucoup parmi les familiers des patients – me faisait d'abord l'impression d'être un égorgeur, impression que j'effaçais presque aussitôt avec un salut, un sourire, qu'on me rendait presque toujours. Oui, pourquoi pas l'imam ? Être blessé par des tueurs qui ne devaient à peu près rien savoir de la religion qu'ils prétendaient défendre, n'était-ce pas une bonne occasion de me familiariser avec celle-ci auprès d'un homme qui aurait peut-être à cœur de me l'expliquer ? Il y avait trois exemplaires du Coran chez moi, chacun m'avait suivi dans un pays arabe ou un autre, maintenant ils reposaient chez moi en paix au rayon philosophie, très en désordre. Justement, mes parents venaient de retourner chez moi pour récupérer quelques affaires et ma mère ne cessait une fois de plus de râler auprès de mon frère contre l'entassement abominable des livres. Je n'ai pas osé lui demander d'y chercher un Coran, le grand vert, celui traduit et présenté par Jacques Berque, et, oubliant l'imam, j'ai accepté de recevoir l'aumônier.

Je n'étais pas croyant, l'idée d'une confession me semblait comique, mais je me sentais finalement prêt à tout accueillir ou presque, comme si mon état m'avait dépouillé de tout sauf de curiosité. Je me sentais vierge et bienveillant comme l'agneau ayant survécu au loup, comme jamais. L'aumônier était un bonhomme avec des lunettes de prêtre, bon marché, et un bon sourire qui ne voulait surtout pas m'embarrasser. Sa présence m'a aussitôt stimulé et je l'ai vu deux fois. Comme nous voulions avoir la paix, on nous a installés la première fois dans la remise, la seconde dans l'inquiétante guérite. Il y avait au-delà de ma chambre une dernière chambre, je l'ai dit, où l'on mettait les patients détenus. Ils devaient être surveillés vingt-quatre heures sur vingt-quatre. L'inquiétante guérite, en surplomb de cette chambre, avait des baies vitrées fumées. La seconde fois, la chambre était vide. Nous nous sommes installés dans la guérite. Les policiers qui me protégeaient ne nous ont pas suivis.

De la première conversation, je me souviens de la pharmacie qui nous entourait du sol au plafond et d'avoir discuté, en regardant les compresses, du pardon. Je n'avais rien à pardonner à des hommes qui étaient morts et qui n'avaient d'ailleurs demandé pardon à personne, mais je ne les accusais pas non plus. À vrai dire, je me foutais des frères K, comme je me foutais des discours qui les condamnaient ou qui, sous prétexte de sociologie ou de pensée,

273

cherchaient déjà à les comprendre. Je recommençais à lire un peu les journaux, sur Internet, et j'étais stupéfié, moi le journaliste qui n'aurait pas dû l'être, par cette prodigieuse capacité du monde contemporain à bavarder de l'explication et du commentaire à propos de tout et n'importe quoi. Le brouhaha autour des frères K, c'était l'épidémie Dostoïevski : tout le monde se prenait pour le romancier épileptique, tout le monde voulait comprendre et conter la geste des deux possédés. L'aumônier, lui, avait une timidité et un silence de bon aloi. Il était sans soutane et marchait avec naturel sur des œufs. « Vous ne croyez pas en Dieu, m'a-t-il murmuré à la fin du premier entretien, mais peut-être une forme de prière peut-elle vous aider quand même ? » « Je vais y réfléchir, lui ai-je dit, et je vous en reparlerai, merci en tout cas d'être venu. »

La seconde fois, dans l'inquiétante guérite, j'ai dit que ma seule prière passait pour l'instant par Bach et Kafka : l'un m'apportait la paix, et l'autre, une forme de modestie et de soumission ironique à l'angoisse. L'actualité, dans l'immédiat, n'avait plus rien de la prière hégélienne du matin. Tandis qu'il me parlait, j'ai regardé par la vitre le lit vide, celui du détenu absent, je me suis vu dans ce lit et j'ai senti dans l'air comme une menace. Il a ensuite été question de la nature du Mal, le mot « Job » a été prononcé, peut-être aussi l'expression « tas de fumier », enfin le mot « rose » a dû pousser, fleurir, désignant quelque chose d'assez simple qu'il appelait la foi et moi, somme toute, beauté, mais je ne me souviens plus de ce que nous avons dit exactement là-dessus et je ne l'ai jamais revu.

Deux instruments sont entrés peu après dans ma vie, l'un pour deux semaines et demie, l'autre pour quatre mois : le VAC et la gastrostomie. Le VAC (Vacuum Assisted Closure) est un petit aspirateur à pression négative, qu'on utilise surtout pour les grands brûlés, de façon à réduire les plaies, à leur permettre de cicatriser plus rapidement, en aspirant le pus et les sérosités. On fixe sur la plaie une mousse, adaptée à sa taille, qui baigne dans une gelée au goût amer qu'on ne sent pas tant que l'instrument ne fuit pas. Un tuyau sort de la plaie et de la mousse, par où les scories sanglantes sont aspirées. Elles rejoignent un petit boîtier où elles sont filtrées et s'entassent. Le VAC fonctionne nuit et jour, le patient entend le moteur tourner. Il faut régulièrement changer le filtre. Dans mon cas, le boîtier ressemblait à un sac à main. Une lanière me permettait de me déplacer avec lui, de me doucher avec lui, mais je ne devais ni le brusquer ni le mouiller. Comme tout ce qui m'aidait à sortir de ma situation, comme mon propre corps dont bientôt les os et la peau allaient permettre de me reconstituer, il m'a fait payer son aide assez cher. D'abord, il est adapté aux grandes surfaces planes, dos ou fesses. Le faire tenir sur le visage, comme Chloé l'avait décidé, n'était pas une mince affaire : le menton est petit, étroit et plein de reliefs. Le VAC s'est mis à fuir à la première occasion, généralement la nuit. Je plaçais le boîtier sous le drap, entre mes jambes. Son alarme me réveillait aussitôt, quelques minutes après l'entrée dans le sommeil. J'aurais voulu le noyer comme un chat et je l'appelais le chat. C'était le vilain petit VAC proustien, celui qui me réveillait comme le narrateur à peine la lumière éteinte. Seulement, ce n'était pas la pensée qu'il était temps de chercher le sommeil qui m'éveillait, c'était une fuite de plus dans le processus destiné à me reconstituer. J'appelais alors l'infirmière de nuit, par exemple la jeune Marion-aux-yeux-de-chat. Elle entrait avec son grand sourire, pouffait un peu et tentait, en faisant pression sur la mousse et en ajoutant des pansements aux pansements, de colmater la fuite. Elle n'y parvenait pas, ou seulement pour une heure ou deux, et cette fois, c'était bien la pensée qu'il allait de nouveau sonner qui m'empêchait de m'endormir. Cette comédie épuisante m'a reconduit au bloc tous les trois ou quatre jours pendant deux semaines pour « refaire le VAC ». Le coton du réveil était presque aussitôt transpercé par une brûlure au menton, qui finissait, une fois remonté dans la chambre et sous antalgique, par laisser la place à l'angoisse de la fuite. Quels textes aurait écrits Kafka, me disais-je, à partir de cette angoisse ! Pour la seconde fois, je me sentais coupable, coupable de fuir comme je l'étais déjà de ne plus offrir de veine à l'aiguille. J'aurais voulu être le patient idéal, asymptotique, le cafard retransformé en homme ou qui ne tombe jamais du mur, ne se retrouve jamais sur le dos, le monstre mélancolique et méritant. « Rêve toujours ! » disait le VAC, et il interrompait son ronronnement pour se mettre à sonner. Tout le monde était content lorsqu'il avait tenu quarante-huit heures sans pousser sa chansonnette. J'espérais chaque fois battre le record, je ne pensais qu'à ça, et mon père encore plus, que l'idée de fuite mettait dans tous ses états et qui, comme moi, n'en dormait plus la nuit.

Ce VAC, toutefois, réduisait ma plaie jour après jour et il avait un autre avantage : il me permettait d'appeler Gabriela par FaceTime dans la nuit, quand j'étais seul et déprimé. Voir apparaître son sourire me rassurait une minute. Ensuite, lui répondre ou l'écouter me parler tantôt de ses problèmes, tantôt de la vie merveilleuse qui m'attendait, tout cela me fatiguait. Je l'appelais moins, et, si je lui écrivais, je lui répondais rarement : soit parce qu'elle tombait mal, soit parce que je n'étais pas en état de prendre une leçon d'optimisme désespéré. Le décalage horaire n'arrangeait rien, pas plus que mon peu d'enthousiasme pour les images à distance, qui m'avaient toujours paru creuser l'absence qu'elles étaient censées combler, mais ce n'étaient que des explications secondaires. La vérité était que tout ce qui n'était pas présent dans cette chambre, là, sous mes yeux, s'éloignait. Je n'attendais presque rien de ceux qui n'étaient pas là. Leur absence ne m'aidait pas, ne me nourrissait pas. Elle ne m'apportait rien et je les oubliais. Le visage de Gabriela, apparaissant sur l'écran de l'ordinateur, sortait des limbes où j'avais hâte de le renvoyer. Son regard d'amande noire me touchait, mais sa bouche, j'aurais voulu mettre un de mes pansements dessus. Aucun des discours volontaristes qui en sortaient ne pouvait réparer le VAC, ni m'aider à respirer, ni m'assouplir le cou, ni chasser les fantômes des tueurs qui réapparaissaient. La vie exemplaire des autres était inutile, ni elle ni moi n'y pouvions rien. J'aurais préféré que Gabriela disparaisse jusqu'à son prochain retour, après la greffe.

CHAPITRE 13

Calendrier statique

Maintenant que les présentations avec le VAC sont faites, voici une partie du calendrier correspondant à notre vie commune. La sonde gastrique, ou gastrostomie, nous rejoint dès le lendemain de la pose du VAC pour former un délicat ménage à trois. Ce calendrier n'est pas un journal, car il est reconstitué. J'écris de nombreux mails à cette époque. Je note des faits, avant tout des détails pratiques, des phénomènes physiques, mais je ne tiens pas de journal. Le seul journal est celui, quand je peux parler, du récit fait en léger différé à mes visiteurs, et, quand je ne peux pas, de mes questions et remarques par ardoise interposée. J'épuise ce dont je parle, j'efface ce que j'écris. Je ressemble à l'artiste Marcel Broodthaers dans ce petit film muet, en noir et blanc, qu'il a tourné en 1969 et intitulé *La Pluie*. Broodthaers est assis derrière une caisse, sur laquelle se trouvent un encrier et une feuille de papier blanc. Il écrit je ne sais quoi avec le plus grand sérieux, et il l'écrit sous une pluie battante. Les phrases sont aussitôt diluées, mais Broodthaers continue, avec calme, à en écrire d'autres, aussitôt effacées. C'est l'un de mes films préférés.

La mort de la grand-mère continue de rythmer les descentes au bloc. Il ne s'agit pas de ma grand-mère maternelle, née paysanne du Berry, morte vingt ans avant plus mince et plus légère qu'une poupée, six mois après s'être évanouie dans mes bras, chez elle, telle une héroïne romantique, donc dénutrie. Ni de ma grand-mère paternelle, née à Rio d'un aventurier plus ou moins affairiste et mythomane, morte trente ans plus tôt, d'une crise cardiaque à sa table, seule, et dont le visage déformé, vingt fois retravaillé à la suite d'un accident, m'accompagne en éclaireur et en concurrent depuis le 7 janvier. Ni de ma troisième grand-mère, née dans une famille bourgeoise du Nord, jeune épouse de mon arrière-grand-père, morte la même année que ma grand-mère paternelle, d'une foi de fer et dont j'ai parlé plus haut. Chacune de ces grands-mères me rend visite pendant ces mois hospitaliers, selon son humeur ou selon mes dérives. Je les consulte pour ce qu'elles ont vécu et ce qu'elles ont été. Il arrive qu'elles me répondent. Elles ont appartenu à un monde sans bruit, dans cette chambre elles sont plus proches de moi que la plupart de mes contemporains. Chaque jour qui passe me rapproche de leurs sourires, de leurs odeurs, de leurs eaux de Cologne, de leurs cheveux gris et blancs bien coiffés, de leurs sourcils épilés, de leur siècle, de leurs vies minuscules. Comme moi, elles vivent dans un univers dense, à l'air raréfié, où le peu qui entre fait l'objet de multiples procédures et doit se soumettre à des habitudes. Mais celle qui me prépare avant le bloc est une fois de plus la grand-mère du narrateur dans la *Recherche*. Toutefois, contrairement aux lettres de Kafka, elle ne me suit pas sous le drap du brancard jusqu'au monde d'en bas. Sa mort est trop longue pour le temps du brancard. Elle ne quitte pas plus ma table de chevet que les lettres de Madame de Sévigné ne quittaient la sienne.

Le vendredi 23 janvier, je lis la mort de la grand-mère et je descends au bloc. Chloé cherche à boucher les « fuites », mais elle n'y parvient pas. Réveil difficile, remontée difficile. Plus tard, Véronique la psychologue passe me voir. Comme je ne peux parler, je communique avec l'ardoise. Il est plaisant d'écrire des phrases qu'on efface bien avant de les avoir oubliées, et de les écrire aussi justes que possible : Marcel Broodthaers a raison. Le soir, je commence à regarder sous morphine *The Party*, avec Peter Sellers, en compagnie de mon frère. Le film ne me fait plus rire. Je ne sais pas ce que je regarde, je mélange tout et je m'endors bien avant la scène de l'éléphant que les hippies nettoient dans la piscine du producteur hollywoodien.

Le samedi 24 janvier, un ami de *Libération* m'apporte une partie du courrier qui s'y accumule. Il y a longtemps que je ne reçois presque plus de courrier : le journaliste culturel peut mesurer le déclin de son métier, de son journal, de sa « spécialité ». La victime que je suis devenu redécouvre la joie éphémère des enveloppes timbrées. De cette première livraison, je retiens une lettre venue de Limoges : celle de Marie-Laure Meyer. J'ai fait son portrait en 1997 dans le journal, du temps qu'elle était élue au conseil municipal de Nanterre et se présentait, sous l'étiquette socialiste, aux élections législatives. Elle n'avait aucune chance d'être élue, mais avait été choisie pour remplir les quotas féminins que son parti s'était imposés. Sa vie avait été jusque-là itinérante, à l'étranger, puis s'était brutalement métamorphosée : son mari a perdu une jambe et son autonomie à la suite d'un accident opératoire. Mon portrait est rapide, léger, sympathique et ironique ; c'est le ton du journal, en tout cas le mien, à cette époque-là. On écrit pour aujourd'hui, et sans lendemain. Les portraits sont des esquisses, des croquis. Marie-Laure Meyer ne réagit pas et je ne la revois pas.

Cinq ans plus tard, elle est blessée dans la tuerie de Nanterre. Un homme présent dans le public, Richard Durn, se lève à la fin du conseil municipal, vers 1 heure du matin. Il sort les armes cachées sous sa veste, s'approche des élus et les descend un par un. Huit sont tués, dix-neuf blessés. Ça dure cinquante secondes. Effet de surprise, lieu clos, brièveté du drame, mode opératoire : c'est le massacre qui ressemble le plus, techniquement, à celui de *Charlie*. Richard Durn n'est pas islamiste ; il en est peu en ce temps-là. Dans une lettre qu'il a laissée, il écrit qu'il a voulu tuer le maximum de gens honnis, appartenant à une « mini-élite locale ». Pourquoi ? « Je vais devenir un serial killer, un forcené qui tue. Pourquoi ? Parce que le frustré que je suis ne veut pas mourir seul, alors que j'ai eu une vie de merde, je veux me sentir une fois puissant et libre. » On dirait qu'il a lu les psychologues et sociologues qui écrivent dans les journaux, puis qu'il a appliqué leurs rengaines à son propre cas. Il se suicide en se défenestrant pendant un interrogatoire.

Je ne suis pas en France au moment du massacre. Je ne lis pas les détails et j'ignore que Marie-Laure Meyer a été prise dedans. Je l'ai oubliée. Sa lettre fait ressurgir une silhouette d'un passé avec lequel toute communication paraît coupée : elle force le passage. Je la lis dans mon lit.

« Cher Philippe,
Je me permets de vous parler ainsi car nous nous sommes déjà rencontrés et que nous partageons deux choses :
— un article que vous avez écrit en 1997 dans les portraits de *Libé* et qui était ma première interview en tant que personne par un journaliste ;
— le fait d'avoir survécu à une tuerie ahurissante, vous celle de *Charlie Hebdo*, moi celle du conseil municipal le 27 mars 2002.

Du coup j'ose vous écrire même si nous ne nous connaissons pas plus que cela.

D'abord pour vous souhaiter de pouvoir rapidement bénéficier de tous les talents de la médecine française pour réparer les dégâts faits par une kalachnikov (le 357 Magnum est plus précis) ; ensuite pour vous dire ce que vous savez déjà, qu'il n'est pas facile d'être un survivant, partagé entre bonheur d'être là et culpabilité d'être passé à travers... »

Je n'éprouve que peu de bonheur à être là, et, contrairement à certains de mes amis de *Charlie*, qui n'ont pas été blessés, aucune culpabilité à avoir survécu ; mais je comprends ce qu'elle a pu éprouver.

« ... que les cauchemars durent longtemps (je ne sais même pas douze ans après s'ils disparaissent un jour), qu'ils vous sautent à la gorge dans les moments les plus imprévisibles et que les crises de panique, d'angoisse ou de désespoir peuvent vous transformer en loque alors même que votre entourage vous félicite pour votre force d'âme. »

À quel point elle a raison, je vais le découvrir peu à peu. Ceux qui célèbrent la « force d'âme » de la victime devenue patient ont peur de ce que son absence pourrait leur renvoyer. Elle poursuit :

« Ensuite pour vous dire que nous sommes nombreux à avoir découvert avec bonheur que vous aviez survécu et nous sommes convaincus qu'une "gueule cassée" permet de continuer à penser, à écrire et que, même si vous allez probablement en baver pendant un moment, le corps et la médecine ont des ressources insoupçonnées. Votre article du 14 janvier m'a montré que vous aviez déjà commencé à vous battre, j'en suis heureuse et mes pensées vous accompagnent (cela ne sert peut-être à rien mais je n'ai pas grand-chose d'autre à vous proposer à ce stade).

Et après ? Comment passe-t-on de survivant à vivant ? Je ne peux que vous transmettre ma propre expérience : d'abord en acceptant que beaucoup de gens vous embrassent et vous réaffirment que c'est génial que vous soyez toujours là, en s'appuyant sur leur affection, voire leur compassion, même quand ça déborde un peu trop ; ensuite en trouvant des causes d'utilité extérieures à soi-même, depuis sa famille jusqu'au militantisme, en passant bien sûr par le réconfort apporté à ceux qui ont perdu un proche, les veufs, veuves et orphelins sidérés par la violence du drame, puis épuisés par les démarches administratives, les mesquineries, les problèmes financiers. Enfin par toute la réflexion que peut apporter la souffrance aiguë d'avoir été impuissant pendant, avant, depuis. C'est un creuset puissant. »

Elle me rappelle la critique d'un roman, écrite il y a quelques années. Dans le roman, l'un des personnages était inspiré par Richard Durn. Mon article était titré : « Le carrosse des humiliés ». Je ne me souviens plus ni du roman, ni de l'article, ni du titre. « Comme Richard Durn, m'écrit-elle, les frères Kouachi font partie des humiliés ; cela ne leur donne pourtant pas le droit de tuer. Comme lui, ils vivent dans une société qui désintègre ceux qui ne sont pas des golden boys ; comme lui, ils n'ont pas dépassé le besoin éperdu de reconnaissance des adolescents mal dans leur peau ou des timides à forte frustration. »

Ici, je ne la suis plus. J'ai tendance à penser que la société actuelle est, comme le Rai jai jai, un poison qui rend fou, et je n'ai aucun doute sur les désastres mentaux que provoquent ses permanentes injonctions contradictoires. Mais je ne peux faire de psychologie sociale avec les assassins qui en sortent. Comme l'inspecteur Columbo, le premier principe de civilisation reste pour moi : « Tu ne tueras point. » Rien n'en excuse la transgression dont j'ai vu et subi le résultat. Je n'ai aucune colère contre les frères K, je sais qu'ils sont les produits de ce monde, mais je ne peux simplement pas les expliquer. Tout homme qui tue est résumé par son acte et par les morts qui restent étendus autour de moi. Mon expérience, sur ce point, déborde ma pensée.

Marie-Laure Meyer élargit sa réflexion :

« Faut-il parler aujourd'hui de guerre ? Personnellement je ne le crois pas, ces actes s'apparentent bien plus à du suicide, car la guerre n'est pas que destruction, elle est aussi conquête. Faut-il parler d'échec de la République ? Oui, bien sûr, à force de ghettoïsation, de discrimination... » Ici, je coupe. La tirade est trop longue à lire comme à recopier. Ce n'est pas qu'elle me paraisse fausse ; et elle reste plus convenable qu'un ricanement satisfait renvoyant l'homme, tout seul, à l'enfer qu'il vit et répand autour de lui. Seulement, voilà trente ans, peut-être un siècle, que ces discours humanistes n'aboutissent à rien. Ma chambre débarrasse l'air des mots qui flottent dans des habits trop grands pour eux, et qui les rendent vains. Les tirades finissent dans les tuyaux.

Puis : « Le problème n'est pas la cause qu'ils défendent, ces causes sont dans l'air du temps, mais notre incapacité collective à clarifier ces sujets, par des discours et des actes cohérents, par des pratiques politiques et médiatiques respectueuses, et du coup nous alimentons leurs délires. » Je ne suis pas davantage en désaccord avec ces justes banalités ; mais elles ne m'apportent ni consolation, ni éclaircissement. Ce qui m'aide est le lien qui s'établit, par cette lettre, entre elle et moi – la personnalité de cette femme, qui s'exprime et que je sens. Je préfère donc le cadeau intime qui la conclut : un poème de Paul Valéry, *Palme*. Il a aidé Marie-Laure Meyer comme m'aident Bach, Proust et Kafka. J'ai beaucoup aimé Paul Valéry quand j'avais dix-sept, dix-huit ans. J'apprenais par cœur des passages de *La Jeune Parque*, du *Cimetière marin*. J'ai tout oublié. De *Palme*, je recopie quatre vers qui circulent dans mes visions morphiniques : « Ces jours qui te semblent vides / Et perdus pour l'univers / Ont des racines avides / Qui travaillent les déserts. »

Le mardi 27 janvier, je lis la mort de la grand-mère et je descends au bloc. Il est 11 heures. Chloé me pose le VAC. La morphine a adouci la nuit. Il a fallu, une fois de plus, me raser. Les aides-soignants, Hervé, Cédric, le font avec une délicate inquiétude. Raser les poils aux alentours d'une plaie est un travail de couturière. Ils ne veulent pas l'endommager, mais ils doivent obéir à Chloé. Quant à moi, je suis paniqué à l'idée de poser un rasoir sur ce qui me reste de peau.

Je me réveille avec ce nouveau tuyau qui part du visage pour finir dans un sac à main qui ronronne. La canule de la trach' m'irrite de plus en plus. Elle semble trop longue, ou trop large, pour ma trachée. Un kyste s'est formé. Le service doit commander la canule adéquate, car il n'en dispose pas. Dans l'après-midi, scanner pour déterminer quel péroné me servira de mâchoire. Lucien, le garçon du service, pousse mon fauteuil dans les sous-sols conduisant d'un bâtiment à l'autre. Lucien, ou Lulu, ressemble à un homme de main dans *Le Parrain*. Il est chauve, dodu, trapu, pas très grand, et il parle comme l'un de ces seconds rôles qui volent la vedette aux premiers. Ça tombe bien, je n'aime pas les stars. Ceux qui prennent la lumière, où que ce soit, me donnent envie de l'éteindre. Quand il me croise dans le couloir, Lulu me serre fort la main et je me sens solide et solidaire. Je discute avec lui, sur un ton amical, du temps qu'il nous reste à vivre. Il a un pacemaker, son cœur flanche, il continue à fumer, « On n'a qu'une vie et ce n'est pas les autres qui la vivront à notre place ». Quand je sors faire une petite promenade avec les policiers dans la Salpêtrière, j'ai toujours plaisir à le voir en griller une le long d'un mur, tel un cancéreux récalcitrant, près des poubelles dont le roulement de tambour me réveille et m'inquiète à l'aube. Il me salue de loin en plissant des yeux. Lulu me rassure.

Le mercredi 28 janvier, je fais un malaise à la sortie de la douche sous l'œil de Juan, qui a dormi (ou essayé de dormir) dans ma chambre. Je le vois jaunir, il ouvre la porte et appelle l'infirmière, pendant qu'un policier entre et me soutient. On me ramène au lit. Je regrette de lui imposer ça.

Plus tard, je rejoins un autre bâtiment et un autre bloc où l'on doit me poser la sonde gastrique : je ne supporte plus la sonde nasale. Lulu conduit de nouveau mon fauteuil roulant vers les sous-sols du bâtiment. Les deux policiers armés nous suivent à quelques mètres, silencieux comme des anges. J'ai pris les *Lettres à Milena*. Le VAC ronronne entre mes genoux. J'ai envie de le caresser. On aboutit dans une sorte de corridor étroit et gris qui me rappelle le local à ordures du bâtiment de banlieue de mon enfance. Il est fermé, comme ce local, par une lourde porte en acier qui ouvre sur l'extérieur. De là, poussé par Lulu, je roule sous la pluie fine vers un bâtiment voisin, celui de la chirurgie cardiovasculaire. Nous attendons dans une petite antichambre froide, aux lumières jaunâtres. C'est un sas. Régulièrement, une porte coulissante automatique s'ouvre sur un soignant en charlotte et surchaussures qui passe du dedans au dehors. Par la porte ouverte, je vois des patients endormis, perdus sous les tuyaux, qui semblent effectuer un voyage interplanétaire : l'ordinateur Hal 9000 va peut-être les débrancher. Ils remontent du bloc. C'est la salle de réveil. Une grosse femme respire lentement, surveillée par une infirmière. Il y a moins d'œil que de chair et moins de chair que de plastique. La porte se ferme, s'ouvre, se ferme. Les soignants passent sans saluer, en saluant. J'ai de nouveau l'impression d'aller vers la mort, mais drôlement. À chaque ouverture je compte les tuyaux qui sont sur les corps entrevus et je cherche à en déterminer la source, le point d'arrivée, l'usage. Je n'y arrive pas : c'est comme un labyrinthe de fils à démêler. Les moniteurs battent la mesure. Les policiers se taisent. Lulu est sorti, sans doute fume-t-il.

Un échalas relativement chevelu d'une soixantaine d'années sort du vaisseau fantôme et s'installe sur la banquette, dans notre sas. Il commence par me fixer, puis il dit : « Avec ce que vous vivez, il vous faut du courage ! » Je ne sais pas comment il m'a reconnu. Y a-t-il eu des photos de moi après l'attentat ? Il m'apprend qu'il est peintre, que son foie est cuit et qu'il vient régulièrement faire des transfusions. Puis : « Alors, vous savez quoi en penser, maintenant, des musulmans ! Ça fait vingt ans qu'on le dit et personne ne veut nous entendre. Pendant la guerre contre la Serbie, moi, j'ai servi de bouclier humain sur les ponts face aux bombardements de l'OTAN. Les Serbes, eux, ils avaient compris. Peut-être que maintenant les Français vont enfin comprendre, non ? En tout cas, moi, je suis à 100 % Charlie. » Je regarde les policiers, à moitié d'un air de dire : « Vous ne pouvez pas éloigner ce fou ? » L'autre moitié est curieuse d'écouter la fin. De toute façon, mes anges gardiens sont là pour me protéger de tout, y compris des imbéciles, non ? Il m'arrive encore de penser : les flics ; mais j'ai du mal à les nommer ainsi. Qui aurait dit qu'un journaliste de *Libération*, chroniqueur à *Charlie*, finirait par éprouver une telle tendresse pour l'uniforme ? Il est vrai qu'ils me protègent avec patience et discrétion. La plupart viennent de province, de banlieue, de milieux modestes. Il y a des Blancs, des Noirs, des Arabes, des grands roux, des belles blondes, des petites brunes, de tout. L'un d'eux est entré dans ma chambre et m'a dit : « Ma femme prie chaque jour pour vous. » Puis il est ressorti. Ce sont les ombres derrière la porte.

Je ne sais quoi répondre au peintre pro-serbe et je fais mine d'acquiescer, lâchement, en regardant de nouveau les policiers d'un air entendu. Ils sourient et ne disent toujours rien. On finit par m'emporter. Je suis soulagé. Je ne supporte pas plus les discours anti-musulmans que les discours pro-musulmans. Le problème, ce ne sont pas les musulmans, ce sont les discours : qu'ils foutent la paix aux musulmans ! « Bonne chance ! crie le peintre pro-serbe, et n'oubliez pas qu'on ne peut rien attendre de bon des musulmans ! » Une infirmière m'installe sur un brancard. Je l'aide à cause du VAC, que je ne veux pas plus déstabiliser qu'un nouveau-né, je n'ai pas envie de passer ma nuit à l'entendre vagir. J'atterris dans un bloc opératoire à la lumière bleu sombre. L'infirmière me prépare et me met un masque pour respirer, c'est difficile, puis, comme au théâtre, fringant et parlant fort, au moment où je crois étouffer, le chirurgien arrive accompagné d'un externe venu pour la leçon d'anatomie. Il me dit : « Bon, alors nous allons faire une gastrostomie, vous allez voir, c'est très simple, on vous plante une aiguille dans l'estomac, c'est elle qui conduit la sonde, mais vous ne sentirez rien, ou presque rien, mais il ne faut surtout pas résister, hein, parce que si vous vous contractez, là, évidemment, vous sentirez quelque chose ! » L'infirmière m'a mis un tuyau dans la bouche et injecte de l'air dans l'estomac, pour qu'il enfle et soit bien visible. Je retrouve mon souffle et écoute le chirurgien faire des blagues noires sur des estomacs qui crèvent. Je regarde ses cheveux bruns, ses lunettes à branches noires, et je me dis qu'il est libanais : je saurai plus tard qu'il est brésilien. Un écran placé à ma gauche, en hauteur, me permet de voir mon estomac. Le chirurgien me passe une gelée froide sur le ventre et, par une série de piqûres, m'anesthésie la paroi abdominale qu'il incise. Il agit entre suspense et surprise : « Je pique ? Je pique, là ? Non, pas encore ! Et là, je pique ? Oui ? Oui ? Non, toujours pas ! Et hop, là j'ai piqué ! Ah ! » Le VAC est posé contre moi. Il ronronne un peu trop. Vous n'auriez pas du mou pour mon VAC ? Ma grand-mère paternelle donnait du foie de veau à son chat, Stanislas, qu'elle avait récupéré dans une station de métro où elle était kiosquière. Un jour, il m'a griffé sous l'œil, on ne sait pas pourquoi. C'est l'externe qui plante l'aiguille. Je respire pour me détendre et, comme on dit ici, l'accueillir. La douleur est supportable. Je vois maintenant l'aiguille circuler en moi, comme un insecte, à la recherche de l'estomac que l'interne commence par ne pas trouver. Est-ce bien mon corps, là-haut, sur cet écran ? « Mais non ! dit le chirurgien à l'externe. Pas par ici, par là ! Vous ne le voyez pas, l'estomac ? Il est là, bien déployé, on ne peut pas le rater. Les starlettes anorexiques, elles ont des estomacs ridicules, qui pendent comme des vieux chiffons, parce qu'ils ne travaillent pas assez. Mais là, enfin, il est bien visible ! » Après l'opération, je demande : « Et mon estomac, il est comment ? » Il me regarde : « Votre estomac ? Légèrement en biais, parfait. »

En passant du billard au brancard, le VAC se met à sonner. Sale bête. Il va falloir le réajuster.

Le vendredi 30 janvier, je me réveille avec une violente douleur abdominale : effet de l'incision de la veille. Entre la douleur et les tuyaux, se lever pour aller aux toilettes relève de l'acrobatie sans filet. J'en parle à une infirmière. Elle sourit et me dit : « C'est comme après une césarienne. Vous savez maintenant un peu mieux ce que vivent les femmes. » Plus tard, je reçois un mail collectif écrit par mon collègue de *Charlie*, Simon, martial et ironique. J'apprends qu'il a écrit comme il a pu, d'un doigt, en sortant du coma : « J'ai eu la flemme de mourir. »

La veille, j'ai lu un album de *Blake et Mortimer*, comme quand j'avais quinze ans, jusqu'au moment où j'ai eu la nausée. Je cherche à me rappeler le nom de celui qui m'a fait découvrir ces deux héros. Je ne me souviens que de son prénom, Jean-François. La dernière fois que je l'ai vu, il était à Sciences Po. Si je me souviens bien, il portait un appareil dentaire. Il aimait aussi *Valérian*, *L'Incal* et *Blueberry*. Qu'est-il devenu ? Est-il encore vivant ? Disparition ordinaire des souvenirs, que la situation rend extraordinaire. Mélancolie violente que le corps traduit aussitôt par une nouvelle nausée – qui tue la mélancolie : vive la physique.

Dans l'après-midi, mes neveux me rendent pour la deuxième fois visite. La première, ils ont eu peur des policiers, de mes tuyaux, de mon « œuf de Pâques » et ils n'ont pas aimé l'odeur de l'hôpital, « ça sent mauvais ». Cette fois, ils s'approchent et m'embrassent. Je montre à Hadrien, l'aîné, la sonde gastrique, la corolle en plastique par où le tuyau entre dans l'estomac. C'est ma petite fleur, lui dis-je, et je lui explique en détail, en lui indiquant la poche alimentaire, comment ça marche. Désormais, je dois me brancher pour avaler quatre poches par jour, pendant douze à seize heures selon la vitesse d'ingestion que je choisis et que mon estomac peut accepter. Je sors faire mes longueurs avec la potence. La poche et la perfusion y sont attachées. Je redresse le dos et règle mes pas sur un rythme régulier pour éviter les faux mouvements. Je montre aussi à Hadrien comment chasser l'air du tuyau et comment clamper avant de le brancher sur la poche alimentaire. Ses yeux brillent d'intérêt, presque de gourmandise. Comme il n'aime pas manger, il est ravi d'apprendre qu'on pourrait s'en passer. Il repart avec l'album de *Blake et Mortimer*, que je n'ai pas fini de lire. Je ne lis quasiment plus. Je ne fais que relire la mort de la grand-mère, quelques lettres de Kafka à Milena, le début de *La Montagne magique*. Quand il a vu ces livres sur ma table de chevet, celui que j'appelle le docteur Mendelssohn a levé un sourcil et dit : « Vous n'avez rien de plus drôle à lire ? » « Non. » J'ai ajouté : « Kafka est très drôle, vous savez. » Il a fait une moue qui signifiait : le patient devrait y mettre du sien. La psychiatre et la psychologue ne me trouvent pas dépressif. C'est peut-être le docteur Mendelssohn, excellent chirurgien, qui aurait besoin d'un psychologue ; mais les chirurgiens n'ont pas besoin de psychologues : ce sont des héros grecs, tout action. Pour l'essentiel, j'écoute Bach et je dérive, c'est tout.

Le lundi 2 février, je lis la mort de la grand-mère et je descends au bloc, dans l'après-midi. Comme l'attente n'en finit pas, je lis aussi quelques pages de *La Montagne magique*, celles où les morts sont descendus dans la neige sur des bobsleighs. Je ferme les yeux. Je suis chacun d'eux. La neige sur laquelle ils glissent a une odeur faite de cire chaude, de gazole et de tilleul menthe. Peu après être remonté du bloc, c'est la panique autour de moi : la saturation baisse, le pouls s'accélère, je sue comme la neige fond, je ne parviens pas à respirer, l'interne ne sait pas quoi faire. Mon père et mon frère me regardent, bras ballants, très pâles, littéralement interdits. J'ai le sentiment de descendre dans un puits humide et chaud, sans air. C'est épouvantable *et* c'est enivrant. C'est mystérieux *et* c'est intéressant. En me jouant des tours, mon corps m'initie. En m'échappant, il m'appartient. J'observe la descente que je subis, je me sens le père de mon père et l'ancêtre du frère dont je dépends.

Vers 21 h 30, Chloé passe. Quand elle vient le soir, elle est douce, comme savent l'être les personnes intelligentes et sensibles lorsqu'elles cessent d'être excédées. Elle dit que l'os est prêt à recevoir la greffe. Elle parle de la possibilité d'une sortie d'une heure ou deux, pour aller voir dehors. Mon frère parle du jardin du Luxembourg. Chloé, du parc André-Citroën. Comme toujours, je la suis. « Comme toujours » : j'ai l'impression qu'elle dirige ma vie depuis la naissance. Je lui offre un exemplaire dédicacé d'un petit tiré à part, que je viens de recevoir, de mes chroniques d'un non-fumeur dans *L'Amateur de cigare*. Elle est ravie. Alexandra, l'infirmière, passe. Ses cheveux sont défaits. Je fais un petit geste, sans un mot, pour le lui signaler. Elle les remet. Dans la soirée, mon frère me pose un gant humide sur le front, qu'il change régulièrement. On s'endort vers minuit, après la dernière visite des soignants, en écoutant des airs de Bill Evans.

Le mercredi 4 février, Blandine passe la nuit dans ma chambre. Elle lit des journaux américains et des nouvelles d'Alice Munro. Elle les lit toutes, méthodiquement, par plaisir et pour perfectionner son anglais. Blandine est une combattante, habituée des hôpitaux, et c'est le combattant, avec l'ami, qu'elle vient aider. Elle le fait avec des gestes, une présence, sans effusion, sans presque parler. Elle sait, d'expérience, que les mots sont inutiles. Elle profite de la chambre pour se concentrer, faire le vide, laisser l'amitié respirer sur le carrelage. Je la regarde : il y a deux ans, nous étions en Castille, à Soria, avec Juan, en plein hiver. Comme la plupart des souvenirs, celui-ci me plonge aussitôt dans un chagrin peu supportable. Je le chasse en revenant à son visage osseux, paisible, à ses mains sur le livre. Je les découpe pour les coller, comme sur un cahier, hors du temps.

Mon frère, pour la première fois depuis le 7 janvier, n'est pas venu à l'hôpital. Je suis épuisé. Lui aussi. Le VAC fuit de nouveau. L'alarme du boîtier me réveille plusieurs fois dans la nuit. Il réveille aussi Blandine. Je le hais. Vision en demi-sommeil : je vis dans le *Nautilus*, les sirènes hurlent, le calamar entre, je cherche la hache pour couper les tentacules et l'otarie pour jouer, comme Kirk Douglas, du ukulélé. Aurai-je une fossette, comme lui, quand le menton sera reconstitué ? En attendant, on coule.

Le jeudi 5 février, je lis la mort de la grand-mère et je descends au bloc en première position pour changer de VAC. À 6 h 30, douché et équipé, coiffé de ma charlotte, j'écris à mon frère pour lui dire que le salaire de *Charlie* n'a pas été versé et que je suis inquiet. Je n'ai pas honte de mon inquiétude et je n'en sens pas l'absurdité. Le soir, je regarde avec Juan *Le Grand Sommeil*, de Howard Hawks. C'est le deuxième film que je vois depuis que je suis ici, après *The Party*. L'intrigue peu compréhensible du *Grand Sommeil* me paraît aussi claire que si j'en avais rêvé : je comprends que ce film est un rêve. Or, depuis que je suis ici, les rêves me semblent moins opaques que la vie. J'ai l'impression de flotter dans le flou que le film dégage, dans la cigarette et le whisky, sans me souvenir de l'odeur de la cigarette ou du goût du whisky. Très vite, comme toujours, je suis saturé. Le sourire de Bogart met tout à distance. Il limite la saturation et me permet de surmonter mon tout petit sommeil. Quand le film s'achève, je suis épuisé.

Le vendredi 6 février, trois amies se retrouvent en même temps dans ma chambre. Deux d'entre elles se connaissent, mais ne connaissent pas la troisième. La parole doit passer par moi, qui sursalive. D'ailleurs, Chloé m'a dit de parler le moins possible, « Mais vous êtes un bavard, vous, alors ça n'arrange rien ». Hossein, le jeune chirurgien de garde le 7 janvier, m'a parlé d'un air débonnaire de patients muets comme des paysans, qui mangent leur soupe en bavant et ne disent pas trois mots par jour pour le restant de leur vie. « Et ils ne souffrent pas de leur condition ? » « Non, me dit-il. Ils vivent comme ça et ils acceptent. » Plus tard, j'en parle à Véronique, la psychologue. Elle a un sourire entendu : « Je ne suis pas certaine qu'ils n'en souffrent pas. »

Aux trois amies, je présente le VAC comme un échantillon de maroquinerie de chez Gucci. Le silence coule dans les trous. La troisième, Hortense, qui est la première arrivée, a les yeux humides. Ils sont grands et clairs. Elle me fait penser à une fleur un peu lourde, du Sud, chargée de rosée et de sentiments. La chambre devient une serre. J'ai connu Hortense à Cannes, huit ans plus tôt, sur une terrasse, de nuit. À côté, il y avait un réalisateur mexicain hermétique accompagné d'une superbe femme aux cheveux courts et droits : la sienne. Je ne voyais que le cou de cette femme et je ne suis jamais retourné au festival de Cannes, qui pour moi se résume à cette apparition. Hortense vient ici pour la première fois. Elle me prend la main et dit : « Tu es mon miraculé. » C'est la première fois que j'entends ce mot. Il me gêne un peu, pas beaucoup, rien ne me gêne vraiment, et il me rappelle le titre d'un film anticlérical de Jean-Pierre Mocky.

En fin de journée, pour la première fois, je fais le tour

du parc de la Salpêtrière avec les deux policiers du jour. Ils sont censés rester un peu en arrière, mais j'ai envie de leur parler de la beauté des bâtiments, de leur histoire datant de Louis XIV. L'assistante du service m'a donné un petit livre sur l'hôpital que je lis lentement, avec dévotion. Je découvre le passé et l'extension de mon château. Il n'a pas été pris, comme Versailles, sur les marais ; mais chaque jour qui passe, à mesure que la promenade se rallongera, il sera pris sur les friches laissées par ma quasi-disparition. Il fait chaud dans le service. Le froid du dehors me fait du bien.

Le samedi 7 février, l'infirmière que j'appelle la Marquise des Langes refait le pansement du VAC, seule, pendant quarante minutes, avec dextérité et minutie, sous le regard de deux autres infirmières qui n'y arrivaient pas. La Marquise des Langes est celle dont je suis alors le plus proche. Elle veille sur moi et trouve des solutions pratiques à tous mes problèmes. En refaisant le pansement du VAC, elle dit : « En fait, c'est comme un puzzle et j'aime les puzzles. » Et, en effet, elle découpe des bouts de pansements de toutes formes qu'elle assemble peu à peu autour de la mousse et du tuyau, avec virtuosité, jusqu'à ce que ça tienne. Au soir, plusieurs de mes amis et mon frère dînent chez Juan et sa femme Anne, près du jardin du Luxembourg. Leur appartement devient le centre d'accueil et de convivialité du petit groupe qui me soutient. L'annexe bien arrosée, en somme, de la chambre 111. J'essaie d'imaginer la soirée depuis mon lit : les gens, les lieux, le repas, le bruit du cuir du canapé, la musique écoutée, tout ce que je connais parfaitement et depuis longtemps. Je n'y arrive pas.

Le dimanche 8 février, première sortie hors de l'hôpital, deux heures environ, au jardin des Plantes, tout proche de la Salpêtrière. Deux policiers en civil du SDLP (Service de la protection) viennent me chercher. Ils prennent le relais des policiers en uniforme affectés à ma garde dans l'hôpital, vingt-quatre heures sur vingt-quatre. Plusieurs amis m'attendent à l'entrée du jardin : mon frère a tout organisé. Je porte un grand manteau couleur taupe que je n'avais pas mis depuis vingt ans et dans lequel je disparais, un bonnet beige en cachemire très doux et des gants assortis offerts par Hortense. Le pansement me couvre le bas du visage. Le tuyau du VAC en sort et rejoint le boîtier que je transporte, lanière à l'épaule, comme un sac à main. J'ai la sensation d'être un fantôme. Je suis paniqué par la foule, pourtant éparse, mais sans potences, sans solitude et sans gueules cassées, et qui *ne bouge pas comme le font les patients.* Hier, le froid m'a fait du bien, mais aujourd'hui il me surprend comme si je ne l'avais jamais connu. Je demande à visiter la serre des cactus. Je les regarde un par un et je me sens proche d'eux : ils ont besoin de très peu pour vivre, simplement de chaleur, et ils me ramènent à la réalité, à ce désert intense, avec beaucoup d'épines, de pierres, et très peu de fleurs. Les fils de mon frère jouent dans un labyrinthe de verdure. Paul, le fils de Juan, est venu, et cela me touche : tout ce qui vient de la jeunesse m'éloigne du sentiment de destruction. On finit sur le belvédère du jardin. Le VAC n'a pas sonné.

Le lundi 9 février, je lis la mort de la grand-mère et j'attends le bloc à 8 heures. Vers 10 heures, il est décidé que je n'y vais pas et qu'on va refaire le VAC, qui fuit de nouveau, dans la chambre. Ils s'y mettent à plusieurs, ça dure une heure et demie et ils n'y arrivent pas. On appelle l'interne, qui tente le coup d'un air sûr de lui, mais ça ne tient pas. Les infirmières rient volontiers de la maladresse des chirurgiens qui se croient plus adroits qu'elles. Quand on comprime la peau à la main pour que la mousse fasse ventouse, j'ai l'impression qu'on me tord et me brûle la gueule. Je ne suis pas mécontent d'avoir évité une nouvelle anesthésie générale, mais il ne faudrait pas qu'on me la fasse regretter. Je finis par murmurer qu'on pourrait peut-être appeler la Marquise des Langes. Une infirmière me rappelle que depuis la veille Christiane, la cadre, qui ne la supporte plus pour de vieilles raisons que j'ignore, l'a déplacée au deuxième étage et lui interdit de me rendre visite. Devant l'échec répété des uns et des autres, j'insiste en souriant. « Bon, dit une infirmière, je vais la chercher, mais vous ne direz rien, hein ? Ça restera notre secret. » J'acquiesce, trop content de partager un secret avec mes amies du Royaume des Ombres. La Marquise des Langes arrive, un peu inquiète, souriante quand même et, sous les yeux des autres, plus virtuose que jamais, construit son puzzle sur mon visage en donnant ses explications. Je la regarde agir avec gratitude et soulagement. Sa tâche finie, elle repart en douce vers l'étage qu'elle n'aurait pas dû quitter. La cadre n'en saura rien.

Dans l'après-midi, Joël le coiffeur, un ami de Blandine, vient me couper les cheveux. Chloé et Annette-aux-yeux-clairs, mon anesthésiste préférée, celle qui m'a offert un petit monstre en caoutchouc pour remuscler mes mains en le malaxant, m'ont dit qu'il était temps de me faire tondre, que je ne pouvais pas aller à la greffe comme ça. Les chirurgiens détestent les cheveux et les poils. Que feraient-ils des islamistes ? Mais les islamistes refuseraient d'être opérés par Chloé et Annette-aux-yeux-clairs : mort aux cons. Joël prépare ses affaires en silence. Je lui dis : « Ça vous dérange si je mets du Bach ? » Ça ne le dérange pas. Je mets *Le Clavier bien tempéré*, cette fois par Richter, et je m'installe sur l'une des deux chaises grises. Il me pose le caoutchouc noir sur les épaules, m'asperge les cheveux et commence à tailler aux ciseaux. Sensation de fraîcheur et de nerfs éveillés un par un, comme une fleur qui s'ouvre. Le temps est suspendu. Je ferme les yeux. Joël me prépare pour une messe ou pour la guillotine. Il est muet comme un prêtre, délicat comme un bourreau. Je ressusciterai et il reviendra.

Le soir, insomnie due aux douleurs de gorge, de mâchoire, à toutes sortes d'incommodités. Marion-aux-yeux-de-chat, la jeune infirmière de nuit qui vient du Havre, tente de m'injecter un antalgique par la gastrostomie. Le liquide reflue en petit geyser. J'en ai partout. « Ah, dit-elle en pouffant, ça veut dire que l'estomac est plein. C'est toujours à moi que ce genre de chose arrive ! » Elle dit que quand un patient fait une hémorragie ou meurt, c'est pour sa pomme. Un jour, j'entendrai une infirmière employer une autre expression : « J'en ai encore fumé deux cette nuit. J'espère que ça va s'arrêter là. » Ce n'est pas la malchance de Marion qui veille sur moi : c'est son rire et son air de chat. Cette nuit-là, le VAC tient bon.

Le mardi 10 février, Alexis m'apporte le caban jumeau de celui que les pompiers ont découpé aux ciseaux le jour de l'attentat. Je l'essaie lentement, avec son aide. C'est un peu compliqué avec le VAC. J'ai maigri, mais le caban me va bien. Pendant une minute, j'ai l'impression d'enfiler le costume de ma vie précédente. C'est une cérémonie minuscule et supplémentaire dans l'enchaînement de celles qui font mes journées. Je suis touché par la douceur des gestes d'Alexis.

Juan m'envoie un texte de Nietzsche, « Sagesse dans la douleur » : « Dans la douleur il y a autant de sagesse que dans le plaisir : tous deux sont au premier chef des forces conservatrices de l'espèce. S'il n'en était pas ainsi de la douleur, il y a longtemps qu'elle aurait disparu ; qu'elle fasse mal, ce n'est pas là un argument contre elle, c'est au contraire son essence. J'entends dans la douleur le commandement du capitaine de vaisseau : "Amenez les voiles !" L'intrépide navigateur "homme" doit s'être exercé à diriger les voiles de mille manières, autrement il en serait trop vite fait de lui, et l'océan bientôt l'engloutirait. Il faut aussi que nous sachions vivre avec une énergie réduite : aussitôt que la douleur donne son signal de sûreté, il est temps de la réduire, – quelque grand danger, une tempête se prépare et nous agissons prudemment en nous "gonflant" aussi peu que possible. – Il est vrai qu'il y a des hommes qui, à l'approche de la grande douleur, entendent le commandement contraire et qui n'ont jamais l'air plus fiers, plus belliqueux, plus heureux que lorsque la tempête s'élève ; c'est même la douleur qui leur donne leurs instants sublimes ! Ceux-là sont les hommes héroïques, les grands messagers de douleur de l'humanité : ces rares individus dont il faut faire la même apologie que pour la douleur en général, – et, en vérité ! il ne faut pas la leur refuser. Ce sont des forces de premier ordre pour conserver et faire progresser l'espèce : ne fût-ce qu'en résistant au sentiment de bien-être et en ne cachant pas leur dégoût de cette espèce de bonheur. » Je lui réponds : « Comme d'habitude, Nietzsche donne de la force à ceux qui en ont. »

Le soir, on me retire la trach'. Soulagement presque immédiat. J'ai découvert que je n'étais pas spécialement douillet, un adjectif qui a peu de sens ici, mais, à l'héroïsme qui cherche la douleur, je préfère la douleur qui s'en va. Surtout quand je sais qu'elle reviendra : on me remettra la trach' dans sept jours, pendant la greffe. Les héros ont une mission dont on parle trop peu : s'économiser.

Le jeudi 12 février, ils refont le VAC dans la matinée, de nouveau avec l'aide clandestine de la Marquise des Langes. Je regarde les dessins d'enfants et la photo de la fillette cubaine, immobile dans mon lit, et soudain j'ai une immense sensation de tristesse, un vrai puits. Je me mets à pleurer en silence, sans spasme, rien. L'un des jeunes étudiants infirmiers, Fernando, s'en aperçoit et dit : « Il y a quelques larmes, Monsieur Lançon... » Il prend une compresse et me tamponne les yeux. J'ai l'impression que ma vie entière fuit par ces quelques larmes tamponnées par Fernando, en attendant de fuir par le VAC ; qu'elle s'en va avec elles vers un lieu paisible, où il n'y aura plus de place que pour les fleurs sans nom qui entourent la fillette et pour le chagrin. Fernando tamponne toujours, la Marquise des Langes comprime ma plaie, la petite Émilie la regarde et apprend. Elles ont dû voir les larmes, mais se concentrent sur le pansement. À ce moment-là, la psychiatre apparaît, une tête, un sourire, un bout de corps, puis s'en va. Le VAC, c'est plus important. C'est la première fois que je pleure, je crois, depuis le 7 janvier. Je voudrais que ça ne finisse pas, jusqu'à endormissement.

Dans l'après-midi, Gabriel, un ami violoniste, membre du quatuor Thymos, vient jouer dans la chambre la *Chaconne* de Bach. Je me suis installé dans le fauteuil. Il étale la partition, immense, sur le lit. J'ai prévenu Hossein, le jeune chirurgien de garde le 7 janvier, qui n'est pas encore un ami, mais qui n'est plus seulement un soignant. Il vient écouter. Il en profite pour m'offrir un recueil de poèmes persans, *Oasis d'émeraude*, de Sohrab Sepehri. Des infirmières sont là. Chloé n'a pu venir. Gabriel suit la partition en remontant lentement jusqu'à la tête du lit. Les cordes grincent, j'entends sa respiration, son souffle, ses pieds sur le sol. Rien n'est physique comme le violon. Son corps paraît souffrir toute la beauté qu'il répand. Bach résonne presque sauvagement dans le silence de la chambre et du service. Je me mets à saliver sous le pansement. Les nerfs se tendent et se détendent, les cordes du violon grincent.

J'ai mal aux mains. Je regarde les pâtés cicatriciels qui les encombrent. Le corps entier est occupé, comme celui du violon, par la difficulté et par la musique. Tous les sentiments, toutes les émotions défilent dans la *Chaconne* : Gabriel les communique tantôt un par un, tantôt ensemble. Il se bat jusqu'à l'oreiller et finit la main presque paralysée. Pendant quelques minutes, j'ai l'impression que je n'ai survécu que pour être là.

Le samedi 14 février, accompagné par les policiers, mon frère et mon amie Sophia, devenue experte dans le massage des mains, je visite l'exposition sur la dynastie des Han au musée Guimet. Il y a un peu de monde : je contrôle ma panique. Après la visite, on va dans un café. Je ne peux ni boire ni manger. Je regarde leurs lèvres et leurs verres de bière, leurs doigts et leurs cacahuètes, sans aucune gourmandise, sans aucune sensation. Dehors, il pleut. Cette nuit-là, Odalys dort dans la chambre. Je la regarde plier avec soin ses affaires, sortir une chemise de nuit, manger un fruit : je suis à Cuba. Elle me masse les pieds, les jambes, les mains, les bras. Je m'endors pendant le massage, puis je me réveille brusquement et lui dis : « Tu vas me masser ? » J'avais oublié. Dans la nuit, le VAC sonne. Marion le rafistole comme elle peut. Il sonne moins. Je ne dois absolument pas bouger. Elle m'injecte du Lysanxia vers 5 heures pour me détendre. Cette fois, la sonde ne déborde pas.

Le dimanche 15 février, promenade avec plusieurs amis et les policiers dans le jardin du Luxembourg, dont je fais le tour entier, en m'arrêtant devant la statue de Baudelaire. Ensuite, nous allons chez Anne et Juan, où je n'avais pas remis les pieds depuis début janvier. Tout le monde boit du champagne, sauf moi évidemment. De toute façon, je n'en ai aucune envie : tous les désirs ont disparu. Comme avec Gabriela sur l'écran, comme avec toutes les femmes que j'ai aimées et qui, pour la plupart, me rendent visite ces jours-ci, ressortant d'une vie plus ou moins antérieure. Je suis heureux de les voir : leur présence me rappelle que j'ai vécu. Mais les nerfs entre le souvenir et le cœur, entre le cœur et le corps, semblent coupés. Tout flotte et s'éteint, pour moi, dans une bienveillance partagée. Pour elles, je crois, c'est différent. Elles entrent dans la chambre comme dans un lieu de vérité. L'attentat fend l'arbre à l'intérieur duquel les gens vivent, aiment, se séparent, se retrouvent, se souviennent, vieillissent. Il crève le tourbillon de la vie. Celles qui ont failli mourir, maladie ou tentative de suicide, celles qui ont une familiarité avec la mort, ont des élans naturels, presque éperdus, comme si je les avais rejointes là où elles habitent depuis longtemps. Elles se déposent au pied du lit d'un compagnon revenant. Aucune n'a de gestes inutiles ou déplacés. Aucune ne reste longtemps. Je me demande s'il faut avoir vécu ça pour obtenir du monde cette espèce de grâce, débarrassée de tout passif, de tout actif, simplement liée à quelques mouvements, quelques regards, à peine quelques mots. C'est mon frère qui organise les visites, pour éviter l'encombrement ou le vaudeville.

Chez Juan, le VAC se met à sonner sur le canapé. Je sens, dans la bouche, la gélatine amère qui fond comme une glace tiède comme pour me dire : « Tais-toi. » Il faut rentrer. Juan me rejoint un peu plus tard et passe la nuit dans la chambre. Nous regardons *La Prisonnière du désert*, de John Ford. Je l'ai vu dix fois, vingt fois. La solitude de John Wayne, sa colère, rien ne parle de moi et tout parle pour moi. Le patient tire la couverture du héros imparfait à lui. Les lumières de la chambre sont éteintes. Je me demande quelle est l'infirmière qui ressemble le plus à Natalie Wood. Nous ne parlons pas.

Le lundi 16 février, un masseur, ami d'Alexis, vient s'occuper de mes pieds. J'écris le premier article, depuis celui du 14 janvier pour *Libération*. C'est pour *Charlie*. Il s'intitule : « Un trou dans le jacuzzi ». « Dans le jacuzzi des ondes » est le nom de cette chronique depuis sept ans. J'ai décidé de le conserver, même si je n'y parle plus de télé ni de radio, puisque je ne les regarde ni ne les écoute plus. Je garde le jacuzzi, sans les écrans, mais avec un trou dedans. J'y parlerai désormais de ma vie telle qu'elle est, ou plutôt : telle qu'elle filtre ce qui vient du dehors. Ce qui échappe à mon expérience, ce qui ne peut être traité par elle, ne m'intéresse pas : je n'ai rien à dire ni à penser de ce que je ne peux directement éprouver et décrire. Toute opinion commence à me paraître vaine, honteuse, si elle n'est pas aussitôt recadrée, nuancée, précisée, voire détruite, par le cadre expérimental de celui qui l'énonce. Marilyn, venue de l'Est, passe la nuit et une partie du lendemain dans la chambre avec moi.

Le mardi 17 février est la veille de la greffe. Il est temps d'y aller. Je fuis de plus en plus. Aussi épais soient-ils, les pansements ne tiennent plus. Ils se contentent de m'étouffer. Le mieux est de rester allongé sur le dos, incliné à 30 %, position du sommeil. Défilé ininterrompu de chirurgiens, d'infirmières, d'aides-soignants. Corinne la kiné et Véronique la psychologue passent également. Annette-aux-yeux-clairs, qui m'avait mis au fer pour me fortifier et qui a suivi de près mon redressement avant la grande opération, semble satisfaite : l'athlète est prêt pour l'épreuve. Chacun vérifie l'état du corps, de l'armure, du heaume, du cheval, de l'esprit et, comme on dit dans *Le Cid*, du cœur. C'est le moment de revoir *Ivanhoé*, mais le film est chez mes parents, où mes neveux l'ont regardé. Mon frère passe la dernière nuit avec moi. Dans la soirée, un vieil ami journaliste, Yves, m'écrit :

Je sais que normalement demain tu dois avoir une intervention importante (encore que je n'arrive pas à bien
savoir ce qui pour toi est une intervention importante).
Je me demande toujours si les mots sont bien appropriés
tellement ce qui t'arrive paraît irréel pour nous. Comme
si on était restés d'un côté de la terre.

Nous nous sommes connus en Roumanie, au printemps
1990, au moment des premières élections prétendument
démocratiques. Je ferme les yeux : je le vois, petit, râblé,
dans sa grande chambre aussi chic que délabrée, près d'une
table ronde et de la grande fenêtre. Nous nous sommes
revus en Jordanie, en Irak, pendant les émeutes de Vaulx-
en-Velin, je ne sais où encore, puis l'amitié a pris toute la
place que le métier avait laissée. C'est lui qui, au retour
précipité d'Irak, m'a dit : « Tu es rentré à cause du tapis. »
Je continue de lire son mail :

Tu avoueras que si n'était l'abjection que nous vivons,
ce serait plutôt cocasse. Que dire de la France d'aujourd'hui. Je n'en sais rien et je ne la vois plus. Je ne sais
plus parler que des choses d'autrefois. À ce propos, te
souviens-tu du jour où nous avions couvert les émeutes de
Vaulx-en-Velin du côté de Lyon ? Je garde le souvenir d'un
verre que nous avions pris ensemble dans le vieux village,
dans un café comme autrefois, avec un arbre devant, la
veille de notre départ. J'avais eu un curieux sentiment
de la juxtaposition du vieux village et de ce que nous
venions de vivre pendant deux ou trois jours autour des
immeubles et du centre culturel cramé, et ce n'était que
les tendres prémices de ce que nous vivons aujourd'hui.
J'avais complètement occulté ces moments. J'ai l'impression que c'était hier. Bref, laissons les souvenirs où ils sont.

Les souvenirs m'ont laissé où je suis.

Mon aventure maltraite ma mémoire, en l'incisant et en l'insensibilisant tour à tour : de ce chaud et froid naît le chagrin qui ne cesse de m'envelopper, comme si je souffrais de tout en ayant tout perdu. Il n'y a que l'épuisement pour le faire cesser. Chez mes amis, mon aventure semble réveiller la mémoire. Je suis devenu une étroite carotte glaciaire creusée par l'attentat dans leurs vies.

Je réponds à Yves :

On a bien les mêmes souvenirs et les lire venant de toi m'a fait un extrême plaisir. Vaulx-en-Velin, si je m'en souviens... que s'est-il passé ? Et le gamin que je ramenais chez lui et qui se shootait à la colle sur la banquette arrière de ma voiture... Des scènes inimaginables aujourd'hui. Qu'avons-nous manqué ? Que n'avons-nous pas su faire, écrire ? Je me pose souvent la question, je n'ai pas la réponse, et les balles que j'ai prises ne me la donnent pas davantage. Je t'écris brièvement, dans quelques heures je descends au bloc. Quand je remonterai, il me manquera un péroné mais j'aurai de nouveau une mâchoire. À quoi je ressemblerai ? Je n'en sais rien. À une grosse poire violette, me dit-on. Ou à un boxeur martelé par Joe Frazier. Il y aura des mois de retouches, de greffes, et puis les dents quand tout sera stabilisé. L'opération de demain devrait durer sept heures. Ensuite, je suis en réanimation, sous surveillance permanente, pendant deux jours : surveiller si la greffe prend et si tout est « vascularisé ».

J'apprends les gestes et le vocabulaire des lieux. Les infirmières sont aux petits soins avec moi. Quand elles se penchent sur ma plaie au visage, je les regarde droit dans les yeux et j'essaie de sortir une petite vanne, pour que tout le monde rigole un peu. Parfois, je mets de la musique avant qu'elles n'arrivent. Je fais circuler des livres. L'autre jour, ayant une permission de sortie pour quelques heures, je suis allé au musée Guimet dans la voiture des flics qui protègent les personnalités, des flics très sympathiques et très fins. Je voulais un peu de beauté et j'ai toujours aimé ce musée. J'ai rapporté aux infirmières une carte postale représentant une statue bouddhiste aux cent bras, en leur écrivant que c'était le patient rêvé : plus besoin de se faire chier pour trouver la veine – les miennes sont de plus en plus farouches et dures, à force d'avoir été piquées. Ce genre de petites choses, elles me le rendent au centuple. Il y a une trentenaire joviale aux cheveux raides que j'aime beaucoup. Un soir, elle m'a dit qu'elle avait perdu tous ses cheveux en une nuit. Ils étaient blonds et bouclés. Ils ont repoussé roux et raides. Quel événement a-t-elle vécu ? Je n'en sais rien.

CHAPITRE 14

La boîte à gâteaux

L'avant-veille de la greffe, Marilyn est arrivée dans la chambre avec une vieille boîte à gâteaux. Il devait faire froid dehors : elle était aussi couverte qu'un cosmonaute en visite sur une planète trop éloignée du soleil et qui devait être la mienne. En la regardant entrer, je l'ai revue vingt ans plus tôt, un oignon enveloppé dans des couches de tissus tandis qu'elle affrontait, non sans pleurer parfois de solitude ou de fatigue, ses premiers hivers européens. Elle avait atterri en Galice, puis en France. Quand on arrive de La Havane, La Corogne est si triste qu'elle paraît pleurer toutes les larmes qu'on retient. Quant à Paris, c'est une Ville lumière sans lumière. Sa beauté l'éloigne de l'immigrant.

Pendant quelques secondes, la boîte à gâteaux m'a rappelé d'autres époques, plus reculées, celles où il m'arrivait d'en manger trop, puis de ranger le paquet vidé en y laissant un seul gâteau, voire deux, soit pour ne pas me sentir coupable, soit au contraire, dans la mesure où chacun connaissait mes habitudes et en riait, pour me mettre deux fois en faute, comme gourmand et comme hypocrite. Ces souvenirs m'ont fait pleurer sans larmes, ça devenait une manie, quelque chose fuyait avec eux par un trou sec au-dehors, peut-être moins grand que celui au menton, peut-être plus, un trou dans la conscience, car ils n'étaient plus tout à fait les miens : ils appartenaient à cet homme qui, brusquement, s'était détaché de moi. J'étais devenu le produit d'une soustraction. J'étais aussi devenu un réceptacle. Mon absence déterminée de foi m'empêchait d'en faire un bénitier. Je l'avais dit à l'aumônier dans l'inquiétante guérite : aucun au-delà ne conclura l'épreuve que je traverse.

J'avais pris l'habitude de dévorer des gâteaux dans la cuisine familiale, en l'absence de mes parents, marchant généralement pieds nus sur le carreau froid : les gâteaux restaient associés à cette sensation de dureté, de fraîcheur et d'interdit. À cette époque, une grande carte du Vietnam était fixée au mur de ma chambre, avec des baguettes, le long de mon lit ; j'avais lu les livres de Jean Hougron, de Lucien Bodard et de Michael Herr et je voulais aller vivre en Asie du Sud-Est comme si la guerre continuait et comme si j'allais pouvoir, en échappant à la banlieue française, me perdre dans une jungle dont l'horreur – et les mines antipersonnel – m'échappait. Je n'avais aucune expérience de la violence ni de l'Asie. Ces livres me la faisaient miroiter. En regardant cette carte j'ai imaginé plusieurs romans, situés là-bas, des romans que je n'ai pas écrits, puisqu'ils l'avaient été par d'autres. J'avais quinze ans et tous ces livres finissaient mal.

J'ai regardé le sol de ma chambre d'hôpital, ce lino tiède sur lequel il m'était déconseillé de marcher sans pantoufles. Dans les services de stomatologie, la bave des patients tapisse le sol et, après tout, j'étais l'un d'eux. Je laissais mes pantoufles de cuir noir à l'entrée de la salle de bains, bien parallèles, les pointes vers l'extérieur pour pouvoir y glisser mes pieds séchés avec le moins d'effort possible. Ces pieds, chaque matin, sentaient le rugueux revêtement antidérapant avec un plaisir qui annonçait celui de la douche, quelles que soient, comme on l'a vu, les complications que la prendre exigeait.

Tandis que Marilyn rangeait son manteau dans l'une des deux armoires, je me suis demandé si je pourrais un jour de nouveau manger des gâteaux et éprouver cette frivole et enfantine culpabilité. La réponse, pour l'instant, était non. Et l'instant était tout ce dont je disposais. Je ne mangerais plus jamais de gâteaux, je ne marcherais plus jamais sur le carreau froid d'une cuisine. Du plus au moins anodin, je ne ferais plus jamais rien de ce que j'avais fait. Chaque instant se refermait sur lui-même avant l'entrée des suivants. À l'intérieur, il ne restait qu'un certain moi-même et les échos médicamentés d'une vague espérance. J'ai fermé les yeux et essayé de voir l'adolescent que j'avais été, le chouchou prolongé avec sa frange, ses boutons, ses maux d'estomac, son goût pour la purée Mousline et ses premiers disques de jazz. Il n'est pas apparu.

Mon visage était enveloppé dans l'habituelle série de pansements alourdis par la salive. Ils faisaient comme un gros tuyau de gaze blanche d'où jaillissait ma tête aux cheveux récemment coupés. Le fragile brouhaha du VAC berçait ce qu'à deux jours de la grande greffe il fallait bien appeler mon épuisement. Marilyn a regardé ce Calimero momifié qui avait été son mari, puis elle a déposé la boîte à gâteaux sur le lit, sur mes cuisses. Elle l'a ouverte et j'ai entrevu ces vieilles photos avec un certain effroi. Il n'y avait pas assez de place dans cette chambre pour celui que j'étais et celui que j'avais été, même et surtout sous la forme de traces photographiques légèrement passées.

À cet instant, le VAC s'est mis à sonner. J'ai appelé en sachant qu'il serait impossible de le refaire à cette heure-là. Il faudrait une fois de plus le bricoler. Une aide-soignante est entrée, bientôt suivie d'une infirmière, je ne sais plus laquelle – pas Marion-aux-yeux-de-chat en tout cas. C'était l'heure des soins de fin de journée, nettoyage des plaies, changement des pansements, vérification des poches et de la tuyauterie. Je leur ai dit que Marilyn pouvait rester. Elles se mirent à rafistoler la mousse dans laquelle le tuyau plongeait pour rétablir la pression et l'empêcher de nous emmerder – moi, puis elles – aussi longtemps que possible. Une autre infirmière les a rejointes. Pendant que l'une plaquait la mousse sur la mâchoire, l'autre tentait de mieux fixer le pansement. Maintenant que les heures du VAC étaient comptées, j'étais habitué à la brûlure de sa pression : ce qui aurait dû être, j'imagine, une douleur aiguë, avait fini par devenir une sensation assez curieuse pour ne pas être entièrement désagréable. Il y avait même du plaisir à l'accueillir, comme lorsqu'on devance un appel qui ne conduira pourtant à rien : je me sentais, à travers la douleur que je croyais provoquer, maître des miettes de mon destin. Le masochisme n'était toujours pas devenu mon vice, un vice qu'il m'arrivait d'envier, mais il pouvait être, à l'occasion, une nécessité. Et je faisais malgré tout – malgré moi – une équivalence entre la douleur ressentie, ou pressentie, et la réussite du geste que les infirmières effectuaient. Même si elles faisaient en sorte de ne pas la provoquer et me rappelaient souvent qu'il fallait l'éliminer avant qu'elle ne monte, la couper à la tige comme une fleur vénéneuse, une certaine souffrance sanctionnait l'efficacité.

C'était comme avec les tuyaux : ils m'avaient tant pénétré depuis le 7 janvier que j'avais appris non seulement à ne pas les refuser, mais, comme me l'avait dit le chirurgien brésilien à propos de l'aiguille guidant la sonde gastrique, à les accueillir. Car les tuyaux étaient des amis – encombrants, capricieux, mais des amis. Ils réparaient, endormaient, soulageaient, nourrissaient, désinfectaient. Ils entretenaient et apportaient la vie. Les supporter aussi mal que possible était la preuve que tout fonctionnait. Chloé aurait été agacée par cette psychologie appliquée aux tuyaux : la plupart de mes comparaisons lui semblaient parfois amusantes, toujours déplacées. Ses yeux clairs s'ouvraient pour laisser passer un rayon d'ironie et elle me gourmandait, c'est le vieux mot qui convient, pour tant jouer à l'écrivain et si peu au scientifique – même si je n'étais ici ni l'un ni l'autre, mais simplement patient. Seulement la psychologie était, avec la recherche instinctive de métaphores, l'une des formes qu'avait prises ce qui me restait de fantaisie. Je l'accommodais à toutes les sauces, à tous les objets, à tous les gestes, répondant oui à la question de Lamartine : « Objets inanimés, avez-vous donc une âme ? » Et quelle âme ! Insouciante, inconséquente, simplement livrée à elle-même... On sème de la psychologie là où l'on ne comprend rien, me disais-je. Je la regardais fleurir dans ma chambre sourde, comme une plante carnivore dans une serre. Je filais dans le couloir pour faire mes longueurs, avec VAC et bagages, avant qu'elle m'ait attrapé.

Les soins achevés, le VAC momentanément calmé, les soignants sont partis et je me suis retrouvé seul avec Marilyn, comme au bon vieux temps. Elle s'activait en silence, rangeant ses affaires et les miennes, industrieuse fourmi cubaine, sachant que dans trente-six heures je descendrais au bloc et ne reviendrais pas dans cette chambre qu'il allait falloir vider. Je ne me souviens plus si j'ai mis de la musique. Ce n'est pas certain : je crois me souvenir que j'ai préféré le silence et simplement regarder bouger mon ancienne femme dans cet espace restreint et comme vidé par le temps. Ce temps descendait sur nous comme un nuage. Une fois dedans, tout de nous serait effacé par l'imperceptible gomme de l'instant vécu, tout, l'événement, ses conséquences, notre passé, notre avenir, et tout ce que nous avions réussi ou raté.

À l'entrée des soignants, Marilyn avait rangé la boîte à gâteaux dans l'un des deux étroits placards dont la couleur bordeaux me détendait et me rassurait. Elle l'a ressortie en silence, l'a ouverte, et nous avons commencé à regarder ces photos, empilées en désordre, de notre vie à Cuba. J'ignorais qu'après notre divorce elle les avait emportées et conservées. Mon appartement était dans un tel désordre, saturé de tant de souvenirs, qu'il m'arrivait de tomber sur des objets dont j'ignorais la provenance, sur des textes que j'avais écrits et qui décrivaient des scènes, des gens, des femmes surtout, que j'avais entièrement oubliés. Avec quelle précision et quelle énergie, pourtant, j'en avais parlé ! J'ai cessé de tenir un journal quand j'ai compris que je ne me rendais plus compte de ce qui disparaissait. À quoi bon fixer des instants dont les traces elles-mêmes ne signifient plus rien ?

De Cuba, je n'avais presque rien oublié – du moins de la Cuba réverbérée par la fillette d'Alexis qui nous regardait et de ces photos-là. Paysages, amis, amours, famille cubaine, joyeuse caverne d'Ali Baba tropicale, vestiges colorés et légèrement passés de la principale de mes vies antérieures – si j'excepte une enfance qui avait depuis longtemps, elle aussi, je ne sais pourquoi, disparu – une enfance à laquelle s'était substituée cette seconde et tardive jeunesse insulaire : on naît aussi là où l'on décide de renaître. Je regardais ces photos et faisais des commentaires mal articulés sur les scènes qu'elles révélaient, des commentaires que Marilyn ne comprenait pas plus que moi. Des commentaires, ou des exclamations ? Peut-être des onomatopées... J'avais de plus en plus de mal à respirer. Est apparue une photo prise quinze ans plus tôt sur la tour de Manaca Iznaga, dans la vallée de los Ingenios, derrière Trinidad et au pied de la Sierra del Escambray.

Cette tour permettait de surveiller les esclaves au travail dans les champs de canne à sucre et d'alerter aussitôt en cas de fuite. On lâchait les gardes et les chiens. Depuis longtemps, elle était devenue monument historique. Elle dressait parmi les champs d'un vert intense sa délicate et menaçante verticalité. Sa silhouette était si raffinée qu'on avait du mal à imaginer la raison pour laquelle on l'avait bâtie. Il y avait de la dentelle en elle, comme s'il avait fallu recouvrir par excès de légèreté un excès de brutalité. Elle me rappelait le gothique flamboyant de l'église de Saint-Père-sous-Vézelay. Le sommet, d'où l'on avait surveillé les esclaves, était un point de vue touristique. Marilyn et moi étions sur la photo. Nous souriions à l'appareil, une amie nous avait pris. On flottait dans un bonheur contrarié par une chaleur excessive plus que par la mémoire invisible des esclaves. Mais ce jeune homme souriant et bronzé, à la fois rond et mince, ce jeune homme finalement vierge, ce n'était plus moi. Ce n'était pas davantage un autre que moi. Qui était-ce ? Et qui était celui qui, dans cette chambre, le regardait avec effroi, avec pitié ?

Il y a au jardin d'Acclimatation des miroirs déformants dans lesquels, enfant, j'aimais me contempler. Je voyais dans le miroir de Manaca Iznaga des images déformées non par le temps, mais par la brutale rupture du temps. Celui qui était mort me saluait. Il me souriait, gladiateur inconscient, comme un reflet du soleil renvoyé par une vitre. Seulement je n'étais plus capable de lui répondre, comme au jardin d'Acclimatation, en riant ou en criant de plaisir et pour me faire peur. Je ne pouvais lui répondre que dans une panique silencieuse et par les larmes qui, une nouvelle fois, ont un peu coulé. J'ai essayé de les réprimer, je détestais les imposer à toute personne entrant dans la chambre, et plus encore à Marilyn. En quelques secondes j'ai vu défiler vingt ans de voyages à Cuba, vingt ans d'amour, d'amitié, de voix, d'odeurs, je les ai sentis me saturer et je les ai chassés aussi vite qu'ils avaient surgi et monté, je les ai noyés dans le vide et en prenant la petite main épaisse et dépigmentée de Marilyn, car j'ai senti qu'ils allaient me faire exploser. Si je les rejoignais, si j'entrais dans la photo et sur la tour de Manaca Iznaga, j'irais beaucoup plus vite et plus loin que tout esclave en fuite, dans un lieu où aucun contremaître, aucun psychologue, aucun ami ne pourrait me retrouver – un lieu où je n'aurais besoin d'aucun chien pour dévorer ce qui restait de moi-même. Pour la première fois j'ai senti, d'une manière très concrète, qu'il fallait revenir en arrière pour ne pas devenir fou. Et j'ai refermé la boîte à gâteaux.

J'ai appris plus tard que Marilyn passait alors des nuits au téléphone avec d'autres amis cubains, comme ils le faisaient à Cuba dans les nuits chaudes, assis sur des rocking-chairs, à la moindre occasion. Accablé par la fatigue, j'allais me coucher et, en position allongée comme je l'étais aujourd'hui, dans un demi-sommeil alourdi et approfondi par la chaleur comme il l'était désormais par mon état, j'écoutais leurs voix portées par une tiédeur humide refaire le monde, explorer leur monde, ressusciter leurs souvenirs d'enfance et de jeunesse avant tout. Dans l'aquarium tropical les souvenirs se propageaient aussi facilement que les sons sous l'eau, comme si l'épaisseur de l'air avait créé un silence aussi propice à l'inactivité qu'à la remémoration. Les paroles avaient presque une chair et une odeur. Elles tournaient en rond, rebondissaient d'un fauteuil à l'autre et, entre rhum et café, prenaient du poids.

Je m'endormais comme ça, sous le ventilateur de la chambre voisine et dans le vent tournant des voix féminines, comme je me suis peut-être endormi ce soir-là, une première fois, après avoir regardé mon ombre sur ces photos ; comme je m'endormais en écoutant les voix des policiers derrière la porte, des infirmières dans le couloir, toutes ces voix qui prolongeaient celles de la nuit cubaine, lesquelles avaient prolongé leurs nuits dans celles de l'exil grâce aux nouveaux moyens de communication. Les Cubains éparpillés par le destin parlaient de moi au téléphone, par Skype ou par FaceTime, d'un quartier ou d'une ville ou d'un continent à l'autre, et ce filet d'attentions et de voix hivernales et nocturnes me soutenait sans que je le sache, protégeant le funambule à muselière de gaze et d'adhésifs que j'étais devenu – ce filet d'amis lointains dont la familiarité et la jovialité avaient si longtemps allégé ma vie. C'était précisément parce que ce peuple insulaire avait tant exploré la mélancolie par la colonisation, l'esclavage, les dictatures, l'exil, les séparations, la dissociation intime provoquée par le contrôle politique et social, qu'il avait su la recouvrir d'une épaisse couche de farce et de joie. Elle agissait comme une graisse d'animal tenant chaud aux nomades dans les pays polaires. Il n'y avait que les Cubains, selon moi, pour prolonger aussi naturellement l'enfance dans l'amas de désillusions qui lui succédaient. Marilyn informait nos amis de la situation et ils réfléchissaient sur les différentes façons de me remettre en selle : « Je ne supportais pas, m'a-t-elle dit plus tard, que cinq minutes d'horreur puissent liquider tant d'années de souvenirs. » Je ne supportais plus, moi, que tant de souvenirs puissent avoir survécu à quelques minutes d'horreur. Car, à cet instant, ces minutes faisaient ma vie, et non les souvenirs qui les avaient précédées. Pour continuer il fallait choisir, choisir malgré moi. Je n'avais plus droit au moindre sirop de nostalgie.

J'avais lu des livres où l'on expliquait les liens qui unissent la photographie à la mort. Ils me semblaient généralement trop longs, on pouvait les résumer ainsi : ce qui a été saisi, dans la seconde qui suit n'existe plus ; ce qu'on voit est la trace immobile d'un instant, d'une vie achevée ; et cette trace elle-même finira par s'effacer. Ce qu'on finit par voir est la condensation de tous ces phénomènes. Ce n'est donc ni une réalité, ni un souvenir, ni un fantasme, ni une rêverie, ni un rituel de résurrection, mais un peu tout à la fois. J'avais pu, comme n'importe qui, le vérifier en regardant des photos d'enfance, de jeunesse, et même, finalement, de la veille ; en regardant surtout des photos de jeunesse de ma mère, de mon père, que j'avais trouvées chez eux ou chez ma grand-mère maternelle et que j'avais gardées : j'avais collé certaines d'entre elles sur des feuilles de papier A4 et les avais fait suivre de poèmes qui, au moment où je les écrivais, permettaient de m'approprier ces vies qui m'avaient précédé. J'ai effectué ces petites opérations à une époque où, mes grands-parents étant morts, je commençais à sentir que mes parents finiraient par les rejoindre. Plus je remontais dans leur temps, moins vite ils disparaîtraient. C'étaient de petites opérations magiques. Et c'était moi, finalement, qui avais failli les précéder sur la photo souvenir.

Sur l'une de ces photos de famille il y avait ma mère à vingt ans, étudiante en robe claire, avec une sacoche, souriant légèrement le long des grilles du jardin du Luxembourg. Ces grilles étaient alors vierges de toute exposition. C'étaient les années cinquante, ma mère me ressemblait étrangement. Jusqu'à l'attentat, en tout cas, elle m'avait ressemblé. Son visage était un mystère : si je le fixais assez longtemps, elle devenait ma fille et c'était moi qui vieillissais. Maintenant ce mystère était devenu le mien.

J'éprouvais la même sensation en regardant des photos d'inconnus datant de vingt, soixante, cent ans – des inconnus qui, par la grâce d'une simple image de famille trouvée chez un bouquiniste ou dans une brocante, devenaient des pères, des frères, des proches, des compagnons morts que j'avais failli rejoindre et que j'avais, somme toute, accompagnés un peu plus loin que la vie ordinaire ne le permet. Une partie du phénomène était due naturellement à la présence du papier. Sans ce support matériel si fragile, donc si propre à fixer la fragilité des instants vécus, s'il flottait sur un écran qu'on allumait et éteignait à volonté, ou qu'on ne pouvait plus éteindre par manque de volonté, la photo perdait une partie de cette menace intime qui lui faisait, d'un même mouvement, ressusciter et tuer les hommes et les choses.

Je savais cela depuis longtemps, mais je le savais comme un homme qui, contrairement à ce que lui indique la photo, se sent vivre dans le flux continu qu'elle arrête, qu'elle dément. Depuis le 7 janvier, tout avait changé. Je l'ai compris ce soir-là en ouvrant la boîte à gâteaux. Les photos ne renvoyaient plus au grain mal trié de l'expérience. Elles renvoyaient à des souvenirs que l'attentat avait conduits, comme un troupeau, dans une impasse, vers une falaise. Je faisais l'expérience de l'expérience interrompue. J'étais entré dans les photos et j'y avais disparu.

Marilyn a senti la panique dont elle flairait la cause, sans se l'avouer tout à fait. Elle a eu l'air désolée. Son visage s'est gonflé et plissé. Elle aurait voulu me rappeler à la vie, non me renvoyer à la mort. C'était trop tôt. Elle m'a dit :

— Tu n'es pas obligé de les regarder maintenant. Je te les laisse de toute façon.

317

Elle me laissait la boîte à gâteaux, cette lampe magique qu'il m'était interdit de frotter.

J'ai redit à Marilyn qu'en revenant du bloc et de la salle de réanimation, j'allais changer d'étage. Cette nouvelle continuait de m'abattre. Je m'étais attaché à une chambre où j'avais tant vécu et survécu – où un mois avait pesé autant qu'une vie. Ce lieu était devenu mon royaume et mon sous-marin. Je n'avais ni sujets ni équipage, mais Louis XIV et le capitaine Nemo, c'était moi. Louis XIV surtout, car si comme Nemo j'avais embarqué dans mon aventure un équipage restreint d'amis, je n'avais pas comme lui déclaré la guerre à l'humanité. Je cherchais au contraire, plus que jamais, ici, à lui déclarer la paix. J'aurais voulu aimer tous ceux qui entraient, et j'y parvenais quasiment. Par la fenêtre je ne voyais aucun océan, aucun monstre, mais simplement ce pin sur lequel continuaient de se poser, comme sur un gibet, les corbeaux. J'essayais d'accepter comme une grâce, celle de Bach, l'implacable rituel hospitalier.

Je l'ai compris quelques jours plus tard en regardant avec Gabriela, dans la chambre suivante, *La Prise de pouvoir par Louis XIV* de Roberto Rossellini. Comme elle devait, pour un examen universitaire à New York, se familiariser avec la culture politique de ce règne, je lui avais proposé de regarder ensemble ce film, exemplaire de rigueur, de minutie et de simplicité : le meilleur des reportages effectués dans la machine à explorer le temps. Nous l'avons vu un soir, après les soins, régulièrement interrompus par de nouvelles difficultés respiratoires, l'irruption des infirmières et les appels que Gabriela effectuait, toujours à heures fixes, pour parler avec sa famille à Copiapó. Le cœur de son père, qui avait été électricien pour des compagnies minières, faiblissait. Il devenait peu à peu aveugle. Bientôt, il ne verrait plus sa fille unique sur l'écran.

La manière dont le jeune Louis XIV vit en permanence, du lever au coucher, sous l'œil des autres, m'a toujours semblé admirable : elle est devenue cette nuit-là un modèle qui, outre son efficacité psychologique, me permettait de rire de moi-même. J'étais un malade reconstitué et sous tuyaux, avec un os de jambe à la place du menton, personnage assez peu digne de figurer dans les Mémoires de Retz ou de Saint-Simon, mais peut-être assez digne pour répandre une sympathie sans laquelle cette chambre serait vite devenue insupportable. Le pouvoir du roi est un héritage qu'il prend absolument et qui l'oblige. En toutes circonstances, il doit montrer de la décision, de la distance et de la dignité. Il doit montrer qu'il est le roi. Il doit le montrer vite, de façon à imposer son personnage à tous, et d'abord pour se l'imposer à lui-même. Ainsi devient-il ce qu'il devait être, faisant de cette seconde nature la seule possible, la seule vraie, celle que les circonstances exigent. Dans ma chambre, c'était pareil. Je devais être à la hauteur de ce qui avait lieu, depuis l'attentat jusqu'aux interventions successives en passant par les visites, et je devais l'être d'abord seul, avec tout le naturel possible, sans mensonge, sans artifice, en faisant appel au meilleur de moi-même. Je devais chier sur le trône et pisser dans le pistolet avec le maximum de dignité, d'humour, de courtoisie et d'attention, sans aucune plainte ni aucune familiarité, quand bien même l'urine envahirait le lit faute de trouver le bon angle de miction, comme c'était à peu près toujours le cas. Il ne s'agissait pas de me prendre pour un roi. La situation était assez folle pour qu'il soit inutile de m'ajouter un entonnoir – ou une perruque – sur la tête. Il s'agissait de prendre, dans l'exemple du roi, tout ce qui pouvait me permettre de contrôler. Ce qui, chez Louis XIV, était exigé par un pouvoir d'ordre divin l'était chez moi par un contexte trop humain, qui faisait de moi un homme en lutte parmi les autres – parmi ceux qui le sauvaient. C'était exactement la phrase de Sartre à la fin des *Mots* : « Tout un homme, fait de tous les hommes, et qui les vaut tous et que vaut n'importe qui. » Mais qui, pour les valoir tous, et pour que chacun vaille dans cette chambre autant que n'importe qui, devait à tout moment justifier et récompenser leur présence, leurs efforts, leurs gestes, tout ce qu'ils faisaient pour qu'un seul homme, en survivant, un homme qui aurait pu être n'importe lequel d'entre eux, tienne le tissu déchiré qui les unissait. C'était la modestie et la gravité de mon état, non sa grandeur, qui devaient me redresser.

Marilyn acheva de ranger des affaires dans le placard et sur le petit lit qu'on avait mis au pied du mien, sous la photo en noir et blanc de la fillette cubaine. La fillette m'a de nouveau regardé, comme une statue, droit dans les yeux. Marilyn se souvenait de La Bruja ; elle avait été du voyage, mais avait dormi avec son frère en dehors du village, dans un petit hôtel accablé de moustiques. Elle a suivi mon regard et observé la photo. Je lui ai dit que la plupart des infirmières en raffolaient.

Ce soir-là, tandis que Marilyn s'asseyait près de moi, la fillette m'a dit : « Tu es venu ici. Tu as ri, marché, mangé, parlé, écouté ici. Tu as pris des notes ici. Tu t'es baigné ici. Tu t'es ennuyé ici. Tu as couru sur une route déserte avec Amarillo, qui te suivait pieds nus parce que ses sandales étaient foutues. Tu as vu Alexis acheter un cochon pour vingt dollars, parce qu'il voulait manger correctement dans ce village où c'était si rare, et vous l'avez en partie mangé, sans scrupules. Tu as regardé la montagne verte et sombre qui tombait sur le village, cette montagne où tu n'avais pas l'autorisation de monter. Tu l'as regardée comme tu me regardes maintenant, en rêvant à chaque heure d'y aller et de ne plus redescendre. Pour l'instant tu crois que jamais tu ne rejoindras cette montagne, et moi, je suis là, dans ton passé comme dans les fleurs de tabac, et je ne t'attends pas. » J'ai tour à tour regardé les yeux noirs de Marilyn et les yeux noirs de la fillette comme si sa force, son enfance et les fleurs me conduisaient vers un lieu net, incliné, solitaire, aérien, aussi violemment sombre que brusquement illuminé, un lieu sans vent où l'on n'entendait rien que le chant des oiseaux et le bruit des arbres secoués par la course d'un agouti.

Marilyn s'est relevée. Sa petite silhouette ferme et trapue, à la fois ronde et agile, s'agitait avec naturel dans l'espace clinique et réduit qu'il ne lui avait pas fallu cinq minutes pour habiter. De son ancienne condition d'immigrée, elle avait gardé cette qualité : elle s'installait sans peine, et sur-le-champ, là où elle se trouvait, comme si elle avait partout porté sa maison sur le dos et sa valise – grosse, bon marché, tenue par des lanières – entre les mains. Comme si, à tout moment, elle allait devoir s'en aller. Je l'ai revue chez nous lorsqu'elle rentrait le soir, fatiguée, à cran, après une journée d'hôpital, tout imbibée de l'affectivité et de l'agressivité qu'avaient déposées en elle les enfants autistes et psychotiques dont elle s'occupait. Elle allait dans la petite chambre du fond, « el cuartico », le visage clos, et vidait en silence le désordre de sa journée, de son sac et de ses vêtements. Je l'entendais ranger et déranger, déranger plutôt, répandre au milieu du tissu ses sentiments et ses souvenirs. Elle épuisait sa fatigue et sa colère en multipliant les choses. Ce bruit et ce mouvement me rassuraient. Et ils m'ont de nouveau rassuré ce soir-là. Sa présence me rappelait l'ordinaire d'une vie qui avait été vécue. Mais elle me le rappelait dans un contexte qui, une fois le premier vent de sensations passé, comme en regardant les photos, m'a renvoyé au fait que tout était fini.

Ce qui était fini n'était pas ma vie avec Marilyn. Cette fin-là, nous l'avions depuis longtemps vécue. Nous avions appris l'un et l'autre à l'accepter, comme n'importe quel couple uni puis séparé, et cette fin-là avait été abolie elle-même, depuis lors, par la remontée apaisante des souvenirs et la reconversion des sentiments. Mais, comme face aux photos, je n'étais plus celui qui avait vécu, accepté et surmonté cette fin, puisque je n'étais plus celui qui l'avait précédée. Je cherchais en vain, dans cette pièce, tandis que Marilyn sortait un thermos, un sandwich, des mandarines et une bouteille de Coca, l'homme qui avait été, selon l'expression hispanique, sa « moitié d'orange », *media naranja*. Il était là, il devait traîner dans un coin, près de la poubelle ou au pied de la lampe rouge qu'une amie m'avait donnée, peut-être dans le kit de bloc qu'on m'avait apporté un peu plus tôt, mais je ne l'ai pas trouvé.

Un peu plus tard, une aide-soignante est entrée pour brancher la dernière poche alimentaire de la journée et rappeler le protocole : en prévision de l'intervention, il fallait me raser d'ici le lendemain entièrement la jambe droite d'où serait extrait le péroné. Mes parents sont alors arrivés. Ma mère avait rencontré Marilyn plus tôt dans la journée et lui avait offert le sandwich, les mandarines et le Coca pour la nuit. Ils ont parlé quelque temps devant moi, sur ce ton habituel qui résonnait si étrangement dans un lieu qui, habituel, l'était si peu, puis Marilyn a proposé de me raser elle-même la jambe. Je me suis demandé si ma mère allait l'y autoriser. Mais ma mère était fatiguée, désemparée, et elle avait passé suffisamment de temps à me masser les cicatrices des mains, des bras, à me caresser la tête, pour laisser à Marilyn ce que je n'appellerais pas un privilège, mais le bénéfice d'un partage. Tout dans cette chambre, à certains moments, relevait d'une cérémonie qui dépassait chacun d'entre nous.

Je me suis redressé et j'ai posé la jambe par-dessus le drap, en la dégageant de la blouse. Marilyn est allée dans la salle de bains. Elle a rempli une bassine que mes parents avaient apportée, pris mon rasoir et la mousse, puis, sous leurs yeux hagards, en silence, elle a rasé la jambe de leur fils. J'avais dix ans, j'en avais cent. Tantôt je la regardais faire, tantôt je regardais mes parents, tantôt je regardais la fillette cubaine : nous avions bien le même âge, cette gamine inconnue et moi, un âge aussi ancien, aussi flottant qu'une statue khmère dans la forêt. Je me suis souvenu d'un conseil que m'avait donné une amie bien des années plus tôt : « Quand ça ne va pas du tout, quand la tristesse devient insupportable, il faut trouver les gestes qui soulagent. Moi, dans ces cas-là, je me fais couler un bain chaud, j'entre dedans et je me rase les jambes. Très lentement. »

Ma tête restait prise dans l'énorme pansement humide et blanc. J'étais immobile, la gorge en feu. J'ai eu l'impression qu'on me préparait pour un voyage de mille ans vers un lieu encore bien plus lointain que celui où je me trouvais – un lieu dont je ne reviendrais peut-être pas ; et ceux qui effectuaient avec lenteur et minutie l'indispensable rituel, tels des prêtres préparant une jeune fille avant de la livrer aux dieux thaumaturges, étaient ceux qui m'aimaient.

Mes parents sont partis vers 20 heures. Il faisait nuit depuis longtemps. La fenêtre était légèrement ouverte, pour limiter la chaleur que dégageait le radiateur, pourtant éteint. Avant de partir, mon père s'était plaint du froid. Je somnolais, abruti par l'émotion et les médicaments. Ma jambe était devenue lisse comme celle d'un nageur de haute compétition. Marilyn a pris sa douche, comme on fait à Cuba, toujours le soir. J'ai demandé à la fillette cubaine : « Tu crois que rien n'a changé ? » Son silence était une réponse qui m'a soulagé sans que je puisse l'interpréter. Marilyn est sortie vêtue d'un pyjama de coton épais. Pour elle, il était l'heure de dîner. Elle a sorti un thermos rempli de café. J'ai mis un disque de jazz. Je respirais de plus en plus mal. Marilyn s'est approchée de moi. Sans parler, elle m'a mis sous le nez le sandwich : ses odeurs m'ont envahi. Puis, après l'avoir mangé, elle a pelé une mandarine et, toujours en silence, m'a mis un quartier sous le nez. De nouveau j'ai tout senti et, regardant la fillette cubaine, je lui ai dit : « Je ne pourrai peut-être plus en manger, mais je sentirai toujours l'odeur des mangues. » Marilyn a refait l'opération en versant du café dans le verre de son thermos, un café très fort, à la cubaine, et, avec cette odeur bénie qui paraissait jaillir des rues de La Havane, cette odeur qui me réveillait là-bas chaque matin et dont le souvenir halluciné avait accompagné mon réveil dans la nuit du 7 au 8 janvier, il m'a semblé retrouver pour la première fois l'un des sens que je croyais perdu.

Marilyn avait apporté deux disques de méditation. Sur l'un d'eux, il y avait des chants de moines bouddhistes tantriques. Je me suis endormi, réveillé, endormi, réveillé, plongeant dans les vibrations répétitives de leurs voix, qui m'emportaient je ne sais où. Le somnifère aidant, elles me rendaient immortel – immortel de paix ou de tristesse, je ne sais pas. Elles se substituaient à la morphine que les soignants avaient eu ordre de ne plus me donner, sans doute parce que j'y prenais trop goût. Quelque chose de moi a feuilleté *Tintin au Tibet*, a suivi Tintin partant à la recherche de Tchang dans l'Himalaya, Tchang malade et recueilli par le brave Yéti. Les voix allaient et venaient comme des ondes, tantôt j'étais Tintin tantôt j'étais Tchang, et je savais que le chagrin, comme l'attentat, comme le Yéti, aurait une fin. Il ne fallait pas que ces moines arrêtent de chanter. Ils vibraient, vibraient, il fallait qu'ils continuent à vibrer. Ils me massaient corps et conscience et les faisaient tourner dans le vide ouvert par la blessure. Les lumières étaient éteintes. Il ne restait que la lanterne pâle qui éclairait mon lit. Marilyn s'est allongée sur le petit lit, sous la fillette cubaine qui disparaissait maintenant dans la pénombre. En quelques gestes, elle venait de conjurer le sortilège de la boîte à gâteaux.

CHAPITRE 15
Le lambeau

Je me suis réveillé dans les lumières blafardes, face à une sorte de comptoir peut-être crème, peut-être vert. Deux infirmières se tenaient debout derrière le comptoir. Pendant une minute ou une heure, je n'ai rien senti. Mes yeux se fermaient, s'ouvraient, se fermaient. Je regardais les infirmières. Elles avaient d'étranges occupations. Parfois elles parlaient lentement, de gens, de lits, d'actes chirurgicaux, et leurs gestes encore plus lents ne cessaient de ralentir et d'épaissir la lumière qui me baignait. Leur vie ordinaire semblait me raccompagner vers le sommeil extraordinaire dont je venais. J'aurais voulu m'accrocher à cet ordinaire pour en sortir et je n'y arrivais pas. Ne pas y arriver m'a gêné. J'ai tenté de me rendormir, mais je n'ai pas pu. Une sorte de Jiminy Cricket me disait qu'il ne fallait pas. Il a sauté par-dessus le comptoir, comme un cow-boy, et rejoint les infirmières dans leurs activités qui se précisaient. L'une des deux était brune. Je me suis demandé ce qu'elle fabriquait derrière ce comptoir *comme si je n'existais pas.* Soudain elle a levé la tête, m'a regardé avec une attention machinale, s'est approchée, à vérifier quelque chose près de moi. J'ai pensé à la serveuse d'*Un bar aux Folies-Bergère*, de Manet, celle qui confond le public et ses clients et nous observe depuis le comptoir d'un œil clair et indifférent, la bouche close, de face, sans sympathie, sans compassion, sans agressivité, sans rien. Pilar – c'était le nom de l'infirmière, la même que la nuit du premier réveil – n'avait aucun rapport avec elle, ni avec aucune créature de Manet, elle était souriante et douce. Pourtant, c'est d'abord la serveuse qui s'est imposée, ou superposée à elle, avec sa frange blonde, son nez rond et son air indéterminé. Elle me disait : « Tu es presque vivant, c'est amusant, et maintenant rendors-toi. » Elle était sans pitié.

Je ne me suis pas rendormi. Avant l'arrivée du malaise, Pilar est retournée au comptoir et une autre femme a pris sa place : ma grand-mère paternelle et son visage reconstruit. Je n'ai appris une partie de son histoire que vers trente ans, vaguement, et j'ai dû attendre d'en avoir quarante-six pour la connaître un peu mieux. Enfant, je ne savais pas qu'elle avait le visage détruit, ni ce qu'avait été sa vie. Je voyais qu'elle avait une espèce de bosse sur le front, au-dessus de l'œil, et un grand front plein de reliefs. Pour moi, cette bosse et ce front étaient normaux. Fantastiques, mais normaux. Tous les visages sont asymétriques, une symétrie parfaite les rendrait insoutenables, mais dans le miroir le sien l'était particulièrement. Elle avait un œil beaucoup plus bas que l'autre, comme dans un tableau de Picasso intitulé *Mémé*, que j'ai vu plus tard et dont j'ai aussitôt envoyé la photo à Chloé en lui disant que Mémé aurait bien eu besoin, comme ma grand-mère, de ses soins. « Mais pourquoi donc ? m'a-t-elle répondu. Elle est si mignonne ! » Mémé avait de petites lunettes rondes et un sourire mutin. Ma grand-mère avait de grandes lunettes, au moins quand elle lisait. Dans mon souvenir, son sourire n'est pas mutin. Il est tendre, discret, avec quelque chose de douloureux que je ne comprends pas. Je ne comprends pas davantage pourquoi, dans le miroir, un œil est plus bas que l'autre – presque sur la pommette. Est-ce que les miroirs sont magiques ?

Dans les nuits d'enfance, parfois, je rêve d'elle : c'est un monstre qui sort d'une tapisserie et, avec un grand sourire cruel et gourmand, me viole ou me dévore. Le monstre est coiffé d'une perruque haute, comme une mise en plis. La scène a toujours lieu sur un vieux couvre-lit à fleurs dans la chambre sombre de mes grands-parents maternels, dans leur village de la Nièvre. J'y ai souvent dormi quand j'étais enfant. Je m'endormais pendant qu'ils jouaient à la belote dans le salon, en entendant leurs voix annonçant les atouts dans le silence. Ce cauchemar me réveille, mais ne me gêne pas. Il n'y a pas de lien entre cette grand-mère que j'aime et le monstre qui s'en inspire, sinon cette bosse, ce visage étrange, le fait qu'elle tisse sans fin une tapisserie sur fond noir, comme si elle attendait Ulysse. Sinon le fait, aussi, que dès la petite enfance je l'ai baptisée Papy, comme si elle était un homme ou un personnage entre deux sexes, quelqu'un qui m'enchantait le jour et m'inquiétait la nuit. Ce nom, Papy, a été adopté par la famille entière, y compris par elle : on ne l'appelle pas autrement et jamais par son prénom, Marguerite. Je ne sais même pas, dans mon enfance, qu'elle se prénomme ainsi. Je n'ai jamais connu mon grand-père Gabriel, mort en 1959, d'une crise cardiaque, dans un hôtel d'Angoulême, usé par la guerre. Ils ont divorcé tandis qu'il était dans un camp de prisonniers, dans le nord-est de l'Allemagne. Il n'est rentré de captivité qu'à l'été 1945. Il a alors trente-huit ans. Sur une photo, que je regarde encore à la veille de l'attentat, on dirait qu'il a l'âge d'être mon père. Mais que signifie une photo ? Et de quoi ai-je l'air sur celles de mon visage que va bientôt faire Candice, la photographe du service de stomatologie ?

Dans le studio où Papy vit seule, dans le quartier parisien du Marais encore populaire, elle a d'abord deux fennecs. Ils se planquent sous son lit quand les gens arrivent et leurs yeux se mettent à luire dans l'obscurité. Ils sont farouches et, si on cherche à les attirer, l'un d'eux mord volontiers. J'adore m'allonger et les regarder. J'écoute *Le Petit Prince* dit par Gérard Philipe et je les aime comme celui qui sort du désert pour faire la morale, mais je ne les apprivoise pas. Le studio *sent le fauve*, dit-on. Sur pression familiale, elle s'en débarrasse. Elle est alors kiosquière au métro Les Sablons et récupère un jeune chat errant dont la course a interrompu celle du métro : il avait fini par se réfugier sous son petit comptoir sans qu'elle s'en aperçoive. Elle le baptise Stanislas, l'appelle « Staniii », et, alors qu'elle est fauchée, lui donne à manger du foie de veau. Quand je vais chez elle, elle achète souvent une truite vivante, pour que je joue avec dans la baignoire ; puis elle la tue et la mange, puisque moi, je n'aime pas le poisson. Je mange peut-être, comme Stanislas, du foie de veau. J'aime le regarder trier, manger, faire le difficile. Ma grand-mère a beaucoup d'imagination et me parle d'Égypte, où elle rêve d'aller : ce sera mon premier voyage, payé de ma poche, probablement fait pour le lui raconter. Haut de plafond, son studio sent la pisse de fennec, puis de chat. On y accède par un petit escalier raide et sombre. La grande fenêtre donne sur l'église des Blancs-Manteaux. Dessous, il y a un cabaret. J'y suis heureux.

L'accident a eu lieu en mai 1940, sur la route entre Pau et Bagnères-de-Bigorre, où ils habitent. Mon grand-père, mobilisé, est en garnison à Pau. Ma grand-mère est venue le voir une dernière fois avec leurs deux enfants : mon père, âgé de presque sept ans, et ma tante, qui en a quatre. Bientôt mon grand-père sera fait prisonnier sur la Loire, à Sully ou à Gien, plus jamais ils ne seront mari et femme. À l'aller comme au retour, elle est assise à la place du mort. C'est un ami qui conduit. Il s'appelle Georges. Mon père et ma tante sont assis derrière. Le retour vers Bagnères a lieu dans la nuit. La voiture a des phares bleus, imposés par la défense passive. Ils éclairent mal, on n'y voit rien.

C'est mon père qui sur ma demande me raconte l'histoire, le 13 août 2009, tandis que nous finissons une marche d'une dizaine d'heures dans les Pyrénées. Nous approchons du lac de Gaube, qui apparaît peu à peu et par petits bouts. Il a eu le plus grand mal à descendre un immense pierrier. Je l'ai aidé pierre à pierre. J'ai eu peur pour lui. Pour la première fois, je me suis senti le père de mon père.

Sur la route de Bagnères, un camion est arrêté. Georges le conducteur le voit trop tard et la voiture s'engouffre dessous. Mon père me dit que le corps de ma grand-mère *disparaît dans le moteur*. Il sort de la voiture, intact. Devant, Georges le conducteur est immobile, côtes enfoncées, jambes cassées, langue coupée. Une voiture s'arrête, deux hommes en descendent, s'approchent et sortent ma tante, allongée derrière, de la carcasse. Comme mon père, elle est intacte. Puis, ne voyant plus rien, les hommes disent aux enfants de monter et qu'ils vont conduire Georges à l'hôpital. Mon père, affolé, leur dit : « Mais il y a encore ma mère là-dedans ! » Ils la cherchent et la trouvent *dans le moteur de la voiture*, visage informe et ravagé, couverte de sang, *brisée de partout*, me dit mon père qui ajoute tandis qu'apparaît dans sa totalité le merveilleux lac de Gaube : *je me souviens parfaitement d'elle, de son corps*. On les conduit à l'hôpital de Pau. Le brancard est déposé dans une salle. Une religieuse passe et, la regardant, recouvre avec le drap le visage de ma grand-mère en pensant qu'elle est morte. À cet instant, d'après mon père, un chirurgien passe, la regarde et dit : « Mais elle respire encore… On va voir ce qu'on peut faire. » Quand ma tante la voit quelques jours plus tard, elle sort de la chambre en hurlant : « Ce n'est pas ma mère ! » On trépane ma grand-mère comme Guillaume Apollinaire. Elle subit, dans les années suivantes, une trentaine d'opérations. On fixe l'ossature avec des plaques d'acier. La chirurgie maxillo-faciale a fait de grands progrès pendant la Première Guerre mondiale, grâce aux gueules cassées. Elle n'est pas encore celle dont je commence à bénéficier. Hossein m'a appris que la guerre entre l'Iran et l'Irak avait permis à des chirurgiens français de l'améliorer. Toute sa vie, me dit mon père tandis que nous passons le lac de Gaube, ma grand-mère a souffert de sinusites et de névralgies épouvantables.

Je pensais que je n'avais jamais entendu Papy se plaindre de quoi que ce soit quand un malaise, intense, total, m'a enveloppé de la tête aux pieds. C'était, selon une expression de Marguerite Duras, un envahissement de l'être, et ma grand-mère a disparu. Il n'y avait plus de place pour deux.

J'étais comme il se doit couvert de tuyaux et je respirais de plus en plus difficilement. Le couteau revenait peu à peu dans la gorge. Mon corps entier devenait ma mâchoire, cette inconnue qui m'écartelait et semblait parcourue par des courts-circuits. La mâchoire, cette fois, paraissait avoir également poussé sur le mollet droit et le pied qui, à peine avais-je bougé d'un ou deux centimètres, me signalaient sourdement leur mécontentement. Il est vrai qu'on avait dû m'enlever le péroné. Mais avais-je une nouvelle mâchoire, au moins ? Est-ce que ça avait marché ? L'intérieur de la cuisse droite me brûlait. De nouveau, on m'avait mis la trach' et je ne pouvais parler. Un aide-soignant est arrivé pour me laver. Je ne parvenais pas à basculer sur le côté. Il m'a empoigné et renversé comme une longue crêpe. Avec un bras j'essayais de me retenir au bord du lit. Je suffoquais, j'aurais voulu l'aider, rouler tout seul, être un pâté tout à fait impérial. Je me sentais coupable de ne pas réussir et je me suis demandé si c'était comme ça qu'on faisait avec les bébés, s'ils éprouvaient la même impuissance et la même détresse à être parcourus par des forces intérieures et hostiles, à être manipulés – le même état, mais dépourvu de conscience et de souvenirs. L'aide-soignant me frottait le dos avec un gant mouillé d'eau tiède. J'ai pensé qu'il avait des gestes vigoureux, et cet adjectif, vigoureux, a suspendu et même civilisé, une ou deux secondes, la situation qui faisait de moi un je-ne-sais-quoi sans graisse et sans souffle. Je ne parvenais quasiment plus à respirer, mais je cherchais le moindre plaisir, et j'ai éprouvé, une ou deux secondes, au contact du gant tiède épaulé par *vigoureux*, l'ombre d'un bien-être. La sensation de n'être plus qu'un corps apparaît lorsqu'il échappe entièrement à nos désirs et à notre volonté, comme des domestiques qui se mettraient à vivre le jour où, quand on les sonne, ils se révoltent tous en même temps pour dire simplement : j'existe. Le corps est bien tant qu'il sert le maître insouciant, orgueilleux, tant qu'il se fait oublier. Le malaise qui l'envahit le rend autonome, donc plus vivant, mais on n'est pas habitué à cette vie qu'on ne contrôle pas, ne prévoit pas, à cette jacquerie des organes qui se traduit par un incompréhensible embouteillage de sensations. Chloé me l'avait assez dit : « Il faut du temps au cerveau pour comprendre et traduire les messages que lui envoient des nerfs affolés ; le patient doit être patient, et il doit l'être aussi vite que possible. » Le moment était venu de me souvenir de la leçon ; mais j'avais beau me la répéter, tandis que le gant tiède continuait de me frotter la peau, elle ne me permettait pas de penser mon corps de l'extérieur, en observateur, comme je l'aurais voulu. J'y arrivais un peu, pourtant : le seul fait de m'en souvenir et de vouloir l'appliquer me détachait légèrement de cet amas de chairs couvert de tuyaux et de plaies qu'on appelait Monsieur Lançon ; mais ce n'était pas suffisant, et même, cela ajoutait un certain spleen à la situation.

L'aide-soignant m'a retourné et nettoyé la poitrine puis le haut du visage. Je me suis mis à haleter, la leçon de Chloé a disparu et les maux ont commencé tantôt à s'entraider, tantôt à rivaliser, sans qu'aucun puisse tenir la corde plus de quelques minutes. Bientôt, la première nausée est venue. Je me suis concentré sur le mal de cuisse pour la chasser, puis, une fois sa mission accomplie, le mal de cuisse a été chassé par mon pied à vif et ankylosé, jusqu'au moment où la mâchoire électrocutée a *bondi en dedans* et effacé le pied. La mâchoire croyait régner quand une pelote d'aiguilles posée dans la trachée lui est passée devant, se reposant sur ses lauriers de douleur jusqu'au moment où une vieille escarre à l'orée des fesses, datant d'avant l'opération et qui telle la tortue attendait son heure, a franchi en tête la ligne d'arrivée. Le temps s'est étendu dans le carrousel, puis on a déplacé mon lit dans la grande salle, loin du comptoir. À quelques mètres, un homme gémissait. Comme souvent, son gémissement sonnait faux. Je l'ai écouté avec soulagement, fier d'être muet. Quand on se tait, on sonne juste. J'ai demandé un feutre et la tablette Velleda qui, tel le sparadrap du capitaine Haddock, m'avait suivi jusqu'ici. Plus tard, le défilé des soignants a commencé.

Annette-aux-yeux-clairs est la première dont je me souvienne. Elle avait effectué l'anesthésie. Elle devait remonter du bloc, car elle était en tenue. Elle a planté son regard vert eau dans le mien, les lèvres se retroussant sur les dents, et m'a dit :

— Vous avez l'impression d'avoir pris un train dans la gueule ?

J'ai fait oui de la tête.

— C'est normal, c'est ça. Mais, vous verrez, dans un mois nous boirons un verre de pinot.

Elle s'est éloignée en traînant les pieds, le dos légèrement courbé. Un verre de pinot ? Noir ? Pourquoi parlait-elle de pinot ? Annette était-elle alsacienne ? Quel était le goût du pinot ? Je n'avais plus même idée de la saveur du vin.

Mes parents sont arrivés peu après et se sont installés, l'un à droite, l'autre à gauche, chacun me tenant une main et la caressant. J'ai pris la tablette et j'ai écrit : « Miroir ? » Ils l'avaient apporté. J'allais savoir à quoi je ressemblais. J'ai pris le miroir et j'ai découvert, à la place du menton et du trou, cernée par d'épaisses sutures noires ou bleu sombre, une grosse escalope sanguinolente et vaselinée de couleur claire, entre jaune et blanc, d'une surface lisse, glabre et unie comme celle d'un jouet en plastique. C'était ça, mon menton ? C'était pour ça qu'on m'avait opéré pendant dix heures, retiré un os de la jambe et mis dans cet état ? J'étais accablé. J'en regrettais presque le VAC, dont je compris à cet instant qu'il avait disparu. Le défilé des soignants a continué. Je ne me rappelle pas avoir vu Chloé, mais le docteur Mendelssohn, qui avait effectué l'intervention avec elle, est apparu. J'ai regardé ses yeux clairs et tristes, son front un peu dégarni, sa jeunesse un peu vieillie, ce visage ferme et prématurément séché, à mi-chemin entre un film comique et une crise de mélancolie. Il m'a dit que tout s'était bien passé, que c'était une réussite et que, vraiment, c'était une belle plaie. *Belle plaie* est l'expression qu'emploient dans ces cas-là les chirurgiens, ils voient ce qu'elle deviendra dans ce qu'elle est. Le docteur Mendelssohn a dû sentir que mon enthousiasme n'était pas à la hauteur du sien et il m'a dit :

— Alors, vous êtes content ?

J'ai haussé les sourcils et remué un peu la tête, d'un air de dire : pas vraiment.

Il a paru surpris, ou agacé, ou les deux :

— Ben quoi ? Vous avez un menton, non ? Vous n'en aviez plus : c'est mieux que rien.

J'ai haussé les sourcils et remué un peu la tête, d'un air de dire : certes.

Il a eu un sourire froid, en lisière de sarcasme, et m'a expliqué qu'on viendrait vérifier toutes les quatre heures si la greffe tenait. C'était le supplément de suspense : pendant quarante-huit à soixante-douze heures, le patient greffé risque la nécrose. Dans un cas comme le mien, c'était improbable. Comme l'a dit plus tard Chloé à Jean-Pierre, mon implantologue, qui s'étonnait de la qualité de mon vestibule dentaire et des tissus blessés : « Ben quoi ? Il est en bonne santé, mon patient. C'est pas un cancéreux ! » Toutefois, il fallait vérifier toutes les quatre heures si l'escalope vivait sa vie ou pas. La première escouade est arrivée peu après, deux internes. Ils ont sorti leurs petites palettes, des abaisse-langues, et ils ont lentement tâté la chose du bout du bois, avec de petits gestes, comme pour en évaluer la souplesse et la texture : tout allait bien. Et ils sont repartis, souriant, en me disant :

— On revient dans quatre heures !

La nausée est revenue. On avait posé une pile de haricots de carton gris sur la table de chevet. Je les guettais et j'ai vomi à plusieurs reprises une bile noire sous le nez de mes parents. Mon père m'avait apporté *Libération*. Je ne l'ai pas lu. D'autres soignants sont passés, des amis du cousin Thibault qui avait été anesthésiste ici même et qui les envoyait aux nouvelles. Tous me regardaient et disaient « vraiment c'est une belle plaie », comme le docteur Mendelssohn. Je m'accrochais à l'expression et j'ai traversé la journée sur cette bouée en essayant de bouger le moins possible.

Chloé avait râlé pour obtenir un séjour de vingt-quatre à quarante-huit heures en réanimation. Le service avait été récemment refait, il y avait très peu de chambres, on les réservait je crois aux urgences et aux moribonds : je n'appartenais pas à ces catégories, mais, pour elle, il était essentiel qu'une surveillance constante soit effectuée sur les patients greffés : non seulement pour réagir en cas de problème, mais aussi pour établir des bases précises de protocoles. En réanimation, les horaires de visites étaient réduits : de 13 h 30 à 15 heures, de 19 h 30 à 21 heures. Mon frère est arrivé au moment où un brancardier me transportait vers cette antichambre indéterminée. Deux policiers avaient surgi et nous accompagnaient. Les portes se sont ouvertes à l'heure pile, et nous sommes entrés dans ce qui m'a paru être un vaisseau spatial. J'avais une grosse bouteille d'oxygène entre les cuisses, elle ressemblait à celles que j'utilisais du temps où je faisais de la plongée. Le brancardier avait essayé de la mettre au pied du brancard, en vain. Je respirais de plus en plus mal, mais ce n'était pas tout.

Quelques minutes avant son arrivée, je m'étais mis à trembler de partout, de la tête aux pieds, sans pouvoir rien contrôler. J'ai aussitôt pensé à une nuit passée chez un ami, près de la place de l'Étoile, trente ans avant. Je venais de me séparer de Muriel, la femme avec qui je vivais depuis cinq ans, et, en attendant de trouver un studio, je dormais chez les uns ou les autres, revenant me changer dans la journée dans ce qui n'était plus mon appartement, allant et venant comme un criminel cherchant les traces qu'il a laissées. Le soir, je retournais souvent chez cet ami, où l'atmosphère était plus que conviviale. Il habitait l'appartement de son père, préfet et absent. Dans l'entrée, il y avait une armoire vitrée remplie de Pléiade, c'était la première fois que j'en voyais autant. Il y avait ici table ouverte. On dînait et buvait dans la cuisine, comme des Russes. Ceux qui étaient trop fatigués ou trop ivres pour repartir dormaient sur place, où ils pouvaient. Cette nuit-là, j'ai dormi dans le même lit qu'une amie de la sœur de mon ami, une inconnue dont je n'ai retenu que deux choses, la voix assez grave et le nez rond, et tandis qu'elle me tournait le dos et cherchait le sommeil, j'ai senti son odeur et je me suis demandé si elle attendait de moi que je tente quelque chose. Je vivais depuis un an une crise de couple épouvantable et, si je ne crois pas m'être senti frustré, j'étais triste et épuisé. J'ai guetté la respiration de la fille, pour y sentir soit le sommeil, soit la tension, l'indifférence ou l'invitation. Je n'entendais rien. Devais-je me rapprocher, tendre un pied, une main, aller au contact ? Le moindre de ses mouvements était un signe que je ne parvenais pas à interpréter. Ce brouillard a éveillé une sorte de désir vague, nerveux et humiliant et, soudain, je me suis mis à trembler, un peu, beaucoup, énormément, de quelque part puis de partout, comme une feuille et puis comme l'arbre entier. La honte a chassé le désir. J'avais pensé jusque-là : pourvu qu'elle ne dorme pas ! Maintenant je pensais : pourvu qu'elle dorme ! Plus j'essayais de réprimer la tremblote, plus je tremblais. J'ai fini par me lever pour aller lire dans la pièce d'à côté. J'ai pris un Pléiade dans l'armoire du père de mon ami, un tome de Saint-Simon. Les phrases du mémorialiste ont chassé les tremblements. La lecture est efficace et sinistre, à cette heure-là. Assez vite, j'ai eu froid. Quand je suis revenu au lit, ma voisine ronflait.

Face au brancardier qui me harnachait et fixait la bouteille, je tremblais exactement de la même façon, mais je ne pouvais ni me lever, ni aller lire Saint-Simon, et, si la fille n'avait rien remarqué ou avait fait semblant de l'ignorer, lui n'a pas attendu pour me dire, d'un air bienveillant :

— Vous avez froid ?

J'ai fait non de la tête.

— Vous avez peur ? Ça arrive...

Et il a souri en m'emportant vers le service de réanimation. Mon frère est arrivé à ce moment-là. Il a pris ma main, et nous voilà partis à travers les couloirs jusqu'à l'ascenseur qui nous y conduit. J'ai serré les cuisses autour de la bouteille d'oxygène pour ne plus trembler, mais c'est la main de mon frère qui m'a finalement calmé. Nous sommes arrivés devant la porte opaque, elle s'est ouverte à l'heure pile. Mon frère a dû rester dehors. Le brancardier, les policiers et moi sommes entrés dans un couloir aux lumières sombres et comme neuf, un vrai couloir de vaisseau spatial. Sur les murs et au plafond, il y avait des étoiles lumineuses, bien propres, le patient qui passait contemplait la fausse nuit étoilée. L'infirmière, jeune et joyeuse, a guidé le brancardier jusqu'à la chambre où j'allais passer la nuit et une partie du jour suivant. Cette chambre était grande, très propre, et il y avait des machines partout. Une porte coulissante donnait sur le couloir où les deux policiers s'étaient assis, avec leurs Beretta. Quand elle s'ouvrait en silence, je les regardais, et cette vision me rassurait, même si je ne parvenais quasiment plus à respirer. On m'a mis des électrodes, des tuyaux. Mon corps vivait là-bas, tout près, ici, ailleurs, dans les machines pleines de petits points lumineux qui rejoignaient les étoiles du couloir au-delà des uniformes et des armes.

— Ah ! Mais vous n'allez pas me faire ça ?

C'était l'infirmière qui parlait : mon cathéter et la perfusion venaient de sauter. Mes veines prenaient de plus en plus la poudre d'escampette, dans le jargon je crois qu'on dit qu'elles étaient « positionnelles », au moindre mouvement la perfusion cessait. Pendant de longues minutes, elle a tenté d'en trouver d'autres sans y parvenir. L'infirmier anesthésiste est apparu. J'ai oublié le prénom de l'infirmière, mais pas le sien, parce qu'elle l'a dit en l'appelant à l'aide : Serge. Serge était noir, assez beau, plus tout jeune, les cheveux frisés un peu longs, d'un calme de statue. L'infirmière était à gauche, du côté des perfusions. Il s'est planté à droite, m'a regardé, puis, posant son bras sur le lit près du mien, il m'a dit :

— Vous pouvez me prendre la main.

Il avait une voix chaude, profonde, et j'ai pris sa main comme si ma vie en dépendait. L'infirmière piquait en vain, les veines étaient aux abonnés absents. La voix chaude et profonde lui a dit par-dessus un doigt tendu :

— Là, peut-être ?

Serge avait raison, la veine était là.

Mon frère, qu'on avait laissé hors du service, m'a rejoint quand tout fut installé. Une photo qu'il a faite montre un homme maigre, hirsute, torse nu, couvert de fils, de drains et de tuyaux, le visage sanglant et tuméfié, allongé dans une position à 30 % et qui tend la main vers l'appareil comme pour saluer ceux qui le verront. Papy ressemblait-elle à ça après son accident ? Après sa dixième, sa quinzième, sa vingtième opération ? Comme j'aurais aimé qu'elle soit là, à mon chevet, pour me raconter d'une voix paisible ce qu'elle avait vécu ! Sur la photo, les draps sont jaunes. On remarque un carnet à spirale, un cahier, un stylo, un feutre et un bout d'alèze verte. Une heure et demie plus tard, mon frère est reparti et j'ai cru que je cessais tout à fait de respirer. J'ai sonné. L'infirmière a fixé l'entrée du masque à oxygène sur la trach'.

— Vous allez garder ça au moins une heure, sinon ça ne sert à rien.

Elle est sortie et, avec le masque, la situation n'a fait qu'empirer. J'avais l'impression de ne plus respirer. Je savais qu'il fallait se calmer, se concentrer, laisser au masque le temps d'agir, que lui, comme le reste, faisait payer cher les services qu'il rendait ; mais le savoir, quand on le subit, ne mène pas loin : les certitudes de la science se dissolvent dans les incertitudes de l'expérience. Les policiers avaient obtenu que la porte soit bloquée en position ouverte. Je les regardais comme le dernier point d'attache à la vie, des émissaires tranquilles de la réalité, et j'ai fait signe à l'un d'eux. Il a fini par venir. J'ai pris mon carnet et écrit, comme je pouvais, le mot *infirmière*. Il est parti à sa recherche, mais elle n'avait pas le temps et je l'ai entendu dire :

— Le petit monsieur qui vient d'arriver, il a au moins quatre-vingts ans et ça m'étonnerait qu'il passe la nuit !

Dans le vaisseau spatial, c'était bien comme dans le vaisseau de *2001* : les cosmonautes qui s'endormaient risquaient de ne plus se réveiller, et Hal 9000, que je voyais luire et agir partout autour de moi, n'y était pour rien. J'ai regardé les policiers, remué la tête, je ne supportais plus ce masque. Je me suis demandé comment ils réagiraient si des tueurs entraient et, comme à chaque fois que je me posais cette question, j'ai vu la scène et j'ai craint qu'elle n'ait lieu sur-le-champ. Si je le craignais, c'est donc que je voulais vivre ? Finalement, l'infirmière est revenue. Elle a vu que j'avais déplacé le masque dans l'espoir de respirer sans lui et l'a replacé en disant :

— Gardez le masque, ou vous allez arrêter de respirer tout à fait !

Elle est repartie et la sensation d'étouffement s'est accentuée. Pour la première fois depuis l'attentat je me suis dit que j'étais en train de mourir, mais, comme c'était une vue physique de l'esprit, l'esprit s'est mis en marche et j'ai récité en dedans la dernière strophe du *Voyage* de Baudelaire :

Ô Mort, vieux capitaine ! Il est temps ! Levons l'ancre !
Ce pays nous ennuie, ô Mort ! Appareillons !

C'était un peu trop ton sur ton et l'artifice du procédé ne m'échappait pas ; mais respirer et respirer ces mots était plus important, puisque c'était devenu la même chose, et puis l'artifice avait du bon, il rendait l'instant un peu faux, donc moins pénible, et j'ai préféré continuer. Comme la suite ne venait pas, j'ai repris, et repris encore, mais la mémoire butait : le voyage que j'effectuais n'autorisait visiblement pas plus que ces deux vers, au-delà c'était l'excédent de bagages. Je me suis contenté d'eux. Je les ai répétés dix fois, quinze fois, vingt fois, et la respiration est revenue, et avec elle le sommeil et juste avant lui le dernier vers :

Au fond de l'inconnu pour trouver du nouveau !

Dans la nuit, à deux reprises, des hommes avec de petites lampes sur la tête m'ont réveillé. On aurait dit des mineurs au fond d'une galerie. C'étaient les internes qui venaient vérifier avec les languettes si la greffe tenait bon. Je me sentais trop épuisé pour vivre le suspense que leur apparition supposait. Les heures suivantes ont disparu dans un trou dont je ne suis sorti, dix-huit heures plus tard, que pour rejoindre le service de stomatologie. Une nouvelle chambre, au deuxième étage, m'y attendait. On avait préparé un lit à côté du mien pour Gabriela, qui allait apparaître d'un moment à l'autre. Mon frère m'attendait et avait aménagé la chambre, aidé par Christiane. On m'avait à peine installé quand Gabriela est arrivée. J'étais heureux de la revoir, trop accablé pour le manifester. Elle arrivait d'un monde sans rapport avec celui dans lequel, depuis son précédent départ, j'étais plongé. À peine avait-elle déposé ses affaires que Chloé est entrée, l'obligeant à sortir. Dans le couloir, Chloé avait croisé mon frère, qui m'avait laissé seul avec Gabriela, et lui avait dit, toute fière :

— Vous avez vu comme c'est beau ?

Il n'avait pas su quoi lui répondre. S'il avait grimacé, lui aurait-elle répondu à peu près comme le docteur Mendelssohn : « Ben quoi ? Il a un menton, non ? »

Gabriela sortie, Chloé m'a expliqué que tout s'était bien passé, à l'exception d'un implant qu'elle et Mendelssohn n'avaient pu fixer. Sur mon carnet, j'ai écrit : « Pourquoi ? » Elle m'a répondu en soupirant :

— Je ne sais pas. Il était sans doute défectueux. On a essayé une fois, deux fois, puis on a arrêté, ce n'était pas important et on n'avait tout de même pas que ça à faire !

En sortant, elle a dit dans le couloir à Gabriela, qui ne me l'a répété en riant qu'un an plus tard :

— Vous faites ce que vous voulez avec lui, mais vous ne touchez pas à mes cicatrices !

CHAPITRE 16

Scène de ménage

L'attentat s'infiltre dans les cœurs qu'il a mordus, mais on ne l'apprivoise pas. Il irradie autour des victimes par cercles concentriques et, dans des atmosphères souvent pathétiques, il les multiplie. Il contamine ce qu'il n'a pas détruit en soulignant d'un stylo net et sanglant les faiblesses secrètes qui nous unissent et qu'on ne voyait pas. Assez vite, les choses ont mal tourné avec Gabriela.

J'étais heureux de la revoir, mais j'avais pris des habitudes en son absence, et plus que des habitudes : des règles de vie et de survie. J'avais tissé mon cocon de petit prince patient, suintant, nourri par sonde et vaseliné autour d'un frère, de parents, de quelques amis et des soignants. Je ne voulais plus sortir du cocon, je m'en sentais incapable. La seule idée de quitter l'enceinte de l'hôpital m'effrayait. Ce n'était pas le lieu où j'étais tout-puissant ; c'était le lieu où mon expérience était vivable. Je m'étais mis à lire de plus près *La Montagne magique*, très lentement, aussi lentement que je cautérisais. Dès le début du livre, les réflexions de Joachim, le cousin tuberculeux de Hans Castorp, m'avaient saisi et comme arrêté. Castorp est à peine arrivé qu'il songe déjà à repartir, « dans trois semaines ». Joachim lui répond : « Ah bon ! Tu étais déjà en train de repartir en pensée ? Tu

343

sais, "rentré dans trois semaines", ce sont des idées d'en bas. On en prend des libertés avec le temps des gens, tu ne peux pas t'en faire une idée. Trois mois sont pour eux comme un jour. Tu le verras bien. Tu apprendras tout cela. On change de conception, ici. » Je relisais ce passage et quelques autres chaque matin après la douche, Bach et la promenade, tandis que la première des poches alimentaires me nourrissait pour quatre heures. Je les relisais comme une ouverture et une prière : Joachim et Hans étaient devenus beaucoup plus proches de moi, plus intimes, que ceux qui, entrant ici, je ne parle même pas des autres, venaient du « monde d'en bas » et bien vite y retournaient. Le « monde d'en bas » était celui des gens qui, bientôt, je le sentais, me diraient : « Encore à l'hôpital ? Mais quand sors-tu ? Encore des opérations ? Mais jusqu'à quand ? Toujours en rééducation ? Tu dois en avoir assez. Toujours en arrêt de travail ? Mais pour combien de temps ? », et finalement, puisque ce serait la même chose, toujours le même rapport aveugle et impatient au temps : « Et ton livre, tu le publies quand ? » Comme Joachim, comme Hans Castorp au bout de quelques centaines de pages, j'avais la sensation que je n'en sortirais jamais et que cette non-sortie devait m'apporter, si c'était possible, quelque sagesse. Je ne devais sortir ni de l'hôpital, ni du livre, le second étant le mode d'emploi du premier. Certes, la mort n'était pas au bout du chemin, de ce chemin-là en tout cas, mais *j'avais ici des choses à apprendre et à vivre* que je n'aurais pu connaître ailleurs. Mes chambres du service de stomatologie étaient mon sanatorium de Davos et je n'étais pas loin de penser que, de même que la guerre de 14 concluait l'aventure de Hans Castorp, une autre guerre s'annonçait maintenant, une guerre dont les islamistes n'étaient qu'un symptôme et qui opposerait l'homme à lui-même, une guerre sociale, sexuelle, psychique, écologique, totale, conduisant à relativement court terme à l'extinction. Il n'y avait aucun prophétisme dans ce que je croyais pressentir, aucun narcissisme non plus, je n'avais pas véritablement d'états d'âme et d'ailleurs je n'en parlais à personne. Simplement, j'éprouvais une compassion silencieuse pour ceux qui me rendaient visite, pour leur activité, leurs problèmes, leurs enfants, pour mes collègues qui continuaient d'écrire leurs articles petits ou grands. C'était le sens de ma réplique au docteur Mendelssohn quand, voyant sur ma tablette le roman de Thomas Mann et les lettres de Kafka à Milena, il m'avait dit d'un air sarcastique : « Vous n'avez rien de plus drôle à lire ? » Le docteur Mendelssohn avait la mélancolie froide. J'ai appris plus tard qu'il jouait du violon.

Ceux qui sont entrés dans le cocon cet hiver-là habitent un monde à part, celui des tisserands qui m'ont aidé à refaire la tapisserie déchirée et qui, sans le savoir ou en le sachant, m'ont dégagé de la pression du temps. La liste de leurs prénoms n'est pas un appel des morts, mais un appel des visiteurs, toujours renouvelé, toujours en suspension : Alain, Alexis, Anne, Anne-Laure, Anne-Marie, Arnaud, Aurélien, Benjamin, Blandine, Caroline, Céline, Claire, Éric, Fernand, Florence, Florence, Françoise, Gérard, Giusi, Hadrien, Hadrien, Hélène, Hortense, Jean-Pierre, Joël, Laurent, Laurent, Lila, Lucile, Marc, Marilyn, Maryse, Monique, Muriel, Nadine, Nathalie, Nina, Odalys, Olivier, Pascal, Pascal, Pierre, Pierre, Richard, Sophia, Sylvie, Sylvie, Teresa, Virginie, Zoé. Leurs prénoms forment une guirlande et il ne se passe pas de jour sans que je pense à l'un ou l'autre. *Ils sont dans la tapisserie, ils sont hors du temps.* Une partie d'eux-mêmes ne sort plus de ces limbes, immobilisée au cœur du motif, prise dans le cocon comme ces cosmonautes saisis par Alien, mêlée à mes états et sensations par une multitude de gestes, de fils, de silences, attendant d'être fertilisés par une mémoire beaucoup plus fragile que la mâchoire et le dard de la créature de Ridley Scott, et dont l'éclosion ne pourrait signifier qu'un supplément d'incertitude, d'amitié, de vie. Cette partie d'eux-mêmes est bloquée dans une toute petite poche d'éternité. L'éternité, ça ne dure pas longtemps, mais peut-être y a-t-il quelque sagesse dans l'ombre qu'elle répand, celle qui fait dire à Hans Castorp après vingt-quatre heures de séjour dans le sanatorium : « Et pourtant j'ai l'impression de n'être pas ici depuis une journée seulement, mais depuis assez long-temps, exactement comme si j'étais devenu plus âgé et plus intelligent. Oui, c'est là mon impression… » Les autres, aussi proches soient-ils, habitaient un monde où la roue tourne, un jour après l'autre, un rendez-vous après l'autre. C'était le monde où l'attentat avait eu lieu sans avoir lieu.

Gabriela vivait depuis plus d'un mois hors du cocon et il ne m'a pas fallu longtemps pour sentir que, même de nouveau installée au centre pour une dizaine de jours, elle ne pouvait y retrouver sa place. J'avais des sentiments pour mes amis ; je n'avais plus d'amour pour personne. Elle était montée dans le train hospitalier le 9 janvier, elle en était descendue une semaine après pour rejoindre New York et ses multiples problèmes, il n'était plus possible de remon-ter et, dans l'immédiat au moins, de relancer la machine à aimer. Le temps avait changé, mon corps avait changé, je métabolisais l'attentat par la reconstruction, un mois valait dix ans et toutes les places étaient prises, même si tout le monde a commencé par quitter le wagon, les femmes avant tout, quand Gabriela y est montée. La femme que j'aimais était devenue la femme de trop.

Le premier signe de mon éloignement a précédé son retour de quelques semaines. Avec l'aide de mon frère, j'avais créé une adresse mail réservée aux plus proches – une sorte de canal intérieur du patient Philippe Lançon. Cette adresse faisait allusion au vélo que j'avais laissé, le 7 janvier, devant *Charlie*, et qui m'obsédait. J'avais fini par demander à des policiers dont je me sentais proche d'aller vérifier s'il était là-bas, dans la rue, accroché à son poteau. L'un d'eux était passé un jour dans le quartier et, lors de sa garde suivante, m'annonça avec plaisir qu'un mois et demi après l'attentat le vélo n'avait pas bougé. Tant qu'il est là, ai-je pensé, le passé est à sa place. Le vieux vélo à *Charlie* était la sentinelle qui veillait, comme à l'entrée d'un col, au passage entre la vie d'avant et la vie d'après. Je n'avais pas donné l'adresse du vieux vélo à Gabriela. Le peu de décisions que je prenais étaient instinctives, liées à un état qui à tous moments pouvait changer. Je craignais de la faire entrer dans ce qu'était devenue ma vie et je ne savais pas pourquoi. Il y entrait une part de vaudeville platonique, tant le comique n'est jamais aussi efficace que lorsqu'il se nourrit du tragique.

La présence de Sophia, une amie récente, était devenue essentielle. Après avoir été universitaire, elle effectuait maintenant des études de marché pour des entreprises de luxe. Elle allait dans toutes sortes de pays interroger toutes sortes de femmes sur leurs images de l'amour, de l'homme, de la beauté, du luxe. Elle allait bientôt partir à Shanghai pour interroger des Chinoises aux conceptions amoureuses assez rudimentaires. Elle m'a rappelé plus tard que je l'avais appelée dix minutes avant l'attentat. Je ne m'en souvenais pas et je ne sais toujours pas pourquoi je l'ai appelée à ce moment-là, pendant la conférence de rédaction. Pour confirmer un rendez-vous ? Pour aller au cinéma ? Elle était sortie promener son chien et m'a rappelé quelques minutes plus tard, trop tard. À ma demande, deux ans et demi après, elle m'a décrit par mail les jours suivants, tels qu'elle les a vécus. Si je le recopie ici, c'est parce qu'il indique comment l'attentat crée une chaîne de souffrances subites, communes et particulières, où chaque ami de la victime semble soudain marqué, comme du bétail, au fer rouge : le viol est collectif. C'est pourquoi, à partir du 7 janvier, ma vie ne m'a plus appartenu. Je suis devenu responsable de ceux qui, d'une façon ou d'une autre, m'aimaient. Mes blessures étaient aussi les leurs. Mon épreuve était en indivision.

Sophia était dans son jardin, avec son fils Pierre-Camille, quand ils ont appris la nouvelle. Elle a appelé son frère. Nous avions des amis communs, lui et moi, et il ne lui a pas fallu longtemps pour apprendre que j'étais blessé au visage. Voici la suite :

En début d'après-midi, j'ai appelé deux de mes clients, pour qui je devais conduire des études, l'une dont le terrain commençait le 7 dans l'après-midi, l'autre le lendemain. Je leur ai dit que je ne pouvais pas, je leur ai dit pourquoi. J'étais anéantie. Le lendemain de l'attentat, je me souviens d'avoir appelé l'une de mes amies les plus chères, très tôt le matin, à 7 heures. Je ne me souviens de rien ce jour-là, sinon de ma souffrance.

Vendredi matin, je suis partie pour Milan, pour l'une des études. Je me revois au terminal F de Charles-de-Gaulle, au café en sous-sol, à côté du lounge d'Air France. Il y avait des écrans de télévision partout, qui diffusaient en boucle le récit de l'attentat, la liste des morts et des blessés. Je regardais ces informations, et mes larmes coulaient, je ne pouvais plus m'arrêter de pleurer, indifférente au regard des gens autour de moi. Ils comprenaient sans doute que je connaissais quelqu'un dans l'attentat. Puis une femme s'est approchée de moi ;

elle était assez belle, elle avait des enfants, un mari aussi, je crois. Elle m'a parlé, elle a tenté de me réconforter.

À Milan, j'ai animé deux groupes en italien pendant huit heures. Mon amie italienne et partenaire était là, prête à prendre le relais. J'ai tenu bon, mais quand je suis sortie de la salle de groupe, je n'avais plus de voix. Plus un souffle de voix. Nous étions le 9 janvier. J'ai perdu ma voix, totalement, pendant dix jours. Je l'ai retrouvée, partiellement, à mon retour de Shanghai le 19 janvier.

Le 14 janvier, je suis partie pour Shanghai. Je me revois de nouveau dans le lounge d'Air France. Mon frère m'a appelée pour prendre de mes nouvelles. Je n'avais toujours pas un souffle de voix, je lui parlais en chuchotant et il me comprenait. C'était un immense réconfort de l'entendre. Je pleurais. J'ai pleuré pendant dix jours, je n'ai jamais autant pleuré, je ne pleure pas souvent, pas facilement. Je me souviens de lui avoir dit que je ne savais pas comment je pourrais rire à nouveau un jour. Pourtant, j'avais déjà connu une peine immense, celle de perdre mon père quand j'avais quatorze ans. La personne que j'aimais le plus au monde, à l'époque. Mais la violence de ce que je ressentais là était d'un autre ordre. Mon frère m'a réconfortée, il a été formidable avec moi. À Shanghai, j'ai briefé ma partenaire chinoise en chuchotant et en écrivant ce qu'elle ne parvenait pas à entendre.

À l'hôpital, à partir de la mi-janvier et après avoir hésité, j'avais accueilli Sophia et elle avait pris peu à peu non pas exactement la place de Gabriela, mais une partie de cette place, s'occupant de moi en son absence, me couvrant de cadeaux et d'attentions, m'écrivant lorsqu'elle voyageait, me rapportant de Madrid un livre sur Goya, d'Italie une chemise, trouvant les mots et les gestes qu'il fallait au moment où il le fallait, avec une générosité qui confinait à la sainteté ou au masochisme, et qui n'était peut-être, tout simplement, que de l'amour et une volonté d'être réparée. Je n'ai jamais proposé à Sophia de rejoindre le petit « club » de ceux qui dormaient dans ma chambre, mais je n'avais aucun scrupule à me laisser aider et aimer par elle. Le patient au long cours a sans doute quelque chose du vampire : je prenais ce dont j'avais besoin, comme d'autres et plus que d'autres elle me le donnait ; mais ce n'était pas tout : je vivais dans un monde suspendu aux soins et aux fantômes de l'attentat, et, dans ce monde, tout était fiction, donc tout devenait possible. Cependant, je voulais la paix. Je n'ai parlé à Gabriela ni des visites de Marilyn, ni de la présence de Sophia, ni de rien de ce qui constituait une vie en huis clos dont les circonstances l'avaient exclue. Tout ce qui m'épargnait des tensions justifiait ce qu'on pourra qualifier de lâcheté.

Souvent, Gabriela m'appelait sur FaceTime depuis New York. Soit j'essayais de dormir, soit j'étais en soins, soit je recevais une visite : ce n'était jamais le bon moment, ni les bonnes paroles. Elle continuait de me prêcher l'optimisme désespéré dont elle-même croyait avoir besoin pour affronter son mari le banquier, son père malade à Copiapó, sa solitude. Elle tentait de m'enseigner des façons de guérir qui n'avaient aucun sens pour moi : je suis hermétique aux méthodes Coué et à la méditation. Elle me parlait d'un type qui s'était fait manger le bras par un requin, d'un autre qui avait été gravement brûlé dans un accident. Les deux avaient écrit des livres exemplaires, à l'américaine, pour raconter leurs « combats », célébrer la volonté, expliquer à quel point l'épreuve les avait rendus plus forts en rendant plus belle la vie. Les livres étaient bien entendu dédiés à leurs familles sans qui, etc. Les estrades et les télés américaines étaient remplies de ces survivants qui, d'un désastre surmonté, faisaient un show évangélique. Ces niaiseries volontaristes m'agaçaient d'autant plus que je pouvais à peine parler. Je regardais le sourire de Gabriela apparaître sur FaceTime, ce sourire que j'avais tant aimé, que j'aimais toujours, puis, pensant à l'homme au bras mangé par un requin, je lui substituais le sourire de Kafka ; et, tandis qu'elle me parlait de ces survivants modèles en état de résurrection prophétique, je repensais à une phrase de l'écrivain devenu compagnon de bloc : « Ce n'est que dans la mort que le vivant peut se concilier avec la nostalgie. »

Dans la nouvelle chambre, je n'étais que malaise. Je ne lisais quasiment pas les journaux, je n'avais toujours pas pris d'abonnement à la télé, la radio m'ennuyait comme un bruit de hors-bord se propageant au fond d'un lac. La lecture, dans un hebdomadaire qu'on m'avait apporté, d'un entretien avec un intellectuel français complaisant à la violence, et même visiblement fasciné par ce qu'elle portait de stimulation et de grand soir, avait conforté mon réflexe – on ne peut parler de volonté ni de pensée – d'échapper au carrousel des commentaires, qu'ils soient prophétiques ou didactiques. Il y avait une abjection de la pensée, lorsqu'elle croyait donner sens immédiat à l'événement auquel elle était soumise. La mouche jouait à l'aigle, mais ce n'était pas une fable, juste la réalité, la morne réalité de l'orgueil intellectuel : ces gens se prenaient pour Kant répondant à Benjamin Constant ou pour Marx analysant le coup d'État du prince Louis Napoléon. Ils faisaient de l'abstraction précoce.

On m'avait couvert de plaies organisées. Cette multiplication n'avait rien d'un miracle, mais elle avait fait de moi un envoûté du concret. L'actualité était devenue, comme tant de choses, une passion inutile. Peut-être étais-je maintenant semblable à mes grands-parents paternels, réduits à un monde étroitement limité et occupés à vivre dedans comme si l'extérieur ne pouvait que distraire, affecter, nuire surtout. Ils vivaient dans l'obscurité, éteignant toutes les lampes dans les pièces qu'ils quittaient, n'en laissant qu'une allumée dans celle où ils se trouvaient. Dans ma chambre, je n'avais plus besoin de lampes inutiles. Je ne voulais que de vraies lampes. Il y avait le néon froid, la veilleuse à peine moins froide, la lampe rouge à pied que m'avait apportée Caroline, la lampe à sel que m'avait envoyée Florence, la lampe Lumio en forme d'accordéon à déplier que m'avait envoyée une autre Florence. Je les allumais tour à tour comme l'allumeur de réverbères, c'était la consigne. Elle ne suivait que mon humeur et l'image de celle qui me l'avait apportée et à qui, en l'allumant, je pensais comme à une fée amicale. Toutes diffusaient une lumière douce et chaude, sans toutefois me permettre de lire davantage, surtout le soir. Ma vue avait brutalement baissé, après la greffe comme après l'attentat, ou alors je ne parvenais plus à me concentrer. J'en ai parlé un soir à Chloé. Elle m'a répondu qu'après un drame familial, il lui était arrivé la même chose : « Je n'y voyais plus rien. » Ce fut ainsi que j'appris ce drame et ce fut la seule fois où, brièvement, elle m'en parla. Je n'étais pas en état de comprendre ce que pouvait avoir d'inattendu et d'exceptionnel une telle confidence, ce qu'elle révélait du moment que la chirurgienne et son patient vivaient. Je l'écoutais, j'acceptais, j'étais curieux, surpris, ému, reconnaissant. Je ressentais et, comme avec Sophia et les autres, je prenais. Tout ce qui venait de Chloé me fortifiait spécialement. Il ne s'agissait pas d'amour mais de dépendance. Il ne fallut pas longtemps à Gabriela pour éprouver de la jalousie envers ce lien. Elle avait tort, dans la mesure où ce qui m'unissait à ma chirurgienne était d'ordre vital, et non sentimental ;

mais elle avait raison, puisque ce lien, à cette période, était alors devenu prioritaire. Chloé passait avant tout le monde, avant mon frère et mes parents. Elle était la seule personne dont ma mâchoire et ma vie future dépendaient. Elle était une femme et un principe d'action. Les autres prisonniers du cocon étaient tous, plus ou moins, en salle d'attente.

Gabriela était sortie du cocon au moment où il se formait. Étais-je en train de devenir un autre, comme elle me l'a rapidement reproché ? Le patient est un vampire, ai-je dit, et il est égoïste : je n'avais que très peu à offrir, à donner, toutes les réserves étaient prises par le combat mental et chirurgical. Je n'ai pas compris tout de suite que Gabriela n'était plus au cœur de ce combat, et, après l'avoir compris, je n'ai pas pu le lui dire : comment l'expliquer à une femme qui a fait six mille kilomètres pour venir me voir et vivre avec moi dans une chambre d'hôpital pendant dix jours ? D'autant que la vérité était plus retorse : les multiples scènes qu'elle allait bientôt provoquer avaient une vertu qu'il me fallut encore plus de temps pour deviner, elles transformaient la victime d'attentat en protagoniste ordinaire d'une crise de couple.

Trois jours après son arrivée, nous étions à cran. J'étais soulagé quand elle partait donner des cours ou faire une heure de barre, j'étais nerveux quand elle rentrait. Elle ne supportait pas de me voir écrire des mails et mes premiers articles pour *Charlie*. Nous savions que la nuit se passerait mal, pour elle comme pour moi, dans des insomnies opposées plus que partagées. Les infirmières dont j'étais le plus proche l'avaient senti bien avant moi. Elles entraient dans la chambre avec une brusquerie habituelle mais embarrassée, et nous nous mettions à échanger comme toujours, moi avec mon carnet, elles avec leurs gestes et leurs bouches, comme si Gabriela n'était pas là. Elle était pourtant là, épuisée, le visage clos, assise sur son lit, derrière son ordinateur et ses lunettes sur le nez, répondant à des mails professionnels, travaillant les cours qu'elle avait repris en s'inscrivant à l'université de New York. Je la regardais et je me souvenais d'une phrase qu'elle m'avait dite à New York deux ans avant, il y avait un siècle : « Tu fais de moi une reine. » Ici, le roi, c'était moi.

Tout a pourtant bien commencé. À peine arrivée, elle s'est allongée sur le lit et m'a tenu la main tandis que la belle Ada changeait les pansements, du visage et des jambes. Il y avait un tatouage sur le bras d'Ada, en mémoire de son grand-père. J'aimais le regarder pendant qu'elle s'occupait de moi. Son père était gardien et elle avait grandi dans un parc. Je fermais les yeux pendant qu'elle enlevait les croûtes nées autour des points de suture autour de l'escalope et je l'imaginais dans le parc ou sur le lac d'Enghien. Ce jour-là, il lui a fallu une demi-heure pour tout nettoyer, vaseliner et protéger. La plaie au niveau du péroné, longue et rectangulaire, était rouge vif et, comme l'escalope, bordée de points de suture. La peau qu'on avait prélevée sur l'intérieur de la cuisse remplaçait celle qui, depuis le mollet, avait rejoint la mâchoire. Du même coup, il y avait sur l'intérieur de la cuisse une sorte de petit tapis rectangulaire, également rouge vif et suintant, qui me brûlait jour et nuit. J'étais encore sous perfusion. J'avais repris l'alimentation par sonde. Un drain sortait de la plaie au cou.

Le lendemain matin, je devais aller au scanner pour contrôler la greffe. Il se trouvait dans un bâtiment voisin. Gabriela a décidé de m'accompagner, comme Marilyn l'avait fait, le 9 janvier, lors du premier contrôle. J'avais mis un masque pour protéger l'escalope, comme ce serait désormais le cas, dans la journée, pendant six mois. Lulu me guidait, les deux policiers nous suivaient. Aucun fauteuil n'était prévu. Gabriela était surprise, les policiers aussi, moi aussi, mais nous n'avons rien dit et nous voilà partis dans le froid, sous une pluie légère, dans les rues si peu hospitalières. Assez vite, je me suis senti faible. Gabriela me tenait par un bras, un policier s'est approché et m'a pris l'autre, sous le regard de Lulu qui soudain comprenait et qui a dit : « Mais... personne ne m'a dit qu'il était dans cet état ! Ils auraient pu me prévenir, quand même ! Quel bordel ! Au retour, vous aurez un fauteuil ! » Les gens qu'on croisait nous regardaient bizarrement : ce patient masqué et si solidement accompagné était-il dangereux ? De promenade en promenade, je m'étais habitué à ces regards. Avec mes policiers, je vivais dans un monde parallèle aux gens que je croisais. Gabriela le découvrait. Elle m'a dit plus tard qu'elle avait eu la même impression que moi. Elle jouait une scène du *Parrain*, celle où Marlon Brando est caché par Al Pacino dans l'hôpital pour échapper aux tueurs. Dans notre histoire, les tueurs étaient déjà passés.

Le lendemain, elle a pris en charge une partie de ma rééducation. Les infirmières et les aides-soignantes m'avaient prévenu : quand on a un péroné en moins, il faut recommencer à marcher presque aussitôt, mais il ne faut pas le faire n'importe comment. C'est talon pointe, talon pointe, lentement et le dos droit, sans éviter la souffrance que le mouvement provoque puisque l'éviter, c'est se condamner à boiter. Pour ce genre d'exercice, Gabriela était idéale : danseuse et professeur de haut niveau. Dès le lendemain, elle m'accompagna dans le couloir et m'aida à faire mes longueurs, sans dureté mais sans complaisance. Elle marchait un mètre derrière moi pour vérifier ma posture, les policiers marchant un mètre derrière elle. Les missions des uns étaient mises en abyme par celles des autres. Au début, tout le monde souriait.

— Redresse-toi ! Tu penches à gauche ! Oublie la douleur et pose le talon par terre ! Voilà, déplie le mouvement ! Lentement, plus lentement !

Et elle riait en me corrigeant.

Les longueurs étaient devenues douloureuses, j'avais l'impression de marcher sur un tapis de clous ; mais, une fois de plus, il fallait accueillir la douleur comme un allié m'indiquant le chemin à suivre.

Six ans plus tôt, mes parents et moi avions rendu visite à de vieux cousins des Pyrénées, habitant Bagnères-de-Luchon. Monette, morte depuis, avait été professeur d'anglais. Son mari Jean-Marie m'avait offert du sirop, comme dans mon enfance. À un moment, tordue et bossue, à moitié aveugle, Monette est sortie faire ses exercices. Elle marchait très lentement avec deux cannes, s'obstinant à faire ses longueurs dans le jardin du catalpa au portail, du portail au catalpa. C'était l'été. On aurait dit un très ancien animal, mélange de taupe et d'escargot. Je l'ai suivie pour l'aider, comme m'aidait maintenant Gabriela. Arrivée près du portail, elle a tendu son visage vers le mien, le nez au ras du mien, pour voir ce qu'elle ne voyait pas, et m'a dit d'une voix fragile : « Je crois qu'il le faut, non ? » Je lui ai répondu : « Mais bien sûr qu'il le faut ! Vous devez faire ces longueurs, comme à la piscine, et mettre peut-être un fauteuil près du portail, pour vous reposer un peu et repartir. » Elle a repris : « Ah oui, oui, il le faut, il faut que je le veuille... » Puis, tendant de nouveau son visage vers moi : « Comment t'appelles-tu déjà ? Je n'ai plus une très bonne mémoire... » Son mari, en revanche, se souvenait de tout : noms, âges, situations familiales, dates de naissance, et cela jusqu'au plus éloigné dans l'arbre familial, qui semblait vivre, irrigué par sa mémoire, à côté du catalpa. Dans le couloir avec Gabriela, je me répétais maintenant : « Il le faut », « il le faut », et j'aurais voulu posséder la mémoire du mari de Monette pour irriguer ce qui semblait avoir séché.

Six jours après l'arrivée de Gabriela, j'ai repris avec elle mes marches à travers l'hôpital entier. J'étais heureux de lui faire découvrir les recoins de la Pitié-Salpêtrière, comme je les avais fait découvrir aux policiers qui m'accompagnaient. Suivez le guide, il est patient ! Depuis un mois que je l'arpentais, c'était devenu mon domaine. Son foutoir architectural, ses couches de bâtiments se côtoyant sur quatre siècles, ses petites places invisibles, ses rues, ses bruits, ses odeurs, ses façades, ses culs-de-sac, ses porches, ses passages, ses perspectives inattendues, tout refaisait de moi l'enfant-explorateur que j'avais été, quoique sans audace, du temps où, nageant dans l'Yonne, les frondaisons de la rive d'en face étaient plus mystérieuses que l'Amazonie. *Des singes allaient tomber des arbres et des Indiens sortir de la forêt.* Ici, chaque façade offrait de l'exotisme à ma mélancolie.

Je rejoignais d'abord le grand parc, entre les bâtiments créés par Louis XIV, puis la grande chapelle vide, où j'espérais tomber sur l'aumônier. J'y accédais soit par un escalier, soit par une petite rampe : la petite rampe m'aida aussitôt à rééduquer la jambe sans péroné, talon pointe, talon pointe, et correction de Gabriela. Je passais ensuite sous le grand bâtiment, rejoignais la sortie la plus proche d'Austerlitz, montais une longue rampe longeant les grilles extérieures, limites de mon domaine. Cette rampe conduisait jusqu'à une partie moins fréquentée de l'hôpital, entre le vieux bâtiment psychiatrique, dit de la Force, et celui, tout aussi ancien et peut-être le plus beau dans sa simplicité formelle, de la lingerie. Les draps des patients étaient régénérés entre des murs vieux de quatre siècles, classiques et parfaits comme un vers de Malherbe. Ces *beaux bâtiments d'éternelle structure*, en m'encadrant, me rassuraient.

Sur le chemin entre les deux édifices, il y avait ma cabane au fond des bois : une vieille ruelle en coude, encore pavée, baptisée rue des Archers, où, dans de petits bâtiments à un étage couverts de chiens-assis, se trouvaient des locaux syndicaux d'apparence aussi vétuste que l'époque dans laquelle ils semblaient relégués : ici, non plus le xviie siècle des bâtiments voisins, où l'on avait enfermé et même enchaîné les femmes dites de mauvaise vie et les fous, mais un xixe siècle d'allure provinciale et balzacienne, genre Eugénie Grandet. Je n'y ai jamais vu marcher personne. Les pavés disjoints ne réveillaient pas spécialement la mémoire, mais ils permettaient de travailler l'équilibre du pied, et l'harmonie désuète de ce lieu minuscule, hors du temps, comme abandonné, fixait un cadre où je me sentais chez moi et hors de moi, à la campagne, dans la maison de mes grands-parents toujours vivants, entre l'époque de ma rougeole passée sur un lit pliant en toile bleu sombre à celle où j'avais lu *La Comédie humaine*, dans ma chambre à tomettes rouges ou au bord de la rivière. J'avais flotté là-bas dans un monde silencieux, plein d'insectes et à la magie réservée, un monde où mes familiers vivaient tantôt dans leur grand âge, tantôt au cœur des pages. Ce monde revenait par cette ruelle en coude, découverte par hasard, presque aussi efficace qu'une machine à remonter le temps. Le temps n'existait plus dans la rue des Archers.

Un peu plus loin venait mon second lieu magique, situé dans la rue des Petites-Loges : un long bâtiment au toit pointu et sans étage bordé par une passerelle couverte, sur laquelle on avait mis à intervalles réguliers des bancs en demi-lune, soutenus par des pieds en fer forgé et couverts d'inscriptions mnémotechniques. C'était un bâtiment consacré à la neurologie. Je remontais systématiquement sa passerelle comme si j'allais partir en mer, et il me semblait que, si je m'asseyais sur l'un de ces bancs, j'allais disparaître en paix dans tel ou tel souvenir, comme à l'intérieur d'un nuage. Il fallait ensuite monter un escalier pour rejoindre les parages du bâtiment de Charcot.

Ce jour-là, la marche entière nous a pris environ une heure. Gabriela m'a aidé à en affronter les obstacles avec une discipline et une bonne humeur qui, une fois de retour dans la chambre, allaient disparaître. J'ai tenu à lui faire faire le grand tour et nous avons fini par les bâtiments plus récents, en briques et pour certains Art déco, de la Pitié. Nous avons descendu la rampe qui longeait le haut bâtiment moderne de l'Institut du cerveau et de la moelle épinière. C'est là, lui ai-je dit, que se trouve la meilleure cafétéria de l'hôpital. Et, au même moment, je me suis demandé quel pouvait être le goût du café, celui que Marilyn m'avait fait renifler avait disparu, et si je pourrais un jour de nouveau en profiter avec, pourquoi pas, un pain au chocolat. Les mots désignent les choses. Dans mon cas, les aliments et les sensations semblaient disparaître à mesure que les mots se posaient dessus. En arrivant devant le service, j'ai cru voir Pascal, un ami sculpteur de mon village, que je n'avais pas vu depuis l'été précédent. C'était bien lui, avec son profil d'aigle, son regard à la fois dur et sentimental, perdu et éperdu. Il m'attendait depuis quelque temps sur le muret où les patients fumeurs venaient en griller une, un paquet dans les mains. Il m'a vu, s'est levé et m'a serré dans ses bras. Comme je ne pouvais pas parler, je l'ai regardé de toutes les façons possibles. Des infirmières m'avaient dit que mon regard de muet était devenu si expressif qu'elles pouvaient lire les nuances de mon humeur. Pascal m'avait apporté un cadeau : un livre sculpté dans l'albâtre. Il m'a embrassé et il est parti aussitôt. Il craignait l'effusion et il ne voulait pas me déranger. Dans la chambre, j'ai posé la sculpture sur la table roulante et j'ai senti que Gabriela, une fois de plus, me trouvait trop sensible à la considération que mes amis m'accordaient.

Elle avait apporté une petite machine à café et communiquait la nuit, par vidéo, avec son père ou avec sa classe universitaire. Ces conversations m'ôtaient le peu de sommeil dont je pouvais bénéficier. Elle était nerveuse, angoissée, et, une fois endormie, sursautait sans cesse comme un petit animal torturé. Certains de ses employeurs newyorkais menaçaient de la virer. Ils avaient été complaisants en janvier, lui avaient dit : « Oh, I am so sorry ! », comme font si bien les Américains, mais les Américains, qui n'aiment guère les labyrinthes critiques de l'intériorité, restent rarement compatissants au-delà d'une surface délimitée par leurs intérêts, le cœur est gros comme ça mais jamais loin du portefeuille, et ce deuxième voyage les agaçait : il fallait la remplacer, on ne pouvait compter sur elle, l'attentat n'était pas une excuse pour manquer à ses clients. La procédure de divorce avec son mari, le banquier de Chicago, se passait mal. C'était un anglican du Midwest, toujours du côté du Bien, donc prêt à tout pour l'imposer. Il avait eu sa minute de compassion en janvier, juste après l'attentat, en montrant à Gabriela toute la grandeur d'âme qui s'impose devant ceux qui vont mourir et qu'il s'agit, comme à l'église, de saluer. Mais je n'étais pas mort et il l'accusait maintenant de venir à Paris pour boire du champagne avec son amant : Gabriela me fit lire un soir un mail particulièrement froid et odieux, un parmi d'autres, naturellement destiné au juge. En guise de champagne, elle sortait rapidement acheter un sandwich le soir, à la supérette du coin, où ma belle-sœur l'a trouvée un jour en larmes, seule, dans les rayons : tout lui échappait, son travail, son divorce, ses études, son compagnon. Quand c'était l'heure de la visite, elle sortait de la chambre avec son ordinateur, sous l'œil indifférent des chirurgiens, et s'asseyait par terre, dans le couloir, près des flics avec qui elle parlait. Il n'était pas rare qu'une aide-soignante lui dise : « Mais c'est sale, par terre ! » Les deux chaises étaient occupées par mes gardes.

Dans la journée, quand elle n'allait pas danser ou enseigner, elle était de plus en plus exaspérée de me voir écrire et relire mes premiers articles pour *Charlie*. Ses mots étaient toujours les mêmes : « Je prends des risques et me sacrifie pour toi, je suis ici au lieu de chercher du travail à New York et d'étudier, je ne m'occupe pas de mon divorce et toi, tu es dans ton monde et tu ne penses qu'à toi. Quels sont tes projets pour l'avenir ? »

Des *projets* ? Je n'en avais pas. Je n'avais pas d'avenir. Je ne le voyais pas, ne le sentais pas. Mon avenir s'arrêtait aux prochains soins et à l'horizon de sensations de plus en plus féroces et inédites. Je ne pouvais de toute façon pas vraiment lui répondre, puisque je ne pouvais m'exprimer. Je répondais par quelques mots dans mon carnet, toujours les mêmes, écrits en capitales, des *Je t'aime* et des *Tu es merveilleuse* qui redoublaient son exaspération. L'écriture est lente, intérieure, silencieuse. Elle ne correspond ni au rythme, ni à la nature de la conversation. L'une des premières chroniques faites alors pour *Charlie*, sous le nez de Gabriela, portait justement sur ce thème. J'y écrivais ceci :

« Depuis deux semaines, je suis réduit au silence : ordre bienveillant, mais ferme, de ma chirurgienne. Il faut protéger les sutures, toujours capricieuses, d'une lèvre qu'elle a refaite. Une anesthésiste facétieuse et amie m'a dit un soir qu'un patient, à force de ne pas respecter la consigne, avait fait exploser la sienne. Bavarder est un péché capital en chirurgie : je crois ici tout ce qu'on me dit, donc je la ferme. Et puis, on se sentirait presque intelligent quand on se tait : le silence imposé est le contraire du bruit imposé (télévisé, radiophonique), dont traite ordinairement cette chronique. Il ne s'agit pas de remplir le vide, mais de s'en abstenir. Le silence s'est installé au cœur des dialogues avec mes rares visiteurs et soignants. Je vis avec un carnet et une petite ardoise. Ils parlent, j'écris. Ils parlent assez peu, car écrire, c'est lent. À quoi pensent-ils en attendant des réponses qui prennent leur temps, comme des tortillards ou des cocottes en salle de bains ? L'affaire serait moins drôle si je n'étais pas, d'ordinaire, un épouvantable bavard. Je préfère l'ardoise au carnet, car tout ce qui est écrit, comme la parole non enregistrée, est aussitôt effacé. Pour qui écrit d'une manière ou d'une autre depuis plus de trente ans, n'imaginant pas sa vie sans traces venues du bout des doigts soudain noircis par le feutre, ce n'est pas rien. D'autant que j'essaie de m'appliquer. Quitte à écrire sur le sable d'une ardoise Velleda, autant le faire avec des phrases justes, précises, mûries par l'instant et l'émotion inévitablement contenue, des phrases pour ainsi dire muettes et destinées à rejoindre l'oubli dont l'événement les fait, pour une minute, sortir. Il faut croire que les phrases effacées ont leur orgueil : elles se contentent de se faire regretter, chassées par d'autres. Est-ce du masochisme ? Je ne le crois pas. Il ne s'agit que d'éprouver l'écriture en situation, qu'elle vienne ou pas, de la restituer au silence offert par l'occasion. Ce silence concret de l'écriture pour tout, de "j'ai mal ici" à une discussion sur *La Montagne magique*, a une autre vertu : il change la perception du dialogue et du temps. Il suspend les mots au débit ralenti, change la nature de l'échange. Il naît, littéralement, de ce qui ne peut être dit, pour rejoindre ce qui ne le sera pas.

Un matin, j'ai écrit au patron du service, le professeur G, qui faisait la visite : "Me voilà devenu trappiste. Les mots ont tout le poids de leur absence." Il a bien ri. Le soir, j'écrivais à peu près à ma chirurgienne : "À La Trappe, ils pouvaient se taire, ils avaient Dieu pour les écouter. Moi, j'ai les médecins." Elle, au-dessus de moi : "Et vous devez les écouter…" Moi, sous elle : "Et, comme les moines en Dieu, je crois en eux." Elle, au-dessus de moi, me soignant la lèvre et prenant une photo pour me la montrer et m'en expliquer l'évolution : "Car vous les croyez, en plus ? C'est le syndrome de Stockholm ! Il est temps que vous partiez." Comme toujours, elle a raison. »

Ayant lu cette chronique, Chloé m'a dit devant tout le monde en début de visite : « Alors, comme ça, j'ai toujours raison ! Hier soir, quand j'ai lu ça à mon compagnon, il a dit : "Tiens, en voilà un qui a tout compris !" » Tout le monde a ri, sauf moi qui ne pouvais pas, et Gabriela, qui ne voulait pas. Elle travaillait ce jour-là à un devoir sur Machiavel, qu'elle est partie continuer dans le couloir. Un vieil ami, Éric, m'avait offert le Pléiade pour qu'elle puisse s'en servir. Il était passé en son absence. Je revoyais Éric pour la deuxième fois depuis l'attentat et, comme il était plus réfléchi, plus cultivé et plus rigoureux que moi, nous avons parlé d'un vieux problème auquel je pensais nuit et jour, que je vivais plutôt, et dont j'espérais qu'il me permettrait d'y voir un peu plus clair : la nature du mal contemporain. Éric, éditeur, publiait de grands philosophes, de bons sociologues. Sur la question du Mal, il était insatisfait par tout ce qu'il lisait. Le monde avait bougé beaucoup plus vite que ceux qui prétendaient l'éclairer. Ces messieurs couraient derrière le Mal avec leurs concepts, leurs théories.

Quelque chose, loin devant, échappait à l'analyse de ses nouvelles manifestations. Ni la sociologie, ni la technologie, ni la biologie, ni même la philosophie n'expliquaient ce que d'excellents romanciers, eux, avaient su décrire. Il n'y avait peut-être aucune explication au goût de la mort donnée ou reçue. Nous nous regardions, dans cette chambre, comme deux nigauds sans rames perdus au milieu d'un océan. Le dialogue avec Éric a duré une bonne heure. C'était un dialogue lent et silencieux, comme ralenti par la notion brumeuse et menaçante dans laquelle on essayait de pénétrer. Il me parlait de plus en plus lentement et je lui répondais par écrit de plus en plus lentement. J'écrivais sur l'ardoise des réflexions, des questions, que j'effaçais l'une après l'autre. Il les lisait et, dans ses réponses, ses relances, semblait régler sa cadence sur la mienne. Je n'ai jamais été aussi intelligent qu'en étant muet, mais je ne m'en souviens plus. Comme il était malade, il a fini par s'endormir. Je me suis souvenu de lui, un été, tandis que nous nagions lentement dans l'eau froide de la Normandie en parlant de femmes que nous avions aimées. Je lui parlais d'une ancienne amante avec une précision qui devait être telle qu'il a fini par me dire, de sa voix chaude et discrète qui jamais ne s'élevait, avec une élégance de prince qui se sait nu : « Je ne peux plus sortir de l'eau, il y a des enfants sur la plage et ton récit me fait bander. » Est-ce que je banderais un jour à nouveau ? Est-ce que nous irions nous baigner en Normandie ? Je l'ai regardé, assoupi dans le fauteuil, avec cette sensation inédite dans cette chambre : c'était moi, pour quelques instants, l'ami qui veillait sur lui.

Après plus d'un mois d'interruption, *Charlie* venait de reparaître. De nouveaux chroniqueurs et de nouveaux dessinateurs avaient rejoint les survivants. Il n'était pas question, pour moi, de ne pas figurer dans ces pages et j'avais

écrit ma première chronique pour le numéro de résurrection, fuyant de partout, à la veille de la grande greffe.
Sur quoi pouvais-je bien écrire dans cette chambre, sinon
sur mon voyage autour de la chambre ? Écrire sur mon
propre cas était la meilleure façon de le comprendre, de
l'assimiler, mais aussi de penser à autre chose – car celui
qui écrivait n'était plus, pour quelques minutes, pour une
heure, le patient sur lequel il écrivait : il était reporteur et
chroniqueur d'une reconstruction. J'étais, comme jamais,
reconnaissant à mon métier, qui était aussi une manière
d'être et finalement de vivre : l'avoir exercé si longtemps
me permettait de mettre à distance mes propres peines
au moment où j'en avais le plus besoin, et de les changer, comme un alchimiste, en motifs de curiosité. Si les
morts revenaient, me suis-je dit sans le dire à Gabriela qui
travaillait à côté de moi sur Machiavel, c'est peut-être ça
qu'ils feraient : décrire leur vie et leur fin avec un enthousiasme précis et un chagrin tout aussi distancié. Peut-être
avais-je passé trente ans à m'entraîner sur les autres pour
en arriver là.

Gabriela voyait les choses autrement. Elle trouvait que
ces chroniques me mettaient le nez dans mon état et
m'égaraient dans un labyrinthe dont j'aurais dû sortir.
C'était, selon moi, exactement le contraire : en la décri-
vant ainsi, j'échappais à ma condition. Il m'avait fallu
atterrir en cet endroit, dans cet état, non seulement pour
mettre à l'épreuve mon métier, mais aussi pour sentir ce
que j'avais lu cent fois chez des auteurs sans tout à fait
le comprendre : écrire est la meilleure manière de sortir
de soi-même, quand bien même ne parlerait-on de rien
d'autre. Du même coup, la séparation entre fiction et non-
fiction était vaine : tout était fiction, puisque tout était récit
– choix des faits, cadrage des scènes, écriture, composition.

Ce qui comptait, c'était la sensation de vérité et le sentiment de liberté donnés à celui qui écrivait comme à ceux qui lisaient. Quand j'écrivais au lit, avec trois doigts, puis cinq, puis sept, avec la mâchoire trouée puis reconstituée, avec ou sans possibilité de parler, je n'étais pas le patient que je décrivais ; j'étais un homme qui révélait ce patient en l'observant, et qui contait son histoire avec une bienveillance et un plaisir qu'il espérait partager. Je devenais une fiction. C'était la réalité, c'était absurde et j'étais libre. Cette activité se payait naturellement sur la bête. Je finissais chaque chronique épuisé, suant, toussant, larmoyant. Le patient ressuscitait d'entre les mots et reprenait le dessus.

L'escalope du menton refait est devenue, pour plusieurs mois, le terrain privilégié de cette lutte. Après quelques minutes d'écriture, elle était inondée par une cataracte nerveuse qui électrifiait le bas du visage et faisait fleurir la peau de l'intérieur, comme si une fourmilière y avait librement circulé. Le menton se contracte en mille endroits sous l'émotion ou la pensée, mais ceux dont il n'a pas été refait ont la chance de l'ignorer. Il suffisait que je me concentre un peu trop, que je bouge la langue de quelques centimètres, qu'une image me perturbe, pour éveiller cette fourmilière. Elle provoquait des démangeaisons comme je n'en avais jamais connu, des démangeaisons souterraines qui auraient mérité d'avoir leur propre nom et qui m'obligeaient à cesser toute activité. Elles éclataient lentement, comme un feu d'artifice ou comme le battement de l'anémone de Bernard. Je laissais mon ordinateur, m'allongeais à 30 %, fermais les yeux et cherchais à éloigner la fourmilière en respirant. Je ne pouvais encore employer le meilleur remède, dit du poisson-lanterne : gonfler les joues. Ce serait pour dans quelques mois.

Un coursier apportait maintenant chaque mardi des

exemplaires que je distribuais depuis mon lit, les uns aux visiteurs, les autres aux soignants. L'opération agaçait Gabriela, qui me dit à plusieurs reprises : « Tu as été victime d'un attentat, et là, tu deviens victime de ta célébrité ! » Son agacement fut à son comble le jour où une infirmière et une aide-soignante entrèrent, chacune un exemplaire à la main, et me demandèrent de les dédicacer. Je le fis de bonne grâce. Une fois la porte refermée, elle explosa : « Pour qui te prends-tu ? Tu n'es plus le même ! Tu te prends pour un roi ! Tu te complais dans ta douleur et ta notoriété ! » Je me suis levé, pouvant à peine respirer, pour la prendre dans mes bras. J'ai émis une sorte de cri étouffé, tout en me repoussant elle a dit : « Tais-toi ! Tu sais bien que tu n'as pas le droit de parler. » Nous étions maintenant près de la fenêtre, face au pin noir et au ciel gris. Elle m'a regardé et elle a poursuivi : « Oui, tu te complais ! Tu ne fais plus attention à moi. Toi, tu as reçu une balle dans la mâchoire, mais moi, j'ai reçu une balle dans le cœur ! On m'a fait violence, on m'a pris ma vie et on ne me pardonne rien. Toi, tu as de la chance, le journal te paie. La France est un beau pays ! En Amérique, c'est différent ! Moi, quand je ne travaille pas, on ne me paie pas. » Puis, me regardant de plus près, elle a conclu : « Quant à tes problèmes, ils ne sont plus qu'esthétiques ! »

Les jours suivants, la situation n'a fait qu'empirer. Elle était si épuisée, si nerveuse, qu'elle parlait anglais aux soignants sans s'en apercevoir. Beaucoup d'entre eux ne parlaient pas cette langue : je m'en étais aperçu le jour où l'on m'avait appelé, avant la greffe, pour comprendre ce qu'un jeune Sri Lankais avait pu avaler qui lui brûlait la bouche, la gorge et l'estomac. C'était de la soude caustique.

J'en venais à me sentir coupable de tout ce que Gabriela vivait. Ses lunettes n'étaient plus adaptées à sa vue et j'écrivis un jour à mon frère, à qui je ne cachais presque rien : « Elle est complètement bigleuse, moi je ne peux parler, c'est scène sur scène entre les visites et les soins. Tu imagines le huis clos ? » Ses problèmes d'argent se multipliaient tandis qu'entre la lèvre et l'escalope, le haut du menton commençait à fuir. Son père continuait de dépérir dans le désert d'Atacama, je pouvais le voir sur l'écran quand elle l'appelait. La canule irritait la gorge et m'empêchait de dormir. L'une de ses patronnes, dirigeant un gymnase payé par son riche mari, lui envoyait des mails comminatoires. Une escarre était apparue à l'orée des fesses, au niveau du coccyx, et ne me laissait plus en paix. Acculée, Gabriela voulait que je lui fasse un prêt important et me reprochait de ne pas y avoir pensé tout seul. Mon frère et mes amis me le déconseillaient, ils trouvaient qu'elle abusait de la situation et refusait de voir mon état. Elle répétait en boucle : « J'ai tout risqué pour venir te voir. Je suis venue aussitôt. Je pensais que c'était le début de quelque chose, d'une vraie histoire enfin. Mais je te vois écrire des articles, séduire des infirmières, et je me sens seule avec toi. Je dois trouver du travail, soutenir mes parents, réussir mes études pour me reconvertir. Tu ne me proposes rien, j'ai tout abandonné pour toi comme je l'avais fait pour mon mari, mais c'est toujours la même chose, tu es dans ton monde comme il est dans le sien. » Me prenait-elle pour le banquier de Chicago ou le prenait-elle pour moi ? Nous ne dormions plus ni l'un ni l'autre. Dans mon carnet, je notais des choses comme : « La vérité est un remède de cheval, mais sans elle le cheval fausse son pas. » Ou encore : « Il y a une vérité chirurgicale, plutôt rassurante ; esthétique, plutôt opaque ; mentale, tout à fait obscure. » Et encore : « Les lettres de Machiavel sont à mourir de rire et de méchanceté. Seuls les génies ont le droit d'être amers. » Et toujours : « Faisons une prière pour Hypnos. »

Quelques jours avant le départ de Gabriela, la psychiatre m'a proposé un entretien à trois, dans la chambre. J'ai accepté. Il me semblait que Gabriela avait autant besoin que moi d'un tiers, et d'un professionnel, pour remettre en perspective l'enfer que nous vivions sous les yeux des infirmières embarrassées. Gabriela était mécontente, car j'avais décidé sans lui en parler. Un matin, la psychiatre s'est assise entre le lit et la fenêtre et m'a dit : « De quoi voulez-vous parler ? » Pour faire plaisir à Gabriela, qui n'avait que ce mot à la bouche, j'ai écrit : « De l'avenir. » Mais c'était encore moins agréable que de parler du passé, qui avait au moins eu le mérite d'exister, et l'entretien a vite dégénéré. Gabriela a repris sa complainte sur sa solitude et mon narcissisme. Armée d'un petit sourire, la psychiatre attendait qu'elle reprenne son souffle pour lui poser une question précise qu'elle ne supportait pas, et elle s'est mise à pleurer. La psychiatre a fini par dire : « Je crois qu'il vaut mieux en rester là, on reprendra une autre fois. » Elle est sortie et Gabriela a explosé : « Qu'est-ce que c'est que ça ? Ces questions agressives ? De quoi se mêle-t-elle ? Et toi, qui autorises ça ? » Je n'avais plus qu'une envie : qu'elle reparte à New York et disparaisse de ma chambre, de ma vie. Qu'elle se dessèche avec son père au fond d'une mine dans le désert d'Atacama.

Dans la nuit, ma tête ne cessait de rouler sur le côté. Cette nuit-là, j'ai pour la première fois fait un bref cauchemar qui allait devenir récurrent à l'intérieur même de chaque nuit : en roulant sur le côté, ma tête faisait sauter les points de suture, les cicatrices s'ouvraient, la greffe se nécrosait et, pire que tout, j'étais coupable de n'avoir pas su l'empêcher. Ma peine était de vivre les conséquences de ma négligence. La seule solution était de ne plus dormir. J'y étais presque parvenu, mais pas tout à fait. Ce sont ceux qui vont mourir qui ne dorment pas. Pour les autres, l'enfer existe, il les tient éveillés et la culpabilité est, comme on dit pour les otages, preuve de vie.

Quand je souffrais, j'évitais d'appeler l'infirmière de nuit avant 5 heures, contrairement aux consignes, ne pas laisser s'installer la douleur, qu'il est plus facile de couper à la racine. Une nuit, comme je ne pouvais plus respirer, j'ai tout de même appelé Marion. Elle est apparue, souriante, et, après maints efforts, a fait jaillir de la canule un énorme bouchon qui a bondi jusqu'au mur tandis qu'elle pouffait. J'ai regardé avec soulagement la joie enfantine de Marion. Gabriela venait de s'endormir. Elle ne s'est pas réveillée.

La veille de son départ, nous avons fait une dernière marche dans la Pitié-Salpêtrière. Cette fois, nous sommes entrés dans la grande chapelle. Les policiers, après discussion, avaient accepté de rester dehors. Ils nous ont dit de ne pas demeurer trop longtemps à l'intérieur. L'église était déserte. Nous nous sommes approchés de la seule chapelle meublée, au fond à droite, et, une fois dedans, elle m'a demandé de la laisser seule. J'ai lentement fait le tour de l'immense édifice vide, talon pointe, talon pointe, et sans boiter. Quand je l'ai retrouvée, elle priait, les yeux fermés. Elle a levé la tête et m'a dit : « Tu crois qu'il est possible de supporter des choses pareilles ? Tu crois que je vais retrouver ma vie ? Qu'avons-nous fait pour mériter ça ? » Je n'ai pas su quoi lui répondre, d'ailleurs je n'avais pas pris de carnet. Je l'ai prise dans mes bras et nous avons pleuré.

Le jour de son départ était un dimanche. Pour la première fois depuis l'attentat, en la regardant dormir, j'ai bandé. Ce fut bref, mais concret, et j'ai éprouvé pour elle une gratitude qu'aucun reproche n'aurait pu chasser. Plus tard, j'ai demandé à mon frère de me prêter quatre cents euros pour les lui donner. C'était le matin. Elle était partie danser ou marcher, je ne sais pas. À son retour, en fin de matinée, je lui ai tendu les billets. Elle les a refusés d'un geste brusque, son regard s'est durci, elle s'est de nouveau mise à pleurer et m'a dit : « Tu me prends pour ta pute et pour ton infirmière. Quelle honte ! » Elle voulait imprimer son billet d'avion et partir le plus vite possible : un vieil ami chilien, Nicanor, venait la chercher. J'aimais beaucoup Nicanor, un petit homme maigre et chic, plein de fantaisie et de spontanéité. Il avait été danseur classique, comme elle. Un AVC avait interrompu sa carrière. Il marchait maintenant avec une canne et ne devait son maintien qu'à sa discipline. Il est arrivé dans le service au milieu de notre dernière scène. Gabriela imprimait en pleurant son billet dans le poste de soins. Je boitillais en pleurant dans le couloir, la main sur la potence. Les infirmières allaient d'une chambre à l'autre en évitant de nous regarder. Alexandra était là, désolée. Quelques jours plus tôt, elle m'avait appris qu'après une enfance plutôt joyeuse, aux Antilles, une maladie avait brutalement changé sa vie. Elle avait failli mourir. C'est comme ça qu'elle avait perdu en peu de temps ses cheveux, blonds et bouclés, magnifiques me dit-elle. Ils avaient repoussé comme je les voyais, roux et raides. Elle avait *porté la mort en elle.* Elle était d'une espièglerie et d'une bonne humeur quasi permanentes, et je voyais, dans ses regards, un puits de tristesse. Elle était peu à peu devenue une amie et cela non plus, Gabriela ne le supportait pas. J'ai échangé un regard avec Alexandra tandis que Gabriela ressortait du poste de soins et retournait dans la chambre pour boucler sa valise, puis, après avoir rejoint Gabriela dans la chambre *pour lui demander l'autori-*

sation d'aller saluer Nicanor, j'ai retrouvé celui-ci, assis face à l'ascenseur. Il savait ce qui se passait, ce petit homme maigre et élégant, un survivant comme nous tous, et, me voyant dans cet état, il s'est levé en s'appuyant sur sa canne et m'a serré dans ses bras en tremblant. Les larmes de l'un se sont mêlées à celles de l'autre : il s'agissait bien d'un mélodrame franco-chilien. J'avais pris mon carnet. Je lui ai écrit en lettres capitales : « GRACIAS POR LLEVARLA. CUÍDATE BIEN. LA ADORO. ¡ FELIZ DE VERTE ! » Une cinquième expression est écrite : « ¿ CUANDO ? » Quand ? C'est la réponse à ce que Nicanor vient de me dire : « Ne t'inquiète pas. Sois patient. Elle reviendra. »

Gabriela nous a rejoints, le visage clos. Elle voulait s'en aller le plus vite possible, ne pas croiser ma famille, ne plus me serrer dans ses bras. Elle n'a pas voulu que je les accompagne jusqu'à la sortie du bâtiment. Quelques minutes plus tard, mes parents et ma tante, atteinte de Parkinson depuis la mort de mon oncle, me rendaient visite. Ils m'ont trouvé en pleurs. Ma tante, qui marchait de plus en plus mal, était attristée par ce qu'elle voyait, ce menton, ces plaies, ces larmes, cette chambre, ce silence forcé. Dans son regard, j'ai vu que j'avais cinq ans, dix au maximum ; mais sa tête qui commençait à baisser, son corps plein de tremblements, sa difficulté à se tenir droite sur sa chaise, tout me rappelait qu'elle n'avait plus l'âge où elle avait su si souvent me consoler. Elle a pensé que je pleurais à cause du départ de Gabriela. J'étais désolé de lui imposer ce spectacle et je n'ai pas voulu la détromper.

CHAPITRE 17

L'Art de la fugue

On m'a rasé autant que possible et je suis redescendu au bloc. Au retour, j'ai changé de chambre. Gabriela m'avait envoyé de New York un message : « Bonne chance. » Elle était partie la veille, j'ai eu l'impression qu'elle habitait un autre monde et qu'elle avait disparu depuis un an. Dans ce monde-là, dans ce temps-là, nous étions sans doute réconciliés. Dans celui où je vivais, les larmes avaient séché, les soins continuaient. Je ne pensais plus à elle ni aux jours précédents, sinon comme à un mélodrame hospitalier que l'échange de nos malheurs avait noirci, et sur quoi le rideau était tombé. Le patient qui va de bloc en bloc est presque immobile, mais c'est un homme d'action. Chaque épreuve renvoie les précédentes, sinon à l'oubli, du moins à un brouillard anesthésiant. Le patient dépend des autres, mais il s'absente volontiers.

Dans le couloir comme dans l'hôpital, je posais des questions aux policiers qui me protégeaient. Les questions figurent dans les carnets ; les réponses n'ont pas été notées : je n'étais pas, ici, un journaliste, ou alors, j'étais un journaliste à l'envers. La plupart des policiers venaient de province ou de banlieue. On parle toujours du « peuple » en France ; le « peuple », ils en sortaient. Je ne sais pas si on devient policier par hasard, mais la plupart avaient un sens de l'ordre et de leur mission. Ils n'étaient tendres ni pour les gouvernements, ni pour leur hiérarchie, ni pour les « jeunes » que les journaux – dont l'un des miens – défendaient si volontiers. Celui avec qui j'avais fait ma plus longue visite guidée de l'hôpital était un Arabe qui avait grandi à Trappes, dans une famille de huit enfants. Nous avions apprécié ensemble la beauté de certains bâtiments. La veille du nouveau bloc, une jeune policière m'accompagnait dans le couloir. Elle était petite, trapue et ronde, assez rude d'allure et de ton, avec des lunettes bon marché et ses vingt kilos de panoplie sur le dos. Assez vite, elle m'a dit qu'elle écrivait un roman dont l'héroïne était une jeune lesbienne, Éva, qui enseignait l'espagnol et jouait au foot comme elle : « C'est beau, Éva, ça rappelle Ève, je trouve que c'est sensuel, non ? » Elle a continué à me raconter l'intrigue. Elle voulait écrire du porno soft, mais naturel, sans exagérer, et elle m'a demandé si je voyais où elle pourrait publier ; puis, prise d'un doute, elle s'est arrêtée de parler, m'a regardé intensément et m'a dit : « Vous ne vous foutez pas de ma gueule, au moins ? » « Bien sûr que non ! » ai-je écrit sur l'ardoise, et c'était vrai. Je n'avais envie de me foutre de personne. Je regardais et j'écoutais, voilà tout. Le nerf qui me reliait au jugement semblait coupé de la même façon que celui qui me reliait à la mémoire : je voyais comment j'aurais pu juger, selon quels critères, mais l'envie de le faire avait disparu. Je n'existais plus que comme un corps qui n'était pas tout à fait le mien, dans une vie qui n'était plus tout à fait la mienne, et dont la conscience accueillait sans morale, sans résistance, tout ce qui se présentait. Je n'avais pas été un bien grand journaliste, sans doute par manque d'audace, de ténacité et de passion pour l'actualité, mais peut-être étais-je en train de devenir, ici, une sorte de livre ouvert : aux autres, et pour les autres. Je n'avais rien à refuser et rien à cacher.

La jeune policière continuait à parler de son héroïne quand un léger brouhaha nous a interrompus. Linda sortait de la chambre de mon voisin d'en face. Je ne l'avais jamais vu, mais je savais que c'était un SDF qui traitait de « salopes » les infirmières et aides-soignantes qui s'en occupaient. Linda, paisiblement dégoûtée, et qui avait terriblement mal aux pieds, racontait à une infirmière les saillies dont elle venait de bénéficier. Je me suis approché et je lui ai demandé par écrit ce qui se passait. Linda m'a répondu brièvement avec une moue, la tête haute, en concluant : « Il faut vraiment vouloir le bien des gens malgré eux. Moi, je l'ai dit : je refuse de me faire insulter, sauf en psychiatrie. Ou alors je réponds, je me connais, je cogne. Même si je n'ai pas le droit. C'est comme ça. » Elle était enrhumée et portait un masque, comme beaucoup de gens du dehors cet hiver-là.

Je suis retourné dans ma chambre et Éva, la petite lesbienne inconnue, m'a fait réfléchir à ce sortilège toujours plus ou moins honteux, écrire. En quoi l'imagination était-elle différente du souvenir ? En quoi lui était-elle liée ? Était-ce parce que j'avais tant de problèmes avec mes souvenirs que j'avais si peu d'imagination, et un accès devenu si faible à la fiction ? Ou bien étais-je entré dans une fiction si intense qu'il me devenait impossible d'entrer dans l'imagination des autres ? Je ne pouvais plus lire que très lentement, jamais pour me détendre ni pour me divertir.

En janvier, Alexis m'avait offert *Les Enquêtes de Philip Marlowe* de Chandler dans une édition que je possédais déjà. J'avais lu ces romans vingt-cinq ans plus tôt, le soir, dans un hôtel au bord du lac Léman, un été où j'enquêtais sur un fait divers qui avait eu lieu sur le plateau. J'ai aussitôt commencé à relire *Le Grand Sommeil*, dont j'allais revoir quelques jours plus tard avec Juan l'adaptation par Howard Hawks. Dès la scène initiale, j'ai été bloqué, telle une orchidée, dans la serre où le général Sternwood reçoit Philip Marlowe pour lui présenter sa mission. Dans son fauteuil roulant, le moribond Sternwood propose à tous ses visiteurs, dont Marlowe, du whisky et des cigares, puis il les regarde profiter des plaisirs qui lui sont interdits. Sternwood, me suis-je dit, c'est presque moi. J'avais quelques jours plus tôt reçu des chocolats, que je ne pouvais évidemment manger, et j'en offrais volontiers à ceux qui passaient pour les regarder jouir de quelque chose dont j'avais perdu jusqu'à l'écho de la texture et du goût. Seulement, une fois cette scène lue, je ne pouvais continuer ma lecture. Les personnages s'éloignaient en s'éloignant de ma situation : je n'arrivais plus à entrer dans une fiction que dans la mesure où elle me renvoyait à ce que je vivais. C'était une manière idiote de lire, je le savais, mais, pour l'instant je n'en avais pas d'autre. J'ai offert les œuvres de Chandler à Chloé pour la remercier du soin qu'elle prenait de moi. Elle semblait ravie, m'a demandé de lui écrire un mot sur la page de garde et m'a dit qu'elle les lirait pendant les vacances. L'été suivant, comme elle allait partir sur son île grecque, je lui ai écrit pour lui demander si elle avait songé à les emporter. « Déjà dans la valise », m'a-t-elle répondu. Je n'ai jamais su si elle les avait lues ni, par conséquent, ce qu'elle en avait pensé.

Dans ma chambre, je suis reparti à la recherche de ma mémoire lointaine, des images de celui que j'avais été. Je l'ai fait à la lumière d'une phrase de Proust que je lisais parallèlement aux lettres de Kafka et à *La Montagne magique*, mes trois miroirs déformants et informants, en piochant ici et là, à dose homéopathique et non sans agacement :

« On arrange aisément les récits du passé que personne ne connaît plus comme ceux des voyages dans les pays où personne n'est allé. » C'était bien dans son genre, ce sarcasme jetant sur le masque des hommes un acide civilisé ; mais moi, qui effectuais un voyage dans un pays où peu de monde était allé, je voulais d'autant moins en arranger le récit que je ne savais plus vraiment quel pays j'avais quitté. Le « passé que personne ne connaît », celui qui l'avait vécu semblait ne pouvoir le parcourir qu'en touriste, ou alors par des flashs si violents qu'ils l'aveuglaient, comme ceux que déclenche James Stewart, jambe plâtrée, pour aveugler l'assassin qui s'approche dans *Fenêtre sur cour*. Le passé se dissipait ou m'aveuglait pour éviter d'être saisi, pour échapper peut-être à ce bonhomme en robe de chambre qui allait et venait avec sa potence et sa gastrostomie dans le couloir, en compagnie d'une petite policière qui voulait écrire et publier un roman lesbien. Pourquoi ?

C'est le moment d'évoquer l'usage que je faisais maintenant de Proust, un auteur que j'avais lu avec passion, à la fois comme une sorte de bible et comme un intense divertissement, à plusieurs époques de ma vie. Je pouvais entrer dans la *Recherche* à n'importe quel endroit, n'importe quand, comme dans un château où j'aurais grandi, pour retrouver des personnages que je connaissais mieux que la plupart de mes amis, puisque Proust me les avait dévoilés peu à peu dans leur solitude et leurs moindres replis, comme si nous étions tous morts, lui, eux et moi, tous morts, tous humains, et tous un peu divins.

En arrivant ici après l'attentat, je n'avais avec moi que les livres qui se trouvaient dans mon sac à dos : le volume des œuvres complètes de Shakespeare en collection Bouquins où se trouvait *La Nuit des rois*, et le premier tome du *Journal* de Philippe Muray, sur lequel je préparais un article que je n'ai jamais écrit. Or, j'étais devenu incapable de lire Shakespeare, et le pessimisme de Muray, dont j'appréciais la mauvaise foi et la résistance posthume au moralisme ambiant, était devenu grisâtre et hors de propos. Il était mort en 2006 à soixante ans et je l'avais enterré, comme on dit dans la presse, avec affection dans *Libération*. C'était un écrivain baroque, au sens propre de l'adjectif, un homme qui n'en finissait jamais de tirer des lignes autour des motifs de sa mélancolie et de son exaspération. Au début des années quatre-vingt, lecteur à l'université californienne de Berkeley, il avait identifié et décrit ce qui allait devenir en France le « politiquement correct », et qui n'était jamais qu'une forme de puritanisme renouvelé par les sirènes du progressisme et la colère des minorités. J'avais commencé à lire son livre la veille de l'attentat, un peu au hasard, et je relis aujourd'hui avec un effroi rétrospectif et amusé les passages que j'avais soulignés. Ils datent de 1983 et mettraient peut-être Muray à l'index, s'il vivait.

Par exemple, ceci : « Succès de l'Islam : religion de masse. Donc promise à un grand avenir. Refus de la divinité de Jésus. Refus du péché originel. Donc, aucun danger, après le plaisir et la jouissance, d'être visité par un soupçon de connaissance – celle-ci ne pouvant être assurée que s'il y a culpabilité. Cette culpabilité est la condition de possibilité de la pensée. » Muray, ici, rejoignait Kafka ; mais était-ce bien vrai, cette absence de culpabilité chez les musulmans, et plus encore chez les islamistes ? N'avions-nous pas été victimes, à *Charlie*, d'une forme particulièrement retorse et démente de culpabilité ? Ce prophète vieux de quinze siècles, dont il fallait suivre les rites et les commandements comme s'ils dataient de la veille, n'était-ce pas un sommet créatif et absurde de la culpabilité humaine ? L'imperfection essentielle soumise à l'éternité ? Muray concluait :

« Les pays d'Islam, depuis des siècles, sont des pays de non-pensée absolue. Je me souviens des amis arabes de Nanouk qui me regardaient d'un drôle d'air et affectaient de ne pas m'adresser la parole. La considérant elle-même comme arabe, ils lui reprochaient de cette façon de les avoir trahis en vivant avec un chrétien et en se faisant baiser par lui. Les sourates du Coran à ce sujet, gratinées. » C'était le bon vivant qui parlait. Mais avait-il bien interprété les réactions des amis arabes de sa femme, Nanouk ? Quelle avait été son attitude, à lui, face à eux ? Pouvait-il tous les ranger sous ce chapeau baptisé « amis arabes de ma femme », femme dont il s'appropriait le corps sans excès de délicatesse, ressemblant ainsi plus qu'il ne semblait croire à l'image de ceux qu'il dénonçait ? Ces passages et d'autres m'avaient fait sourire avant le 7 janvier, sourire et même plaisir : je lis aussi pour que les mauvais sentiments s'expriment, les miens comme ceux des autres. Les tueurs et l'hôpital ne m'avaient pas transformé en puits de vertu, mais ces phrases, trente ans après avoir été écrites, paraissaient porter en elles des conséquences d'une stupidité folle, et ce post-scriptum, simplement, m'attristait : il y avait plus de morts et de cris, moins de distance et de liberté. Je n'ai plus ouvert, à l'hôpital, le *Journal* de Muray.

À peine étais-je installé dans ma première chambre que j'avais demandé à mon frère et à Juan de rapporter de chez moi, avec *La Montagne magique*, les trois tomes de la vieille « Pléiade Clarac », sans notes et sans variantes, de la *Recherche*. J'ai commencé par relire, outre la mort de la grand-mère qui me servait comme on sait de prière préopératoire, les scènes où la médecine et la maladie jouaient un rôle. Si le regard de Proust me rappelait à quel point il était un génie « de la maison », celle des souffrants, sa perspective sur les médecins ne correspondait plus à ce que je vivais : il était plus proche de Molière que de Chloé. Pourtant, il y avait encore beaucoup à prendre chez lui, et d'abord le fait que, quelle que soit la qualité du soignant, le patient reste isolé dans sa souffrance comme dans une drogue encore plus forte que celles qu'on peut lui donner. Il la butine et la transporte vers des fleurs inconnues et sauvages, qui fleurissent à toute heure comme si c'était la nuit.

Assez vite, j'ai toutefois été agacé par son pessimisme et sa mise en scène perpétuelle de la solitude, du mensonge et du malentendu. Il y avait eu un âge où cette entreprise de « bas les masques » me donnait le sentiment d'être plus intelligent, plus malin : Proust est celui à qui on ne la fait pas et il fait don au lecteur de cette double vue. Tout cela me paraissait bien artificiel soudain, voire immature. Je ne voyais plus que les « trucs », le parti pris, et même, parfois, le côté mal écrit, surtout à partir de *La Prisonnière*, où se multiplient les phrases inutilement alambiquées et d'une grammaire douteuse qui me piquaient les yeux. Je lui faisais alors de vraies petites scènes de ménage muettes, je l'engueulais dans mon lit, je lui disais : « Mais arrête de jouer au plus fin, tu ne sais pas de quoi tu parles dans ta cage dorée, il te manque quelques degrés dans l'échelle du désastre pour arriver au moment où, sans être artiste, on ne ment plus ! » Il me résistait, avec un sourire léger et condescendant, et je continuais à le lire avec une passion intermittente et profonde : l'exaspération nourrissait l'admiration.

Il était en réalité devenu un contrepoison à ma bienveillance de plus en plus extatique (quand il ne s'agissait pas de Gabriela), mais aussi un négatif de ce que je vivais ou croyais vivre. Quand, par exemple, il écrivait : « Rien n'est plus douloureux que cette opposition entre l'altération des êtres et la fixité du souvenir, quand nous comprenons que ce qui a gardé tant de fraîcheur dans notre mémoire n'en peut plus avoir dans la vie », je croyais vivre l'inverse. Pour moi, rien n'était plus douloureux que l'opposition entre la permanence des êtres – tous ceux qui me rendaient visite et semblaient fixés à jamais dans les jours précédant le 7 janvier – et la fragilité du souvenir, quand je sentais que ce qui avait tant de fraîcheur dans la vie, et tant de férocité, n'en avait plus dans la mémoire. Je ne vivais ni le temps perdu, ni le temps retrouvé ; je vivais le temps interrompu. Pour l'amitié, c'était pareil. Quand il écrivait : « Et bien loin de me croire malheureux dans cette vie sans amis, sans causerie, comme il est arrivé aux plus grands de le croire (Foutu prétentieux ! pensais-je), je me rendais compte que les forces d'exaltation qui se dépensent dans l'amitié sont une sorte de porte-à-faux visant une amitié particulière qui ne mène à rien et se détournant d'une vérité vers laquelle elles étaient capables de nous conduire. » Tu parles, Marcel ! ajoutais-je tandis qu'Alexandra ou Gladys nettoyait la gastrostomie avec la seringue de gavage et me couvrait l'escalope de vaseline. Moi, j'étais bienheureux de cette vie pleine d'amis, de mains et d'yeux d'infirmières, de causeries lentes et rendues boiteuses par le mutisme imposé. Les forces d'exaltation qui se dépensaient dans l'amitié, loin d'être un porte-à-faux, me conduisaient à la seule vérité qui, dans l'immédiat, importait : survivre et redonner un minimum de sens à cette vie après la mort, après la vie, à cette fiction qui n'en était pas une. L'amitié, dans la chambre, ne s'opposait pas à la solitude régénératrice : elle en sculptait les contours et la fortifiait. Le temps perdu luttait contre le temps interrompu.

Pour ce qui était de la vie quotidienne après le 7 janvier, la perspective proustienne s'éloignait. Je ne voyais pas plus en amont que le jour d'avant, ni plus en aval que le jour d'après, mais cet état, à mesure que je sortais de la zone entre deux rives, se durcissait. J'avais lu à trente ans, dans un hôtel de Cambo-les-Bains pendant que Marilyn faisait la sieste, une phrase de Milan Kundera qui disait à peu près : « Rien ne sera pardonné, tout sera oublié. » Je n'avais rien à pardonner à personne, pas même aux tueurs, ces fantômes envoyés par je ne sais quel destin, mais je n'avais pas besoin de temps pour oublier. Le temps, lui, commençait à me rappeler qu'il existait. Je lui résistais et cette résistance me demandait de nouveaux efforts, m'apportait de nouvelles tristesses. Je dissolvais presque instantanément les crises et les peines comme si tout, désormais, était trempé dans le travail napoléonien du corps : il n'avait pas d'énergie à perdre avec le souvenir du reste ; il était en campagne, une bataille après l'autre, et il prenait tout, les chevaux et les hommes, du dernier des fantassins au premier des généraux. Les états flottants de la première période avaient rejoint une cave ou un grenier, et je relisais sans presque les comprendre les rares descriptions que j'avais pu en faire, pour les autres, dans mes carnets. C'était comme les questions posées aux policiers ou aux infirmières : on aurait dit une pièce de théâtre où manquaient deux répliques sur trois, et les plus importantes. Les mots écrits étaient immobiles, comme des étoiles fixées dans un ciel – ou un enfer – auquel je n'avais plus accès. D'autres états, d'autres sensations, d'autres enfers chassaient les précédents, sans concours et sans hiérarchie, et il aurait fallu trouver pour les décrire un vocabulaire aussi brutal que liquide, fondé sur le mouvement, la routine, la peine et l'oubli ; un vocabulaire et même une grammaire qui se seraient renouvelés à chaque étape, pour éviter le passage de la langue vivante à la langue morte.

Comment parler de soi et du monde, de soi dans le monde, quand ce qui a été vécu la veille est expédié ailleurs, apparemment très loin, par ce qui est vécu aujourd'hui ? Quand on est à ce point *traversé* ? Rappeler la sensation de la brûlure du VAC qu'on appuie sur la plaie n'était pas plus simple que retenir l'eau qui file entre les doigts, mais c'était sans doute plus nocif, trop encombrant, et la mémoire de la sensation semblait assez bien faite, polie en somme, pour se suspendre ou s'effacer. Sur ce chemin, la mémoire affective la suivait. La fée Clochette avait tourné la page et les tensions entre Gabriela et moi, en son absence, avaient naturellement rejoint le trou, le VAC, la morphine, l'anémone, les pansements chargés de bave, dans le monde des obstacles à la nouvelle expérience vécue. À défaut de trouver des mots suffisamment vierges et fluides, je relisais sans cesse ceux des autres, toujours les mêmes, Proust, Mann, et plus encore Kafka.

J'ai raconté, dans « Le monde d'en bas », comment je descendais régulièrement au bloc avec ses lettres à Milena, mais je n'ai pas encore dit comment elles avaient atterri là. Une nouvelle édition venait de paraître chez Nous, traduite par Robert Kahn. Mon amie et chef de service à *Libération*, Claire, était venue quelques jours après l'attentat et me l'avait apportée. Quand elle est arrivée, j'étais au bloc. Comme elle ne disposait d'aucun papier, elle écrivit sur la page de garde : « Mon cher Philippe, je repasserai te voir bien sûr. Je t'embrasse bien fort. Claire. » Il avait fallu ces circonstances pour qu'elle en vienne à faire une chose que sa délicatesse et son éducation lui interdisaient, dédicacer un livre qu'elle n'avait pas écrit. Ce petit geste né des circonstances m'avait terriblement ému et ces quelques mots de Claire, joints aux lettres qui les suivaient, firent du livre un talisman qui, de chambre en chambre, de maison en maison et de pays en pays, ne m'a plus quitté.

Le jour où Claire me l'apporta, remontant du bloc à

moitié endormi et nauséeux, je l'ai pris comme un ivrogne passant sous une douche glacée pour se réveiller, et je suis tombé sur des phrases que j'ai jusqu'ici simplement évoquées. Kafka est à Merano, au printemps 1920. Il parle de ses fiançailles ratées, mais on a l'impression qu'il parle du monde des malades, d'ailleurs comme tout est maladie il finit par en parler et il écrit : « De toute façon la réflexion sur ces choses n'apporte rien. C'est comme si l'on voulait s'efforcer de briser une seule des marmites de l'enfer, premièrement on échoue, et deuxièmement, si on réussit, on est consumé par la masse embrasée qui s'en échappe, mais l'enfer reste intact dans sa magnificence. Il faut commencer autrement. En tout cas s'allonger dans un jardin et tirer de la maladie, surtout si elle n'en est pas vraiment une, le plus de douceurs possible. Il y a là beaucoup de douceurs. »

Ces phrases me servaient depuis lors de bréviaire, et même de viatique. Je les ai lues dans ma chambre, dans le monde d'en bas, dans le parc de l'hôpital, dans des salles d'attente de toutes sortes. Je les aurais lues sur le billard si j'avais pu, et cela jusqu'au moment où la brûlure de l'anesthésiant m'annonçait la perte de conscience. Elles me fixaient deux horizons qui, dans ma situation, étaient essentiels. D'abord, ne pas chercher à briser une seule des marmites de l'enfer dans lesquelles je me trouvais. Ne pas céder à la tristesse, à la colère, ne pas être obsédé par la destruction d'un enfer qui, comme celui de Kafka, resterait de toute façon « intact dans sa magnificence ». Ce mot, magnificence, à cet endroit, résumait sa modestie, son ironie, son innocence supérieure. On n'échappe pas à l'enfer dans lequel on est, on ne le détruit pas. Je ne pouvais pas éliminer la violence qui m'avait été faite, ni celle qui cherchait à en réduire les effets. Ce que je pouvais faire en revanche, c'était apprendre à vivre avec, l'apprivoiser, en recherchant, comme disait Kafka, le plus de douceurs possible. L'hôpital était devenu mon jardin. Et, regardant les infirmières, les aides-soignants, les chirurgiens, la famille, les amis, dans ce service d'urgence où chacun se plaignait et s'affrontait, où la crise était l'état naturel des patients et des soignants, je sentais que la douceur kafkaïenne existait, mais qu'elle n'était pas plus molle qu'une pierre et que la trouver dépendait de moi.

J'en reviens au bloc qui suivit le départ de Gabriela. On allait effectuer une greffe sous la lèvre inférieure, de manière à recouvrir le mince espace qui allait s'élargissant en lisière de lambeau : on avait bouché le trou, mais, juste au-dessus, je fuyais. Pour la première fois depuis la pose de la gastrostomie, l'intervention serait faite en anesthésie locale. On voulait m'éviter un coma supplémentaire et on pensait que j'étais capable de supporter cette séance de haute couture faciale, chose dont je n'étais pas peu fier. J'étais d'autant moins fâché de vivre cette petite aventure que j'allais enfin pouvoir entendre et voir, me disais-je, ce qui avait lieu lorsque d'ordinaire j'étais endormi. Vue de l'esprit, puisque ce qui se dit au-dessus du corps du patient inconscient n'a sans doute que peu de rapports avec ce dont il est témoin lorsqu'il ne l'est pas. Ça en avait pourtant : l'acte chirurgical lui-même, avec les gestes et les paroles qui l'accompagnent. Comme le jour de la gastrostomie, j'aurais droit à la technique et à ces mots qui m'éclairaient et me rassuraient à peu près autant, j'imagine, qu'un explorateur pouvant nommer, dans une jungle qu'il découvre, les plantes et les animaux qu'il voit. Assister au travail sur mon visage était une manière de me rapprocher des soignants, d'apprivoiser leur monde en me l'appropriant, de mettre, en quelque sorte, un pied de l'autre côté. Mieux j'étais informé sur le travail que mon corps exigeait, plus je me sentais propre à y participer : un patient dans mon genre était un athlète, je le répète comme on me le répétait, et l'athlète doit comprendre les traitements qu'on lui propose, l'endurance qu'on lui impose, les incertitudes qui accompagnent les matchs et l'entraînement. Un maximum de volonté et un minimum de stoïcisme sont à ce prix. Mes références instinctives, sur ce point, étaient moins du côté d'*Urgences* ou de *Dr House* que d'Antoine, le fils médecin des *Thibault*, ou des médecins humanistes de Cronin. C'était la littérature, non la fiction, qui m'aidait. Je n'avais plus guère la force d'en lire, mais je restais occupé par son lent souvenir, moi qui ne parvenais plus à sentir les souvenirs de la vie. Ses pays éloignés m'obligeaient à ne rien subir, ni image ni son ni corps. Ils m'aidaient à refaire, parallèlement à mon visage et à mon corps, les personnages qui l'habitaient, et qui avaient à peine besoin de leur berceau textuel pour vivre ici, dans ma chambre, comme des anges gardiens.

J'étais d'autant plus satisfait de l'intervention sans anesthésie que j'allais être opéré par Hossein, dont la présence me rassurait. Hossein avait réussi sans effort particulier à peu près tout ce qu'il avait entrepris, en France comme aux États-Unis, c'était du moins l'impression qu'il donnait. Elle était forcément fausse, puisque les chirurgiens sont presque toujours d'épouvantables travailleurs : ils ont quasiment le pouvoir d'un dieu, et on les peint sur des fresques eux aussi, mais leur aspect dionysiaque me paraît limité, et ils ont, face au patient si souvent dépourvu de libre arbitre, davantage de responsabilités. La beauté d'Hossein, qui allait un peu plus tard réjouir la plupart de mes amies, avait à l'hôpital quelque chose de bien agréable, mais c'était d'abord son implacable douceur informative qui me séduisait. Il disait les choses en souriant, d'une voix douce, d'un air presque amusé, ou distancié, avec une curiosité qui transformait la relation, avec la courtoisie de celui qui semble vous croire assez intelligent pour vous mettre dans la confidence. C'était bien dans la confidence de mon propre cas qu'il me mettait, comme Chloé, mais d'une façon différente, plus égalitaire, plus paisible, plus pateline aussi, et aussi moins directement engagée : il n'avait pas le même statut ni la même expérience que Chloé, et il n'était pas mon référent. Son goût de la mondanité, dans ma chambre, avait une vertu inattendue : en me parlant comme autour d'un verre de (bon) vin, il me faisait entrevoir le *retour au salon*, à la vie parisienne, à sa culture et à ses indispensables frivolités. En résumé, il introduisait entre les sondes de l'égalité, de la légèreté – et une continuité avec la vie extérieure.

J'ai mis du temps à voir que son optimisme et sa civilité apparemment satisfaite cachaient, non pas un pessimisme, mais une conscience nette de ses limites. Elle n'était sans doute pas propre aux exilés et à leurs enfants, mais on la trouvait souvent chez eux. Les parents d'Hossein avaient quitté l'Iran au moment de la Révolution islamique. Des meubles et des objets de famille étaient demeurés là-bas, dans un hangar. Plus de trente ans avaient passé et ils refusaient de les faire venir en France. Ils sentaient qu'ils ne retourneraient jamais vivre en Iran, mais la présence de ces meubles et objets abandonnés au souvenir et au rêve, là-bas, permettait à la vie de flotter dans une incertitude, une lumière qui suspendaient ou nuançaient l'impact irréversible des événements. Je comprenais peu à peu que, dans ma propre vie, les choses aussi étaient rangées dans un hangar dont elles sortiraient sans doute, mais plus tard. Pour l'instant elles y restaient, entre avenir et passé, en me laissant simplement la possibilité de flotter.

Deux ans plus tard, comme nous parlions du sentiment

de toute-puissance que dégageait le nouveau président de la République, le regard noir et brillant d'Hossein s'est durci et il m'a dit : « Quand on veut, on peut ? Ils sont dangereux, ceux qui pensent ça. » Il le savait d'autant mieux qu'un chirurgien peut beaucoup, et en tout cas davantage que la plupart des autres. « L'une des pires choses que j'aie eues à faire, m'a-t-il dit ce soir-là dans un café désert, c'est d'enlever la moitié du visage au père d'une amie. Il avait un cancer. Quand je lui ai annoncé le diagnostic, il s'est mis à réciter des poèmes en persan. Il a tout supporté jusqu'au bout. C'était un homme extraordinaire. » J'ai alors compris pourquoi, dans la chambre 111, Hossein m'avait offert le livre de poèmes. L'esprit des patients était relié par le geste du chirurgien.

Avant de descendre au bloc, Cédric, un jeune aide-soignant espiègle et peu rasé, s'est chargé de me raser. Raser le visage autour de cicatrices fraîches, celles du trou d'abord et maintenant celles du lambeau, était un exercice de dentellière que les soignants préféraient éviter, mais que Chloé m'imposait en râlant : les poils sont d'encombrantes sources d'infection et il fallait arriver au bloc aussi imberbe que possible. Mes parents m'avaient apporté le meilleur des rasoirs, mais je n'osais pas l'utiliser. Le premier à m'aider avait été Hervé, l'aide-soignant flegmatique dont j'étais le plus proche. Hervé avait presque toujours un haussement de sourcils derrière ses lunettes en écaille, et un sourire dont on ne savait s'il était amusé ou chaleureux, puisqu'il était les deux. C'était ainsi qu'il mettait à distance sa discrétion – et la difficulté. Dans sa jeunesse, aux claviers sous le nom de Xeus, il avait été membre d'un groupe de funk français, Malka Family. L'aventure avait duré dix ans. Comme pas mal de gens ici, Hervé vivait à l'hôpital une existence choisie où je sentais, sans savoir exactement d'où il venait, le poids des vies précédentes. Les anciens, qui pouvaient n'avoir que trente-cinq ans, arrivaient ici chargés de mystères que la misère des patients épaississait. Ils n'avaient pas atterri par hasard dans ce service difficile, toujours au bord de la rupture, où la gratitude était ce qu'on pouvait le moins espérer. Les poils les plus proches des plaies formaient de petits bosquets noirs et gris que ni Hervé ni Cédric ne pouvaient approcher. J'ai regardé la barbe de trois jours du second avec une certaine envie : non seulement il n'allait pas descendre au bloc, mais, en plus, Chloé ne lui reprocherait rien.

En bas, Annie la Castafiore était plus douce que jamais, elle sentait ou savait que j'allais bientôt quitter le service. Elle m'a accompagné jusqu'au billard en me parlant, je crois, de Verdi. Nous échangions depuis quelque temps des disques avec Hossein, et, une fois installé sous la couverture chauffante, je l'ai vu s'approcher et me montrer un CD d'un pianiste américain, Richard Buhlig : c'était *L'Art de la fugue*, que j'écoutais de plus en plus souvent dans la chambre et dans une version de la pianiste chinoise Zhu Xiao-Mei. Hossein m'a dit : « J'ai pensé que vous ne la connaissiez peut-être pas cette interprétation », et il avait raison. Puis il m'a expliqué ce qu'il allait faire en m'indiquant une sorte de râpe perfectionnée, le dermatome. Grâce à elle, il allait prélever une fine tranche d'épiderme sur la cuisse droite, pas plus épaisse que la plus fine des tranches de mortadelle, juste à côté de celle qui avait été prélevée pour la grande greffe : « Comme ça, m'a-t-il dit, on laisse l'autre cuisse intacte. » L'idée que certaines parties de mon corps puissent échapper aux cicatrices me paraissait maintenant presque incongrue, et j'ai eu un bref moment de soulagement. Une partie de la tranche de peau serait ensuite plaquée et cousue sur la zone de greffe, sous la lèvre. C'était une greffe dite de peau mince. Il en existe en profondeur, mais cela, c'était pour plus tard, quand celle-ci aurait échoué. Les explications étaient données. L'opération pouvait commencer.

Hossein a installé le CD dans un lecteur. Tandis qu'on désinfectait et anesthésiait la cuisse droite, les premières notes, si lentes, du premier contrepoint sont passées entre les bonnets des infirmières pour entrer une à une, comme les gouttes d'un début de pluie, dans l'oreille. *Ré, la, fa, ré, do* dièse, *ré, mi, fa, fa, sol, fa, mi, ré.* C'était une musique d'hiver, c'était l'hiver, ma vie était en hiver. Le son du vieil enregistrement se déposait sur la salle et sur mon corps. J'ai senti les piqûres et me suis concentré sur la musique de cet homme, Bach, dont j'avais chaque jour un peu plus l'impression qu'il m'avait sauvé la vie. Comme chez Kafka, la puissance rejoignait la modestie, mais ce n'était pas la culpabilité qui l'animait : c'était la confiance en un dieu qui donnait à ce caractère coléreux le génie et la paix. Hossein a approché le dermatome de la cuisse, j'ai fermé les yeux et cherché à entrer dans la fugue qui développait maintenant ses différentes lignes en obtenant ce miracle : plus c'était complexe, plus ça me simplifiait. J'ai senti une légère brûlure. Le paysage se dégageait. Les contrepoints se succédaient et Hossein s'est mis à travailler sur le visage qu'il avait anesthésié. L'anesthésie locale, sur le visage, est un paradoxe encore plus affirmé qu'ailleurs. Je sentais violemment tout ce dont je ne souffrais pas encore. La peau qu'on plaque et qu'on tire, la lèvre qu'on étire, le mouvement des tissus et pour finir l'aiguille plantée et replantée par Hossein pour effectuer la suture. Comme la sensation ne correspondait à aucune douleur, la perception de mon visage était une fois de plus désorientée. L'imagination prenait le relais des nerfs endormis, comme pour tirer les conclusions les plus folles d'une phrase inachevée. Le moindre geste ressemblait à la secousse d'un glissement de terrain, mais sans morts ni blessés, juste avec le tremblement et la panique. Je me suis alors reconcentré sur la fugue. Je cherchais à entrer dedans, à devenir cette fugue, pour échapper aux variations de mon imagination. Pas question de m'agiter ou de me plaindre en présence de Bach ni, d'ailleurs, en celle d'Hossein. Au contraire, maintenant que le second semblait me déchirer la lèvre pour l'amener vers la droite jusqu'au-delà du bloc, comme on tire l'oreille d'un garnement, je devais mettre des sensations aussi aveugles qu'intenses au service de l'écoute du premier, et c'est ce que je fis tandis que, faute d'anesthésie suffisante, la douleur pointait le bout du nez : j'ai fait signe à Hossein et une nouvelle piqûre l'a éloignée. Je suis reparti dans la fugue et je n'en suis sorti que pour remonter.

Une fois dans la chambre, je l'ai réécoutée. Pendant que j'étais au bloc, Gabriela m'avait de nouveau écrit. Son mail était si violent que je n'ai pas répondu. J'étais fatigué. J'en ai parlé à mon frère, qui m'a proposé de lui écrire pour lui rappeler que je n'avais pas été victime d'un « petit accident de voiture », puisqu'elle semblait l'avoir oublié. Je lui ai répondu de n'en rien faire, que c'était sans importance et qu'elle s'était déjà probablement calmée. Elle était seule, déstabilisée, étouffée par la culpabilité : sur qui d'autre que moi aurait-elle pu décharger sa peine et sa colère ? Qu'elle le fasse au moment même où je remontais d'un bloc ne pouvait que m'éloigner de ce bloc, du moins pour quelques instants, et Gabriela et son mail et l'idée d'y répondre ont disparu tandis que Bach refaisait le vide, puis le plein. Sur ma peau, les pansements ne tenaient plus. Hossein m'avait conseillé, au moment où le brancardier m'emportait, de la dégraisser avec du benjoin. J'ai demandé à mon frère d'en trouver et je me suis endormi, jusqu'à ce que me réveille l'une de ces toux pénibles et récurrentes, dues à la trach'. Deux infirmières sont entrées et ont fini par expulser deux bouchons. J'étais en sueur, liquidé, une fois encore j'ai remis *L'Art de la fugue.*

Le lendemain, Chloé est venue me voir pour me parler de ma sortie. Il en était question depuis quelques jours, elle semblait prévue pour la mi-mars ; mais où atterrir ? C'était la question. Contrairement à elle, je n'étais pas pressé d'y répondre. Je ne voulais pas quitter l'hôpital et j'avais pour la première fois écrit un mail à Christiane, la cadre, pour lui faire part de mon inquiétude. Ce mail donne une idée de mon état d'esprit et du rapport, finalement assez soumis, voire obséquieux, que j'entretenais avec ceux dont ma condition dépendait :

Comme je ne peux pas parler en ce moment, je vous envoie ce petit mail pour vous remercier de nouveau, et vivement, de tout ce que vous faites pour moi. L'équipe soignante est d'un grand professionnalisme, et j'ai parfaitement conscience d'avoir bénéficié d'un traitement de faveur, de belles chambres.

Je sais aussi qu'il va falloir bientôt songer à sortir. Chloé me l'a dit hier soir. Mercredi prochain, comme elle l'a suggéré, me paraît impossible, me fait presque paniquer : que faire avec cette plaie, cet épuisement, ces douleurs ? Je ne me sens ni assez en forme, ni assez autonome pour imposer ma présence à mes parents ou à qui que ce soit. Et quant à être seul, il faut un peu de temps.

Mais je sais aussi que l'hôpital n'a pas vocation à garder des gens qu'il estime en voie de guérison. Y a-t-il un compromis possible, pour une sortie « en forme » à la mi-mars ? C'est ce que j'avais imaginé, je ne sais pas si c'est possible. Auquel cas j'irai avec le printemps chez mes parents, puis chez moi aidé par des amis.

C'était un mail inquiet, mais trop optimiste : la suite allait prouver que je n'étais pas en voie de guérison, du moins pas dans l'immédiat, et que la sortie qu'on allait m'imposer était, comme souvent à l'hôpital, prématurée. Christiane me répondit, avec tout le tact possible, que je bénéficiais d'une famille et d'amis formidables, qu'ils sauraient tous m'aider et m'accueillir. À l'hôpital, la voix du cadre est celle de son maître, donc de Chloé et du professeur G : je devais me préparer au départ. Un mail à Sophia, qui était en Espagne, souligne que ce travail a aussitôt commencé :

Chloé, ma chirurgienne, pense que je dois quitter l'hôpital pour renouer avec la vie assez vite maintenant, même si c'est dur. Je sais qu'elle a raison, par exemple si je veux retravailler assez vite : comment s'intéresser à l'actualité, à la télé, à je ne sais quoi, quand on songe et médite dans un tel cocon, entouré de bons livres et guetté par toutes sortes de peurs et de mauvaises nuits ? Tout le reste paraît divertissement.

Il n'est pas si facile de remettre les deux pieds sur la rive des vivants. Je devais imaginer une suite que mon corps et ma conscience refusaient.

Voulais-je sortir et retrouver ma « vie d'avant », comme le souhaitaient ceux qui semblaient mettre entre parenthèses un événement qui, dans ma propre vie, mettait le reste entre parenthèses ? Ou ne le voulais-je pas ? Ce sont les rêves qui, à cette époque, m'ont rappelé l'importance que les rituels amicaux – ceux que Proust voyait comme pris au temps créatif – devaient et allaient reprendre, quand bien même ils commenceraient par se déposer sur un champ de ruines ; il faudrait faire les gestes comme toujours, comme jamais, de même que je prenais ici chaque matin la douche nourricière, écoutais Bach, lisais la mort de la grand-mère, le début de *La Montagne magique* et les lettres de Kafka à Milena, écrivais mes chroniques pour *Charlie*, branchais mes poches alimentaires, faisais mes vingt longueurs de couloir ou mon heure de tour d'hôpital.

Maintenant, Chloé était une nouvelle fois dans ma chambre. J'ai noté ce qu'elle m'a dit : « Ça n'est jamais arrivé ici, dans ce service, ce mélange de tendresse et de folie que vous inspirez, et c'est pourquoi vous allez devoir partir. Il faut vous protéger de tout le monde et de toutes les bêtises que vous disent les uns et les autres sur la suite, sur votre visage qui va devenir comme ci ou comme ça. C'était inévitable : vous sortez d'un événement national qui a bouleversé la vie de tous, et, de plus, vous avez une personnalité très spéciale. Vous avez su trouver votre force ici, et c'est bien. Vous avez fait de ce service un nid accueillant et séduisant, tous sont entrés dans ce nid, et vous devez maintenant en sortir pour leur échapper. »

Elle avait raison. Si le journalisme appliqué en partie aux autres continuait d'être efficace, celui que je m'appliquais commençait à se retourner contre moi : chacun avait son idée sur ce que j'allais devenir, sur ce qu'on allait me faire ou pas, le dernier qui me parlait avait toujours raison et mon angoisse augmentait de tant d'incertitude. Séduire les gens, dans ce contexte, signifiait simplement les attacher à mon cas – et compenser l'angoisse par les liens. Chloé me rappelait qu'un lieu aussi intense n'était pas fait pour accueillir trop longtemps un patient qui tentait, et avait visiblement réussi, à métamorphoser les peines et les soins en élans. Le pauvre Ludo avait été une mascotte, il était mort, je l'avais plus ou moins remplacé dans ce rôle, différemment, mais les mascottes n'étaient pas faites pour durer et les soignants devaient oublier ceux qui partaient pour s'occuper des suivants. Il y avait eu une époque, désormais lointaine, où les patients demeuraient un an, deux ans ou plus dans un service hospitalier ; c'était aussi l'époque où on ne les guérissait pas. On ne pouvait maintenant rester longtemps, comme Ludo, que parce qu'on allait mourir ; et encore : il fallait vraiment ne plus avoir d'autonomie pour faire exception à la règle non seulement comptable, mais existentielle, qui s'était emparée de l'hôpital comme du reste du monde, et à son image. D'ailleurs, la plupart des gens avaient peur lorsqu'ils entraient ici. Ils redevenaient presque des enfants. Par quel miracle m'étais-je aussi bien adapté aux difficultés de la situation ? Pourquoi ne m'étais-je à aucun moment, ou presque, senti jusque-là diminué, réduit à néant ? Je le devais à ma famille et à mes amis, bien sûr, mais pas seulement : je comprenais soudain – ou bien voulais-je le croire – que je n'avais jamais pris très au sérieux ni mon travail, ni une vie sociale dont la suspension ne m'affectait pas. Quelque chose en moi se sentait léger comme une plume, abandonné à la discipline quotidienne comme au vent qui passe.

Chloé a poursuivi sa réflexion à haute voix : « Aller chez vos parents ? Vous faites comme vous voulez, mais je ne vous le conseille pas. Il y a bien une maison de convalescence en Normandie, mais vous allez y devenir fou. Je ne vous conseille pas davantage le service dont vous pourriez bénéficier ici, à l'hôpital. Chez vous, avec une infirmière qui vient chaque jour... ah, mais vous êtes seul, Gabriela est à New York, donc ce n'est pas simple. Il y a peut-être une autre solution... » Cette solution, qu'on discutait dans mon dos, mon frère m'en fit part aussitôt que possible :

c'était un lieu dont j'ignorais jusqu'à l'existence, l'hôpital militaire des Invalides. Elle avait été suggérée par un médecin, le docteur S, qui travaillait pour la cellule de crise du Quai d'Orsay. Il était venu me voir dès le lendemain de l'attentat. C'était un homme brun, solide, aux yeux vifs, qui prenait vite ses décisions et qui s'était posé dans ma chambre comme un taureau prêt à foncer, non pas sur la première cape venue, mais sur celle qu'il aurait choisie. Mon frère était resté en contact avec lui et il apprit, en même temps que Chloé, quel était le lieu où j'allais passer bientôt l'essentiel de mon temps. Si on avait dit alors au docteur S que j'allais séjourner quasiment sept mois aux Invalides, il aurait probablement bondi, non pas comme un taureau, mais tel un cabri, tant les gens qui vivent dans l'urgence ont du mal à imaginer un monde où elle n'existe plus. Il y a toujours une contradiction fertile chez les médecins de cette trempe : ils doivent concilier l'humanisme et la patience du soignant avec l'impatience et le réalisme du politicien. Ce sont des centaures qui, s'ils ne finissent pas par renoncer à leur dualité, deviennent souvent fous. Le docteur S était mon centaure, toujours en mission ici ou là, et c'est à cet homme ferme, aimable et efficace, que je dois le séjour qui m'a en partie sauvé.

Le départ pour les Invalides était prévu pour le 9 mars : Chloé voulait voir comment évoluait la greffe effectuée par Hossein, qui semblait mal tourner. Deux jours après le bloc, Corinne la kiné est venue le matin pour la séance presque quotidienne. J'avais peu dormi et j'étais épuisé. Elle m'a proposé de marcher un peu, pour travailler l'équilibre et la jambe sans péroné. Je n'avais pas fait trois pas que j'ai senti monter une nausée brutale. Je n'ai eu ni le temps d'aller aux toilettes, ni celui de prendre un haricot, et j'ai vomi debout par flots successifs un liquide jaunâtre qui a envahi le sol et les parties basses des murs. Corinne était pétrifiée dans sa blouse, les pieds dans le jaune, pâle comme une morte. Une minute a passé, je continuais à vomir sur son silence et son immobilité, tout en la regardant et en me demandant : mais d'où vient tout ce *jaune*? Corinne va-t-elle finir noyée? J'ai enfin cessé, elle m'a fait allonger et elle est sortie chercher de l'aide tandis que je ne cessais de me répandre en excuses, comme un domestique ayant brisé une lampe ou volé l'argenterie. Corinne est revenue avec la Marquise des Langes et j'ai continué à m'excuser pendant que la seconde prenait pouls et tension. Une femme de ménage est entrée à son tour, avec son seau, son balai et cette merveilleuse et silencieuse lenteur africaine qui, dans ce service nerveux, m'apaisait. Comme je semblais aller mieux, j'ai accompagné Corinne et la Marquise des Langes jusque dans le couloir pendant le nettoyage. « Voulez-vous que je revienne un peu plus tard? » m'a dit Corinne. J'ai dit oui, puis, une fois la femme de ménage sortie, j'ai pris la seconde douche de la journée et j'ai changé de pyjama. Corinne est finalement revenue pour poursuivre la séance. « Bon, a-t-elle dit, la marche c'est fini pour aujourd'hui. Je vais un peu drainer et vous faire travailler un peu les mains. » Pour drainer, Corinne se plaçait derrière moi et me massait le cou et le visage de façon à faire circuler la lymphe qui s'amassait depuis la greffe. Aussitôt, une chaleur remontait du menton jusqu'au crâne et je n'étais plus qu'une suite de frissons agréables et intenses. Ensuite, Corinne s'est assise à côté de moi et a pris ma main droite, celle à l'index raide et enflé. Elle massait depuis une minute quand j'ai de nouveau senti la nausée. Corinne m'a tendu un haricot, mais, cette fois, le jaune ne faisait que précéder le noir et j'ai perdu conscience en plongeant la tête dans le haricot rempli. Quand je me suis réveillé, j'étais toujours dans le fauteuil et couronné par un groupe de têtes familières. Une main m'essuyait le visage, deux autres étendaient mes jambes sur une chaise et j'entendais déjà le chariot de soin approcher. On m'a levé, déshabillé le torse, allongé, pris la tension, le pouls, piqué pour les analyses sanguines, placé les électrodes et mis sous perfusion. Je me suis dit, presque satisfait : « Ce n'est pas demain que tu vas partir. »

Dans l'après-midi, je suis parti en ambulance vers l'autre bout de l'hôpital, pour effectuer les contrôles que la situation semblait exiger. S'agissait-il d'une bactérie, d'un ulcère, d'un simple coup de fatigue, d'une intolérance à un antalgique ou d'autre chose ? Il faisait froid et j'avais pris avec moi, en prévision de l'attente avant le scanner et l'échographie, *La Montagne magique*. La salle où le brancardier m'a laissé était une cour des miracles, remplie de patients accablés, gris, verdâtres, attendant pour certains depuis des heures. Un courant d'air épouvantable traversait l'espace de part en part et semblait s'attarder avec un soin maniaque sur chacun d'entre nous. Comme on ne m'avait donné aucune couverture, je tremblais sous mon drap, et tremblais davantage encore en regardant les autres trembler. Je me suis dit qu'exposer les patients à une bronchite n'était peut-être pas le meilleur moyen de les guérir d'un ulcère ou d'une rage de dents, et cette réflexion m'a momentanément satisfait : il n'y avait pas à protester contre un désordre et une brutalité qui étaient dans la nature même des lieux.

De sous mon drap, j'ai sorti *La Montagne magique* et j'ai tâché de lutter mot à mot contre le froid qui me faisait de plus en plus trembler. J'ai ouvert le début au hasard et je suis retombé sur le passage où Joachim parle à Hans du sanatorium de Schatzalp, le plus haut de la région :

« Ceux-là, en hiver, doivent transporter leurs cadavres en bobsleigh, parce que les chemins ne sont plus viables. » Hans s'étonne, s'indigne, « et tout à coup il fut pris d'un rire, d'un rire violent et insurmontable qui ébranlait sa poitrine et tordait sa figure séchée par le vent frais d'une grimace douloureuse.

— En bobsleigh ! Et tu me racontes cela avec le plus grand calme ? Mais tu es devenu cynique, mon ami, en ces cinq mois !

— Pas du tout cynique, répliqua Joachim en haussant les épaules. Comment donc ? Les cadavres s'en moquent bien… »

Les patients, pas tout à fait, et je sentais flotter dans l'air une protestation que réprimaient l'épuisement et la résignation, aidés par le courant d'air, qui lui aussi séchait les figures « d'une grimace douloureuse ». Une heure plus tard, on est venu me chercher pour l'examen. Le brancardier était furieux, car il fallait maintenant attendre l'ambulance. Je lui aurais volontiers proposé de rentrer à pied et à mon rythme, mais le protocole l'interdisait. Quand nous sommes sortis, la nuit était tombée. Les résultats des analyses et de l'échographie n'ont rien donné. Un interne m'a dit : « On ne trouve rien ? Bonne nouvelle. » Dans la nuit, les cauchemars ont repris. Ne pas les noter était une façon de les oublier.

Le surlendemain après-midi, on m'a rendu le droit de parler, mais pas trop, de nouveau je ne savais plus quoi dire ni comment parler, et, soudain, Linda est entrée avec dans la main une chose étrange que je croyais ne plus jamais voir et qui m'était visiblement destinée : un yaourt nature, posé sur un petit plateau. Pour la première fois depuis le 7 janvier au matin, j'allais me servir de ma bouche pour manger. J'ai aussitôt appelé par FaceTime Gabriela, nous étions donc réconciliés, et c'est devant elle, là-bas à New York, que j'ai recommencé à manger comme je pouvais, très lentement, et, tel un nourrisson, en en mettant partout. Elle avait retrouvé le sourire qu'elle avait sur l'écran du matin du 7 janvier.

Peu de temps après, j'ai écrit pour *Charlie* une chronique, intitulée « Le yaourt ». Elle établit un lien immédiat avec la visite de Marilyn racontée dans « La boîte à gâteaux », Kafka est comme toujours du voyage :

« Aucune émission de cuisine télévisée – et il y en a d'excellentes, quoique toutes exagérément bavardes, cherchant à compenser ce qui ne peut être mangé par ce qui ne mérite pas forcément d'être dit – ne m'a jamais donné autant de joie concrète que le premier aliment ingéré (difficilement) par la bouche, après deux mois d'alimentation exclusivement par sonde. C'était un simple yaourt nature, avec un peu de sucre, comme à la cantine : une sorte de madeleine hospitalière hors du temps. Une aide-soignante me l'a soudain apporté, un jour vers 15 heures, avec ce naturel jovial et parfois brutal, faute de temps, qui caractérise l'hôpital : comme si ce yaourt, qui n'avait jamais été là, dans ma chambre, m'y attendait en réalité depuis toujours. Ce n'est pas seulement le patient qui patiente. C'est le monde autour de lui. L'infirmière et l'aide-soignante font la navette entre les deux attentes. Elles font peu à peu entrer le monde du dehors, devenu mystérieux et lointain, sur instruction de l'invisible médecin. Le patient, qui a tous les âges, accueille tout avec gratitude, avec angoisse. J'ai accueilli le yaourt.

La première personne qui m'avait fait de nouveau sentir "le goût de la papaye verte", autrement dit le parfum des aliments quotidiens, était une amie, un mois plus tôt. C'était une période où il était difficile de respirer le soir. La sensation n'était due qu'à la trachéotomie, mais les sensations font le corps, même quand une information objective les dément, et du même coup portent le reste : là où l'air semble ne pas entrer, ce sont les idées noires qui passent – des idées répétitives et raréfiées. La vie entière est filtrée par une matière épaisse, opaque, qui mélange le temps et la nuit et les fait glisser dans l'entonnoir. L'amie est arrivée un soir avec un sandwich, des mandarines, un thermos de café très sucré. Assez vite, elle a découvert qu'on m'avait offert en vain – pour moi, pas pour elle – d'excellents chocolats. Elle m'a fait sentir peu à peu, en silence, tout ce qu'elle mangeait. J'avais une narine bouchée, pas l'autre. Tous les parfums de l'Arabie domestique y ont pénétré. J'en ai oublié, un moment, de si mal respirer. On m'a plus tard rappelé que, dans le camp de prisonniers de guerre où mon grand-père crevait de faim avec les autres, là-haut en Poméranie, de 1940 à 1945, les hommes de toutes nationalités passaient leur temps à échanger des recettes de leurs pays respectifs, comme des rêves concrétisés par les mots, alors même qu'ils ne mangeaient que de la soupe aux rutabagas.

Maintenant, j'étais devant ce yaourt. Il fallait ouvrir la bouche, ne pas en mettre partout, bien déglutir. Quand l'infirmière l'a déposé, j'étais dans la position et l'état d'esprit que s'attribue le tuberculeux Kafka dans une lettre à Milena, le 9 juillet 1920 : "Comment je viendrai à bout de la fin de l'automne, ce n'est une question que pour plus tard. (…) Quand je ne t'écris pas, je suis allongé dans mon fauteuil et je regarde par la fenêtre. On voit plutôt bien, car la maison d'en face n'a qu'un étage. Je ne veux pas dire que regarder dehors me rende particulièrement morose, non, mais je ne peux pas m'y arracher." Avec Kafka, le malheur n'est jamais déçu par l'imbécile qui est en nous.

Il a sur l'épaule ce diable léger et profond, implacable et souriant, qui vous regarde errer, chuter, et ne vous laisse même pas, surtout pas, la ressource de la complaisance – ou du pathétique. À l'hôpital, Kafka l'humoriste est un compagnon de route.

La première petite cuillère (en plastique) de yaourt, après deux mois sans aucun goût, est sans rapport avec la première petite gorgée de bière selon Philippe Delerm – même si on en met la moitié à côté. Ce n'est pas un grand petit plaisir retrouvé, confortable, partagé : c'est une renaissance austère et solitaire. On a tous les âges, sauf le sien. La mémoire du yaourt revient aussitôt, mais elle importe moins que la vie qui s'en dégage. N'importe quel goût aurait fait l'affaire, allié à cette fraîcheur perdue qui, en retour, réveilla un désir éteint, la soif, puis, lié à un sourire encore réduit par les sutures et la douleur des maxillaires endormis qui se remettent au boulot, un sentiment oublié : la colère. »

Cette colère montait à mesure que le départ approchait. Deux jours plus tard, j'ai écrit à mes parents, qui proposaient de m'apporter des compotes :

> Compotes inutiles, ils me gavent comme une oie, je ne peux finir aucun de mes repas, qui me prennent un temps interminable (sans parler de la saleté). Mais enfin on ne va pas se plaindre, c'est un retour vers la vie.

La plupart des mails des jours suivants sont acides, presque rageurs. Manger de nouveau, quoique à peine, me faisait prendre conscience de ma régression et de mes limites. Pour la première fois, je devenais impatient. Il était temps de quitter un lieu où j'avais épuisé les raisons de lutter en étant fier de moi.

La veille de mon départ était un dimanche. On me servit un croissant et du chocolat, comme c'était l'usage. Dans l'après-midi, je suis allé pour quelques heures avec les policiers, mon frère et un ami au musée du quai Branly. Il faisait beau. Pour la première fois depuis l'automne précédent, je me suis assis à une terrasse de café, au Champ-de-Mars, à deux pas du manège où mon grand-père m'amenait quand j'avais trois ans. J'ai pensé à lui en buvant un jus d'abricot. Le jus coulait par la lèvre ou par la greffe. L'ami me l'a signalé. Toutefois, j'en ai senti le goût. Je m'étais mis dos au soleil pour pouvoir enlever mon masque. Quand je suis rentré à l'hôpital, j'ai branché sur la gastrostomie ma troisième poche de Fresubin. Chloé trouvait que je n'étais pas assez souvent « branché ». Plus tard, Juan m'a apporté un gaspacho qu'il avait préparé, l'une de ses spécialités, et du café frappé. J'ai mangé le gaspacho sous son nez, en silence, très lentement, et bu les cafés frappés. Mon corps n'y était plus habitué et j'ai pissé chaque heure pendant la nuit. J'ai relu, une dernière fois, la mort de la grand-mère.

Depuis deux jours, c'était ici la cérémonie des adieux. Les infirmières, les infirmiers, les aides-soignantes, les aides-soignants, Annette-aux-yeux-clairs et les autres, tous venaient me dire au revoir, jour et nuit, à l'occasion de leurs gardes. Annie la Castafiore me fit savoir qu'elle ne pouvait venir du monde d'en bas et qu'elle le regrettait : nous nous reverrions bientôt. Hossein et l'un de ses collègues, Jean-Baptiste, m'ont fait visiter la salle de garde de l'hôpital. Elle était couverte par de grandes fresques caricaturales. Certaines avaient un genre médiéval. J'ai pensé à la danse macabre peinte sur les murs de l'église de La Ferté-Loupière. Mes guides m'ont indiqué les représentations des soignants que je connaissais. Chloé, sur un cheval, était un chevalier. Ce fut un moment de plaisir. J'étais debout. L'amitié enveloppait des chirurgiens que j'allais quitter.

Je me sentais comme ces personnages de *Corto Maltese* qui, à la fin de *La Ballade de la mer salée*, après tant d'épreuves, de disparitions et de morts, se saluent et s'embrassent avant de monter dans leur voilier en disant à ceux qui restent : « Adieu, amis ! Adieu ! Adieu ! Vous êtes les plus beaux amis du monde ! » Je quittais l'île qui avait été un peu plus que ma maison : un second berceau. Avant de partir, j'ai écrit deux derniers mails. Dans le premier, j'ai répondu à une amie qui m'écrivait du Kerala. Elle me proposait de rapporter un petit Ganesh, le dieu éléphant, afin qu'il veille sur moi. J'aimais beaucoup Ganesh, j'avais assisté aux fêtes qui lui sont dédiées à Bombay. Retournerais-je un jour à Bombay ? J'ai accepté. Dans le second mail, j'ai demandé à mes parents d'apporter aux Invalides le parfum que je n'avais pas mis depuis le 7 janvier.

Chloé pensait venir me saluer, mais elle n'était toujours pas là quand l'ambulance m'a emporté dans la matinée du lundi. Je l'avais vue pour la dernière fois le vendredi soir. C'est là qu'elle m'avait dit : « Savez-vous ce que vous avez traversé ? Quand la greffe du péroné a eu lieu, on n'en menait pas large. Si elle avait raté, c'était nous qui plongions tous avec vous. » J'avais été responsable de ma famille, de mes amis, mais aussi, finalement, de mes chirurgiens.

Mon frère suivait l'ambulance. Les deux véhicules étaient encombrés par les objets qui s'étaient entassés dans mes chambres. Dans l'ambulance, ces objets étaient partout autour de moi. J'ai eu l'impression d'être un pharaon mineur et déprimé qu'on met dans son tombeau, comme dans une barque, avec tout ce dont il aura besoin pour après.

CHAPITRE 18

Monsieur Tarbes

Je n'étais pas entré dans les Invalides depuis l'enfance et je ne savais pas que s'y trouvait un hôpital. Je pensais qu'il n'y avait ici qu'un musée, une grande cour et un tombeau. La grande cour était dominée par la statue de Napoléon et le tombeau était le sien. Ça tombait bien : jusqu'à ce qu'on m'explique qu'il avait « mis l'Europe à feu et à sang », il avait été mon héros. Il sortait d'un grand livre d'images intitulé *Napoléon raconté aux enfants*, et, en dépit de mes lectures historiques postérieures et des multiples injonctions humanistes, la vérité m'oblige à dire qu'il n'a pas vraiment déchu, sans doute grâce à *La Chartreuse de Parme*, à *Colonel Chabert* et à la description, par Chateaubriand, du gros Louis XVIII et de sa bande d'émigrés défilant de retour d'exil parmi les grognards de l'Empire : la littérature, cet increvable carrosse, fait voyager parmi des désirs intimes qui résistent aux caresses dirigées. J'en lisais peu, désormais, mais j'y pensais beaucoup. Mes parents m'avaient fait visiter le tombeau à sept ou huit ans. C'était l'époque où le cimetière d'Eylau et le retard de Grouchy à Waterloo me rendaient inconsolable. Je détestais les Allemands, ces nazis qui gagnaient au foot, mais plus encore les Anglais, parce qu'ils avaient battu et emprisonné le héros. On peut dire que l'enfant est fâché avec l'Histoire. On peut aussi penser qu'il comprend, comme personne, à quel point elle est suspendue, répétitive, obsédante, aussi chronologique que circulaire ; à quel point elle ressemble à la situation du patient.

Ma nouvelle chambre était au premier étage de l'hôpital, au bout d'un long couloir bordé de vieilles fenêtres. De mon lit, je voyais des arbres et, se détachant sur le ciel, le dôme du tombeau. J'allais vivre sept mois dans ce lieu, qui est vite devenu mon *château*. Les visiteurs étaient mes *invités*. J'étais soucieux de me comporter avec eux en *châtelain*, de faire les honneurs du lieu, comme un vieux noble russe portant sur lui, outre ses habits, un vieux fusil et les traces d'une époque disparue. N'étais-je pas exilé de ma propre vie ?

J'étais heureux d'accueillir ces amis aux grilles de l'entrée avec mes policiers ou, si leurs noms étaient annoncés à la guérite, à l'accueil de l'hôpital. Certains me rejoignaient directement dans la chambre, mais ils se perdaient parfois en route dans le labyrinthe des couloirs. J'étais heureux de les serrer dans mes bras, de leur montrer les belles vues, les recoins, les cours et les perspectives cachées, ce canon pris aux Turcs sur lequel on lisait des tas d'inscriptions. J'étais heureux de les présenter les uns aux autres, moi qui avais jusque-là plutôt compartimenté ma vie. Ils arrivaient avec des bouteilles, des gâteaux, parfois des petits plats. J'aimais les regarder boire et manger et parler au crépuscule dans la cour presque déserte du foyer, également dominée par le dôme du tombeau. Les policiers s'installaient dans un coin, silencieux, souriants et armés. La convivialité se déposait sur la pierre des vieux bâtiments. Il faisait chaud, le temps s'arrêtait, pour mes amis comme pour moi, et, quand ils repartaient dans la nuit, épuisé je regagnais ma petite chambre, ma vaseline, mon somnifère, ma brosse à dents ultra-souple et ma vue particulière sur le dôme du tombeau. J'étais ici, j'étais ailleurs, un fantôme des Invalides, je n'étais pas le seul et j'ai eu bien du mal à m'en aller. Ma petite chambre était la barque sur laquelle j'effectuais la suite d'une traversée dont je ne prévoyais ni ne pouvais souhaiter tout à fait la fin. Et je branchais ma dernière poche de Fresubin.

La chambre se trouvait dans le secteur Ambroise Paré ; le couloir était baptisé Laon. Le premier jour, quand elle a vu arriver notre groupe, une jeune infirmière aiguë aux cheveux longs et roux, Laura, a « cherché le pansement » pour savoir lequel d'entre nous était le patient. J'en avais un, vaste et en partie transparent, allant de la lèvre au menton. J'ai vu son regard hésiter, puis se fixer sur moi. J'ai vite appris que le mari de Laura, un militaire libyen gravement blessé aux jambes par une roquette, allait de greffe en greffe depuis plusieurs années. Elle en parlait sans insister, le sourire aux lèvres, de même qu'elle parlait parfois sur le même ton de sa religion, l'islam, et des caricatures du Prophète, qu'elle avait trouvées inutiles et déplacées. Nous n'étions là ni pour nous accuser, ni pour discourir, ni pour nous plaindre. Le monde de l'hôpital est le monde du constat. Aux Invalides, contrairement à la Salpêtrière, les patients se côtoyaient, se fréquentaient : ils n'étaient pas dans l'urgence ; ils étaient dans la rééducation. Les chemins de croix des uns mettaient en perspective les chemins de croix des autres. Les solitudes et les fauteuils roulants circulaient en silence dans les grands couloirs et à l'ombre des bâtiments construits sous Louis XIV, pour atterrir au foyer, au gymnase ou dans les ateliers. C'était un endroit calme, antique, vide aux heures non ouvrables, un endroit où la puissance des lieux et de l'Histoire tempérait l'intranquillité du patient. Il aidait, dans une certaine mesure, à la guérison.

J'ai demandé à Laura si elle connaissait la cathédrale de Laon, si belle, qui me rappelait celle de Vézelay et qui semblait comme elle vivre entre deux mondes, le roman et le gothique, le sud et le nord, le chrétien et le musulman. Elle ignorait qu'il existait une ville appelée Laon. Je croyais que c'était le nom d'un médecin militaire, m'a-t-elle dit, et après tout, me suis-je dit, c'est peut-être le cas, même si le nom du couloir venait sans doute de la bataille de Laon gagnée en 1814 par Napoléon. Je gardais une image intérieure de cette cathédrale, et aussi de ce qu'écrit le commandant Ernst Jünger, dans son Journal, lorsqu'il occupe Laon avec l'armée allemande. Le 11 juin 1940, dans l'obscurité, il entre dans la bibliothèque de la ville par un portail écroulé : « Nous parcourions les salles où j'éclairais de temps à autre un livre avec ma lampe de poche – par exemple une édition des *Monumenti antichi* d'une valeur inestimable. Elle occupait toute une armoire. Il y avait en partie sur le plancher, en partie sur une longue table, une collection d'autographes rangée dans une trentaine de forts volumes ; j'ouvris l'un d'eux, au hasard. Il contenait des lettres de botanistes célèbres du XVIIIᵉ siècle : certaines écritures très fines et gracieuses. D'une deuxième liasse je tirai une lettre d'Alexandre Iᵉʳ, des billets d'Eugène de Beauharnais et d'Antommarchi, le médecin ordinaire de Napoléon. Avec le sentiment d'avoir pénétré dans une caverne mystérieuse, ouverte par un "Sésame", je retournai vers mon logis. » J'ai eu, moi aussi, l'impression de pénétrer aux Invalides dans une caverne qui, malgré l'assonance, son passé et son administration militaire, n'avait rien d'une caserne ; mais cette caverne est devenue mon logis.

Je suis arrivé à l'étage accompagné par les ambulanciers

et les policiers. Tandis que je découvrais ma chambre, mon frère était allé m'enregistrer aux admissions. Comme on lui demandait sous quel nom je devais figurer, il a donné le mien. Ici, a dit la femme des admissions, il lui faut un pseudonyme. Pris au dépourvu, mon frère a pensé au berceau pyrénéen de notre père, à la ville où habitaient notre tante et notre oncle chirurgien, et il a dit : « Tarbes ». C'est ainsi que je suis devenu, dans le monde des Invalides, Monsieur Tarbes. Le choix de mon frère m'a ravi, même si sur le moment je n'ai pas compris pourquoi. C'était dans les Pyrénées, en allant vers les lacs, que je m'étais le plus approché de cet état dont la recherche me paraît assez vaine : le bonheur. C'était un état proche de la dissolution – dans le paysage, la lumière, le son et l'air. Il n'allait ni sans fatigue, ni sans inquiétude : ces lacs minéraux, situés sous les sommets, avaient une perfection et une virginité qui les apparentaient à la mort. Il suffisait de regarder l'eau claire et sombre pour sentir que, une fois dedans, on n'en sortirait plus. C'était une excellente raison d'y plonger et d'en ressortir pour se sentir vivre, au soleil, comme une espèce de rescapé.

La ville de Tarbes a peu de charmes ; mais, outre mes attaches familiales, elle en a au moins deux à mes yeux : le magnifique jardin Massey, datant du XIXe siècle, où j'allais volontiers marcher sous les grands arbres après la pluie, et le fait que les enfances de trois écrivains que j'aime y sont nouées : Théophile Gautier, Jules Laforgue, Isidore Ducasse. Le premier, né ici, en est parti rapidement. Les deux autres sont nés à Montevideo, mais, comme beaucoup d'immigrants français en Amérique latine, leurs familles avaient des liens dans le Sud-Ouest et ils ont grandi ici. Que ces deux grands poètes aient passé leur enfance à Tarbes en avait fait un lieu imaginaire. De là je pouvais remonter jusqu'aux pays lointains, jusqu'à cette Amérique latine dont j'avais tant rêvé, et j'allais maintenant descendre le fleuve vers une nouvelle vie, au gré des efforts et des circonstances, sous ce pavillon intime et exotique.

On ne m'a jamais appelé ici autrement. Très vite, Monsieur Tarbes a vécu entre ces murs de l'âge classique sa propre vie, c'était lui le fantôme des Invalides. Il était fait de discipline et de paix, de rééducation et de larmes en consultation, de promenades à l'aube et plus encore la nuit. Monsieur Tarbes n'était pas Philippe Lançon, ni un pseudonyme de Philippe Lançon. Il était un hétéronyme, tel que Fernando Pessoa l'avait sans doute imaginé en créant son œuvre sous des vies différentes, et pas seulement des noms. Monsieur Tarbes ne parlait pas et n'agissait pas tout à fait comme Philippe Lançon. Il était moins bavard, plus lent, plus éloigné, plus attentif, plus bienveillant aussi, beaucoup plus âgé sans doute, mais d'un âge délesté de trop de présence. Monsieur Tarbes métabolisait son chagrin sous les ors du tombeau. Il était maigre, il portait un grand chapeau, il ne pouvait pas sourire, il mangeait ses plats lactés et moulinés très vite et jamais devant les autres, pour leur éviter la vision, floc floc floc, de ses débordements. Il y avait quelque chose de Montevideo en lui, une ville où n'était jamais allé Philippe Lançon, et il tenait de plus en plus à ce quelque chose qui le rendait fragile, incertain face à la vie, sensible au souffle et à la tenue des morts. Monsieur Tarbes était suspendu, il flottait. Il tenait de plus en plus à une ville qui lui avait donné son nom, à une autre ville où n'était jamais allé Philippe Lançon.

Cependant, les souvenirs des rêves étaient revenus et, avec eux, un pas supplémentaire et désagréable de Philippe Lançon vers la vie. Dans la nuit précédant mon départ pour les Invalides, j'ai ainsi fait un rêve qui a étendu quelque temps son ombre sur les deux premières semaines de Monsieur Tarbes.

Je suis hébergé chez Gabriela, dans une grande maison américaine. Elle m'accueille après ma blessure. Ce jour-là, c'est la fête des enfants. Des enfants des voisins arrivent, jouent, font du bruit, puis certains entrent dans une immense baignoire pleine de mousse, après qu'on leur a fait couler un bain. Je me mets nu, comme eux, et m'assieds face à eux à l'autre bout de la baignoire. J'éprouve un immense plaisir dans l'eau chaude et à les regarder. Soudain, une « maman » américaine entre dans la salle de bains et crie, effrayée et dégoûtée, en me voyant : « Que faites-vous *là*, dans ce bain, avec les *enfants* ? » Je la regarde et j'essaie difficilement de lui parler : « Mais... je prends mon bain, je vis ici. Et ça ne les gêne pas. Je ne suis pas un pédophile. » J'articule mal, mais ce n'est pas le problème. Elle ne veut pas entendre et crie : « Vous êtes dégoûtant ! Je vais prévenir les autres parents et la police. Nous partons immédiatement de cet *endroit*. Les enfants, sortez du bain ! » J'essaie de parler : « Mais... Mais... Mais... », mais je ne peux rien dire de plus. Tous s'en vont et je reste dans le bain, accablé. Ils vont m'accuser de tout, voilà ce que je pense, alors que je ne cherchais qu'un peu de bien-être là où il se trouvait. Je les entends parler, claquer des portes, rugir, s'indigner, partir. Que va penser et dire Gabriela ? Est-ce que, elle aussi... Un homme entre, *un solide Américain*, prêt à me chapitrer et à m'arrêter. Mais soudain il observe mon visage, effrayé, et me dit : « Que vous arrive-t-il ? Ce trou, il était pourtant rebouché depuis le 7 janvier... » Je me vois alors par ses yeux : ma joue droite noircit à vue d'œil, un trou apparaît par où jaillissent et tombent, une par une, mes dernières dents. Fin du rêve et panique de veille devant la bouche qui fuit et par où le corps entier, derrière les dents, s'évacue.

Avant l'attentat, je suis mince, je fais du sport, je mesure un mètre soixante-seize, j'ai l'ossature fine de mon père et mon poids habituel est d'environ soixante-deux kilos. En arrivant aux Invalides, j'en pèse cinquante-sept. Il ne me reste pour ainsi dire qu'un os à perdre, mais on m'en a déjà prélevé un, c'est assez. Le temps où la greffe du péroné sur la mâchoire aurait pu se nécroser étant passé, il n'est pas prévu de m'en prélever d'autres. Cependant, le corps n'a pas cessé d'aider le corps, tel un kit de survie et de reconstruction autonome, telle la cale magique du navire échoué de Robinson. Il a donné à peu près tout ce qu'il pouvait. Il est au bout du rouleau, mais la rééducation commence après la fin de ce rouleau. Y en a-t-il un autre derrière ? Au moment de le découvrir, je suis au regret de devoir faire l'inventaire, comme le firent les nouveaux médecins à mon arrivée aux Invalides, des maux du patient.

Je viens de recommencer à parler, mais je ne sais plus si ma voix est ma voix : elle vient d'un endroit du corps qui me semble mystérieux, caverneux, et je ne la reconnais pas. Cette non-reconnaissance m'inquiète. Quand je parle, j'ai l'impression qu'une bouillie de mots sort de la bouche, mâchée par les dents que je n'ai plus. Je ne comprends pas pourquoi les gens semblent me comprendre et je me demande parfois s'ils ne le feignent pas. Je ne sais pas davantage si ma bouche, pas encore reconstituée, est ma bouche : cette étrange lèvre inférieure fendue, asymétrique et pendante qui rabat lentement et difficilement vers l'intérieur édenté le peu d'aliments liquides qu'on lui donne, cette lèvre me dégoûte et je la mets à distance en l'appelant *la membrane*. La greffe sur le mollet est devenue inflammatoire et ressemble à un steak haché de mauvaise qualité, suant sa graisse. Celle effectuée par Hossein est « fumée », autrement dit elle n'a pas pris. Je dois revenir une semaine plus tard pour une nouvelle tentative. Quant à mon auriculaire droit, une radio vient de montrer que sa première phalange est soudée. « Il faudra opérer, m'a dit la radiologue, il y a d'excellents chirurgiens de la main. » Je commence à avoir des étourdissements quand je me lève : l'oreille interne proteste, on me dit que des cristaux ont dû bouger. Gabriela a recommencé à m'appeler par FaceTime. La communication est mauvaise. Elle me propose de passer au langage des signes.

Les patients se taisent souvent face aux impatients. Je les comprends, et je me tais également ; mais il me semble que nous avons tort. Il serait préférable de mettre la tête des autres dans ce qu'ils ne peuvent ou ne veulent ni voir, ni savoir, ni imaginer. Il faudrait le faire régulièrement, concrètement, doucement, froidement, au risque de passer pour un être désagréable, rabâcheur, complaisant, agressif, plaintif, douillet – un être qui rend sourd. Il faudrait d'autant plus le faire que ceux qui écoutent ne comprennent, au mieux, que le tiers de ce qu'ils entendent – quand ils sont de bonne volonté : les mots communiquent mal aux bien portants un travail du corps qui les inquiète et auquel, pour la plupart, ils sont étrangers ; les mots ne semblent pas venir du corps qu'ils cherchent à décrire, et ils n'ont aucune chance de le rejoindre si le patient n'insiste pas. La pudeur, l'orgueil, le stoïcisme ? Autant de vertus célébrées que je crois avoir suffisamment pratiquées pour en sentir les limites, l'ambiguïté, et à quel point elles permettent au monde d'oublier la souffrance de ceux qu'au prix de leur silence il prétend respecter. Proust a été malade une grande partie de sa vie et c'est peut-être pour ça, non sans comique de situation, qu'il n'a vu partout que faux-semblants, solitude, attitudes et malentendus. La maladie n'est pas une métaphore ; elle est la vie même.

Continuons. Docteur, vous m'écoutez ? La jambe et le pied droits me font mal, la cuisse droite aussi, plus encore la nuit que le jour. Le simple contact du drap m'irrite le pied entier et m'empêche de dormir. Les nerfs semblent à vif. La malléole me fait particulièrement souffrir. De jour comme de nuit, je mets par-dessus les pansements des bas de contention : si je les oublie, j'enfle immédiatement. Le menton, de plus en plus envahi par les fourmis, est *vivant*. J'en suis venu à croire que je pense par le menton. Heureusement, je pense peu. Quand je le fais, il semble me dire, comme la fourmi à la cigale : tais-toi et travaille à ta rééducation, en prévision de l'hiver qui vient. L'hiver, c'est le retour à la vie ordinaire. Aussi lointain soit-il, il provoque mon effroi. Je sais, docteur : l'hôpital des Invalides est fait pour limiter cet effroi en me rapprochant de l'hiver qui l'inspire. Mais il me faudra du temps, si vous le voulez bien. En attendant, la philosophie de Malebranche me ferait le plus grand bien, en particulier lorsqu'il écrit : « Il est visible par toutes ces choses qu'il faut résister sans cesse à l'effort que le corps fait contre l'esprit, et qu'il faut peu à peu s'accoutumer à ne pas croire les rapports que nos sens nous font de tous les corps qui nous environnent, qu'ils nous représentent toujours comme dignes de notre application et de notre estime, parce qu'il n'y a rien de sensible à quoi nous devions nous arrêter, ni de quoi nous devions nous occuper. » Mais je n'ai pas encore lu Malebranche lorsque j'entre aux Invalides. L'aurais-je lu que je n'aurais pu l'accepter car mon esprit, précisément, est de plus en plus soumis à mon corps, à mesure que ce corps quitte la zone où il avait tout envahi. L'esprit a résisté au corps tant que l'un et l'autre habitaient dans les ruines. Maintenant, le corps s'éveille de nouveau à la vie, mais il le fait par des sensations inédites, imprévisibles, douloureuses, que l'esprit ne parvient pas à assimiler, et qu'il accueille comme des intrus. Il ne s'élève plus au-dessus des symptômes et des signes ; il les guette, comme un boutiquier.

Les zones de greffe suintent. La greffe manquée a pris une couleur sombre et sa puanteur, la nuit, entre dans le nez. L'auriculaire droit, toujours raide, est douloureux et ne désenfle pas, rendant la main presque impotente. La longue cicatrice au bras se détend mal. J'ai l'avant-bras creux comme une branche morte. Mon cou est un périscope. Je tourne le torse entier pour regarder vers la droite, vers la gauche. Au monocle près, on dirait Erich von Stroheim dans *La Grande Illusion*. Je songe à mettre un géranium dans un pot devant ma nouvelle fenêtre. Je le couperai le jour de mon départ, que j'espère le plus lointain possible. Les cicatrices autour du lambeau sont fragiles. Chaque rasage les menace. Je passe un temps fou dans la salle de bains autour de leurs aspérités. Je bave quand je parle, quand je dors, quand je mange. Quand les douleurs me laissent en paix, je suis réveillé dix fois tantôt par l'envie de pisser, tantôt par des ronflements qui dégé-nèrent en apnée. Le voile du palais a dû être endommagé : je suis régulièrement pris d'un reniflement de vieillard qui dégénère en toux, comme si la gorge voulait faire concur-rence aux sinus. Tout communique en dépit du bon sens, là-dedans. C'est l'anarchie. La fonte des muscles n'a pas arrangé mon dos, moi qui n'en souffrais jamais.

Et, pour finir, ce nouveau phénomène : des poils de jambe me sortent de la bouche et rebiquent sur ce qu'on a pu reconstituer de lèvre inférieure : on dirait de minuscules algues noires plaquées par l'eau sur un coquillage ou un corail. Ils étaient là depuis la greffe du péroné. Comme il était rasé, il leur a fallu quelque temps pour repousser dans leur nouveau milieu, liquide et chaud. Ils commencent à former de petits bouquets que je sens lorsque je passe la langue. Tant qu'ils restent à l'intérieur, c'est supportable. Mais je ne tiens pas trop à ce qu'ils accompagnent mes repas, mes sorties et mes discussions. Sur ce point, je tiens à ma pudeur. Je ne veux pas être, aux yeux du dehors, un *singe dedans*. On ne m'avait pas prévenu de ce petit inconvénient. Pour les chirurgiens, ce qui ne relève pas de la survie ou de la nécessité appartient au confort, c'est le mot qu'ils emploient. Les poils de jambe dans la bouche sont une affaire de confort. Ils m'obligent un peu plus encore à penser mon corps autrement, selon les formes éclatées d'un Arlequin de Picasso. Comment accueillir et sentir cette insensible peau de jambe sur le menton, cette peau de cuisse sur le mollet, ces poils de jambe dans la bouche, cette muqueuse retournée et mal vascularisée qui me sert de lèvre, cet intégra à base de chair de cheval ou de porc qu'on a posé le long d'un substitut de gencive qu'irrite le moindre contact ? Parfois, je m'éveille avec une dent de lait dans la narine, un ongle dans l'oreille droite, des sourcils sur le second nombril formé par la gastrostomie. J'ai aussi un pied incarné à la place de l'auriculaire et un genou plein de croûtes, comme quand j'étais enfant, entre les articulations de la main. Je suis devenu un monstre discret avec des agrafes en haut du cul, mais ça, ce n'est pas un effet de l'imagination : c'est l'escarre qui profite de ma maigreur et de la finesse de ma peau pour grandir. Comment, docteur ? Vous avez ici des pansements plus efficaces et mieux adaptés aux plaies qu'à la Salpêtrière ? L'armée est mieux dotée que l'Assistance Publique ? Je ne peux que m'en réjouir : tout soulagement est bienvenu.

Mon état mental ne vaut pas mieux. J'émerge des

deux mois de soins intensifs comme d'un long rêve, avec trente-six gueules de bois à la fois. Le moment délicat, docteur, est celui où le patient reprend conscience du corps métamorphosé dans le monde vivant qui l'entoure. C'est là qu'il commence véritablement à renaître, et cette renaissance, qui se manifestait jusqu'ici par des chocs physiques, d'une violence presque magique, s'accompagne maintenant d'une certaine tristesse : je quitte le cycle des marmites de l'enfer pour entrer dans le bain froid du purgatoire, qui ne vaut guère mieux. Je pleure sur ma vie perdue, je pleure sur ma vie future, je pleure sur ma vie obscure, mais vous ne me verrez pas pleurer. Voilà, docteur, où j'en suis. Je vous vois prendre des notes, c'est bien. Mais est-ce suffisant ?

Philippe Lançon s'est tu et Monsieur Tarbes s'est installé.

La chambre était petite, vieille, d'un charme désuet, et, au cœur de mon mal, je m'y suis senti aussitôt bien. On m'a dit qu'un écrivain l'avait habitée et je sais qu'Edgard Pisani m'y a succédé. La vue y était pour beaucoup et aussi, sans doute, le souvenir du souvenir : elle ressemblait à une chambre de bonne où j'avais vécu, étudiant, dans la rue Notre-Dame-des-Champs. Cette chambre appartenait à deux vieilles femmes qui vivaient ensemble quelques étages plus bas, et que j'allais parfois voir à l'heure du thé. La fenêtre de celle des Invalides avait un large rebord où j'ai déposé mes livres et mes CD. Il était semblable à celui où, plus de trente ans avant, je m'asseyais pour lire Proust, déjà lui, en regardant les toits. La salle de bains était presque aussi grande que la chambre. Quand j'ouvrais les yeux depuis mon nouveau lit, je voyais maintenant non plus le volet roulant gris ou le pin noir de la Salpêtrière, mais, au-delà de la vieille et haute fenêtre à croisillons de bois, au-delà des arbres d'une cour datant comme les autres bâtiments de Louis XIV, cette coupole illuminée. Dans la journée, son or brillait dans le ciel qui, ce printemps et cet été-là, fut presque toujours bleu. Dans la nuit, c'était encore mieux : l'or illuminé se détachait sur le ciel noir et je m'endormais en le regardant. Je n'avais toujours ni téléphone ni télé. Les policiers étaient assis l'un devant ma porte, l'autre au fond du couloir. Comme à la Salpêtrière, ils changeaient toutes les huit heures, et je commençais à retrouver des têtes qui m'avaient gardé une ou deux fois dans ce qui devenait déjà ma vie hospitalière antérieure. L'un des deux m'accompagnait dans tous mes déplacements.

Le premier venait de Cherbourg et il était tout jeune. C'est avec lui que j'ai découvert lentement la grande cour et tous les jardins, en particulier les pelouses qui dominaient la grande esplanade. On y accède depuis la grande cour par une porte d'où la vue, spectaculaire, sur le pont Alexandre-III et au loin le Grand Palais, m'ouvrait le cœur et la vie en me dissolvant dans un tableau de Manet. Dans la nuit, c'était encore plus beau. Malgré mon état, ma fatigue, malgré le froid de ce début mars et malgré parfois la pluie, je n'ai pas renoncé à une seule de mes rondes de nuit. Je voulais retrouver cette vue, ce ciel, la Seine devinée au-delà de la rangée d'arbres, les toits des grands musées, et plus loin les pentes de Montmartre, tous les siècles de cette ville que j'aimais et au cœur de laquelle une poignée de dessinateurs avaient été inopinément massacrés. Je voulais entrer dans cette vue, comme j'étais entré dans une vallée des Pyrénées, et chaque matin et chaque nuit le miracle se reproduisait. La vue m'envahissait doucement, j'entrais dans le *Jardin d'hiver* de Manet. Une femme élégante était assise sur un banc, pensive, et c'était moi. Un homme debout était penché sur elle, barbu, et c'était moi. Il y avait des plantes et des fleurs roses autour d'eux, et c'était moi. Manet depuis les Invalides n'était pas qu'une atmosphère. Le regard de ses personnages, cette légère absence, cette suspension par-dessus l'être, c'était cela que Philippe Lançon cherchait et que Monsieur Tarbes, sans chercher, trouvait ; mais ce serait bientôt autour d'un autre peintre que la réunion des deux allait s'effectuer.

Pour l'instant, je boitais sur les pavés disjoints de la cour des Invalides en compagnie du petit policier de Cherbourg. Nous nous sommes arrêtés devant les deux chars garés à droite et à gauche de la porte. Il les a regardés attentivement et il m'en a raconté l'histoire : il ne cessait de lire des livres sur les deux guerres mondiales et sur les armées qui s'y étaient battues. À plusieurs reprises, je suis tombé sur des policiers encyclopédiques. Puis nous nous sommes avancés vers les pelouses bordées de buis taillés et nous avons été réjouis d'y découvrir des tas de lapins. Ils sortaient surtout le matin et le soir, quand les Invalides étaient fermées au public. Le domaine était alors à eux et ils en profitaient dans toutes les positions, sans se gêner. Certains s'allongeaient sur le gazon comme des Lolita, le cul en l'air. D'autres restaient debout, absolument immobiles, pendant plusieurs minutes, comme des nains de jardin, puis se mettaient à courir follement en l'absence de tout chasseur.

Monsieur Tarbes naissait lentement, mais Philippe Lançon se sentait seul et paniqué. Il avait quitté le monde des chirurgiens, ces artistes de l'urgence, pour celui des rééducateurs. L'hôpital des Invalides était, depuis sa création par Louis XIV, un hôpital militaire, voué aux soldats blessés au combat, et désormais aux victimes d'attentat ; mais on n'y voyait plus de gueules cassées – même si une belle affiche bleue, dans le grand couloir du rez-de-chaussée, rappelait l'existence de l'association qui les regroupait. Il y avait surtout, désormais, des amputés, des paralysés, des victimes d'AVC, des traumatisés du crâne – et deux de mes compagnons blessés et survivants de *Charlie* : Simon, le webmaster, et, plus épisodiquement, Fabrice, journaliste engagé dans le combat écologique, qui avait déjà été blessé dans un attentat trente ans avant.

Quand je suis arrivé, Fabrice était rentré pour quelques jours chez lui : il avait des enfants en bas âge et, malgré ses béquilles et ses douleurs aux jambes, voulait autant que possible, je crois, être auprès d'eux. Simon, lui, était sorti du coma et entamait une lente rééducation. Il pouvait parler, bouger les bras, mais il ne pouvait pas marcher. Sa chambre était voisine de la mienne. L'une des premières choses qu'il m'a dites lorsque je suis entré dans la sienne a été : « Nous voilà frères de sang. » Une autre amie de *Charlie*, Zineb, était là. Pendant les conférences de rédaction du mercredi, qu'on aurait aussi bien pu appeler conférences de réactions, ses tirades tonitruantes contre la condition des femmes dans les pays musulmans auraient réveillé les morts que la plupart d'entre nous n'étions pas encore. Elle avait eu la chance d'être absente le matin du massacre. Les islamistes avaient mis sa tête à prix et, comme moi, elle était protégée : nos gardes du corps faisaient un attroupement discret dans le couloir. Dans la chambre de Simon, elle pleurait un peu, pas trop. Ni Simon ni moi ne pleurions, du moins en public. Les larmes ne nous apportaient rien, sinon une perte d'orgueil et d'énergie. Ce jour-là, il mangeait un gâteau qui semblait excellent. Il m'en a proposé, mais ma bouche n'était pas en état de l'accepter, et je l'ai regardé d'un œil torve en pensant : « À toi les gâteaux, à moi les promenades ! » Le paralytique et la gueule cassée, sous le regard de notre amazone arabe un peu folle, sauvagement féministe, infiniment vivante, qui allait bientôt s'installer dans un pays du Golfe : nous avons fini par rire tous trois de la situation, comme si nous devions finir dans un dessin.

Tout petit sur son lit, Simon vivait comme une marmotte au fond d'un terrier en hiver. Il avait trente ans, mais il n'avait plus d'âge, ou plutôt, la balle qu'il avait reçue dans le cou et qui avait musardé à travers le dos les lui avait donnés tous. Il était aussi jeune qu'un nouveau-né et, quand il tendait un peu la tête, aussi vieux qu'une gargouille. Son intelligence, son ironie et sa vanité lui faisaient une couche de graisse qui le protégeait de lui-même et des importuns. J'écris : sa vanité ; mais, outre que je n'étais pas en reste sur ce point, je n'y voyais pas un défaut, mais plutôt une qualité propre à la survie qui en valait bien une autre et qui ne méritait pas d'être jugée. J'avais moi-même reconverti à la Salpêtrière une vieille manie de séduire, non pas pour enjôler les infirmières, mais pour entretenir avec le service entier les meilleurs rapports possible. C'était l'alchimie de l'hôpital au long cours : les survivants y avaient droit à tous leurs défauts, du moment qu'ils en faisaient bon usage. Nous n'étions pas ici dans un salon bourgeois. Nous nous battions sans juger, sans limites, avec toutes nos petites armes. En quoi l'esprit de *Charlie*, ce journal que les délicats et les tartinés de vertu d'où qu'ils viennent n'avaient jamais cessé de détester ou de mépriser, était adapté à la situation : il nous permettait de rire de tout, et d'abord de nous-mêmes, en faisant feu de tout bois. Nous n'avions pas mérité notre sort, mais ce n'était pas une raison pour nous étouffer de scrupules ou pour nous prendre au sérieux. *Ceux qui ne nous aimaient pas* seraient toujours assez nombreux pour le faire à notre place, et ils n'allaient pas tarder.

Quand il ne dormait pas, Simon était au combat : contre la douleur, pour la méditation, à la recherche de chaque nouveau mouvement et, plus tard, de chaque nouveau plaisir. Il écoutait de la musique minimaliste, en particulier Steve Reich. Sa future femme, Maisie, déployait discrètement autour de lui une folle et concrète activité : je la croisais parfois dans les grands couloirs déserts avec un sac de linge tantôt propre, tantôt sale, et des aliments de bonne qualité. Simon était devenu, par la force des choses, un héros tactique en son terrier. Pas plus que moi il ne pouvait se payer le luxe de l'altruisme ordinaire. Ainsi obtenait-il des soignants, des amis, des institutions, tout ce à quoi il aurait pu ne pas avoir droit. Les Invalides étaient un port bien protégé, avec sa beauté fixe, ses cours, ses jardins, ses lieux de kinésithérapie et d'ergothérapie de haut niveau, où réparer la coque, les voiles, le gouvernail et le moral des albatros que nous étions ; mais, même ici, où la bienveillance était la règle et la parole donnée un principe, il fallait analyser les hommes, les lieux, les équipes, la situation et apprendre à lutter pour durer. C'est injuste, mais c'est comme ça : la victime doit être intelligente, obstinée, sans scrupules et armée ; elle n'a pas le droit, contrairement à ceux dont elle dépend, d'être faible.

Simon et moi avons vite compris, ensemble, qu'il ne fallait ni nous exposer, ni trop croire aux discours politiques qui nous sanctifiaient. Il fallait, en revanche, apprendre à les utiliser pour fortifier nos situations au moment où c'était possible : les victimes n'habitent pas le court terme dans lequel prospèrent les hommes de pouvoir contemporains. Nous nous sommes conseillés et soutenus presque quotidiennement pendant des mois, en nous flattant, certes, et même avec excès, mais je crois sans nous mentir. Il n'était pas question d'échouer dans notre rééducation, ni pour lui, ni pour moi, ni pour aucun des deux vis-à-vis de l'autre. C'est ainsi que, d'alliés, nous sommes devenus amis.

J'allais maintenant être soigné et suivi selon les directives de Chloé, mais en son absence. Elle n'était pourtant pas loin. Une fois les premiers contrôles et prélèvements effectués, ayant ouvert mon ordinateur, je suis tombé sur le mail qu'elle venait de m'envoyer :

Bonjour

Vous voici donc parti pour les Invalides – suis sortie trop tard du bloc pour vous saluer. Je suis convaincue que votre nouveau lieu d'hospitalisation sera à la hauteur de votre besoin de repos. On se revoit de toute façon lundi prochain pour votre nouvelle greffe de peau.

Le 20 me paraît organisable – il suffit, pour ce faire, que je me fasse porter pâle à une réunion sans intérêt, une de plus, programmée ce matin-là. Je devrai quitter le musée au plus tard à 14 h 30 pour la suite de la journée. À très bientôt.

Le vendredi 20 mars était pour moi une date essentielle : j'allais visiter l'exposition consacrée par le Grand Palais au peintre Velázquez. Depuis les premiers jours de la Salpêtrière, c'était une obsession. Je savais qu'elle aurait lieu au printemps, avec le printemps, et j'y voyais le signe de ma renaissance. Je m'étais dit et j'avais dit à mon frère, à mes parents, à Claire et aux soignants que je serais d'attaque pour en faire un compte-rendu dans *Libération*. Ce serait mon article de retour et j'avais invité Chloé à m'accompagner. C'était, après les œuvres de Chandler, une nouvelle façon de la remercier. Elle avait accepté.

Velázquez n'était pas seulement un peintre sur lequel j'aurais plaisir à écrire. C'était l'un des peintres qui avaient alimenté mon imagination. Depuis ma première visite au musée du Prado, vingt ans avant, je ne retournais jamais à Madrid sans aller passer du temps, seul, dans la salle des

Ménines, dans celle des *Peintures noires* de Goya, devant les tableaux du Greco. Le trio avait formé mon regard, nourri mon amour de l'Espagne, éclairé des joies, des plaisirs et des dépressions. Un jour, j'avais dû fuir la salle des *Peintures noires* au bord de l'évanouissement. Je m'étais réfugié à l'étage devant les bouffons de Velázquez, ces échantillons intenses et marginaux, intenses parce que marginaux de l'humanité : leurs infirmités m'avaient toujours rassuré. Maintenant, elles me ressemblaient. Les cours des rois d'Espagne, avec leurs étouffants cérémoniaux hérités des ducs de Bourgogne, me paraissaient finalement plus ouvertes aux disgrâces que la société dans laquelle je vivais, même si c'était pour transformer ceux qui en souffraient en amuseurs ou en animaux de compagnie.

Les longues figures expressionnistes du Greco, qui semblaient s'étirer sans mesure vers le ciel, m'enthousiasmaient depuis plus longtemps encore. Je les regardais comme des figures de bande dessinée, mais aussi comme des espèces de lévriers extravagants et mystiques en compagnie de qui aller se promener sur fond vert tropical et sous un ciel d'orage. J'avais envie d'embrasser le cou de ses saintes, de leur caresser les poignets et les mains comme pour les allonger encore. Je voulais voir et revoir *L'Enterrement du comte d'Orgaz* et laisser, comme à chaque voyage, une partie de moi-même à Tolède, dans cet éclat spirituel et physique, entre ces bouquets de barbes et d'anges. Un an avant, on avait célébré en Espagne les quatre cents ans de la mort du Greco. J'avais rejoint Gabriela à Madrid et, de là, nous étions allés à Tolède, où étaient rassemblées, parmi celles qui n'en bougent pas, des œuvres venues du monde entier. Retrouver Velázquez à Paris un an après, deux mois et demi après l'attentat, était devenu vital, sans que je sache précisément pourquoi. Les défis qu'on se donne sont aussi lancés au hasard des rêveries. Et peut-être cette exposition me rapprocherait-elle de l'un de ces moments dont l'éloignement nerveux me donnait tant de chagrin ; peut-être me rapprocherait-elle, par la visite et par l'article, de mon passé.

J'étais depuis dix jours aux Invalides et la deuxième greffe, que Chloé venait elle-même d'effectuer à l'occasion d'un bref aller-retour entre les deux hôpitaux, avait « fumé » à son tour. Le vendredi 20 mars, dans la matinée, ils sont entrés dans ma chambre l'un après l'autre, ceux de la Salpêtrière et ceux des Invalides, comme pour répéter une pièce de théâtre au moment du changement de décor : le médecin-chef du service de rééducation, l'interne, une infirmière, Chloé, et celle qui, pendant deux ans et demi, allait devenir presque aussi prépondérante qu'elle : Denise, ma future kiné. Je l'avais choisie sur les conseils de l'une de mes kinés de la Salpêtrière, pour deux raisons. Elle avait quasiment créé la fonction dans les années soixante-dix et effectuait un travail plus qu'exigeant avec ses patients. Son cabinet se trouvait à cent mètres des Invalides. Elle avait soixante-douze ans et m'a aussitôt rappelé l'une de mes grands-mères, la troisième, celle qui faisait chaque matin des exercices avec un balai en écoutant des cantates. Elle m'a regardé et, d'un air enjoué et d'une voix tonitruante, sous le regard circonspect du médecin-chef, s'est mise à expliquer les premiers exercices, autrement dit, les premières grimaces que j'allais devoir faire. Son beau visage aux yeux clairs se déformait avec une extraordinaire facilité quand elle faisait le singe, le lapin, le hamster, tous ces animaux qui allaient devenir familiers de ma ménagerie mandibulaire. Elle était capable d'avancer la mâchoire inférieure ou de tirer la langue au-delà de ce qu'on aurait pu imaginer et son visage, dans cette petite chambre, a brusquement rejoint les gargouilles romanes de Vézelay et d'Autun.

Chloé était venue pour m'accompagner au Grand Palais, mais aussi pour m'annoncer que je retournais dans son service le lundi suivant : « Cette fois, m'a-t-elle dit, on ne vous lâche pas tant que ce n'est pas entièrement réglé. » J'ai demandé combien de temps il faudrait pour ça. C'était l'une de ces questions stupides que je continuais à poser malgré tout, sachant que je n'aurais pas la réponse : un chirurgien ne répond pas lorsqu'il n'est pas absolument certain de la réponse, et il ne l'est presque jamais. Elle m'a répondu avec une sorte de sourire qui chassait comme une mouche la question de la pièce : « Je ne sais pas, une semaine, dix jours… » J'ai regardé le médecin-chef avec inquiétude : pourrais-je conserver ma chambre jusqu'au retour ? Il a compris mon inquiétude et il a dit : « Si c'est une semaine ou dix jours, pas de problème, nous vous attendrons, vous pouvez laisser vos affaires. » La discussion entre les uns et les autres a duré une bonne demi-heure. Nous étions tous debout, et, une fois dehors, Chloé m'a dit : « Nous avions tous mal au dos, sauf vous, droit comme un I. Au fond, vous êtes plus en forme que nous. » Je lui ai dit : « C'est que je fais du sport, moi… » J'avais commencé la bicyclette et le step dans le gymnase des Invalides, sous contrôle des kinés. La reprise de l'effort physique soulageait la mâchoire en répartissant la douleur. Le vélo faisait face à un appareil derrière lequel s'installait soit un paralytique, soit un très vieil homme, pour se muscler les bras en actionnant une double manivelle. Nos regards se croisaient à peine.

Comme il faisait beau, quoique légèrement frais, j'ai mis mon masque et nous sommes allés à pied au Grand Palais par le pont Alexandre-III. L'or des statues luisait violemment. L'air me fouettait le visage. Les deux policiers marchaient comme toujours un peu derrière nous. Florence, mon amie des Musées nationaux, avait eu quelque mal à organiser cette visite : les responsables du Grand Palais étaient nerveux à l'idée d'accueillir une cible potentielle, et en tout cas protégée, et plus encore à l'idée de laisser d'autres policiers prendre en charge la sécurité dans leur domaine. Elle avait passé les obstacles et me l'avait naturellement caché. À l'entrée du Grand Palais, la responsable du Service de la protection, une femme brune et mince à l'expression ironique, nous attendait : les policiers m'avaient dit qu'elle ne voulait pas perdre l'occasion.

Certains mails, écrits le soir même, indiquent que j'avais des réserves sur l'exposition ; je n'en ai aujourd'hui aucun souvenir critique : ils ont disparu dans le sentiment séminal qu'elle a fixé. La sensation de renaître en joignant les deux bouts, avant et après, date de cette visite-là ; et, avec elle, le moment où la peinture l'a emporté sur la littérature dans l'élan physique vers la vie.

Nous marchions dans les salles désertes, silencieux, éloignés les uns des autres, nous rapprochant soudain pour affronter l'un de ces portraits de bouffons, de nobles ou d'inquisiteurs qui vous donnaient d'un coup, de la naissance à la mort, de la farce au tragique, tout le mat et tout le brillant, toutes les perspectives de l'existence. Je bavais un peu, les nerfs affolaient le menton, mais je me sentais presque bien, comme si ces hommes, ces femmes, ces animaux, morts depuis longtemps, et dont la destinée n'avait pas été bien rose, me regardaient en disant : « Tu vivras. » Ils étaient là, j'étais là, je les regardais, ils me regardaient, quatre siècles valaient une minute et nous vivions.

Les tableaux étaient à peine en place. Les cartels n'étaient pas tous posés. Une restauratrice observait à la lampe les cicatrices de la *Vénus au miroir*, qu'une suffragette canadienne avait taillée à coups de hachette en 1914. Les policiers avaient sorti leurs appareils. Ils photographiaient tout ce qu'ils voyaient et admiraient avec un soin d'enquêteur sur une scène de crime. On aurait dit qu'ils cherchaient des indices. Chloé arrêtait son œil de lynx devant certains détails : je me demandais ce qu'elle pouvait repérer chez ces patients qui lui avaient échappé. Elle m'a fait remarquer que les Bourbons, et en particulier l'infante Marguerite en bleu, étaient atteints du syndrome de Crouzon, une maladie génétique dont les conséquences relevaient de sa spécialité : maxillaire supérieur sous-développé, yeux globuleux trop espacés, visage donnant l'impression d'un crâne proéminent et d'un menton en super-galoche. Je lui ai dit que les symptômes s'accentuaient chez les descendants de la famille de Carlos IV, peints par Goya. Tous auraient pu atterrir dans le service de stomatologie. Elle m'a montré les fronts, les nez, les mâchoires, les yeux. L'œil du chirurgien rejoignait l'œil du peintre pour l'inventaire des maladies humaines. Plus loin, elle est restée en arrêt devant les *Trois musiciens*, venu de Berlin. Le tableau évoquait ces concerts peints par le Caravage. Elle m'a montré un long et fin couteau noir planté comme une épingle dans un grand fromage brun et rond. J'ai regardé les instruments à cordes en pensant à la visite, dans ma chambre, de Gabriel le violoniste. Le couteau perçait la croûte et j'entendais de nouveau la *Chaconne*.

L'exposition suivait l'évolution du peintre, depuis ses formateurs jusqu'à ses héritiers. Plus j'avançais, plus les portraits me donnaient vie, soit parce que je les avais déjà vus, soit parce que j'avais rêvé de les voir, soit parce que j'allais un jour les revoir, et parce que ainsi le temps et ma souffrance seraient abolis. Ils représentaient des morts qui me communiquaient leur vie. Des bouffons du Prado qui entourent *Les Ménines*, seul *Pablo de Valladolid* avait fait le voyage. Vêtu comme un gentilhomme dont il joue à cet instant le rôle, c'est un acteur qu'on voit, sur une scène déserte, comme un taureau dans l'arène, comme dans le vide. De lui, Manet a dit : « Le fond disparaît. C'est l'air qui entoure le personnage, vêtu de noir et plein de vie. » Son bras droit, tendu vers le bas, indique un point extérieur au tableau. Sa main gauche est rabattue sur la poitrine, dans un geste noble qui paraît annoncer une tirade. L'espace est défini par ses gestes, et rien d'autre. Son regard direct, noir, a une expression indéterminée. Manet avait raison : je pouvais respirer l'air qu'il déplaçait, et qui chassait, depuis le plateau castillan, celui qui m'avait si souvent manqué. Par le corps du bouffon, je suis entré dans le tableau et j'en suis ressorti au Prado, vingt ans avant, à une époque où la tristesse n'était pas justifiée par l'événement. Il m'a conduit dans les rues froides de l'hiver madrilène jusqu'au parc du Retiro, qui allait bientôt fermer. C'est à travers le corps de Pablo de Valladolid que j'ai pour la première fois senti non pas le souvenir, mais la présence d'un homme que j'avais été. Le patient était le bouffon du monarque exécuté le 7 janvier, et le monarque du bouffon que jusqu'à la même date il avait été. Ce bouffon silencieux et massif me disait maintenant que les cartes étaient rebattues. Je devais jouer mon rôle, en rire, *fabriquer* l'air qui m'entourait.

Il y avait embouteillage de présences, de sensations, et un autre portrait m'a brutalement tiré par la manche : celui du poète Luis de Góngora, maître du conceptisme, peint par Velázquez à Madrid sur demande de son maître, Francisco Pacheco. Il date de 1622. À moitié chauve, le nez long et busqué, les commissures de la bouche tendues vers le bas, Góngora a l'air de ce qu'il est : un génie amer, vieilli et disgracié. J'avais découvert ses poèmes dans sa ville, Cordoue, le 19 juin 1994 : un ami espagnol, jeune professeur, m'offre ce jour-là une anthologie de ses œuvres où la date figure, écrite par lui. Góngora est son poète préféré, il m'en fait don dans un bistrot près de la place de la Corredera. C'est un moment amical, mais solennel, Tomás prend la peine de m'expliquer l'incompréhensible début de la première des *Solitudes* : « C'était de l'année la saison fleurie / Où le ravisseur déguisé d'Europe… » Le portrait de Velázquez est reproduit sur la couverture. Je ne suis jamais allé à Boston, où se trouve le tableau. Au Grand Palais, j'indique à Chloé le détail qui m'attire : un gros grain de beauté, sur le bas de la tempe droite. C'est lui qui me conduit vers le vide par où je dois passer. Elle regarde le grain de beauté, puis l'homme et me dit : « Il n'a pas l'air commode ! » Il ne l'était pas. En 1622, ruiné, ses protecteurs morts, faute d'équipage il peut à peine sortir de chez lui. Il songe à retourner à Cordoue. Il est finalement chassé de la maison que son grand rival, le poète Francisco de Quevedo, a achetée en sous-main. Il meurt dans sa ville natale, seul, cinq ans plus tard. J'entre dans ses poèmes comme dans un labyrinthe sans sortie.

Un cheval en majesté et sans cavalier fermait l'exposition. C'est par sa description que j'ai ouvert l'article, publié quelques jours plus tard dans *Libération* : « Le parcours s'achève sur une rotonde noire où se dresse un énorme cheval blanc et mat, en majesté, pansu à ne plus en sauter le moindre obstacle, anti-Greco en diable, la queue longue et flottante comme une fin de règne. Il est harnaché, mais sans cavalier. Velázquez l'a peint entre 1634 et 1638 ; l'expertise le dit inachevé. Dans le haut du grand fond brun et gris, un corps d'homme nu se devine, héros ou dieu – ou simplement homme. Sa masse affronte le crépuscule pictural, l'abstraction d'un pouvoir qui domine et va s'éteindre : celui de la monarchie espagnole, ou, peut-être, celui que chacun croit avoir sur sa vie quand le soleil ne s'y couche pas. »

Nous sommes rentrés comme nous étions venus, en traversant la Seine. Le soleil était encore un peu haut. Il faisait plus froid qu'à l'aller. Chloé marchait droit, réjouie, le nez au vent. Sur le pont Alexandre-III, nous avons parlé d'euthanasie. Je pensais toujours à m'inscrire à l'Association pour le droit de mourir dans la dignité. Chloé n'était guère favorable à l'euthanasie. Elle a regardé le ciel, la Seine, les statues dorées, et m'a dit : « On ne sait jamais de quoi demain sera fait. Vous, si on vous avait dit le 6 janvier ce qui allait vous arriver le 7, et dans quel état vous arriveriez à l'hôpital, vous auriez peut-être sauté par la fenêtre... et vous auriez eu tort, car, voyez, vous êtes là, sur ce pont, vous venez de voir cette exposition et maintenant vous allez écrire dessus. » J'ai soupiré : « Ça va être un peu juste. Lundi, je rejoins l'hôpital et c'est reparti pour les blocs. Il faudrait que j'écrive mon papier avant. Je ne sais pas si j'y arriverai. » Elle a pilé et m'a regardé : « Eh bien quoi ? Vous avez tout le week-end et vous n'avez rien d'autre à faire : c'est plus que suffisant ! » J'ai pensé qu'elle avait raison et qu'elle aurait pu être rédactrice en chef. La responsable du Service de la protection nous avait quittés. Les deux policiers marchaient maintenant avec nous. Ils écoutaient Chloé, lui parlaient un peu, la regardaient : elle les avait charmés. Sa petite voiture rouge et ronde, très chic, était garée le long des Invalides. Elle a sorti son trousseau de clés et l'a fait tourner dans sa main sous leurs yeux convoiteurs et obliques, puis elle est montée dedans après m'avoir dit : « À lundi ! », tandis qu'ils me raccompagnaient jusqu'au couloir Laon, où m'attendaient les deux gardes en uniforme et le paisible Monsieur Tarbes.

Le lendemain, après une marche matinale dans les Invalides désertes et après les soins, j'ai écrit un premier jet de l'article. Philippe Lançon racontait à Monsieur Tarbes ce qu'il avait vu, comment il le jugeait. Monsieur Tarbes essayait de donner du poids à son enthousiasme, de ne pas le laisser filer vers des phrases où les mots l'auraient débordé. Il voulait lui faire éviter tout jugement propre à dégrader l'expérience vécue. Je bavais en écrivant, j'écrivais en bavant. Tous les quarts d'heure, je laissais reposer les fourmis qui me dévoraient le menton en m'allongeant sur le lit, en respirant, mais ce fut vite écrit, et j'ai envoyé le résultat plus que médiocre à Chloé, qui ne m'a pas répondu : elle était ma chirurgienne, non mon chef de service. J'ai achevé le dimanche l'article sur Velázquez en pensant que je pouvais retourner à la Salpêtrière en paix.

Quelques jours plus tôt, mes parents étaient venus me voir. Nous étions allés dans les jardins du musée Rodin, de statue en statue, puis jusqu'à un bistrot du boulevard de La Tour-Maubourg, où mon oncle et ma tante de Tarbes nous attendaient. Il faisait gris et froid. J'étais épuisé et inquiet. Je marchais avec une lenteur d'automate. Sur le chemin du bistrot, j'ai soudain pensé à l'ambassade du Chili, toute proche. C'était une splendide maison des années vingt où j'avais eu, sinon des habitudes, du moins des moments. J'y avais interviewé, deux ans et demi plus tôt, l'ancien ambassadeur Jorge Edwards, un écrivain et un homme que j'appréciais. C'était là, dans les années soixante-dix, qu'il avait souvent parlé avec Pablo Neruda et Louis Aragon. Plus tard, j'étais allé ici à quelques « tiendas de vinos », des réceptions informelles où l'on rencontrait ses vieux amis artistes, écrivains, quelques diplomates aussi. Maintenant,

Jorge avait quatre-vingt-deux ans. Il vivait à Madrid et m'avait écrit un mot après l'attentat. C'était ce qu'il est convenu d'appeler un bon vivant et un humaniste : une personnalité distante, chaleureuse, amusée, raffinée, que la vie semblait bercer et la mort oublier. J'ai pensé à lui – où en était-il de ses Mémoires ? Comment allait-il ? Je me suis senti triste et j'ai dit à ma mère : « Tu te souviens de l'ambassade du Chili ? Je t'en avais parlé, quand j'étais allé voir Jorge Edwards. Il n'est plus là, maintenant, mais ça me ferait plaisir de te montrer l'endroit. » Nous avons remonté le trottoir en direction de l'ambassade. Je lui racontais l'histoire de Jorge quand, à une vingtaine de mètres devant nous, j'ai vu la silhouette d'un vieil homme, droite et un peu hésitante, qui nous tournait le dos et se dirigeait vers la porte que j'avais plusieurs fois passée. J'ai cru que j'avais une vision et que, si ce n'en était pas une, j'allais m'évanouir, tomber dans un trou du temps. Étions-nous là, en mars 2015, par temps gris, ou bien y étais-je seul à l'été 2012 ? J'ai crié « Jorge ! » et l'homme s'est retourné : c'était lui, de passage à Paris. Nous nous sommes approchés. Il a regardé ma silhouette, mon pansement, et ce n'est qu'en croisant mon regard qu'il m'a reconnu. Le sien s'est alors rempli de sympathie et d'effroi, à parts égales, nous avons échangé quelques mots, mon pansement fuyait, et, après m'avoir serré la main et bafouillé, il a vite franchi la porte derrière laquelle se trouvait une toute petite partie de mon passé.

CHAPITRE 19
Le mal du patient

Les souvenirs de la vie après l'attentat avaient les nerfs intacts, mais les souvenirs comme les nerfs repoussent de travers et ils n'ont jamais mis longtemps à me tromper en bien. Je me suis senti euphorique en revenant à la Salpêtrière, autrement dit à la maison. Je n'avais rien oublié de ce que j'avais vécu, mais deux semaines d'Invalides, en me sortant de la lévitation particulière au service d'urgence, semblaient avoir transformé le chemin de croix en épopée presque plaisante, vouée à une réparation chirurgicale, amicale et mystique. J'étais heureux de retrouver ceux qui m'avaient sauvé et de dépendre à nouveau d'eux, comme si le reste du monde n'existait pas. J'étais heureux de retrouver le lutteur en chambre et l'habitué du bloc comme j'avais été heureux, jadis, de rejoindre le terrain de reportage moyen-oriental après une escale flottante à Paris : quand l'intensité devient la règle, on est ravi de s'y soumettre, et ce qui en paraît dépourvu ressemble à du temps mort, faisant de soi une espèce de fantôme. Je me croyais d'autant plus heureux, ou satisfait, que je n'avais pas le choix : il fallait boucher ce maudit trou qui empêchait les greffes de réussir. Elles prenaient l'une après l'autre une couleur crème virant au noir. Mes grands-mères auraient dit qu'elles tournaient. Je les sentais mourir ; j'avais l'échec sous le nez.

La veille du retour, j'ai écrit à Chloé :

Chère Chloé,
    Les infirmières des Invalides ont presque toutes des réticences avec votre pansement (qu'elles font tout de même) ; elles trouvent que le DuoDerm est trop épais, ne retient rien de la fuite de l'orostome et laisse macérer la peau du lambeau et l'abîme. Je fais passer le message, qui n'a certes plus grande importance, puisque je serai demain à la Salpêtrière.
    Il est vrai que je fuis de plus en plus, essentiellement quand je parle : je vis désormais avec des compresses. Au repos ou en silence, ça ne coule pas.
    J'espère que vous avez passé un bon week-end.
    Amicalement.
    Philippe

Le DuoDerm est un pansement épais et hermétique, qui ressemble à une petite crêpe. Chloé ne m'a pas répondu. J'ai su plus tard qu'elle avait été rapidement agacée par une équipe qui, selon elle, ne respectait pas ses consignes avec la précision requise. Il y a beaucoup de problèmes de communication dans un service et entre services à l'intérieur d'un hôpital ; il y en a plus encore d'un hôpital à l'autre. Ce sont des planètes plus ou moins sourdes. Chacune a son atmosphère et semble prise dans le mouvement de sa propre révolution.

Le trou coupable était un tout petit trou, invisible à l'œil nu car pas plus gros qu'une tête d'épingle, une fistule qu'on appelait orostome. C'est un tunnel dans la chair qui établit une communication entre l'intérieur et l'extérieur. La salive que le mien conduisait avait méthodiquement imbibé les pansements et détruit les greffes qui le recouvraient. Il reproduisait, à l'état minuscule, le trou que la balle avait ouvert.

La veille de mon retour aux Invalides était un dimanche. Les policiers m'ont accompagné chez de vieux amis qui habitaient Montreuil, selon une procédure qui allait se répéter jusqu'en septembre : ils me déposaient chez ceux qui m'invitaient, jetaient un œil sur la maison ou l'appartement, allaient boire un verre, déjeuner ou dîner dans le quartier, certains allaient même faire du sport dans un gymnase local, puis, un quart d'heure avant de partir, je leur envoyais un texto pour les prévenir et ils revenaient me chercher. En leur absence, chaque repas et chaque conversation était un plaisir payé d'une épreuve. Chez les autres, même les plus intimes, j'étais en excursion dans un pays lointain, qui n'était plus le mien. J'étais soulagé de retrouver mes policiers et de rentrer en silence, la bouche en feu, à l'hôpital. J'aimais leur attention, leur calme, leur précision, leur discipline, leur discrétion, leurs vitres fumées, le cuir de leurs véhicules. J'aimais leur présence, leur absence. J'aimais leur intensité périphérique. Ils veillaient sur mon sas, comme deux lions de pierre à l'entrée d'une loggia. Ils me reliaient au monde dont ils me protégeaient.

Ce dimanche, les amis m'ont servi un jus de fruits. J'étais assis sur un canapé où je m'étais assis vingt fois, un canapé plein de souvenirs éteints. Tandis que je buvais, le jus a suivi la salive dans l'orostome et il est tombé au sol, en un mince filet légèrement gluant, comme de la bave d'escargot. On m'a donné une serviette. Je voyais la peine dans les regards, par-dessus les sourires et les mots. J'étais heureux de retrouver ces amis, mais ce n'était pas le bonheur de rejoindre, comme à la Salpêtrière, un territoire connu et éprouvé. Ils étaient derrière la vitre, dans l'autre vie, celle aux lèvres entières et aux cœurs épanouis ou blessés par le cours naturel. Je pénétrais dans cette jungle civilisée, sans cheval, comme un conquistador à l'armure fêlée.

Quelques jours avant la visite à Velázquez, Chloé avait constaté la résurgence de l'orostome quand, à l'aide d'une fine seringue en plastique dont l'extrémité ressemblait à la trompe d'un moustique, elle introduisit du sérum physiologique dans la dernière greffe effectuée. Après quelques secondes de suspense me permettant de croire que le trou était bouché, un goût salé a envahi la bouche. Était-il semblable à celui dont ma grand-mère maternelle, dans ses dernières années, se plaignait en disant avec son accent berrichon : « Aujourd'hui, j'ai mon goût salé » ? Je me le suis demandé. La communication redoutée, en tout cas, persistait.

Je n'étais alors revenu que pour une greffe et deux jours à la Salpêtrière, mais ces deux jours avaient suffi à me rendre nerveux, et ils auraient dû m'alerter sur la suite. J'avais le sentiment de vivre un mauvais post-scriptum aux chapitres précédents et, pour la première fois, j'avais hâte de sortir du livre couvert de sang et de salive dans lequel j'étais entré. Je me disais que j'allais fuir toute ma vie et que le trou entouré de douleurs et de commentaires était ma destinée.

Maintenant, dix jours avaient passé et nous étions loin du cheval de Velázquez. Je retrouvais le service pour de bon, mais je n'avais plus la virginité du revenant ni l'ignorance de mes débuts. J'étais devenu ce que Pascal aurait appelé un demi-habile : assez informé pour être un patient impatient et méfiant, pas assez informé pour percevoir la nature des obstacles et la lenteur des résolutions. Le peu que je savais accentuait ma solitude. Il arrive toujours un moment où le patient devient son meilleur ennemi.

Ma nouvelle chambre était la chambre qu'en février les policiers avaient trouvée trop exposée. C'était la plus vaste, celle qui donnait sur ce grand et sinistre toit de béton gris. Christiane, la cadre, l'avait de nouveau préparée mais, cette fois, les policiers n'ont rien objecté. La situation avait changé. La menace n'était plus jugée si grave. Je restais une victime importante ; je n'étais plus tout à fait une cible. Le dispositif, en somme, vivait sur son élan. Il commençait à survivre à la situation. Ce léger changement de statut m'a soulagé, mais aussi, il faut bien l'avouer, un peu vexé. Aussi embarrassantes soient-elles, on s'habitue vite aux mesures qui nous rendent exceptionnels. On finirait par croire qu'on les mérite. La vanité adoucit l'incommodité.

Des policiers m'avaient raconté, en souriant, l'extravagante prétention de VIP qui les utilisaient comme des taxis et, si la protection était levée, appelaient le ministère pour qu'on la rétablisse. Les plus désagréables de ces VIP étaient souvent les moins menacés. Bénéficier d'une extrême et officielle attention était pourtant une excellente occasion de se rappeler, quand elle diminuait, le peu qu'on vaut. Je valais exactement ce que valait l'événement qui me portait, le souvenir extérieur qui le prolongeait, et qui commençait à s'éteindre. Rares sont ceux qui créent et savent entretenir leur propre contexte. Tel n'était pas mon cas – et d'autant plus que, comme certains de mes compagnons survivants, si j'acceptais d'être protégé, je souhaitais rester discret. Cependant, discrètement, j'étais vexé. Les gens orgueilleux n'en sont pas à une contradiction près et j'étais orgueilleux.

À peine étais-je installé dans la chambre que j'ai regardé le grand toit gris et baissé le volet roulant : ma crainte des tueurs en noir s'est de nouveau et brusquement confondue avec la vision de leur apparition. Pour la première fois, j'ai écouté des sonates de Beethoven : leur violence mélancolique et répétitive m'était jusque-là inaudible. En les écoutant, j'ai regardé la chambre et j'ai compris que l'euphorie ressentie était une illusion. Il ne m'avait fallu que quelques jours aux Invalides pour accueillir une vie différente. Je suis sorti de la chambre pour la promenade du soir. Le couloir où j'avais fait tant de longueurs m'a paru étroit, sinistre et clos. J'étais de retour à la maison peut-être, mais dans le caisson chirurgical. On m'a servi un repas léger, avec un yaourt. Une partie du repas a, comme le jus de fruits offert par mes amis, filé par l'orostome.

Le lendemain à l'aube, avant de descendre au bloc, j'ai reçu le mail d'un vieil ami, Philippe, que je n'avais pas vu depuis 2014 et qui m'appelait Felipe. Il m'écrivait :

> Dans mon enfance, mes grands-parents habitaient à côté des Invalides. J'y ai terminé mon service militaire en 1989, en me reprochant ma vie casanière. C'était comme si je progressais dans un jeu de l'oie en spirale qui me ramenait à mon point de départ. Un de mes films préférés était alors *Le Trou* de Jacques Becker : avec mille ruses, les prisonniers de la Santé creusent un tunnel, mais une erreur d'appréciation topographique les fait émerger au beau milieu de la cour de la prison. Il m'a fallu vieillir vraiment pour me défaire de cette sensation d'évasion manquée.

J'ai noté dans un grand cahier cette expression, jeu de l'oie, en ajoutant : « Trois cases en avant, deux cases en arrière. Là, c'est en arrière. » Puis j'ai pensé au *Trou*, un film que j'aimais autant que Philippe, l'implacable récit en effet d'une évasion manquée. Vers la fin, deux des quatre détenus sortent une première fois du tunnel que tous ont creusé, pour vérifier sur quoi il débouche. Avant de rejoindre leur cellule, ils découvrent à l'aube Paris ville ouverte, le ciel et la liberté. Sortirais-je un jour du sortilège de mes trous ? J'ai répondu à Philippe et, quelques minutes plus tard, je suis descendu au bloc en première position. J'aimais faire mon courrier à ce moment-là. De préférence, je répondais à ceux que je n'avais pas vus depuis longtemps, voire très longtemps. Une série d'amis fantômes continuaient à jaillir par mail des différentes couches de ma vie passée. Je faisais mon courrier en retard, comme avant un voyage interplanétaire ou une disparition.

Quand Chloé est entrée au bloc, j'étais endormi. C'était la première fois que je ne la voyais pas apparaître au-dessus de moi. Au moment où je perdais conscience, j'ai pensé : « Pourquoi n'est-elle pas encore là ? » On apprend à s'endormir en l'absence de sa mère, c'est comme ça qu'on grandit, et moi, je devais maintenant apprendre à plonger sans le visage de ma chirurgienne. Jamais plus je ne l'ai vue depuis l'horizontale du billard.

En salle de réveil, la bouche brûlait et je ne parvenais pas à me réveiller. Une hallucination inédite me berçait dans l'interzone et m'empêchait d'en sortir. Je voyais l'infirmière penchée sur moi, alors qu'elle se trouvait à une dizaine de mètres, et, peu à peu, tandis que je rejoignais le sommeil, sa chevelure puis son visage entier se métamorphosaient. Je l'ai entendue tonner là-bas, depuis son bureau : « Monsieur Lançon, c'est fini la grasse matinée ! Il faut respirer ! Se réveiller ! Sinon je vous mets de l'oxygène ! » J'ai essayé de lui obéir, comme à l'école primaire, mais je n'y arrivais pas. J'ai rejoint le sommeil et l'infirmière fantôme au visage transformé, penchée sur mon berceau, jusqu'à ce que la voix, cette fois plus proche, me dise : « Monsieur Lançon ! Où allez-vous ? Respirez ! Respirez ! » Je n'avais jamais eu tant de mal à revenir parmi les vivants et j'en étais presque soulagé. Le bien-être était de l'autre côté.

Plus tard, le brancardier m'a laissé le long d'un mur, près du monte-charge. La Castafiore en a profité pour venir me parler de musique en me tenant la main. Elle l'a doucement malaxée, comme elle en avait l'habitude, et m'a donné les programmes musicaux des Invalides, qu'elle avait apportés pour moi. J'avais mal au cou : la dernière zone de greffe était infectée. La lèvre brûlait de plus en plus. Cette fois, Chloé avait tiré dessus pour boucher le trou. Après avoir réfléchi toute une nuit, elle avait également fait un choix audacieux : remonter une partie du lambeau contre cette lèvre et le fixer avec un bourdonnet qui, au milieu du menton, faisait comme un petit ballot de coton graisseux. De nouveau, et pour un temps indéterminé, j'avais le devoir de me taire et de laisser ma bouche au repos.

Le soir, Hossein m'a expliqué, d'un ton paisible, que je devais renoncer à l'idée de retrouver le visage et les sensations que j'avais eus pendant cinquante ans. « Vous en aurez, me dit-il, mais elles seront différentes, et il faudra du temps pour qu'elles vous paraissent naturelles. » Trois ans après, au moment où j'écris ces lignes, elles ne le sont toujours pas.

Le lendemain, j'ai fait avec mon père le tour de la Salpêtrière. Un jeune policier originaire de Bordeaux nous accompagnait. Mon père et lui ont parlé du Sud-Ouest et des Pyrénées. Je les écoutais évoquer des lacs et des sommets en regardant passer dans le parc les visiteurs, les patients, les soignants. Un vent de printemps soulevait un peu les blouses blanches. Les voix me berçaient tandis qu'on se dirigeait vers la sortie, où mon père devait renouveler son laissez-passer pour garer sa voiture devant mon bâtiment. La femme de l'accueil nous a regardés d'un air méfiant et a dit : « Je ne suis pas habituée à voir des armes ici. » Mon père lui a répondu : « C'est pour mon fils, il a été victime de l'attentat de *Charlie Hebdo* ! » Il y avait de la tristesse, de la nervosité, mais aussi de la fierté dans sa voix. La vie était une catastrophe pleine de facéties : lui, l'abonné du *Figaro*, issu d'une famille royaliste militant à l'Action française, n'aurait pas imaginé lire *Charlie*, et moins encore s'en prévaloir, dans un hôpital ou ailleurs. Le sang avait tout mélangé, simplifié, uni. Maintenant, il découpait mes chroniques dans un journal qu'il ne trouvait pas drôle et, comme ma mère, était lié à plusieurs des survivants. Je n'étais pas surpris. Dès qu'il s'agissait d'individus, de vies concrètes, la bienveillance et les scrupules de mon père l'emportaient sur sa colère et ses préjugés.

Le jeune policier jouait de la guitare et il avait un peu l'air d'un rocker, avec ses mèches brunes et son nez rond. Dans une première vie, il avait chanté dans des bars. Il lisait des nouvelles de Stefan Zweig et faisait du vélo. Je lui ai écrit que le mien était resté devant *Charlie* après l'attentat. Il a proposé d'aller voir, dès qu'il pourrait, s'il s'y trouvait toujours. Dans la soirée, comme j'écoutais du jazz, il a frappé à ma porte. Je lui ai ouvert. Il m'a demandé ce que c'était : des airs du guitariste espagnol Niño Josele. Il a pris les références et j'ai laissé la porte ouverte pour qu'il puisse en profiter. À partir de là, en écoutant du jazz, j'ai conservé cette habitude. La chambre 102 devait ouvrir sur l'extérieur.

Ce soir-là, j'ai pour la première fois activé mon nouveau téléphone portable, cadeau d'un ami. J'avais longtemps cru pouvoir récupérer l'ancien, resté sur les lieux de l'attentat, mais il avait disparu dans le cimetière des pièces à conviction. Comme je ne pouvais parler, je me suis servi du nouveau pour envoyer des textos à mon frère, aux policiers qui m'accompagnaient, et pour répondre par FaceTime à Gabriela. Nous étions plus ou moins réconciliés. Elle m'appelait chaque jour. Je l'écoutais parler de ses problèmes, de son travail, de son mari, de la reprise de ses études. Je lui répondais en écrivant quelques mots en lettres capitales dans un carnet que je tendais à la caméra du portable. Elle n'arrivait pas toujours à les lire. Elle essayait parfois le langage des signes, mais j'étais fatigué et je n'y comprenais rien. Nous nous écrivions aussi, mais les mails étaient des sources de conflits et de malentendus presque permanents : je craignais de la lire et de lui écrire. Elle allait revenir dans une dizaine de jours. Cette perspective me réjouissait sans m'apaiser. Elle dormirait cette fois chez Éric, l'ami avec qui j'avais parlé du Mal et qui s'était assoupi dans ma chambre, et dont l'appartement se trouvait à un quart d'heure de l'hôpital. J'avais malgré tout demandé à Christiane et à Chloé si Gabriela pourrait à l'occasion passer quelques nuits dans ma chambre. Chloé n'avait pas répondu et Christiane avait fini par me dire que ce n'était pas souhaitable. Personne n'avait envie de revivre la comédie de février.

J'avais maintenant douze cicatrices fraîches. Toutes devaient cicatriser en même temps. Elles n'y parvenaient pas : le corps n'avait plus assez d'énergie. Quand une cicatrice s'ouvre, on dit qu'elle se désunit. Il y avait de la désunion dans l'air. Malgré la multiplication des poches de Fresubin, me mettant à 3 000 calories par jour, je continuais de maigrir : la cicatrisation prenait tout. De nouveaux rêves récurrents luttaient avec le somnifère. Dans l'un, j'étais pourchassé dans les rues parisiennes avec Marilyn et je sentais l'odeur de la poudre des balles. Dans l'autre, j'entrais dans une boulangerie et je demandais une pomme et un pain au chocolat, tout en sachant que manger m'était interdit. En mordant le pain au chocolat, je me sentais coupable. En mordant la pomme, je perdais mes dents. Je me réveillais paniqué, tantôt avec l'odeur de la poudre dans le nez, tantôt avec la bouche détruite.

Un rien me déprimait. Par exemple, les réactions à la publication de mon article sur Velázquez. On croyait le journaliste de retour et, comme je ne semblais pas écrire moins bien ni plus mal qu'avant, on en concluait que tout allait désormais pour le mieux et que j'étais rentré chez moi, visage refait. La gentillesse et les encouragements de ces mails me touchaient, naturellement, mais la cécité de leurs auteurs me déprimait tout autant. Ils confondaient, ou voulaient confondre, l'état de l'écrivain et celui du patient. Je n'avais jamais autant expérimenté la sentence proustienne : l'écriture était bien le produit d'un autre moi, un produit précisément destiné à me faire sortir de l'état où je me trouvais, quand bien même il consistait à raconter cet état. J'écrivais sur un tableau de Velázquez dans *Libération* comme j'écrivais sur mon parcours chirurgical dans *Charlie*, pour entrer dans le premier et pour échapper au second. J'écrivais aussi pour transmettre une expérience, mais la plupart des réactions me rappelaient la cruelle phrase de Céline : « L'expérience est une lanterne sourde qui n'éclaire que celui qui la porte. »

Mon inquiétude, aussi, exagérait tout. Par exemple, ce courrier de la Sécurité sociale qui me demandait sur un ton comminatoire si, après bientôt trois mois, j'étais toujours en arrêt maladie. Auquel cas, ajoutait le fonctionnaire, je devais le prouver dans les meilleurs délais, faute de quoi une procédure serait engagée. J'ai fait circuler la lettre auprès de mes amis, dans le service. À part moi, tout le monde a ri : l'automatisme de l'administration sortait d'une pièce de Ionesco, dans laquelle bienheureusement je ne jouais pas.

J'ai ouvert le bureau des plaintes devant Véronique, la psychologue dont le pas et l'allure me rappelaient ceux de ma mère à quarante ans. Elle était désormais la seule, avec Corinne la kiné, capable de me soulager : elle avait le temps, non pas de m'écouter, mais de me lire, puisqu'il ne m'était pas permis de parler. Je lui écrivais dans un grand cahier entamé pour l'occasion. J'ai commencé par ces mots : « Ici, c'est dur : le visage, la vaseline qui dégouline, les flics qui parlent fort derrière la porte jour et nuit, le fait que je suis un vieux patient qu'on laisse plus tranquille, qu'on aide beaucoup moins. Je sens que mes plaies sont devenues secondaires. Il y a plus grave, plus urgent. Mais c'est Chloé qui a insisté pour me faire revenir. »

Or, au moment où il me semblait avoir le plus besoin d'elle, Chloé commençait à m'éviter. Je le lui ai signalé, d'abord à demi-mot, en l'appelant par son nom, et non simplement par son prénom, manière assez ridicule de feindre de prendre une distance qu'elle paraissait reprendre avec moi :

Je vous envoie une photo du matin, après rasage tout de même et premiers soins, car le sang dégoulinait un peu.

Dans la nuit, tandis que je dormais ma main droite inconsciente a légèrement gratté sous la lèvre, sans doute parce que la cicatrisation, comme dans la journée, me chatouillait.

Je me suis réveillé en sursaut et ai aussitôt appelé l'infirmière, qui a nettoyé.

Plus tôt, la cicatrice sur la clavicule s'était ouverte, aspergeant ma chemise de sang.

Je vous écris tout cela car le week-end ici est assez vide, et le service, pour ce que je sens et apprends, est un peu à vau-l'eau ces temps-ci, les transmissions se font parfois de travers, ce qui ne rassure guère le patient. Mais je pense que vous savez tout ça.

Cet après-midi, j'irai tout de même au théâtre.
Je vous souhaite un bon dimanche, malgré la pluie.
Philippe Lançon

Le soir même, elle m'a répondu :

Bonjour Philippe
   N'ayez crainte du bordel ambiant : c'est l'atmosphère
de base d'un service de chirurgie, mais seuls les initiés,
dont vous faites désormais partie, le savent. Alors merci
de nous aider à garder précieusement ce secret déran-
geant.
   Y a-t-il un écoulement par la zone découverte par le
grattage de cette nuit ? Si aucune salive ne passe, on est
en bonne voie. Votre photo confirme les affirmations de
l'équipe : la peau déplacée du lambeau a bien supporté
la manœuvre. Ça c'est une excellente chose.
   Voilà
Courage
Bon dimanche
Chloé

Ce n'était pas n'importe quel dimanche. Pour la première fois depuis le 6 janvier, j'allais en effet au théâtre
– en début d'après-midi, au Carreau du Temple. C'était à
quelques mètres de *Libération*. La sortie avait été comme
toujours préparée par mon frère avec les policiers du Service de la protection. Ils passaient me prendre à 14 heures
et Arnaud me rejoindrait sur place avec Sophia, qui avait
pris les places. À 4 heures du matin, on m'a branché une
première poche alimentaire, à 8 heures une deuxième,
de façon à ce que je puisse sortir chargé de calories. Vers
midi, j'étais si constipé que j'ai commencé à me sentir
mal. Je suis allé aux toilettes et j'ai fait ce qu'il ne fallait

pas : pousser à mort. Rien n'est sorti, sinon des suées et ces petites étincelles nées de l'approche d'un évanouissement. J'ai failli tomber sur le carreau, puis, après avoir soufflé, j'ai rejoint mon lit et appelé l'infirmière. La douleur me sciait le ventre avec une lenteur de bourreau. Aucune position ne parvenait à me soulager. Ornella, une jeune femme d'origine africaine qui semblait déposer son sourire insouciant et gracieux sur les plaies, était de service. Elle m'a apporté le lavement ordinaire, d'un air gêné. Je pense qu'elle n'avait pas été habituée à me voir dans cet état. Je prenais soin de cacher autant que possible mon intimité à ceux dont je dépendais. Elle est sortie et je me suis injecté le lavement. Il n'a pas fonctionné. J'ai sonné de nouveau. C'était dimanche, Ornella a mis du temps à revenir. Il lui fallait l'accord de l'interne pour passer au lavement plus efficace. Le temps passait. J'avais de plus en plus mal. La douleur provoquée par l'extrême constipation est insupportable : on a tous les inconvénients d'une violente envie de chier, sans avoir l'avantage final d'y parvenir ; on croit qu'on va exploser, sans fin. La sensation dissout toute perspective d'espace et de temps, sans épargner le ridicule de la situation. Je me suis levé et je me suis mis à tourner en rond, comme un fauve, en pensant : « Tu dois chier, tu dois aller au théâtre, tu dois chier, tu dois aller au théâtre… » La douleur augmentant, je me suis mis à compter mes pas à haute voix. Ornella est revenue et m'a dit que j'avais l'air pâle. Elle a pris ma tension, assez basse. Enfin, le nouveau lavement est arrivé. Je me suis allongé sur le côté et je lui ai demandé si elle pouvait me l'appliquer. Elle a souri, de nouveau gênée, et m'a dit : « Je préférerais que vous le fassiez seul… » J'ai eu honte, mais je me suis senti reconnaissant. Elle me rappelait à cette qualité qui, dans ce lieu, pouvait sembler sans objet, et qui ne l'était justement pas : la pudeur. La pudeur n'était pas ici une question de morale, de bienséance ; c'était un acte thérapeutique. Si l'impudeur avait amélioré mon état, je l'aurais manifestée.

C'était donc à moi de mettre ce petit tube dans le cul et d'attendre quelques minutes son effet. Une fois le produit lâché, c'est très long, quelques minutes ; c'est une éternité. On la parcourt comme un supplément de douleur et un défi, qu'on relève parce qu'on veut en sortir. J'ai fini par courir vers la cuvette et la libération, avec un peu d'avance sur le timing recommandé. Deux heures plus tard, j'arrivais au théâtre, aussi fier que Pompée après une victoire.

À la sortie, j'ai dit à Sophia que je voulais m'approcher de *Libération*, pour regarder les locaux de l'extérieur. Je ne les avais pas vus depuis le 6 janvier. À peine avais-je fait quelques mètres que je me suis mis à pleurer. Je ne pouvais pas aller plus loin. Un mur de chagrin était dressé, mais peut-être était-ce aussi une faille, installée dans ce paysage urbain familier, entre les bistrots, les voitures, les vélos, les arbres et les crottes de chien, comme au cœur de mon existence. J'ai pris le bras de Sophia. Elle a compris. Il pleuvait légèrement. Nous sommes partis. Il était trop tôt pour me rapprocher de mon avenir, de mon passé.

Une phrase du spectacle m'avait marqué : elle évoquait « l'espoir profond et informulé de fraternité des patients ». Cet espoir, je croyais l'avoir formulé. Mais, à la visite du lendemain, c'est une autre phrase que j'ai montrée aux internes, en leur demandant ce qu'ils en pensaient : « Quel est l'impact sur l'imagination d'un médecin des souffrances qu'il rencontre quotidiennement et qu'il ne peut soulager par une ordonnance ? » L'un d'eux m'a répondu en souriant : « Il arrive un moment, ici, où à force d'être esclave et épuisé, on n'a plus d'imagination. Alors l'impact est directement sur le corps du médecin : eczéma, problèmes gastriques, insomnies, nervosité extrême. Moi, je ne cesse plus de m'engueuler avec ma copine. » De fait, leurs horaires étaient épouvantables et j'éprouvais, moi l'albatros, de la compassion pour eux lorsque je les voyais entrer dans ma chambre au matin, épuisés, la face défaite, pâles comme leurs blouses après une suite de nuits blanches. Je savais qu'ils opéraient parfois en dehors des heures où ils étaient couverts par les assurances. L'institution désargentée et mal organisée profitait d'eux pour survivre. Elle devenait délinquante, puisqu'elle contrevenait aux lois pour ne pas avoir à payer de chirurgiens supplémentaires. Et, cependant, ces jeunes chirurgiens esclaves acquéraient ici, sur la brèche et dans un excès de risques, une formation de fer. Ils étaient comme des soldats romains.

Après la sortie des internes, j'ai écrit sur le spectacle une chronique, publiée un peu plus tard dans *Charlie*. J'ai commencé à l'écrire les jambes et les couilles à l'air sous un plan stérile que Constance, l'infirmière aux yeux clairs, avait installé avant d'être appelée en urgence : elle n'est revenue que deux heures plus tard. Je ne pouvais quasiment pas bouger, mais je pouvais faire rouler la tablette par-dessus mon torse et ouvrir mon ordinateur. C'est en écrivant cette chronique que j'ai pris conscience d'un état que, jusqu'ici, je dissimulais plus ou moins : je ne parvenais plus à évoquer ce que je voyais ou lisais sans le lier ouvertement à mon expérience. Elle devenait le filtre, la vésicule par laquelle tout circulait. Ce qui ne la touchait pas ne me concernait plus ; mais cela posait un nouveau problème, nouveau pour moi : comment faire pour ne pas devenir « vendeur » de cette expérience ? Comment ne pas l'utiliser comme un hochet, une marque, un produit d'appel ou un signe de reconnaissance, mais, au contraire, pour la détacher de moi-même ? La seule solution était non pas de rabâcher cette expérience, mais d'isoler ce qui, en elle, prenait forme, jusqu'à en déposséder celui qui l'avait vécue – ou subie.

Le lendemain, j'ai de nouveau écrit à Chloé, en repassant à un ton plus intime. Sa réponse dominicale m'avait apaisé, mais on venait de m'apprendre qu'elle était partie en vacances. Comment avait-elle pu ne pas me le dire ? Je me sentais des droits que je n'avais pas et j'étais désemparé de la sentir insoumise à mon abus. Je lui ai écrit :

Chère Chloé,
On me dit que vous êtes partie en vacances : le patient se sent abandonné, mais l'homme vous en souhaite de très bonnes, j'espère sur l'île grecque.
Ici, j'entends tout et n'importe quoi, sur le bourdonnet, la lèvre qui se rétracte, etc. Les gens devraient faire comme je suis obligé de le faire : se taire.
J'espère qu'il fera beau là-bas, et que le vent vous changera les idées.
Ce soir, je vais découvrir la nouvelle salle de la Philharmonie. Concert de Pollini.
Bien à vous.

Elle m'a répondu :

Pas si loin hélas. Traitez par le mépris ce que vous entendez. Si nous fermons l'orostome, nous avons gagné. Le reste suivra, en son temps. Je sais que la seconde partie de la phrase n'est pas pour vous plaire. Je vous redis néanmoins tout le chemin parcouru depuis le 7 janvier.
Pollini, veinard… La dernière fois que je l'ai entendu, c'était il y a vingt-cinq ans à Pleyel, il jouait les dernières sonates de Beethoven. Savourez.
Je passe demain après-midi dans le service.
À demain
Chloé

Ce soir-là, je suis donc allé à la Philharmonie avec Sophia, et comme toujours deux policiers. Constance avait pris soin de me faire un beau pansement pour l'occasion. C'était mon pansement de sortie. J'avais la permission de 23 h 30. Je me suis habillé aussi bien que possible et j'ai mis un foulard de soie par-dessus le pansement. Comme les policiers devaient être assis derrière moi, on nous a surclassés. Pollini avait composé un programme traversant un siècle et demi, d'une mélancolie sans pathétique. Les œuvres se répondaient subtilement et sans échos prononcés. Il a joué les vingt-quatre préludes de Chopin, des préludes de Debussy, une sonate de Boulez, et, en bis, *La Cathédrale engloutie* de Debussy et la première *Ballade* de Chopin – celle que joue le survivant juif à l'officier allemand dans *Le Pianiste*, de Roman Polanski. Quand il était entré sur scène, lentement, raide et voûté, Pollini était un vieillard de porcelaine. Une fois au piano, ce fut une souche vivante, dont les racines musicales plongeaient très loin sur le clavier et dans l'intérieur de l'âme ; c'était un soulagement, une simplification et une élévation. Il laissait tomber sa main, comme si de rien n'était, et son corps se recroquevillait en douceur pour se nouer au piano. Pendant la sonate de Boulez, j'ai eu une absence, qui m'a conduit à une hallucination : dans cette grande salle qui me rappelait le *Nautilus*, j'ai vu des lapins bleus descendre du plafond dans des cages, comme à travers des hublots. Étaient-ce en réalité des méduses, des requins, d'autres animaux marins ? Je ne les ai en tout cas pas imaginés ; je les ai vus. Cette soirée a été une éclaircie dans un séjour qui allait s'assombrissant.

J'étais dans la voiture des policiers quand, au retour, Gabriela m'a appelé. J'ai appuyé sur la touche et son visage est apparu, souriant et accablé : on venait de lui voler son sac et tous ses papiers, là-bas, à New York. Elle a fait l'inventaire de tout ce qu'elle avait perdu, des démarches qu'elle allait devoir faire, des conséquences de cette nouvelle tuile. Je l'écoutais sans pouvoir lui répondre. Telle était notre situation : une femme seule et angoissée racontait un nouveau petit désastre, par écran interposé, à un homme qui se trouvait à six mille kilomètres, dans une voiture de police, avec un pansement sur la bouche. Ce n'était pas un dialogue de sourds, mais un dialogue de muets.

Le lendemain, quand Chloé est passée, j'étais parti au cinéma. Avec Juan et les policiers, nous étions allés voir un film à sketchs argentin plein d'humour noir, inspiré des plus sarcastiques comédies italiennes : *Les Nouveaux Sauvages*. C'était la première fois que j'allais au cinéma. C'était le début d'après-midi. La salle était presque déserte. Le film était si drôle et si méchant que je ne cessais de pouffer dans le pansement pour étouffer les rires que je n'avais pas le droit de lâcher : la lèvre risquait de ne pas le supporter. Aller voir un film comique quand il vous est interdit de rire est une étrange idée, mais elle ne surprendra pas ceux dont toute expression a quitté le visage blessé et en partie paralysé. Je voulais vivre et m'amuser, tout simplement. Je voulais provoquer l'avenir de mes cicatrices, les défier peut-être. Et ma situation ajoutait un nouveau sketch à ceux que j'étais en train de regarder.

Au retour, l'un des internes a vérifié l'état du trou avec la petite seringue à l'allure de trompe de moustique. L'orostome était de nouveau ouvert et il s'agrandissait. Assez vite, l'interne est revenu me dire : « Vous allez au bloc demain, inutile d'attendre la catastrophe. » J'ai entendu vibrer dans l'air telle une grosse mouche ce mot, *catastrophe*, qu'il avait prononcé avec un petit sourire coincé, timide, auquel j'étais accoutumé. Il y avait peu de naturel chez cet interne, mais beaucoup de sympathie. Elle semblait naître d'une certaine souffrance, d'une tension qu'un autre chirurgien a fini, sinon par m'expliquer, du moins par éclairer : « Ses parents sont psychanalystes, ses grands-parents aussi, comment voulez-vous qu'il s'en sorte ! » Il avait un certain poids sur les épaules, et c'était lui qui tendait son sourire. En janvier, il m'avait dit, avec ce même sourire que je qualifiais désormais de sous-freudien : « Détendez-vous ! Il faut rester zen, Monsieur Lançon ! » Zen toi-même, avais-je pensé en observant sa tension, et maintenant je croyais voir quatre divans et ses ancêtres lui tomber dessus tandis qu'il m'expliquait avec ses bons yeux plissés : « Le gros du travail a été fait, Monsieur Lançon, mais cette petite zone est mal vascularisée et elle résiste. On aurait pu décider depuis le début d'enlever toute la peau brûlée par la balle et unir la peau restante, mais cela vous aurait mis le visage de travers. On a fait un choix plus esthétique, mais plus complexe. »

Chloé étant absente, je serais cette fois opéré par son adjointe, Nathalie, une jeune femme efficace et silencieuse à l'air mélancolique que le service surexploitait. J'étais paniqué par le mot de *catastrophe*, par l'absence de Chloé, et je l'ai fait savoir, aux infirmières puis à Christiane. Celle-ci est venue me voir en fin de journée et m'a dit : « Vous devez comprendre, Monsieur Lançon. Chloé a besoin de prendre de la distance. Elle vous suit de très près, mais elle s'est beaucoup investie, comme nous tous, et elle en paie sans doute le prix. Elle a pris sur elle ce qu'on appelle le mal du patient. Elle doit s'en débarrasser. » Puis elle est sortie en me laissant avec cette nouvelle expression, *le mal du patient*, que j'ai tournée et retournée en tous sens jusqu'à ce qu'elle chasse le mot de *catastrophe*. Avait-elle raison ? Je savais que j'avais obtenu de Chloé tout ce qu'on peut espérer d'un chirurgien, et même davantage. Était-ce la norme ? L'exception ? Était-ce la norme de l'exception qu'était devenu, du fait des circonstances, mon propre cas ? Je n'en savais rien, mais je soupçonnais que ma non-cicatrisation l'agaçait. Les chirurgiens n'aiment guère que leurs patients ne justifient pas leurs efforts et Chloé supportait mal l'échec. Elle avait mis tant d'énergie dans ce visage qu'il ne lui était pas permis de la décevoir. Je ne lui en ai jamais parlé.

Le lendemain, elle m'a écrit :

Bonsoir

Je suis passée, malheureusement aux heures de votre absence. Nathalie m'a décrit très précisément votre petite désunion cicatricielle. Je lui ai demandé de reprendre dès demain la cicatrice pour refaire des points. Cela se fera au bloc mais sans anesthésie générale, en cas de nécessité une petite anesthésie locale suffira.

Bon courage, et soyez assuré que je suis les choses de près – même de loin !

Chloé

Je suis descendu au bloc avec le CD des *Variations Goldberg*, jouées par Wilhelm Kempff. Nathalie l'a mis et l'opération a commencé. Je sentais ma lèvre partir vers la droite, j'avais l'impression qu'on me déformait le visage entier. La légèreté de l'interprétation de Kempff, sa clarté intérieure sans tragique, luttait contre la fixation des points de suture avec une efficacité que n'aurait pas eue, je crois, l'interprétation de Glenn Gould. Elle appliquait une gaze sur la chair et l'esprit. L'opération a duré quarante minutes. De retour dans la chambre, j'ai pris une anthologie de la poésie chinoise ancienne, qui avait atterri là je ne sais comment, et j'ai lu un poème à une infirmière qui passait. Il y était question de neige, de temps, de solitude. C'était court. Elle a écouté en silence, puis m'a dit : « C'est triste, ça ne donne pas la pêche ; mais c'est beau. » Et nous avons ri.

Quelques jours plus tard, au cours d'une promenade, je me suis approché avec les deux policiers du pavillon psychiatrique. J'ai écrit plus haut que le bâtiment où il se trouvait, dit de la Force, était l'un des plus vieux et des plus beaux de l'hôpital ; je tenais à le leur montrer. On ne pouvait malheureusement pas voir la cour intérieure où, jadis, les fous et les femmes considérées comme perdues étaient enchaînés à des anneaux. Une infirmière fumait, les yeux dans le vide, devant la porte d'entrée des cuisines. Nous nous sommes approchés. Elle nous a observés avec une curiosité méfiante, comme la femme de l'accueil à qui mon père avait parlé, puis elle m'a demandé ce qui m'était arrivé. J'ai sorti mon carnet et je le lui ai expliqué. J'ai ajouté que je montrais le bâtiment à ceux qui me protégeaient. Elle a jeté sa cigarette à moitié fumée et, après nous avoir regardés, elle a dit : « Bon, c'est interdit, mais venez quand même, on va passer par la cuisine. » Nous l'avons suivie à travers les odeurs de cantine. L'espace entre les meubles et les fourneaux était étroit. Les policiers marchaient lentement, en ramenant contre eux leurs Beretta. Par les fenêtres, la vieille cour interdite est apparue. Quelques malades mentaux s'y trouvaient, les uns debout, les autres assis. L'infirmière nous a indiqué les traces des anciens anneaux sur les murs. Plus loin, l'un de ses collègues nous a montré la cour dite des massacres. Trois siècles et demi avaient passé. Les femmes et les hommes qu'on avait attachés étaient morts, leurs vies, presque oubliées. Au cœur de cette ville vouée à l'industrie des soins, il restait pourtant quelques traces des souffrances qu'on leur avait imposées.

Les jours passaient. On attendait de voir si, après l'intervention de Nathalie, l'orostome était enfin bouché. Il y avait une grève à l'hôpital et tout semblait désorganisé.

Je suis allé voir au Louvre, pour *Libération*, une exposition Poussin. La visite m'avait épuisé. On m'a livré le catalogue et une monographie dans ma chambre. Je l'ai posée sur mon lit, que j'ai remonté pour en faire un lutrin, et j'ai montré les tableaux aux infirmières et aux aides-soignantes qui passaient, en leur demandant lesquels elles préféraient, et pourquoi. J'avais un article à écrire et j'aurais voulu qu'il mélange leurs regards et le mien, qu'il y ait une communication absolue entre l'hôpital et le musée. En feuilletant la monographie, une infirmière s'est arrêtée sur *La Fuite en Égypte*. Elle a décrit les couleurs des habits, la position de l'âne, l'aigle sur le rocher, et, regardant longuement l'enfant dans les bras de sa mère, m'a soudain raconté ce qu'en trois mois elle ne m'avait pas dit : comment elle avait perdu son enfant, sept ans plus tôt, d'une mort subite.

La nuit suivante, Marion, la jeune infirmière aux yeux de chat, a regardé avec moi une partie de *Pierrot le Fou*. C'était la deuxième fois que je le passais ici. Son désespoir à la Rimbaud continuait de m'émouvoir, mais je n'avais jamais été aussi sensible à sa beauté. Les couleurs du film, que Marion ne connaissait pas, l'ont enchantée. Elle est partie avant la mort du héros, courant vers une autre chambre où un patient étouffait. Dans mon carnet, j'ai noté une phrase de Poussin, écrite en 1642, qui résumait peut-être ce que je recherchais : « Mon naturel me contraint de chercher et aimer les choses bien ordonnées, fuyant la confusion qui m'est aussi contraire et ennemie comme est la lumière des obscures ténèbres. »

Une autre nuit, sept mâchoires fracassées sont arrivées. Le lendemain, j'ai fait une photo de mon visage que j'ai envoyée à Chloé. Elle a fini par réapparaître et j'ai vite compris que, alors même qu'on ignorait si la question de l'orostome était réglée, ma sortie était à l'ordre du jour ;

mais pour aller où ? Devais-je retourner aux Invalides ?
Mes affaires se trouvaient toujours là-bas dans la chambre
du couloir Laon, mais le poste de soins avait plusieurs fois
appelé mon frère, qui me le cachait pour ne pas ajouter
à mon angoisse, afin qu'il débarrasse la chambre. N'ayant
aucune nouvelle de moi, on souhaitait la récupérer pour
un autre patient. Sa fonction de chef d'entreprise avait
habitué Arnaud aux négociations. Il a fait le mort, senti
qu'il n'obtiendrait rien de Chloé, et contacté l'homme de
l'Élysée, le docteur S. C'était un samedi. Celui-ci lui a dit
de ne surtout pas répondre aux Invalides, qu'il contacterait
la semaine suivante. De mon côté, je sentais tout, mais je
ne me doutais de rien. J'allais de nouveau apprendre qu'à
l'hôpital, souvent, les décisions ressemblent aux patients :
on les prend dans l'urgence et sans préavis.

Quatre jours plus tard, le docteur S a rappelé mon frère
– qui me cachait toujours la situation. Je cite le journal
d'Arnaud : « Le docteur S s'est entretenu d'une part avec
la chirurgienne, et d'autre part avec le chef de service aux
Invalides. Conclusion : la cicatrisation est bonne, Philippe
n'a plus besoin d'être dans un espace médicalisé, il s'en-
kyste à l'hôpital. Il doit donc quitter la Salpêtrière et ne pas
retourner aux Invalides. Je tombe de ma chaise. Cela fait
dix jours que Chloé n'a pas vu Philippe, que les messages
passés par l'équipe médicale sont "pour l'instant tout va
bien. Croisons les doigts". Nous convenons avec le docteur S
d'une réunion à la Salpe à 18 heures le lendemain. Je raccroche un peu abasourdi. » Au même moment, j'écrivais
à mon frère que, vu l'état de mes cicatrices, la Salpêtrière
ne risquait pas de me lâcher dans l'immédiat.

C'est alors que Christiane est venue pour la première
fois me dire qu'il fallait songer à m'en aller. C'était le jour
de visite de Chloé : je la voyais enfin. Je suis sorti de ma

chambre avec ma potence et, dans le couloir, devant tout le monde, je me suis planté devant elle en tendant l'ardoise sur laquelle j'avais écrit : « Je ne suis pas d'accord ! » Elle a souri : « Pas d'accord avec quoi ? » J'ai effacé puis écrit : « Avec ma sortie. » Elle a souri de nouveau et répondu : « Nous en parlerons tout à l'heure... Je repasse vous voir » ; puis elle est entrée, suivie par l'équipe, dans la chambre d'un patient. J'ai rejoint la mienne, noté sur mon carnet une dizaine de questions précises. Chloé n'est pas repassée.

Le lendemain, vers 20 heures, le docteur S et mon frère m'ont rendu visite. Gabriela, arrivée l'avant-veille, assistait à la réunion. Le docteur S avait finalement obtenu des Invalides qu'ils me reprennent, « pour quelques semaines, pas plus », bien qu'ils soient embarrassés par un patient qu'ils considéraient comme encore trop fragile, et, soudain, il a commencé à me chapitrer : « Il va falloir que vous sortiez de l'hôpital, Monsieur Lançon ! Ou alors vous décidez de devenir un patient éternel et ne plus en sortir du tout, mais alors, c'est un autre problème. Si ce n'est pas votre problème, et j'espère que ça ne l'est pas, maintenant, il faut vivre et penser à la suite. » Il agitait les bras et haussait les sourcils, lui le taureau bien portant, et je me suis demandé s'il voyait l'homme qu'il avait sous le nez et que ses injonctions encornaient. Il me parlait, je ne pouvais lui répondre et je pensais : est-il bien en train de faire une leçon de morale ? Me rend-il coupable de la situation ? Est-ce que je fais du gras à l'hôpital ? J'ai compris, ce soir-là, que mon crédit compassionnel auprès de l'institution risquait de passer assez vite dans la case débit, et que, comme nous l'avions flairé aux Invalides avec Simon, il allait falloir ruser pour obtenir d'elles ce qu'elles ne voulaient pas forcément donner. Ce n'est pas parce qu'elles sont vouées à aider les plus faibles que ces institutions les apprécient.

Malgré la bonne volonté de ceux qui y travaillent, elles ont plutôt envie de s'en débarrasser le plus vite possible. Le monde ne semble pas fait pour entretenir longtemps les bords de route.

Le lendemain matin, j'ai écrit à Chloé mon seul mail désagréable :

> Chère Chloé,
> Le docteur S a passé une heure dans la chambre hier soir et m'a annoncé mon départ pour lundi aux Invalides, en me précisant les raisons véritables pour lesquelles ils ne voulaient plus a priori de moi : je n'étais pas guéri (sur le plan des cicatrices, orostome). J'espère que cette fois est la bonne, car il n'y a pas de « troisième chance » : si par malheur ce n'était pas cicatrisé, je ne pourrai y retourner.
> Vous m'aviez dit que vous viendriez, que vous répondriez à la dizaine de questions que je vous avais laissées le matin. Vous n'êtes pas venue. Ce n'est pas la première fois, et, après ces deux semaines de silence, non pas le mien, mais le vôtre, je ne sais que penser. Je repars avec ma gueule de travers dans le brouillard, sans savoir si c'est vraiment cicatrisé, vous avez à peine regardé hier, pas vu à l'intérieur, or je me souviens parfaitement de ce que vous m'aviez dit aux Invalides en m'annonçant mon retour : « Cette fois, on ne vous lâche pas tant que ce n'est pas entièrement réglé. »
> Est-ce entièrement réglé ? Alors que vous demandez mon albumine, ayant des doutes sur la cicatrisation ? Alors que ce matin encore une infirmière repère une désunion ? Alors que tout le monde ici me disait : « Chloé viendra vous voir et vous expliquer » ? J'aimerais en être certain. Me dire une fois de plus que je fais le complexe du patient-qui-ne-veut-plus-sortir me paraît déplacé : je ne suis pas un enfant, et, en fait, je sors maintenant

presque chaque jour, je m'y force, je sais que je dois le faire et je prends des initiatives. Croyez-moi, ce n'est pas simple. Entre les gardes du corps, les poches alimentaires à gérer, la fatigue, rien n'est simple.

En fait, toutes ces incertitudes et tout ce silence ne font que me mettre dans une situation de stress bien peu propice à la reconstruction, et je m'étonne que vous n'en ayez pas conscience, ou que vous preniez cela, peut-être, pour de simples caprices. Évidemment ma vie n'est plus en jeu ; mais elle l'est tout de même. Plus il y a de confiance et de sécurité, mieux les choses se passent pour le patient. Du moins, il me semble.

Gabriela, qui est plutôt sur la même longueur d'onde que vous (« Il faut te prendre en main »), après deux séances au gymnase, avec son œil professionnel, a aussitôt vu que j'étais inapte dans l'immédiat à vivre seul chez moi, au quatrième étage, et l'a dit clairement au docteur S.

Qu'en est-il de cet espace à droite de la lèvre, ouvert et purulent ? De ce petit trou à gauche ? Puis-je reprendre les bains de bouche (Nathalie m'avait déconseillé d'en faire après l'opération de mercredi dernier) ? Quand pourrai-je recommencer à manger ? Combien de temps garderai-je cette gastro ? Quand pourrai-je entreprendre la rééducation ? Qu'en est-il de la mâchoire ? Quand puis-je espérer la suite, les dents ?

Je me doute que vous n'avez pas toutes les réponses, mais je pense que vous devriez les écouter et prendre un quart d'heure pour me parler clairement.

Vous pardonnerez ce mail un peu ferme, mais je suis déçu et énervé ; je crois au rapport de confiance entre le chirurgien et son patient, et en tout cas entre vous et moi. Ni plus, ni moins.
Bonne journée.
Philippe

Cette fois, elle n'a pas attendu pour me répondre :

Cher Philippe,
J'entends vos nombreux reproches, et les trouve, je ne vous le cèlerai pas, un peu injustes. Qu'importe.

Je conçois parfaitement vos angoisses et vos désirs de réponses et de programme inébranlables – et ne puis malheureusement pas y répondre au risque de vous décevoir si la réalité s'avérait différente de mes pronostics. En somme, et malheureusement, je ne sais que peu de choses.

Néanmoins, ce que j'ai constaté hier, c'est que la démarche de reconstruction que nous avons engagée porte ses fruits : on me confirme ce matin qu'il n'y a aucune fuite de salive sous votre lèvre. Nous nous donnons le week-end pour confirmer ce résultat – et c'est pourquoi vous ne partez aux Invalides, à ma demande expresse, que lundi. Qu'il n'y ait «pas de troisième chance» me laisse assez sereine : il n'y en avait pas de deuxième jusqu'à ce que j'appelle le docteur S...

Bref, vous allez aussi bien que possible, tout du moins pour ce qui relève de ma spécialité.

Je vous vois avant votre départ pour les Invalides.
Bonne journée
Chloé

Ce fut – et ça reste – notre seul moment de tension. Ni elle, ni moi, ni le docteur S, ni personne n'avaient tort ni raison. Chacun jouait au mieux son rôle, selon son point de vue, dans une situation inflammable. Et chacun a fait en sorte, au dernier virage, que j'atterrisse de nouveau là où je pouvais ne pas m'écraser. J'ai purgé la situation en écrivant cette chronique, intitulée «Le coupable et ses cicatrices» :

« Il arrive un moment où le blessé se sent coupable de ses cicatrices : pas besoin de s'appeler Kafka pour ça. C'est qu'il ne cicatrise plus, ou si mal. Deux, trois mois ont passé. Aux bras, les veines ont disparu ou se sont indurées, comme des brindilles cassant sous le pied du cueilleur de champignons. Elles ne cassent pas, mais disparaissent ou fuient sous l'aiguille. Les plus vicieuses se défendent en laissant croire qu'elles vont donner quelque chose, mais, après quelques gouttes, elles disent salut et puis s'en vont, on ne sait trop où. Et de cette poudre d'escampette aussi le patient se sent coupable : je n'ai plus rien à vous donner, et, croyez-le, c'est bien malgré moi. Comme il aimerait participer du mieux possible à sa guérison !

Mais le corps a beaucoup donné, ses kilos, son énergie. En trois mois, une série de marathons en chambre et sur billard ont été courus sur place : le patient est un homme d'action, un athlète immobile. Désormais, à l'aide de poches alimentaires lui fournissant jusqu'à 3 000 calories par jour, il fait tout pour refermer les plaies, celles des balles qui ont brûlé la peau et celles des actes chirurgicaux. Il est planté neuf à dix heures par jour à sa potence, que certains appellent "la copine" – autrement dit, le pied à perfusion. Dans la plupart des hôpitaux, "la copine" roule assez mal. Ses pieds sont sales et elle a vieilli, ses quatre roulettes ont leurs rhumatismes. Marcher avec elle fait travailler les muscles des bras. Il faut trouver l'angle de roulement – il n'y en a souvent qu'un qui fonctionne – et apprendre à la soulever pour passer les aspérités.

C'est l'Assistance Publique : des gens souvent héroïques, travaillant avec un matériel fatigué qui paraît les renvoyer à leurs maigres salaires, à leurs efforts par vocation, à leurs douleurs masquées et au fait que tout le monde, ici, patients et soignants, paraît coûter trop cher à une société dont l'unique pensée de derrière semble être de réduire l'imagination, l'attention et les frais ; car il n'y a pas que les patients, ici, pour avoir une vie difficile. Ceux qui les soignent ont souvent vécu des drames, maladies graves ou autres. On l'apprend peu à peu, en miroir de sa propre situation.

Je me sens coupable de mes cicatrices, car il arrive toujours un moment où je me sens seul avec elles. Seul, donc coupable, puisqu'il arrive toujours un moment où le solitaire se sent coupable de l'être, solitaire, face au groupe, aux conseils, aux injonctions quelquefois contradictoires, à l'institution qui mouline et dégurgite, au poids qu'il représente pour sa famille, ses amis, solitaire face au monde qui ne l'attend pas, face à tout. Le patient ne fait pas ce qu'on lui dit de faire, ou mal, ou pas assez. Il masse trop peu ses cicatrices. Il ne met pas assez de vaseline dessus. Il a oublié d'acheter cette huile. Le soleil le rend coupable de s'y exposer, même une minute, en passant d'un bâtiment à l'autre. La Rochefoucauld n'a jamais eu autant raison : le soleil ni la mort ne se peuvent regarder fixement. Le patient ne doit pas trop bouger cette lèvre, qui menace de se "désunir", ni cette clavicule, où la cicatrice ouvre parfois sur la chemise une petite fleur de sang. Le patient va voir sa psychologue, sa psychiatre, et là son rôle est de parler ; mais parler, n'est-ce pas menacer la cicatrice ? Que doit-il faire pour être un bon patient, un patient exemplaire, autrement dit guéri ?

La chirurgienne lui dit : "Courage et patience sont les mamelles de la cicatrisation." Qui en douterait ? Mais il y a des moments où, comme celles de certaines vaches, ces mamelles ne donnent rien. On a beau les traire à l'aube, au crépuscule : ni lait, ni courage, ni patience. Juste le poids du temps, de l'incommodité perpétuelle, et la peur de la "désunion". Quel joli mot, d'une douceur trompeuse ! Une sorte de divorce épidermique, doux et peiné. Une terre promise qui s'ouvre, laissant apparaître une sinistre rivière souterraine dont les berges s'éloignent. Le patient en salive d'inquiétude et cette salive, à son tour, le rend coupable : elle aussi retarde la cicatrisation. C'est le moment, pour lui, donc pour moi qui écris, de se consoler avec une phrase de Michel Foucault, dont le père était chirurgien : "J'ai substitué à l'ineffaçable de la cicatrice l'effaçable, le raturable de l'écriture." »

Parallèlement, le retour de Gabriela commençait à défaire le mal dont je me plaignais. En arrivant de New York, elle avait déposé sa grosse valise chez Éric, non loin du jardin des Plantes. Nous nous étions donné rendez-vous dans le parc de l'hôpital, devant la grande chapelle. Je suis arrivé en avance, masque sur le visage, nerveux. Elle est apparue dans son grand manteau sombre, avec son petit sac de danseuse monté sur roulettes. Les policiers se sont éloignés tandis que je la serrais dans mes bras. Je sentais qu'elle avait peur de me faire mal. L'émotion me débordait. Je pleurais sans parler, elle souriait en parlant. Nous avons fait quelques mètres et nous nous sommes assis sur un banc. Il y avait des patients qui marchaient, des sculptures modernes, de nouveau des feuilles aux arbres. J'ai sorti mon carnet, mais elle n'a pas voulu que j'écrive : elle souhaitait communiquer par le visage, le corps et les gestes. Nous étions heureux de nous revoir.

Dans les jours suivants, nous avons regardé *La Prise de pouvoir par Louis XIV*, de Roberto Rossellini. Je continuais de m'assimiler à ce jeune roi qui apprenait sa nouvelle vie sous les regards permanents de la cour et des domestiques. Il n'avait pas droit à l'erreur ; moi non plus : lui pour s'imposer aux Grands et à l'État, moi pour m'imposer aux soignants. Gabriela enseignait dans la journée. Les policiers m'ont accompagné plusieurs fois dans le petit gymnase où elle travaillait, près du cimetière du Père-Lachaise. Il commençait à faire beau, presque chaud. Pendant une heure, dans la salle déserte, elle me faisait travailler lentement les bras, les jambes, la souplesse, les étirements. Un policier attendait dans l'entrée, l'autre dans la voiture. Ensuite, ils me raccompagnaient à l'hôpital. Gabriela n'était pas autorisée à monter à bord de leur véhicule, mais certains l'acceptaient. La dernière fois, nous avons traversé à pied le Père-Lachaise en parlant de nos vies qui nous échappaient. Nous n'étions pas si mal, dans ce cimetière. Le soleil caressait son visage et mon front par-dessus le masque. Sur un banc, un homme a dit à une femme en nous voyant : « Celui-là, il a eu des problèmes de dents ! » Un policier nous suivait. L'autre nous attendait à la sortie du cimetière.

L'orostome semblait bouché. On m'a enfin autorisé à recommencer à manger liquide et mouliné, et, du même coup, à passer une partie du week-end avec Gabriela dans l'appartement d'Éric, qui se trouvait à un quart d'heure de marche. Le samedi après-midi, deux policiers sont venus me chercher. C'était la première fois que je marchais dans les rues sans amis, sans famille, seul avec eux. Celui que je connaissais le mieux revenait d'une mission de trois mois en Afghanistan, un pays où le danger était sans cesse et partout. Je connaissais bien le quartier, mais je ne le connaissais plus. Il était devenu un quartier de fiction et la Grande Mosquée, un décor de cinéma que ma vie avait, comme presque toutes choses, abandonné. Gabriela nous attendait dans l'appartement. Les policiers nous ont demandé si nous pensions sortir, auquel cas, ils devaient être prévenus. « Le mieux, a ajouté l'homme de l'Afghanistan, c'est que vous ne sortiez pas avant le retour à l'hôpital. » Ainsi, ils auraient quartier libre. On a refermé la porte, j'ai ôté mon masque, et, pour la première fois depuis cinq mois, j'ai embrassé très légèrement Gabriela sur les lèvres. J'ai senti son haleine, je l'ai reniflée. Cinq minutes plus tard, nous étions nus au lit.

Gabriela ne savait comment s'y prendre, la phrase de Chloé lui revenait en tête et elle avait peur de toucher mes cicatrices. J'étais maintenant sur elle, mais, entre nos deux corps, il y avait le tuyau et la petite fleur de la sonde gastrique qui allaient de droite à gauche, de gauche à droite, au gré de nos mouvements. Je ne pouvais l'embrasser véritablement, j'avais peur moi aussi de désunir les cicatrices et d'étaler sur son visage la vaseline qui les protégeait. Je regardais sa chair, son cou tendu, ses yeux clos, ses longs cils, cette grimace si particulière qui semble unir plaisir et souffrance, je sentais son odeur et mon plaisir monter et je me demandais si je rêvais. Les miracles me sont étrangers, mais j'avais à ce point oublié la possibilité du désir que je n'étais pas loin de croire en leur existence. Pas loin, mais pas tout à fait ; car, au moment même où je retrouvais la puissance du corps, je sentais aussi ses limites, autrement dit, pour être plus concret, la menace de l'éjaculation précoce. J'avais cinquante et un ans et j'étais de nouveau puceau. Malgré tous mes efforts, je ne pouvais me contrôler. C'était une première fois, et ce n'en était pas une : plus de trente ans de vie sexuelle m'informaient sur la situation, sans me permettre d'y remédier. Pour retarder un moment que je sentais venir, j'ai tenté de faire l'inventaire des livres posés sur la table de nuit d'Éric, en vain, puis regardé la petite fleur de plastique qui caressait le ventre de Gabriela en imaginant que, dans vingt-quatre heures, elle serait de nouveau branchée sur la potence. Rien n'y a fait.

Un peu plus tard, malgré la consigne des policiers, nous sommes sortis seuls dans le quartier. Je regardais les gens avec inquiétude. Ils marchaient vite, sans regarder, avec une indifférence qui n'existait pas dans le milieu hospitalier. Chez un bouquiniste, j'ai acheté une vieille édition du *Journal* de Katherine Mansfield. Ce geste m'a rapproché de tous ceux que j'avais été ici même depuis qu'à seize ans j'avais acheté mon premier livre sur les quais. Nous avons passé une soirée calme, comme si les derniers mois n'avaient jamais eu lieu. Gabriela avait apporté des DVD. Nous avons regardé *Les Temps modernes*, de Charlie Chaplin, et nous nous sommes endormis dans ce lit étranger tandis que Charlot et Paulette Goddard s'en allaient sur la route, main dans la main. Je ne sais plus si c'était à l'aube ou au crépuscule.

Le surlendemain, dans une ambulance, en compagnie de Gabriela et de sa grosse valise, j'ai quitté le service où j'avais passé trois mois et j'ai rejoint la petite chambre des Invalides, où j'allais en passer six. Gabriela a découvert la chambre, le gymnase, mes kinés, les lapins, marché dans les jardins et dans les cours. En début d'après-midi, je l'ai regardée partir pour l'aéroport et je me suis dit que rien ne ressemblait plus à une ambulance qu'un taxi.

CHAPITRE 20

Les retours

Le dimanche 19 avril dans l'après-midi, je suis pour la première fois retourné dans mon appartement. C'était une visite simple. Je n'en avais aucune envie. J'avais peur. Il a fallu m'y préparer.

À l'aube, j'ai fait ma promenade quotidienne dans les Invalides, une heure environ, soit le tour entier en longeant les fossés. J'aimais beaucoup ces fossés, avec leurs canons éteints : ils nous séparaient, nous les patients hospitalisés, du monde extérieur, qui entrait surtout de 10 heures à 18 heures sous sa forme touristique. *Ceux d'en face* étaient des personnages encombrés, mal vêtus, bruyants et sans mystère, des personnages qui allaient plus ou moins vite du point A au point B. On avait établi leur itinéraire en direction du tombeau et le vent bientôt les disperserait, mais leur présence n'était pas inutile : elle nous mêlait au monde que nous avions quitté. J'aimais aller jusqu'à leur cafétéria, près du tombeau, pour les regarder boire, manger, les entendre parler dans toutes les langues, et d'abord celles que je ne comprenais pas. La vie ordinaire entrait au château et dans nos labyrinthes particuliers. Nous sentions ainsi l'air du temps, sous une forme qui nous était presque entièrement interdite : la vacance, la frivolité, le mouvement sans souffrance.

Il n'y a guère de légèreté chez les patients ; les visiteurs des Invalides leur en apportaient.

Dans ces vieux et beaux bâtiments, les patients étaient des silhouettes presque immobiles. Ils flottaient dans le tableau, solitaires ou par petits groupes. Ils faisaient partie des buissons et des meubles. Certains s'installaient toujours aux mêmes places dans le petit jardin situé devant l'hôpital qui, avec sa fontaine, rappelait un jardin italien. Un jeune architecte, qui avait fait un AVC un an et demi plus tôt, prenait le soleil à gauche de l'entrée, dans son fauteuil roulant, près d'un banc. Il lisait beaucoup, souriait souvent, parlait peu. Quand je l'ai rencontré, il lisait un roman de Le Clézio. Son visage était légèrement gras, légèrement rouge. Sa femme l'avait quitté. Peu à peu, ses amis s'étaient lassés de lui rendre visite. Il allait bientôt rejoindre un appartement aménagé. Il n'insistait sur aucune de ses peines. Un bon sourire fermait le constat de solitude et des incertitudes de la vie.

À quelques mètres, toujours sur le même banc, un ancien harki boiteux s'installait à l'ombre des arbres. Il vivait dans un foyer en Normandie et revenait ici régulièrement pour des soins. Il portait presque toujours un vieux costume au pantalon taché et un gilet tricoté à l'ancienne. Une grimace indiquait qu'il souffrait en marchant. Sa blessure à la hanche remontait à la guerre d'Algérie. Une fois assis, il dessinait lentement avec sa canne, dans la terre, des motifs géométriques dont je n'ai jamais compris le sens. Je n'aurais pas osé le lui demander. Lui aussi parlait peu. Son français était approximatif. Sa courtoisie le tenait à distance. Comme l'architecte, il était seul. De temps à autre, un autre Algérien, dans un fauteuil roulant, s'approchait de son banc. Ils se mettaient à parler en arabe, de plus en plus vite, de plus en plus fort, avec de grands gestes, la scène était récurrente et je n'ai jamais su s'ils se disputaient ou pas ; puis celui au fauteuil roulant s'éloignait en continuant de parler fort, de plus en plus fort, comme font parfois deux vieux paysans à distance l'un de l'autre, comme si les mots étaient des élastiques qui les retenaient et qui, en tirant dessus, devenaient stridents. Quand il avait disparu, le harki reprenait sa canne et son motif. Au moment de partir, il effaçait tout.

Sur un banc près de la fontaine, un garçon aux yeux verts d'une vingtaine d'années fumait au soleil. Il avait un visage fin et nerveux, un long corps musclé et une jambe en moins. Un soir en banlieue nord, après avoir pris quelque substance, il s'était engueulé avec son ami, et, par défi ou par chagrin, s'était mis sur une voie ferrée en voyant arriver un train. Il s'était retiré un peu trop tard. J'avais vu en Colombie des enfants jouer à ce jeu-là avec des trains miniers. Celui qui se retirait le dernier était celui qui gagnait. Il y avait, parmi les vainqueurs, beaucoup de mutilés. Le garçon aux yeux verts dégageait une colère puissante et silencieuse, menaçante, comme un parfum ou une fumée. Il l'évacuait au gymnase en soulevant de la fonte au rythme de ses cris. Telles étaient les trois principales silhouettes du jardin italien.

Je suis passé dans la grande cour, déserte à cette heure. Sur le chemin, j'ai croisé et salué le directeur des Invalides. Il allait bientôt partir et promenait pensivement ses deux chiens. L'un est mort pendant mon séjour. À l'entrée de la grande cour, j'ai monté l'escalier aux marches larges et basses, une merveille architecturale qui donnait l'impression de marcher sans effort. Il conduisait à la galerie supérieure, où se trouvaient les cellules closes des anciens soldats blessés, ceux des guerres de Louis XIV et de Napoléon. Plus loin, des armes de jet étaient fixées sur les murs.

On avait mis des photos en noir et blanc de différentes guerres françaises sur les piliers des arcades. Je me suis arrêté, comme chaque matin, devant celle qui me fascinait : un soldat de la Première Guerre mondiale, épuisé, sur la route, dans un paysage dévasté. On ne savait s'il était noir ou blanc, si c'était une femme ou un homme. On ne voyait par-dessus un corps de poupée que des yeux infiniment blancs, les pupilles clouées au fond de l'épuisement et de la terreur. Il voyait au-delà de celui qu'il regardait et qui le photographiait. C'était un revenant.

Au bout de la galerie, il y avait le grand salon. On y donnait parfois le soir des concerts, des conférences, des cocktails ou des dîners d'entreprise, quand ce n'était pas sous une grande tente dressée devant le tombeau. Il y avait alors à l'entrée de la cour et de l'escalier des hôtesses minces et blondes montées sur talons, qui prenaient froid en souriant au vide dans les implacables courants d'air, en demandant aux gens leurs cartons. J'y retournais volontiers pour avoir le plaisir de montrer mon visage et d'embarrasser. Un soir, un vigile de l'entreprise qui avait « privatisé » les lieux s'est approché. « Je suis patient », ai-je dit. Il a pris un air gêné, ne sachant trop quoi faire. Des costumes et des fourrures passaient, plutôt vulgaires. Il était bon de rappeler à cette volaille de luxe qu'il y avait ici des albatros.

J'ai fait mes flexions et mes extensions devant le grand salon, face au socle de la statue de Napoléon, partie à la restauration ; puis j'ai redescendu les marches et rejoint les pelouses aux lapins. J'ai longé les grands fossés et marché sur les vieux bancs de pierre pour exercer ma jambe sans péroné. Mon parcours était précis : je ne l'ai un peu modifié que pour accompagner un patient dont je reparlerai, le discipliné Monsieur Laredo. Il y avait ce matin-là un lapin mort, pas très loin de la grande entrée. Je l'ai signalé aux gardes. Le lendemain, la charogne n'avait pas été enlevée. Je ne l'ai plus signalée. Je suis entré dans la cour où se trouvait le grand canon couvert d'inscriptions turques et, après avoir regardé une dernière fois le pont Alexandre-III et le toit du Grand Palais, j'ai traversé la grande cour par le centre et regagné l'hôpital et ma chambre, en passant devant le chariot des infirmières. C'était l'heure du petit déjeuner.

Ensuite, je suis allé faire du vélo et du tapis dans le gymnase, que les kinés de garde me permettaient d'utiliser chaque week-end le matin. Il n'y avait jamais personne. C'était un moment de grande détente. L'effort nourrissait la solitude. On m'avait expliqué comment utiliser la chaîne hi-fi du gymnase. J'ai mis la musique cubaine à fond. La femme de ménage africaine qui sentait bon et qui riait fort est arrivée. Elle a fait glisser le balai en chantant pendant que je pédalais. En partant, elle m'a serré dans ses bras et m'a dit : « À demain ! » Son parfum est resté longtemps après elle, après le silence qui a suivi la fin du disque. C'étaient les Zafiros, de formidables imitateurs des Platters, dont le quatuor a cappella avait enchanté l'île dans les années soixante. Leurs vies avaient été tragiques et alcoolisées. De retour dans ma chambre, je me suis douché, rasé, enduit de crème protectrice. Il fallait ménager les pansements, les plaies, et ça m'a pris une demi-heure. J'avais recommencé à me laver les dents.

Je discutais dans ma chambre avec Simon, installé à dix mètres dans celle qu'avait occupée le président algérien Bouteflika, quand mon frère est arrivé. Je me souviens que nous écoutions un disque de Dave Brubeck, mais je ne sais plus de quoi nous parlions. De *Charlie*, sans doute, car il y avait beaucoup de tensions à ce moment-là, et les articles consacrés un peu partout à l'inévitable crise que traversait ce petit journal devenu symbolique et survivant n'arrangeaient rien : même s'ils pensaient le comprendre – personne ne se croit plus malin qu'un journaliste, j'en sais quelque chose –, ceux qui les écrivaient n'avaient pas idée de quoi nous revenions. Quand un homme ou un groupe entre dans le champ de réflexion des intellectuels ou des fabricants d'informations, il réveille une bête et il faut s'attendre à ce que les plus impatients et les plus médiocres d'entre eux se fassent les dents sur lui. Ils le font avec leurs théories, leur orgueil, leur prétendu sens de la mission, leurs préjugés. *Charlie* était entré dans une atmosphère où trop de gens étaient décidés à ne rien lui pardonner.

Je suis monté dans la voiture de mon frère. Les policiers en civil nous suivaient dans la leur. Ils avaient comme d'habitude pris le relais de ceux, en uniforme, qui restaient nuit et jour devant ma chambre et m'accompagnaient dans les Invalides. La ville m'a semblé presque déserte. En entrant dans ma rue, j'ai senti mon cœur battre un peu plus fort. J'avais envie de fuir, je n'étais plus chez moi, mais il fallait y aller. Pour la première fois, je reprenais contact avec le cœur géographique de ma vie passée. La première personne qui m'a vu était Lourdes, la prostituée basque qui tapinait à quelques mètres de chez moi. Elle m'a serré dans ses bras, m'a dit qu'elle avait eu des nouvelles par mes parents et parlé de l'élégance de mon père. Elle avait raison, mon père était toujours élégant, avec sa barbe blanche d'hidalgo impeccablement taillée. Il aurait eu sa place au Prado, pas vrai, Lourdes ? Nous avons parlé en espagnol comme toujours, et, comme toujours, elle riait et tonitruait. Sa présence m'a soulagé.

Mes clés étaient chez mes parents. J'ai pris le double chez les voisins, des amis mauriciens que je connaissais depuis plus de vingt ans et qui le conservaient depuis longtemps : ils veillaient sur mon appartement et relevaient mon courrier quand j'étais absent. Ils avaient continué à le faire depuis l'attentat. On les avait prévenus que j'allais passer ; l'émotion a été plus forte que l'absence de surprise. Nous avons parlé un moment et ils m'ont donné une pile de courrier. Un autre voisin, croisé dans l'escalier, m'a serré dans ses bras. Il avait les yeux rougis. J'étais calme, d'une sensibilité presque froide. Il fallait maintenant s'habituer à accueillir ces manifestations sentimentales, les accepter. Le film hospitalier d'urgence, où tout n'est qu'action, s'achevait.

Les manifestations de surprise ou d'émotion pouvaient être incongrues, donc amusantes. La veille au soir, j'étais allé pour la première fois dîner chez Juan. J'ai dit aux policiers que je voulais m'arrêter chez un marchand de vin situé à quelques mètres de chez lui, où j'avais mes habitudes. Le marchand de vin a commencé par regarder le bas de mon visage, l'œil intéressé mais éteint, puis son regard est remonté jusqu'au mien, et c'est alors qu'il m'a reconnu. Il m'a dit : « Que vous est-il arrivé ? » Je le lui ai brièvement expliqué. Il s'est presque excusé de n'avoir pas su que j'avais été victime de l'attentat, et m'a dit qu'il avait bien connu l'une des victimes, Elsa. « Vous arrivez à temps », ajouta-t-il : il quittait le magasin le lendemain pour se lancer dans l'import-export avec l'Afrique, sans rapport avec le vin ; et, pour la première fois, il m'a fait une remise sur la dernière bouteille que je lui achetais. « Vous et moi, lui ai-je dit, on commence une nouvelle vie. »

Chez Juan, il y avait des amis que je connaissais bien, mais que je n'avais pas vus depuis cinq ou six mois. J'ai eu l'impression que trente ans avaient passé. Il y avait des Français, des Italiens, des Espagnols. Leurs regards étaient tendres, ou joyeux, ou inquiets, ou paniqués. J'avais l'impression de me promener dans une cabine de verre, comme la petite danseuse de Degas. Toutefois, j'étais heureux d'être là et, pour la première fois, j'ai bu du champagne. Giusi, une amie bolognaise qui était, pour Juan et moi, comme une sœur élégante et déprimée, m'a pris le bras et l'a tenu une bonne partie de la soirée en murmurant : « Ça va aller, Philippe, dai, dai, dai… » Elle avait quelque chose de félin, mais sans les griffes. Ses paroles me massaient autant que ses mains, qui me rappelaient maintenant celles de la Castafiore. Je lui aurais volontiers donné du lait, un baiser ou un sourire ; mais je ne pouvais ni embrasser ni sourire, et elle préférait le vin.

Onze jours plus tôt, elle et Juan étaient venus me voir une dernière fois, le soir, à la Salpêtrière. Je venais juste de recommencer à manger liquide. Juan, cuisinier hors pair, m'avait de nouveau apporté du gaspacho maison. Je l'ai mangé difficilement sous leur nez, eux assis devant la tablette roulante, moi derrière, dans un silence complet. La nuit était tombée. On n'avait pas baissé le volet roulant. C'était le gaspacho de la mélancolie. Les lents gestes de la cuillère à soupe dans le bol et de la serviette sur le menton avaient fait le vide dans la pièce et en nous, un vide de tristesse contre lequel ni l'odeur de la tomate ni celle du concombre ne pouvaient lutter. Le vieux trio était reconstitué dans une extrême densité, tout au fond du bol. Giusi et Juan mangeaient du regard ce que je mangeais, leurs bouches fuyaient avec la mienne. Ensuite, nous avons mis un disque de Bill Evans. Nous n'avions pas de mots. J'ai pissé toute la nuit.

Les deux policiers, une femme et un homme, ne sont pas entrés dans l'appartement. La jeune policière avait des tatouages, une boucle d'oreille, des cheveux courts, des yeux clairs et violents. Mince, déterminée, d'une beauté androgyne, elle me faisait l'effet d'un couteau dans les mains d'une amazone. Avec elle je me sentais en sécurité, et comme redressé. L'homme, fin et musclé, avait un vague air de Jack Palance, mais comme si le véritable Palance avait été la caricature de celui qui me protégeait car, contrairement à l'acteur, il était beau. Il venait de Bordeaux.

Je suis entré le premier. La première chose qui m'a frappé, ce fut l'odeur – cette odeur de renfermé et de moisi, de livres et de vieille moquette évoquée dans le deuxième chapitre ; cette odeur qui me signifiait : celui que tu as été invite ici celui que tu es devenu, mais la visite aura lieu en l'absence du premier ; tu es dans l'appartement témoin de ta vie passée. La deuxième chose, ce fut le grand tapis irakien, plus détruit que je ne pensais. Je me suis dit qu'il était temps de le jeter. La troisième, ce fut la pile de journaux près de la fenêtre. Je me suis approché : il y avait sur le dessus le numéro de *Libération* du 6 janvier. Rien n'avait bougé depuis le matin du 7. Ma respiration s'est accélérée. Je tripotais les livres, les objets, avec une nervosité machinale. Après avoir fait le tour de l'appartement à la recherche d'indices de ma propre présence, et n'ayant rien trouvé, j'ai passé l'aspirateur. Les fourmis avaient envahi la mâchoire. Les livres s'entassaient partout, n'importe comment. J'ai compris l'effroi de mes parents lorsqu'ils étaient venus en janvier et j'en ai déplacé quelques-uns au hasard. Ils ont résisté. Je les dérangeais. En m'approchant de la pile de journaux, j'ai senti que si je revenais bientôt vivre ici, ce serait bref, car je commencerais par me jeter par la fenêtre. Une heure plus tard, nous sommes repartis. J'ai rendu les clés aux voisins et emporté un livre de poésie espagnole, des poèmes de Luis de Góngora.

La chaleur s'est installée pour des mois. Comme les chambres des Invalides étaient sous les toits et non climatisées, elle est vite devenue insupportable. Dans la journée, je punaisais une double épaisseur de tissu devant ma fenêtre à croisillons. Les policiers souffraient dans le couloir. En mai, on a distribué les ventilateurs. Certains patients n'en supportaient pas le bruit. Aux heures les plus dures, quand je n'étais pas au gymnase ou en rendez-vous médical, je descendais lire ou somnoler dans les souterrains. Nous n'avions accès qu'au premier niveau. Il y faisait 18 degrés. Des hommes et des femmes en fauteuil roulant, des éclopés de toutes sortes, des vieillards, allaient et venaient en silence sous ses voûtes antiques, parfois aidés ou poussés par des infirmières ou des aides-soignantes. Tout le monde ou presque était silencieux. Les lumières étaient basses. C'était comme la salle de garde d'un château médiéval et comme un vieux salon proustien vers la fin, dans *Le Temps retrouvé*, et c'est d'ailleurs là que j'ai en partie relu le dernier tome de la *Recherche* ; mais ce n'était pas le temps seul qui avait métamorphosé les visages et les corps, c'étaient les crimes, les accidents, les maladies. Dans ces immenses couloirs de pierre, il y avait quelques petites rangées de fauteuils, moins distants que ceux qu'on a mis sur les quais de métro pour empêcher les sans-abri de s'y allonger. Quand j'étais épuisé, par la chaleur et par la mâchoire et par tout, je m'y étendais, et, malgré l'inconfort, je m'endormais quelques minutes, je rêvais. Ici ni les tueurs ni la chaleur ni l'extérieur ne rentraient. Ici le passé et le présent étaient indifférenciés. C'était *le temps mélangé*.

En semaine, l'emploi du temps était chargé. À 9 heures, j'avais une première séance de rééducation dans le gymnase dit des kinés. Vers 11 heures, je rejoignais le second gymnase, situé de l'autre côté du tombeau de Napoléon. Quand il faisait trop chaud ou lorsqu'il pleuvait, j'y allais par les souterrains. Sybille, une jeune femme volontaire avec des aigles tatoués sur les bras, était mon coach. Assez vite elle m'a dit, d'un air martial et amusé : « Tu as pris cher, mais je vais te faire un corps de guerrier. Quand j'en aurai fini avec toi, plus rien ne pourra entrer en toi, sauf moi. » Elle exigeait beaucoup, donnait davantage, savait me faire rire de mes plaintes. C'était un alliage nerveux de fermeté affichée et de tendresse rentrée. Lui disais-je que j'en avais assez ? Une lueur ironique et une moue apparaissaient : « Tu veux me faire pleurer, c'est ça ? C'est pas l'endroit pour ça. » Et l'exercice reprenait. Je pédalais et me musclais sous son contrôle précis entre un grand résistant centenaire et l'une des victimes de Mohammed Merah. C'était le moment où, mon corps travaillant le plus, ma mâchoire se faisait discrète.

Je rentrais vite me doucher et manger, puis je filais, à partir de juin, chez Denise, ma kinésithérapeute spécialisée, pour une heure et demie de torture efficace. Je rentrais vers 14 h 30, me reposais une demi-heure, puis je rejoignais l'atelier d'ergothérapie, où je récupérais peu à peu l'usage de ma main droite, avant de finir au premier gymnase par une seconde séance de kiné. Il fallait ajouter deux séances hebdomadaires, l'une avec la psychologue, l'autre avec la psychomotricienne. Elles étaient essentielles, car c'est là qu'ont eu lieu, plusieurs fois, ce qu'en psychologie on appelle mes « effondrements » ; et c'est à la psychologue des Invalides que je dois d'y être resté beaucoup plus longtemps que le docteur S et Chloé n'auraient pu l'imaginer.

Ce programme n'a guère varié pendant des mois, cinq jours sur sept. Dans les trous, je lisais et j'écrivais mes articles pour *Libération*, pour *Charlie*. Ils faisaient, finalement, partie de la thérapie. Les amis passaient plus tard, vers 19 heures ou 20 heures, quand j'avais dîné. Nous buvions, nous parlions ensuite au foyer, sous le tombeau de Napoléon.

Il y avait peu de monde. Parfois, quatre patients, toujours les mêmes, faisaient une partie de cartes : deux allongés à plat ventre sur des brancards roulants, à cause de leurs escarres ; un en fauteuil roulant ; un autre avec une jambe artificielle. Un jour, le dernier m'a demandé de le filmer pour sa famille, en Algérie, tandis qu'il marchait entre les arbres et les plates-bandes. Nous avons fait plusieurs prises. Il fallait que ce soit réussi, qu'on le voie bouger de toutes les façons possibles sur sa jambe et dans la beauté. C'est la seule fois de ma vie où je me suis pris pour un metteur en scène. Des amis qui ne se connaissaient pas arrivaient en ordre dispersé, assistaient à ces scènes, parlaient du monde extérieur, repartaient ensemble. Plusieurs de mes vies se mélangeaient dans la cour du foyer. Quand ils s'en allaient, j'étais épuisé. Gant de toilette, vaseline, brosse à dents, visite de l'infirmière de nuit, antalgique, somnifère, bave mouillant l'oreiller, réveils, cauchemars, vue sur le dôme illuminé.

Le gymnase des kinés était comme le point d'eau pour les animaux en Afrique : le lieu où tous les patients se retrouvaient. Maria, une jeune Bolivienne malvoyante, avait été la première à faire bouger en mars le périscope qui me servait de cou. Comme elle allait suivre son mari en Australie, Pawel, un jeune Polonais au crâne rasé qui avait passé du temps dans un monastère bouddhiste, a pris le relais. Au moment où je l'ai rencontré, il lisait un roman d'Albert Camus pour perfectionner un français qu'il parlait bien. Les kinés des Invalides étaient excellents, attentifs et courtois, et Pawel ne faisait pas exception. C'est ici, en écoutant FIP ou de la musique cubaine, que Monsieur Tarbes a chassé ou endormi Philippe Lançon. Monsieur Tarbes était l'homme dont les cicatrices se refermaient. Chaque semaine, il laissait momentanément la place à Philippe Lançon, qui retournait en ambulance à la Salpêtrière pour vérifier l'état de la bouche et des plaies ; mais Philippe Lançon avait hâte de rejoindre les Invalides, ce merveilleux sas, pour redevenir Monsieur Tarbes, l'ami des statues.

Les patients qui se retrouvaient au gymnase, chacun avec son kiné, étaient de toutes sortes. Les blessures des uns étaient mises en perspective par les maladies des autres : il était rare d'entendre une protestation. Nous avions tous échoué, pour une raison ou pour une autre, dans ce monde à part, et nous y vivions une vie parallèle et secrète, suspendue comme une voiture à l'atelier de réparation.

Il y avait des militaires blessés au combat, des sportifs blessés à l'entraînement. Il y avait un très vieux résistant qui survivait depuis soixante-dix ans, et en silence, à son fils tué dans la Résistance. Il y avait un chef d'entreprise sarcastique qui avait fait un AVC et dont les saillies nerveuses faisaient rire la salle entière. Il y avait un ancien et célèbre ministre dans le même cas, qui roulait des yeux furieux et désespérés dans son fauteuil. J'avais fait son portrait dans nos vies antérieures et il ne m'a pas reconnu. Il y avait un élégant jeune homme chic, à la coupe impeccable et nette, genre militaire, qui rééduquait son ligament croisé. Il s'était blessé au football. Jamais son visage ne grimaçait sous l'effort ou la douleur. Quelques mois plus tard, nous l'avons vu revenir pour la même blessure, mais ce n'était pas lui : c'était son jumeau, à qui il était arrivé exactement la même chose, et qui avait en quelque sorte pris le relais. Lui non plus ne manifestait rien, sinon son chic mutique et sa bonne éducation. Il y avait un handicapé que le diabète rongeait peu à peu, comme une lèpre. Il avait perdu une jambe, et commençait à perdre le pied de l'autre. Son régime était draconien, mais il craquait régulièrement et avalait un ou deux paquets entiers de gâteaux. «Je sais que je ne devrais pas, me dit-il un jour, mais je n'ai aucun sens du devoir, même ici.» Sa passion était le rock et il s'organisait pour aller à tous les concerts possibles. Il y avait un boxeur noir, Louis, qui s'était pris une balle dans le dos sur un trottoir, à la suite d'un règlement de comptes où il avait voulu protéger un ami. Il était presque toujours enjoué dans son fauteuil et il enseigne maintenant la boxe en position assise dans un gymnase de banlieue. Il y avait un vieux colonel chauve qui roulait dans les couloirs, menton en l'air, les yeux mi-clos, sans presque jamais répondre à ceux qui lui parlaient; mais, quand il voyait une femme qui lui plaisait, il s'approchait d'elle sans paraître la voir, faisait soudain pivoter son fauteuil et, planté devant elle, lui récitait un poème classique. Il en connaissait des dizaines, sa chambre était pleine de recueils et sa mémoire intacte. C'est ainsi qu'un jour il se planta dans le foyer devant Gabriela, revenue me voir en mai, et lui récita entièrement *La Beauté*, de Baudelaire, sans un regard pour moi qu'il croisait pourtant chaque jour. Il y avait ce jeune militaire guadeloupéen qui avait été blessé par Mohammed Merah. Tétraplégique, souvent déprimé, il sortait enfin de sa chambre quand je suis entré aux Invalides. Je pédalais à quelques mètres de lui. Il y avait un ancien d'Algérie aux beaux cheveux argentés et aux yeux gris, toujours souriant, qui avait été blessé là-bas à la jambe. Il avait assez vite récupéré. Cinquante ans plus tard, comme un souvenir, sa blessure s'était réveillée, nul ne savait pourquoi, peut-être sous l'effet d'un virus dormant. La gangrène s'était déclarée et la perte de sa jambe lui avait définitivement rafraîchi la mémoire. Il y avait Simon, il y avait Fabrice, il y en avait vingt autres, et il y avait enfin le discipliné Monsieur Laredo et celle que j'ai vite appelée la petite Ophélie.

Le discipliné Monsieur Laredo était un gendarme de taille moyenne aux cheveux courts et gris, aux sourcils noirs, râblé, musclé, courtois, d'une increvable fragilité et entièrement vêtu de noir, short, tee-shirt et chaussures. Il avait été envoyé avec un collègue en mission à Erbil, au Kurdistan. Le soir de leur arrivée, alors que le collègue était sorti, il a commencé à flotter dans leur petit appartement. Il a vu les murs bouger, le canapé s'éloigner, mais ce tremblement de terre venait de l'intérieur. Il est tombé et, sentant qu'il perdait conscience, il a réuni ses forces pour ramper jusqu'au téléphone, d'où il a pu appeler en murmurant quelques syllabes qui l'ont sauvé – mais déjà il ne pouvait quasiment plus parler et l'espace s'est refermé sur lui. C'était un AVC. On l'a rapatrié d'urgence et à partir de la fin mai il était là, aux Invalides, avec son énergie muette et ses difficultés d'élocution. Il dormait peu. Le matin, il se levait à 6 heures et allait faire en marchant, au pas de course, vingt fois le tour complet des Invalides. Quand je sortais pour marcher, vers 7 h 15, je voyais passer sa silhouette noire dans le gris de l'aube et il m'est arrivé de me joindre à lui. Son itinéraire était encore plus maniaque que le mien. Il montait sur les murets bordant les fossés pour ne pas perdre un mètre de circonférence. Il minutait ses tours en me parlant de sa mission, de sa femme qu'il appelait « la femme », de son fils qu'il appelait « l'enfant ». Certaines phrases sortaient sans effort, d'autres butaient sans fin sur un mot. Je le retrouvais au gymnase où, entre des séances avec le neurologue et l'orthophoniste, il épuisait son angoisse sur le trampoline qu'on avait installé pour lui dans la ravissante cour voisine, que j'appelais la cour aux marronniers. Le discipliné Monsieur Laredo sautait, et sautait, et sautait, et Pawel me disait en souriant, amusé et inquiet : « S'il continue comme ça, il va exploser. C'est préoccupant. » Je le retrouvais en fin de matinée au second gymnase, où il soulevait de la fonte et multipliait les abdominaux sans un bruit. Il aurait sans doute pu traverser le Sahara avec une gourde et un sac de pierres sur le dos, mais les mots imprononçables créaient des obstacles plus embarrassants qu'une tempête de sable et il craignait comme la mort de ne pouvoir repartir en mission.

Enfant d'une famille noble et de militaires, la petite Ophélie était étudiante en école de commerce. Trois jours après le 7 janvier, elle est enfermée sur un balcon, dans une station de ski, par de facétieux compagnons de promotion. C'est la nuit. Il fait très froid. Elle est au deuxième étage. Elle veut passer sur le balcon voisin, jusque-là c'est une farce, mais elle glisse ou perd l'équilibre – elle ne se souvenait plus – et elle tombe. Comment, elle ne sait plus : les événements les plus brièvement violents et inattendus prennent toute leur place dans nos vies, puisqu'ils vont les bouleverser, mais les détails de leurs minutes irréversibles semblent échapper à nos mémoires – et je n'écris qu'avec le mince espoir de les restituer en partie. Proust se rappelle tout, peut-être parce qu'il ne lui est arrivé à peu près rien ; mais il aurait sans doute oublié, comme la petite Ophélie, de quelle façon il est tombé un soir d'hiver du balcon des Guermantes sur le pavé disjoint – lequel ne lui aurait rien évoqué d'une enfance désormais abolie. Et, au lieu du temps perdu et retrouvé, nous aurions eu droit à ce que nous vivions : au temps interrompu. Le livre aurait été plus court, moins génial sans doute : le génie aussi est déterminé par les limites qu'il franchit. Le temps de l'événement brutal est obscur et infini. Il n'a pas de limites.

La petite Ophélie se rappelait seulement qu'elle avait rabattu l'un de ses bras contre son corps – elle m'a un jour montré fermement le geste, celui d'un oiseau qui replierait mécaniquement une aile dans sa chute. Je me demandais en la regardant : mais quel chasseur lui a tiré dessus ? Après la chute, ce fut le coma : traumatisme crânien. Elle avait fini par atterrir aux Invalides. Des mois durant, nous nous sommes croisés chaque jour au gymnase des kinés, dans les couloirs, dans les jardins, accompagnés ou non. Sa mère lui ressemblait. Dans sa famille, les femmes que j'ai vues avaient les yeux clairs.

C'était une mince et longue jeune fille blonde et pâle au visage anguleux, au nez un peu long, et toute cette longueur gracieuse semblait avoir été reprogrammée pour faire d'elle un automate dont l'unique moteur aurait été l'angoisse. C'était la marionnette d'Ophélie qu'on croisait, une marionnette aux pas heurtés, aux épaules rentrées, allant et venant comme un papillon aveuglé par sa chute, ses nerfs qui ne répondaient plus, une héroïne sans couronne de fleurs sur la tête arpentant les grands espaces hospitaliers. Son regard innocent et effrayé me frôlait sans à peine me voir, ou en me voyant, qui sait. Il accompagnait malgré lui ma gueule cassée.

Le monde de la neurologie est brumeux pour ceux qui en subissent les traumatismes, comme il l'est pour les chirurgiens et les kinés. C'était le monde du regard clair et effrayé de la petite Ophélie. Celui qui s'y trouvait embarqué était sur la rivière dans laquelle flottait le corps de la véritable Ophélie, celle de fiction, celle d'*Hamlet*. Celle des Invalides était si farouche dans sa détresse que j'imaginais sans efforts les siens pour retrouver un minimum de confiance en elle et en n'importe qui d'autre. Elle errait parfois la nuit dans les couloirs, le regard paniqué. Elle avait une voix de fillette, qui s'est amenuisée peu à peu. Dans ces grands couloirs déserts à cette heure, où les visiteurs se perdaient et où les fantômes eux-mêmes auraient eu du mal à se retrouver, elle rejoignait les ténèbres dépendantes et affolées de la petite enfance. Un jour, plus tard, je lui ai dit : « Vous ne retrouviez pas votre chambre. Vous vous souvenez ? » Elle a souri : « Un peu. Je rentrais dans les chambres des autres… Est-ce que je suis rentrée dans la vôtre ? » Moi : « Non. Mais je vous ai raccompagnée une fois jusqu'à la vôtre. » C'était l'époque où ma chambre était protégée nuit et jour par les policiers et la petite Ophélie, toujours perdue. Les soignants ne savaient plus comment faire pour s'en occuper.

Peut-être était-elle en partie la cause – par inconscience, par maladresse – de l'attentat contre sa propre vie. Mais il n'y avait pas ici de différence entre les patients : les vies étaient unies par le rituel aux perspectives incertaines et par les exercices destinés à nous en sortir. Nous étions comme l'homme changé en cafard de *La Métamorphose* ; mais, à la différence du personnage de Kafka, notre entourage ne nous rejetait pas, ne nous écrasait pas. Il nous aidait à grimper le mur, à nous remettre autant que possible sur nos pattes en les fortifiant, sans toutefois nous faire oublier que nous étions tous devenus des répliques du pauvre Grégoire Samsa.

Pourquoi la petite Ophélie était-elle tombée ? Pourquoi y a-t-il tant d'angoisse ? Quelle est la vie des nerfs qui nous manquent ? On n'en sait pas grand-chose. On bricole. Et la petite Ophélie apprenait peu à peu à parler sur ce ton particulier qu'on avait presque tous, ici, lorsqu'on croyait devenir spécialiste de son propre cas : un ton modeste, « objectif » et précis. Ses problèmes, elle commençait à les affronter en lisant les *Contes de la bécasse*, de Maupassant, les plus courts avant les plus longs. Deux ans plus tard, nous étions l'un et l'autre sortis des Invalides, mais pas du labyrinthe. Un jour, elle est allée déjeuner au musée d'Orsay avec son orthophoniste. Un autre jour, elle m'a écrit : « En janvier 2015, une déviation est apparue. Celle-ci passe par le mont Béloukha. À mesure que le temps passe, le froid sibérien s'estompe. Les Russes sont si fascinants. C'est à l'évidence la vodka qui les rend ainsi ! » Elle me rappelait que nous étions entrés dans le monde où les visions prolongent les sensations, et que son drame avait fait d'elle, à sa façon, un écrivain.

Parallèlement à la rééducation, la lente et progressive cérémonie des retours a continué.

Un jour, avec mon frère et les policiers, je suis retourné dans les locaux où j'avais été blessé. Les investigations étaient depuis longtemps terminées. Avant de tout nettoyer et de restituer ces lieux maudits à je ne sais qui, on invitait les survivants à venir récupérer des affaires qui auraient pu demeurer sur place. J'étais déjà retourné devant le bâtiment, quelques semaines plus tôt, avec Gabriela. Je n'y étais resté pas plus longtemps que dans la rue où se trouvait *Libération*, le jour où j'étais allé au théâtre. Je m'étais mis à trembler. J'avais rejoint un espace où le temps se répétait, jusqu'à l'asphyxie, dans un ciel gris et dans une odeur de poudre. Il y avait partout l'ombre du noir des jambes des tueurs. Gabriela m'avait pris le bras. Nous nous étions éloignés vite fait, les policiers derrière nous, pour rejoindre le boulevard et l'autre vie.

J'étais donc fébrile en y retournant. Je ne savais pas ce que je trouverais. Je savais que mon bonnet d'hiver et mon caban déchiré par les balles et les ciseaux des secours avaient fini dans le purgatoire des pièces à conviction. Mon téléphone et mes clés devaient être également quelque part, sous scellés. Ce que je voulais d'abord récupérer, c'était le livre de jazz, *Blue Note*, que j'avais montré à Cabu juste avant l'entrée des tueurs.

Il y avait une nouvelle porte blindée, des policiers, un huissier. Les locaux n'avaient pas changé, ils étaient dans leur jus de violence et d'absence, comme un décor oublié, mais il manquait, au milieu de la salle où le massacre principal avait eu lieu, un élément essentiel : la grande table de conférence. Sans elle, l'attentat devenait presque incompréhensible. On avait nettoyé le sang : il y avait des cartons posés sur le sol, là où il avait résisté. Les impacts des balles étaient toujours visibles. Pour ceux qui étaient là autant que pour moi-même, j'ai raconté de nouveau la scène du 7 janvier, indiqué les emplacements des corps, dont le mien, et l'entrée des deux frères. J'ai revu Franck, le garde du corps de Charb, dégainer avant de mourir. Mais je n'ai pas trouvé le livre de jazz.

Une collègue m'a dit que les nettoyeurs avaient dû le jeter, comme tout ce qui était trop maculé. Je suis reparti avec un livre de Wolinski, *Mes années 70*, qu'il n'avait pas eu le temps de me dédicacer, et le *Dictionnaire du jazz* que j'avais mis ce jour-là, avec *Blue Note*, dans le petit sac en tissu colombien. Il n'était pas maculé. Dans la voiture qui me ramenait aux Invalides, en feuilletant le livre de Wolinski, j'ai pu mesurer une fois de plus par le rire, l'audace, l'imagination, tout ce qui nous séparait de ces libres années. Deux heures plus tard, j'ai reçu un appel. Le livre de jazz avait été retrouvé. « Mais il est taché de sang, m'a-t-on dit, il vaut mieux que tu le saches. Tu le veux vraiment ? » Je le voulais.

J'ai décrit ce livre dans le chapitre sur l'attentat. C'était un magnifique livre de photos en noir et blanc, faites dans les années cinquante et soixante par Francis Wolff, l'un des deux fondateurs du célèbre label new-yorkais Blue Note. Lui et Alfred Lion étaient des Juifs allemands, exilés d'avant-guerre. De Miles Davis à John Coltrane, d'Eric Dolphy à Dexter

Gordon, d'Horace Silver à Thelonious Monk, la plupart de ceux qui firent le jazz dans ces années-là ont enregistré sur ce label des moments musicaux presque tous inoubliables. Sur les photos, tous les musiciens sont beaux, tous ont une classe et un chic absolus. Presque tous sont noirs. Que donnent à voir les images de Francis Wolff ? Un monde où de grands artistes, issus d'une minorité opprimée, travaillant et vivant la nuit, traversant souvent des tunnels de drogue et d'alcool, créent une musique aristocratique. Ce sont les formes sensibles de la distinction et de la dignité.

Dans l'après-midi du lendemain, le coursier de *Charlie* se garait devant les Invalides au moment où j'allais retrouver Denise, ma kiné spécialisée. Il a proposé de déposer la grosse enveloppe au poste de soins, mais je ne pouvais pas attendre. Je l'ai prise et je suis allé directement au cabinet. Dans la petite salle d'attente, j'ai ouvert l'enveloppe, sorti le livre et d'abord je l'ai regardé. Sa grande couverture cartonnée sombre était tachée, mais on le remarquait à peine. On ne voyait que le pianiste Herbie Hancock, en 1963 – l'année de ma naissance. Il a des lunettes. Il regarde vers la droite, légèrement vers le haut, élégant et hautain, les mains sur le clavier. Il regarde probablement un soliste en hors champ. Les taches de sang se fondaient dans le noir de la photo. J'ai ouvert le livre, pour retrouver la photo d'Elvin Jones que j'avais montrée à Cabu. C'est alors que j'ai senti que les pages étaient collées. J'ai regardé leur tranche. Elle était couverte par une énorme tache : le sang – mon sang, peut-être mêlé à celui de mes voisins – les avait, en séchant, cachetées. Une à une, je les ai détachées en attendant la séance de kiné, remontant le temps jusqu'à l'époque où, à seize ans, avec mes premières économies, j'achetais mon premier vinyle de John Coltrane : *My Favorite Things*. Le jazz m'avait aidé à vivre ; le livre, à ne pas mourir. Les deux, désormais, étaient signés.

Pour le week-end de l'Ascension, mon frère et moi avions prévu de retrouver nos parents dans le village nivernais de notre enfance, celui où se trouvait la maison de nos grands-parents maternels. Ce serait mon premier retour à la campagne. Tout était organisé avec les Invalides et les policiers qui devaient m'accompagner, mais, quelques jours avant le départ, il y a eu un petit incident chirurgical.

Un après-midi, mes parents et ma tante m'ont rendu visite aux Invalides. Il faisait chaud. Nous buvions des jus de fruits à l'ombre, dans ma chambre. Soudain, tandis qu'ils me parlaient, une pluie de petites taches est tombée sur le haut de ma chemise, que j'avais choisie blanche pour l'occasion. J'ai pensé que la lèvre n'avait pas retenu le jus de fruits, jusqu'au moment où j'ai compris que c'était du sang. Mes parents et ma tante continuaient de parler. Ils n'avaient rien remarqué. J'étais muet. Je regardais les mots tomber des bouches et les gouttes de sang de mon visage. J'ai fini par m'excuser et je suis allé dans la salle de bains : dans le miroir, j'ai vu un trou sur la joue droite, au sommet de la plus grosse cicatrice, mal recouvert par une fine couche de peau qui ressemblait au film qu'on utilise pour recouvrir les plats entamés : une fistule venait d'apparaître. Le lendemain, j'étais à la Salpêtrière et Chloé, avec la seringue en forme de trompe de moustique, a confirmé que la communication entre l'intérieur et l'extérieur était rétablie. Pour elle, ce n'était pas grand-chose : le trou pouvait être rebouché à l'aide d'une « cicatrisation dirigée » ; mais le procédé exigeait la présence d'une infirmière capable de changer trois fois par jour une mèche de pansement à base d'algue, l'ergostéryl. Il fallait la glisser dans le trou avec assez de délicatesse pour qu'il diminue peu à peu, sans former de petite grotte sous la peau reconstituée. « Bah ! m'a dit Chloé. Allez à la campagne et trouvez là-bas une infirmière ! Ce n'est tout de même pas si difficile ! » Pendant le week-end de l'Ascension, ça l'était, mais, par chance, dans le village, notre plus proche voisine était une infirmière en retraite. Elle est venue cautériser le nouveau trou après chaque repas, pendant quatre jours, bénévolement, et j'ai vu le trou se résorber tandis que je tentais, dans le village, de colmater une autre béance en faisant le joint, comme aurait dit Ernest Renan, avec mes souvenirs d'enfance et de jeunesse.

Les policiers s'étaient installés dans une auberge située à quelques kilomètres. Ils en ont profité pour aller courir dans la campagne et bien manger. La chienne de mon frère, Usoa, un épagneul tibétain, m'a reconnu comme avait fait le chien d'Ulysse à son retour. J'ai marché le long de l'Yonne et du canal du Nivernais. J'ai regardé chacun des noyers qui conduisaient à la baignade. J'ai regardé l'herbe verte de la baignade, le camping désert et le grand virage de la rivière où j'aimais nager, parce qu'il ressemblait à l'Amazone et parce qu'on n'y avait pas pied. J'ai regardé la petite île couverte d'orties qui faisait face à la baignade, où j'avais cent fois imaginé qu'il était impossible d'en revenir. Je me suis arrêté sous le tilleul devant la mairie où mon grand-père aimait s'asseoir. Je suis allé chercher des œufs chez Ginette, la paysanne qui parlait aussi fort que le harki des Invalides quand on s'éloignait d'elle. J'ai vérifié l'agressivité de ses oies. J'ai croisé des voisins paysans que je connaissais depuis un demi-siècle, avec qui j'avais joué dans les silos et dans les champs et que je ne voyais quasiment plus. J'ai senti l'odeur du purin dans la rue par vent du nord. Je suis allé dans le jardin enchanté des parents de Toinette, mon amie d'enfance, qui était entrée dans ma chambre le 9 janvier et qui n'était pas là. J'ai rendu visite à Colette, une autre vieille voisine, qui ne sortait jamais de chez elle et qui m'a offert une bière. Elle n'avait plus de cheveux et elle était déjà mangée par le cancer qui allait la tuer. Nous nous sommes regardés longuement, avec une circonspection amusée. Elle a trouvé qu'ils m'avaient bien réparé. Je suis allé jusqu'aux flancs du mont Breuvois, où j'allais cueillir des mûres, et qui marquait la limite avec un autre monde, celui du village suivant. J'ai marché sur la route accidentée qui conduisait jusqu'à l'Armance, petite rivière près de laquelle, à sept ans, j'avais été un peu défiguré en passant par-dessus mon vélo. J'ai mangé mes compléments alimentaires et j'ai fait des compliments alimentaires à ma mère pour les plats moulinés qu'elle a passé du temps à préparer. Je suis allé sur la tombe de mes grands-parents. J'ai regardé le vieux lilas de notre cour, sous lequel ma grand-mère avait sa place en été, et je me suis assis au même endroit. J'ai posé sur la tomette rouge de ma chambre un pied droit encore sensible. J'ai dormi dans mon lit et j'y ai eu des insomnies.

De retour aux Invalides, la sonde gastrique a déchiré un muscle abdominal au moment précis où je sortais de la voiture des policiers. Le lendemain, on me l'a enlevée à la Salpêtrière. Je me suis senti libre et inquiet. Je n'avais plus maintenant que la bouche pour me nourrir. Dans la soirée, j'ai écrit une chronique assez emphatique, publiée la semaine suivante dans *Charlie*. Elle résumait le bref séjour au village, dans un monde qui n'était ni le passé, ni le présent, ni le temps retrouvé, ni le temps interrompu, mais, cette fois-ci, le temps suspendu. Je ne la cite que dans la mesure où elle informe sur mon état. Je n'en retranche qu'un passage agressif envers un intellectuel à réaction que je préfère oublier :

« Tout le monde n'a pas la chance d'avoir une maison de campagne. Celle de ma famille, dans la Nièvre, est une petite maison de village. Ses charmes discrets, qui ne sont pas de la bourgeoisie, viennent d'un vieil escalier en pierres et de sa verrière. C'est là que mes grands-parents, des personnes simples et pauvres issues du monde paysan, se sont installés après leur retraite, dans les années soixante. Qu'auraient-ils pensé de la multiplication contemporaine de crétins sans humour et de possédés ? Qu'auraient-ils dit ? Je n'arrive pas à l'imaginer. Ils avaient connu d'autres horreurs, à commencer, pour mon grand-père, la guerre de 14.

J'ai passé dans leur maison bien des vacances, des week-ends, des maladies infantiles, des périodes d'adolescent solitaire, d'homme marié, d'homme divorcé, de reporter de retour des pays lointains, de lecteur, d'écrivain. J'y ai marché, couru, pédalé, conduit, sur la moindre route et le moindre chemin situés à vingt kilomètres à la ronde. Mon corps a été en partie construit et déterminé dans et par cet espace bien tempéré, la vallée de l'Yonne. Ce n'est pas l'Anjou de Du Bellay ; ce pourrait l'être.

C'est donc ici, après plus de quatre mois d'hôpital, que j'ai effectué ma première longue sortie – trois jours. Ma famille m'y attendait. Des voisins, des amis d'enfance, sont passés me voir ou m'ont accueilli. Aucun d'entre eux ne m'avait vu depuis le 7 janvier. Leur attention était calme, délicate, élégante. Tous étaient plus qu'horrifiés, rendus muets par l'attentat. Sur le portail d'une maison où j'allais jouer enfant sous l'auvent, il y avait encore l'écriteau : Je suis Charlie.

Ce que je voyais, dans mon village, comme dans le service hospitalier qui m'avait reconduit vers la vie, c'étaient tout simplement des femmes et des hommes de bonne volonté. Ils savent et sentent – du moins m'a-t-il semblé – qu'ils ne veulent pas d'une société où le sommeil de la raison engendre des monstres semblables à ceux du 7 janvier. Savent-ils ce qu'ils veulent ? Employons, au conditionnel, un mot de Rousseau : ils voudraient, sans doute, un contrat social efficace, équitable et civilisé. Mais, s'il y a une majorité de gens pour le signer, il n'y a plus personne en France pour l'écrire et le mettre en œuvre.

J'essayais de le composer en marchant le long du canal lorsque, soudain, j'ai de nouveau pris conscience de mon état de revenant. On ignore à quel point les lieux où l'on a grandi nous façonnent jusqu'au moment où l'on y retourne comme si l'on était mort. Le corps et l'esprit retrouvent l'espace familier, mais ils ont changé. Comme les nerfs autour d'une greffe, le paysage, la lumière et l'air tentent de se frayer un passage jusqu'à eux, mais n'y parviennent pas. Tout s'affole, s'électrise. Tantôt c'est la surchauffe, tantôt l'insensibilité. Tout est en place, comme toujours. Mais le lieu familier, avec ses centaines de microscopiques histoires, ses kilomètres mille fois arpentés, ne vous reconnaît plus. Vous êtes entièrement chez vous et vous êtes un étranger. Et les souvenirs qui restent les vôtres renvoient, au fil de l'eau, vers l'avenir incertain : "Je" fut quelqu'un, sera un autre, et, pour l'instant, n'est plus. »

Plus tard, j'ai fait un rêve qui était le négatif de ce séjour, de cette chronique. C'est la guerre contre les islamistes, en Algérie d'abord, dans mon village ensuite. J'appartiens à un groupe, semble-t-il, qui lutte contre eux. Mais ils ont investi le village (lapsus : j'ai d'abord écrit le visage) et occupent un grand bâtiment dans lequel ils ont réuni des otages, que je dois rejoindre, encadré par des supplétifs (à eux, forcés). L'un d'eux, que je connais, me murmure que je serai le seul à être sauvé, car il y a quelques années j'ai sauvé la vie de l'un de leurs chefs. J'entre dans la grande salle où tous les otages sont à genoux. On me met avec eux et on commence à les égorger un par un. En arrivant à moi, l'égorgeur me dit : « Lève-toi ! Pour cette fois, tu peux partir. Nous payons notre dette envers toi. Mais il n'y aura pas de seconde fois. » Je suis maintenant dans ma chambre, la porte vers l'extérieur est ouverte et un couple d'amis prend le soleil en parlant des islamistes. Ces amis sont des militaires. Ils n'ont plus d'illusions. Je comprends que les islamistes ont gagné, vont revenir et que, cette fois, ils ne me louperont pas. Le village de mon enfance n'est plus un lieu de soulagement. Aucun lieu ne me permettra d'échapper à ce qui m'attend.

L'été s'était installé. Je suis retourné plusieurs fois à mon appartement, toujours avec mon frère et les policiers, toujours pour une heure ou deux. Assez vite, j'ai pris la décision de *déménager sur place*. Je n'avais la force ni de revivre au même endroit, ni de changer d'endroit. Il fallait donc tout refaire du sol au plafond. L'appartement entier serait bordé par une grande bibliothèque en bois de bouleau, faite sur mesure par le fils de Sophia, qui travaillait magnifiquement le bois. Cette bibliothèque me permettrait de ranger les livres en liberté. Elle était le symbole de ma reconstruction. Il fallait qu'elle soit belle ; elle le fut. Les travaux ont eu lieu pendant les trois derniers mois que j'ai passés aux Invalides.

Les mois suivants ont été marqués par le début du travail avec Denise, ma kinésithérapeute maxillo-faciale. C'était une femme solide et divorcée, d'un caractère jovial et dominant, aussi sévère envers elle-même qu'exigeante envers ses patients. Je n'ai vu qu'assez peu d'êtres chez qui le devoir et le plaisir paraissent sortir à ce point, comme des officiers, du même régiment. Elle avait beaucoup lutté pour être libre, autonome. Elle pratiquait avec acharnement la danse de salon, la marche en montagne et le théâtre en amateur. Elle rêvait d'être comédienne ; mais, dans sa jeunesse, une actrice de la Comédie-Française lui avait dit qu'elle n'avait pas une voix appropriée. Oisive jeunesse, à tout asservie… et d'abord aux pessimistes conseils des autres, dès qu'il s'agit de découvrir et de conduire par l'art ce qui nous tiendra lieu de personnalité.

La relation thérapeutique est à double sens : le travail et la nature de Denise ne convenaient qu'à un certain type de patient, dont je faisais visiblement partie. Comment définir ces patients – sans me faire passer pour un héros de la grimace organisée et du quotidien ? C'étaient de bons élèves, durs à la douleur. Ils se rééduquaient au premier rang, loin des cancres et des radiateurs. Ils voulaient de belles cicatrices, de bonnes notes et ils se soumettaient aux injonctions de Denise, dont la générosité n'avait rien de démocratique. Ils étaient ou ils apprenaient à être endurants, disciplinés. Ils savaient qu'ils ne venaient pas ici pour être flattés ni dorlotés : la bienveillance de Denise était profonde, mais cuirassée. Ils devaient laisser à l'entrée leur paresse, leur mauvaise humeur, leur crête de coq en position allongée. Ils devinaient dans l'autoritarisme et les ordres pleins de bonne humeur de Denise une marque supplémentaire de ses scrupules et de son engagement. Chloé m'avait prévenu : « Elle fait fuir des patients, et elle a tendance à croire qu'elle est la seule à savoir les soigner, mais je n'ai jamais rencontré quelqu'un qui leur consacre autant de temps, d'attention et d'énergie. » Les patients fidèles voyaient vite que les résultats étaient là : la bouche s'ouvrait, la lèvre molle se musclait, le lambeau se colorait, les cicatrices s'aplanissaient, les maxillaires se détendaient. Chaque séance, aussi dure soit-elle, entre massages et ventouses, était un dialogue et un échange de confessions. Elle se terminait, après la liste des exercices à mieux faire, par cette injonction renouvelée : « Et surtout, surtout, faites-vous plaisir ! » Denise aimait la galette, le gingembre et le bon chocolat.

Après Chloé et avant ma psychologue, elle est vite devenue l'un de mes surmoi thérapeutiques. Il y a une grande satisfaction à suivre certaines femmes : elles sont courageuses, sans vanité, et elles ne racontent pas de bobards. Denise me rappelait ma troisième grand-mère, à la volonté sanglée dans le fer, qui allait et venait comme un vieux lapin jusqu'à ses quatre-vingt-cinq ans, son haut chapeau noir en forme de coprin sur la tête et sans jamais se plaindre. La colonne vertébrale de ma grand-mère était décalcifiée, les médecins ne comprenaient pas comment elle pouvait marcher. Mais, comme disait Denise en souriant : « Les chirurgiens pensent et disent certaines choses. Nous sommes là pour les surprendre. »

Quand je ne faisais pas, ou mal, ce qu'elle me disait de faire, j'avais aussitôt une sensation aussi désagréable que lorsque je rendais un article que je sentais raté. Je devinais les erreurs, les redites, les lieux communs que j'avais la flemme de repérer. Je flairais ces taches d'encre traînant sur le bras du pousse-au-crime qu'est tout écrivain, mais, contrairement à Lady Macbeth, je ne cherchais pas à les nettoyer, alors même qu'elles partiraient. Un texte de circonstance était toujours le produit d'un accident de l'esprit (ou d'un attentat sur lui). Le texte raté est un patient qui n'a pas été convenablement opéré ni rééduqué, ou qu'il aurait mieux valu laisser mourir. Commence une lutte entre la paresse, la mauvaise conscience et l'oubli. La paresse et l'oubli font souvent alliance : pour l'article, demain est un autre jour qui n'existe pas. Pour le patient, c'était différent :

son temps était à la fois interminable et compté, demain dépendait implacablement de l'effort d'aujourd'hui. Je regardais Denise plaquer ses ventouses sur mes cicatrices et je me disais qu'on ne devrait sans doute écrire que sous la menace du pire.

La passion du théâtre et de l'articulation l'avait conduite, dans les années quatre-vingt, à imaginer avec quelques autres, à une époque où les chirurgiens s'en préoccupaient peu, des exercices permettant de rééduquer le visage, la mâchoire, la bouche des accidentés, becs-de-lièvre, cancéreux, brûlés, déformés de toutes sortes. J'étais son premier blessé par balles. Elle avait été l'une de ces héroïnes discrètes facilitant avec rudesse la vie des gueules cassées. Ces temps-ci, elle répétait une pièce de Jean Anouilh, *Les Poissons rouges*. Elle me parlait aussi de sa jeunesse en altitude, à Chamonix. L'escalade avait été pour elle une école de vie : « Il faut préparer son corps, concentrer son esprit, être attentif au moindre détail. Trouver le chemin et, tout en suivant les règles de sécurité, découvrir les prises qui nous conviennent le mieux. Surtout, ne jamais paniquer. Et, s'il faut faire confiance au guide, on doit apprendre à ne pas dépendre de lui. » La rééducation derrière Denise était une course en montagne, par une face nord qui laissait entrevoir des possibilités d'ensoleillement. Certains de ses patients l'appelaient la fée Carabosse, ce qu'elle rappelait avec plaisir. Certains chirurgiens disaient qu'elle avait un côté sadique. Certains de ses anciens collègues ne voulaient plus la voir : elle avait les défauts de ses qualités, et j'ai profité des secondes sans avoir à subir les premiers. Elle allait me suivre, trois fois une heure et demie par semaine, pendant deux ans et demi, jusqu'à la retraite. La dernière séance a eu lieu hors du cabinet qu'elle venait de quitter, dans une salle de danse où elle avait ses habitudes, sur un parquet. À la fin, nous avons replié la table de massage, rangé l'appareil à ventouses, puis elle a enlevé sa blouse et elle est apparue dans une jolie robe noire à volants, prête à danser. Sa soirée allait commencer. Nous nous sommes placés face au grand miroir et nous nous sommes pour la première fois photographiés, comme on salue à la fin d'un spectacle. J'ai été son dernier patient.

C'est en allant à son cabinet, à deux cents mètres des Invalides, que j'ai pour la première fois marché seul dans la rue. C'était à la fin du mois de mai. La veille, vers 21 heures, une responsable du Service de la protection m'avait appelé pour me dire que la garde permanente devant ma chambre serait levée à l'aube : les décisions semblaient prises aussi brusquement qu'à l'hôpital et je me suis d'abord senti non seulement abandonné, mais frustré. Ces dizaines de policiers en uniforme qui s'étaient relayés nuit et jour derrière la porte, qui m'avaient accompagné dans chacune de mes marches à l'intérieur de l'hôpital, ils faisaient maintenant partie de ma vie. On m'ôtait mes ombres sans délai et sans précaution. On me les ôtait et je n'avais pas même le temps de les saluer et de les remercier, les unes après les autres. Je ne pouvais appliquer l'un de ces rituels auxquels j'étais maintenant viscéralement attaché.

Je ne verrais plus le policier avec qui nous avions regardé un matin François Hollande recevoir le président ukrainien dans la grande cour au son d'une fanfare propre au cérémonial républicain, l'une de ces fanfares riches de cuivres qui avait si longtemps versé quelque héroïsme au cœur du citadin et qui, en cet endroit, sous cette lumière, entre ces arcades, théâtralisait la nostalgie du rêve républicain. Je ne verrais plus le policier arabe, ancien d'Afghanistan que la guerre et les façons d'agir américaines avaient dégoûté. Je ne l'entendrais plus me raconter à voix basse, entre les statues, comment il avait dû tirer dans un village sur un enfant qui portait peut-être une bombe et comment il avait dû ramener dans un blindé son meilleur ami dont la cervelle coulait. Je ne verrais plus le policier qui lisait Stefan Zweig et qui était revenu me dire que mon vieux vélo se trouvait toujours devant *Charlie*. Je ne verrais plus la petite policière qui écrivait un roman lesbien, ni le policier que j'appelais le Schtroumpf à lunettes, parce qu'il ne cessait d'étaler sa science sur n'importe quel sujet, la nuit entière, devant son binôme, ni celui qui améliorait Jack Palance, ni celui qui avait bondi hors de chez moi pour faire cesser une baston de rue qu'il avait vue commencer depuis ma fenêtre, ni la grande blonde acérée aux yeux clairs qui m'avait accompagné un dimanche après-midi chez mes parents. Je ne les verrais plus et je ne pourrais pas même leur dire au revoir. À la place, je leur ai écrit une lettre collective. Je me suis arrangé pour la leur faire parvenir et j'ai su qu'elle leur avait été lue.

Le lendemain matin, quand je suis sorti pour aller marcher, il n'y avait personne devant ma chambre. Le couloir était désert. J'ai mis mon masque et le chapeau de paille d'Italie que m'avait offert Sophia et, pour la première fois, j'ai franchi seul le portail donnant sur le boulevard des Invalides. En passant devant la guérite, j'ai regardé les gendarmes et je me suis demandé s'ils allaient m'arrêter. J'avais l'impression d'être l'un de ces prisonniers qui, dans les films, franchit sous un déguisement les postes de contrôle. J'aurais dû appeler les policiers en civil, toujours censés m'accompagner quand je quittais l'enceinte de l'hôpital, mais je ne l'avais pas fait. J'étais en faute, j'étais seul et j'étais libre.

Une fois dehors, je me suis demandé où aller. J'avais la sensation que, si je m'éloignais trop, je me perdrais et jamais je ne reviendrais. Avant de rejoindre le cabinet de Denise, j'ai décidé de faire le tour des Invalides par l'extérieur, *comme ceux d'en face*, en gardant les bâtiments à vue, et j'ai pu voir la silhouette de Monsieur Tarbes marcher à l'intérieur, de l'autre côté des fossés, en compagnie de celle du discipliné Monsieur Laredo. Au niveau de l'esplanade, j'ai vu, réellement cette fois, passer l'ancienne femme d'un ami. Elle marchait en souriant au vide, ses yeux myopes dans la brume. Elle ressemblait à une gazelle, toute mince, avec son long et joli museau, et portait une robe brune et légère. Il faisait chaud. Je suis passé à quelques mètres d'elle, qui marchait vite, en craignant comme la mort d'être reconnu malgré mon masque et mon chapeau. J'ai tourné la tête et regardé au loin le dôme du tombeau. Je n'avais pas la force de parler à des fantômes improvisés sur un bout de trottoir, d'être regardé par eux comme une sorte de colonel Chabert. Elle est passée sans me voir, joyeuse derrière son sourire qui la portait en avant, et j'ai simplement senti l'adieu à son parfum.

Après avoir fait le tour entier, j'ai rejoint la rue où se trouvait le cabinet de Denise en passant devant le musée Rodin. Je regardais la tête des gens, non pour les reconnaître, mais pour vérifier s'ils me regardaient, m'observaient, si quelque chose en moi les arrêtait, par exemple ce masque sur le visage qui allait, pendant plus d'un an, protéger mes cicatrices du soleil. Ni policiers, ni frère, ni amis : il n'y avait plus d'intermédiaires entre les autres et moi, entre les murs de la ville et moi, entre le ciel par-dessus les murs et moi, entre les vitrines et les voitures et moi. J'ai trouvé que les passants marchaient vite, qu'ils avaient l'air préoccupés. À part les enfants, toujours curieux et habitués au monde parallèle, ils ne regardaient rien. Ça m'a surpris : je venais d'un monde, celui de l'hôpital, où tout était fait de gestes et de regards précis – comme dans un atelier d'artiste. Ici, dehors, tout semblait vague et machinal. J'ai remonté le trottoir étroit de la rue de Bourgogne en regardant les boutiques, très ralenti, à la recherche des pas anciens. Une forêt congolaise n'aurait pas été moins étrangère que cette rue commerçante et bourgeoise où chacun paraissait avoir des rendez-vous, des activités, des soucis. Je suis entré dans une supérette et j'ai acheté un yaourt à boire, le premier depuis le 7 janvier au matin. J'avais enlevé mon masque. J'ai vu dans le regard de la caissière qu'elle avait remarqué la plaie. Elle a encaissé sans rien dire et, sur le trottoir, après avoir sorti un mouchoir, j'ai bu le yaourt et j'en ai mis partout. Chacune des gouttes tombées sur le bitume sale, semblables aux cailloux du Petit Poucet, me reconduisait à la maison.

Le 13 juillet au soir, j'ai assisté dans les Invalides désertes au feu d'artifice avec une trentaine de patients. Il faisait doux, avec un léger vent. Les fauteuils roulants étaient de sortie. Ils avaient affronté le gravier pour s'installer à quelques mètres du tombeau de Napoléon. De là, on croyait toucher les fusées, lancées depuis le Champ-de-Mars. À un moment, je me suis éloigné et j'ai regardé ces patients, mes semblables, mes frères, en sachant que nous allions un jour ou l'autre, bientôt, nous séparer. Sous les lumières multicolores, personne ne bougeait. On aurait dit des personnages de Watteau. Embarquions-nous pour Cythère, ou en revenions-nous ? La réponse ne m'a pas été donnée.

Avec l'été, les sorties se multipliaient. Un soir, je suis allé à ma première soirée mondaine. C'était une fête donnée par une amie du monde de l'édition, sur le toit du musée de la Marine. Ce toit semblait abandonné, avec ses différents niveaux, ses pierres fendues et ses murs écaillés

Quelques herbes folles avaient poussé. Plutôt que d'assister en survivant quinquagénaire à un cocktail, j'aurais préféré avoir sept ans et jouer ici à Robinson Crusoé. Je regardais chaque recoin en imaginant une cachette, une cabane. Je suis tombé sur des écrivains que je n'avais pas vus depuis longtemps et à qui je ne savais trop quoi dire. Les petits-fours m'étaient interdits, alors je buvais du champagne. Mes policiers s'étaient mis dans un coin avec ceux d'un autre protégé, Michel Houellebecq. Lui s'était recroque-villé dans un coin, en compagnie d'une femme souriante, elle-même écrivain, aujourd'hui morte. Je n'avais jamais rencontré Michel Houellebecq, l'homme qui le 7 janvier avait été notre dernier sujet de discussion. Nous nous sommes serré la main. Il semblait détruit, minéral et com-patissant. Son sourire s'arrêtait au bord de la grimace. Là où il se trouvait il prenait souche, avec sa tête sans âge et sans sexe, son allure de fétiche passé au feu. J'ai pensé que tout homme prenant sur lui, avec autant d'efficacité, le désespoir du monde, devait remonter le temps pour finir dans la peau d'un dinosaure. C'était l'animal que j'avais maintenant sous les yeux, et, alors que nous murmurions quelques mots peu compréhensibles sur l'attentat et sur les morts, il m'a regardé fixement et il a dit cette parole de Matthieu : « Et ce sont les violents qui l'emportent. » Je suis rentré quelques minutes après.

Épilogue

À l'été, les dernières protections policières ont cessé.
J'allais et venais maintenant seul en ville, d'un hôpital à l'autre. Il m'arrivait de croiser par hasard ceux qui
m'avaient gardé, par exemple en uniforme devant le siège
d'un parti presque défunt, ou, en civil, à une terrasse de
café, à quelques mètres d'un ministre qu'ils surveillaient.
Ce que j'avais vécu se superposait à ce que je vivais dans
un espace familier où il me faudrait bientôt revivre, et qui
relevait de la fiction.

À cette époque, la nuit, j'avais souvent une hallucination. Je me réveillais et j'entendais, dans la chambre où
je dormais, voler un frelon. Tantôt il s'éloignait de moi,
tantôt il s'approchait. J'avais peur qu'il me pique sur
la mâchoire ou sur la gorge. Chaque fois, j'allumais la
lumière, je me levais, je prenais et pliais un journal et me
mettais à chercher partout le frelon pour le tuer. Je ne
suis pas somnambule, j'étais parfaitement réveillé. Je ne
trouvais pas le frelon et son bourdonnement, assez vite,
cessait. Je me recouchais, j'éteignais la lumière, le bourdonnement revenait et le manège recommençait. Ce n'était pas
la conscience de vivre une hallucination qui finissait par le
faire cesser : je savais que ce que je vivais en était probable‐

ment une, mais le doute restait le plus fort. Ce n'était pas non plus l'accoutumance à la peur : j'avais aussi peur, si ce n'est plus, au troisième manège qu'au premier. C'était, simplement, la fatigue.

Les chirurgiens de la Salpêtrière ont peu à peu posé les bases d'une prothèse dentaire. Celui qui s'en occupait, Jean-Pierre, avait été matheux dans sa jeunesse, et aussi maoïste. Il connaissait certains des journalistes qui, à *Libération*, m'avaient formé. Il aimait la voile et l'Italie. C'était un pionnier et un as jovial de la chirurgie implantaire. Ses doigts étaient aussi épais que musclés, aussi musclés que virtuoses. Comme Denise lorsqu'elle me massait, il fermait les yeux en testant la prothèse, en vissant les implants. J'ouvrais les miens et je le regardais : un artiste, un musicien peut-être. J'avais vu des pianistes dans ce genre-là. Ils vous jouaient toutes les nuances de Liszt avec des mains de bûcheron. Jean-Pierre a tout de suite paru agréablement surpris par l'évolution de la mâchoire. Tout allait bien, tout allait mal. Avec Jean-Pierre, je passais peu à peu à la reconstruction. Mais le stade précédent ne risquait pas d'être oublié. Chloé me l'a rappelé un jour, en consultation, alors que je protestais contre mon absence ou mon excès de sensibilité nerveuse, suivant les endroits, autour de la lèvre et du menton : « C'est normal, vous êtes un mutilé ! »

À l'automne, je suis rentré chez moi. Ce n'était plus tout à fait chez moi, ni tout à fait chez un autre. Je m'y trouvais aussi bien que possible, dans un univers intime et renouvelé, le cul entre deux chaises et la conscience je ne sais où. Dans la salle de bains, j'ai posé la céramique que j'avais faite pendant des mois, avec ma main blessée, dans l'atelier d'ergothérapie : elle représentait un bateau poursuivi par un requin, dans une mer tropicale encadrée par deux palmiers.

Gabriela est revenue, quelques jours, pour m'aider à m'installer. Le premier soir, un radiateur fuyait. Paniqué, j'ai voulu retourner dormir aux Invalides. Elle l'a si mal pris que j'ai eu plus peur de sa colère que de rester. Elle était si furieuse que j'ai dormi dans le lit-bateau. L'appartement avait été entièrement refait, plus vite que mon visage. La nouvelle bibliothèque donnait une seconde vie aux milliers de livres que vingt ans de foutoir avaient dévorés et dont j'avais souvent oublié l'existence. Ils réapparaissaient comme des vieux amis au coin de la rue, sans m'effaroucher. Ils étaient silencieux, patients. Ce que j'avais vécu ne pouvait que nourrir les vies qu'ils m'offraient.

La mienne était quotidiennement rythmée par les rendez-vous aux Invalides, à la Salpêtrière, chez Denise. Je me rendais à tous les rendez-vous en marchant. Le vélo garé devant *Charlie* avait fini par disparaître et j'avais renoncé à m'en procurer un autre. Marcher pendant des heures était devenu une manière de vivre, de sentir et de respirer.

Il y avait toujours et sans cesse des premières fois, pour tout et pour rien. Les unes me perturbaient, les autres moins. Je n'avais pas cessé d'être vierge, mais on s'habitue à tout – ou, pour être plus précis, on s'habitue à ne s'habituer à presque rien. Une première fois se répétait plus que les autres : la rencontre inquiète avec le jeune Arabe dans le métro. Les policiers m'avaient déconseillé de le prendre, mais les taxis coûtaient cher, ils écoutaient des radios généralement stupides, certains voulaient savoir ce qui m'était arrivé ; puis je voulais m'éprouver et, comme aurait dit Chloé, « revenir à la normale ». Il n'était pas normal, du moins pour moi, de craindre tous les Arabes de moins de trente ans que je pouvais croiser.

Un jour, en septembre, je suis descendu à l'heure de pointe sur la ligne 13. J'ai collé mon lambeau sous le nez des passagers, vite appris à regarder ailleurs tandis qu'ils me regardaient, à être présent mais absent. À une station, un jeune Arabe est monté. Il avait l'air mauvais, la casquette vissée sur le crâne. Il s'est assis sur un strapontin. Il ne restait qu'une place assise dans le wagon, à côté de lui, mais personne ne la prenait, pas plus moi que les autres. Pourtant, j'étais fatigué. Mais quelque chose de moi ne voulait pas installer mon lambeau, ma fragilité, mes neuf derniers mois, à côté de lui. Il dardait des regards agressifs à droite, à gauche, comme pour vérifier l'effet qu'il produisait : « Je fais en sorte d'être exactement celui que vous pensez, et je suis pire encore, parce que vous le voulez. » Son allure, ma faiblesse, la fausse indifférence des passagers, tout m'a rendu triste au-delà de ce que j'aurais pu imaginer. Il est descendu avant moi.

Quelques jours plus tard, ce fut pire. Un autre jeune Arabe, cette fois très beau, fin, musclé, à la fois souple et tendu, s'est posé à côté de moi. Nous étions debout dans un wagon plein. Comme le précédent, il jetait des regards à droite, à gauche, non plus agressifs, mais d'une extraordinaire intensité. Il semblait chercher quelque chose. Peut-être simplement regardait-il dans un monde où la plupart des gens ne regardent pas. Et soudain, au milieu de cette foule et dans la chaleur, il a sorti et mis son bonnet, avec une extraordinaire lenteur, le plaquant sur le bout de ses oreilles comme s'il se préparait à une course dans le froid. J'ai alors pensé aux tueurs de *Charlie*, au fou du Thalys, aux Palestiniens qui tuent des Juifs au pistolet, au couteau, et, malgré moi, je me suis éloigné de quelques mètres en pensant : « S'il décide de tuer, il devra commencer par ceux qui sont entre nous deux. » Au moment même où je pensais cela, je fus horrifié par ma propre pensée et par l'amalgame qu'elle signifiait. La honte, comme souvent, était siamoise de la peur : même si c'était désagréable, il n'était pas mauvais de m'en souvenir et de l'affronter. Je n'ai pas fait un pas de plus pour m'éloigner et, si d'autres premières fois du même genre ont suivi, je n'ai plus bougé et je ne suis pas descendu.

En novembre, je suis allé à New York chez Gabriela, qui avait enfin divorcé. C'était mon premier voyage à l'étranger depuis l'attentat. L'université de Princeton m'avait invité à dialoguer en public avec l'écrivain péruvien Mario Vargas Llosa. Pendant trente ans, j'avais été l'un de ses lecteurs. Depuis quinze ans, j'étais l'un de ses critiques et je l'avais interviewé, un jour, dans son appartement parisien. L'attentat faisait de moi, le temps d'une conférence, l'un de ses interlocuteurs. Je n'avais guère d'idées ni d'informations sur la démocratie et le terrorisme. J'imagine que mon lambeau parlait pour moi. J'étais heureux, toutefois, de parler avec un romancier que j'admirais, un architecte du récit, dont l'œuvre avait su conter les délires néfastes de l'idéologie.

Le 13 novembre dans l'après-midi, il faisait beau et j'ai accompagné Gabriela à Wall Street. Elle avait rendez-vous chez son avocat pour régler des questions financières. Je suis resté dans la salle d'attente pendant qu'il la recevait. J'ai ouvert les Mémoires d'Edith Wharton et lu pour la seconde fois le portrait qu'elle fait d'Henry James. « Ceux qui ne l'ont pas connu, écrit-elle, ne peuvent imaginer à quel point ses livres ne sont que l'ombre de la matière et des nuances de son esprit au cours d'une conversation. » J'avais lu dans cette ville et chez Gabriela, à l'été 2014, *Les Ambassadeurs*, et je me suis demandé quelle parole pouvait être plus nuancée, plus complexe, plus dense que ce roman de génie. J'aurais voulu connaître Henry James et vivre dans la civilisation qui avait permis une telle mélancolie jointe à une telle finesse de création. Ses livres étaient des enterrements de première classe.

Le jour commençait à décliner. J'ai refermé le livre d'Edith Wharton et je suis allé jusqu'au bout du long couloir du cabinet de l'avocat. Par la baie vitrée, on voyait le soleil cuivrer le sud de Manhattan et la mer. Tout respirait la puissance et la paix. Je n'ai pas bougé jusqu'au retour de Gabriela. L'avocat, un Juif new-yorkais râblé, facétieux et court sur pattes, aurait pu sortir d'un film de Woody Allen. Gabriela semblait satisfaite. Je me suis senti joyeux.

Comme le crépuscule était splendide, nous avons décidé de marcher en direction de Broadway. Nous étions près de Trinity Church quand mon téléphone a sonné. J'ai décroché et j'ai entendu la voix de Fabrice, un ancien collègue de *Libération* qui vivait désormais à New York et qui était devenu, en passant l'Atlantique, un ami. C'était une belle voix grave, assez chaude, une voix que je connaissais bien. Elle m'annonçait qu'une attaque avait lieu, en ce moment même, au Bataclan, qu'il y avait des morts, des blessés, des otages, on ne savait ni combien ni comment. La voix de Fabrice a ajouté que c'était sans doute une attaque terroriste, probablement islamiste, mais on n'était sûr de rien. « J'ai préféré te prévenir, a ajouté cette voix, pour que tu n'apprennes pas ça n'importe où, n'importe comment, sur un écran, dans un café ou dans la rue. » J'étais dans la rue, et j'ai pensé qu'il n'y avait pas de bonne façon d'apprendre une chose pareille, ce hoquet sanglant de l'Histoire et de ma propre vie. Plus la voix me parlait, plus les informations arrivaient, rectifiant et noircissant ce qu'elle venait de dire et qu'elle corrigeait. J'ai fini par remercier Fabrice, j'ai raccroché et j'ai serré le bras de Gabriela en lui disant : « Marchons. »

Elle a regardé mon visage, le sien s'est froissé et elle m'a demandé : « ¿ Qué pasa ? » J'ai encore fait quelques pas avant de lui répondre, puis je lui ai demandé de regarder sur son portable quelles étaient les nouvelles exactes, les plus fraîches. Elle m'a dit que ces nouvelles ne pourraient me faire que du mal et qu'il valait mieux continuer à marcher et attendre d'être à la maison. Mais pouvais-je attendre ? À cet instant, l'air gris sombre aux odeurs de poudre est descendu depuis le haut des gratte-ciel, comme un nuage lourd empli de plomb froid. Il m'a enveloppé, décollé par l'effroi de tout ce qui m'environnait et qu'on appelle la vie. C'était de nouveau, comme au réveil après l'attentat, un *décollement de conscience*, et j'ai senti que tout recommençait, ou plus exactement continuait, en moi et autour de moi, parallèlement à tout ce qui sous mes yeux défilait. Dans ce nuage il y avait les cris dans l'entrée de *Charlie*, le geste trop lent de Franck, les corps de mes amis morts, la cervelle de Bernard, les regards de Sigolène et de Coco, et par-dessus tout le souffle et la présence des tueurs aux jambes noires qui ressurgissaient comme par une faille dans l'espace-temps.

Dans une lettre, Henry James avait écrit qu'il regardait l'Histoire « comme un homme à bord d'une locomotive, sans aucune aide ni compétence, regarderait filer le véhicule ». Nous n'étions plus très loin de l'endroit où, le 11 septembre 2001, la locomotive s'était de nouveau emballée. Cette course avait commencé bien avant, les spécialistes discutaient des événements et des dates, mais ici avait eu lieu le début de quelque chose dont la suite, après la borne du 7 janvier où nous avions fini dans la chaudière, se répétait en s'amplifiant. New York, un endroit où je me pensais à l'abri du rayonnement maléfique, ne me protégeait de rien. Nous sommes descendus dans le métro et nous avons rejoint aussi rapidement que possible l'appartement de Gabriela, dont nous ne sommes plus sortis. Cette nuit-là, j'ai regardé les lumières de la ville et je n'ai pas dormi. Vers 1 heure du matin, j'ai reçu un texto de Chloé : « Je suis heureuse de vous savoir loin. Ne rentrez pas trop vite. »

Composition : Nord Compo
Achevé d'imprimer
sur Roto-Page
par l'Imprimerie Floch
à Mayenne, en novembre 2018.
Dépôt légal : novembre 2018.
1er dépôt légal : avril 2018.
Numéro d'imprimeur : 93571.

ISBN 978-2-07-268907-9 / Imprimé en France.

349573